KB102998

LAMBDA PASSIVE HOUSE PROJECT

람다패시브하우스 프로젝트

람다패시브하우스 프로젝트

한국형 패시브하우스 설계&시공 모니터링

초판 1쇄 발행일 2019년 7월 22일

저자 홍도영

발행인 이 심
편집인 임병기
책임편집 조성일
편집 이세정, 김연정, 조고은, 신기영
사진 홍도영, 변종석(별도표기 외)
디자인 Quiet, Dear!
마케팅 서병찬
총판 장성진
관리 이미경

발행처 ㈜주택문화사
출판등록번호 제13-177호
주소 서울시 강서구 강서로 466 우리벤처타운 6층
전화 02 2664 7114
팩스 02 2662 0847
홈페이지 www.uujj.co.kr

출력 삼보프로세스
인쇄 북스
용지 영은페이퍼㈜

정가 38,000원
ISBN 978 89 6603 050 7 93540

이 도서의 국립중앙도서관 출판예정도서목록(CIP)은 서지정보유통지원시스템 홈페이지(http://seoji.nl.go.kr)와 국가자료공동목록시스템(http://www.nl.go.kr/kolisnet)에서 이용하실 수 있습니다.(CIP제어번호 : CIP2019026651)

LAMBDA PASSIVE HOUSE PROJECT

LAMBDA PASSIVE HOUSE PROJECT

람다패시브하우스 프로젝트

한국형 패시브하우스 설계&시공 모니터링

시작하면서

언제나 그렇듯 시간은 참 빨리 지나간다. <패시브하우스 설계 & 시공 디테일>[1]을 출간한 지 벌써 7년이 지났다. 당시 패시브하우스에 관한 내용을 건축물리학적인 관점에서 폭넓게 다루고자 했으나, 시간이 지나면서 많은 아쉬움을 느끼는 것도 사실이다.

이후 고효율 건물을 지으려는 사람들의 이해를 돕기 위해 국내에 다양한 구조의 패시브하우스를 설계하면서 각 사례별로 보고서 형태의 추가 단행본을 만들어야겠다는 계획을 세웠다. 하지만 사무실과 현장 사이의 삶에서 다른 것에 눈을 돌리기가 어려웠기에, 계획대로 진행하는 것이 녹록지는 않았다. 그래도 나름 목차를 만들고 다뤄야 할 내용을 정리하다 보니, 시작이 반이라고 그 자체가 동기를 부여했다.

이 책이 어떤 이들에게는 패시브하우스에 관해 그동안 정리되지 않았던, 이해가 끊어진 부분을 잇는 가교가 되었으면 한다. 부족한 것을 깨달아 개선하고 최근의 정보와 자재 그리고 그 동안의 시행착오를 쉽게 풀어내는 것은 어려운 작업이지만, 집중해서 하나씩 풀어내고 정리를 한다면 읽는 사람들에게 큰 도움이 될 것이라 기대한다. 다만, 개인적으로 더 많은 내용을 광범위하게 다루길 원했지만 현실적으로 그러지 못해 아쉽다.

이 책은 이미 완공된 건물을 소개하는 한 편의 보고서처럼 구성되었다. 집을 지으려 계획하는 건축주를 위해 시작한 글이지만, 안타깝게도 대부분의 내용은 일반 건축주들이 읽고 이해하기에는 다소 어려울 것이다. 건축주 외에 건축가, 시공자 그리고 기타 엔지니어들을 위한 내용이 대부분이다. "어떻게?"라는 문제를 중점적으로 다루기에 기술적인 내용의 깊이를 조절하기가 쉽지 않았다. 이 점에 대해선 비전문가인 건축주들의 이해를 구한다.

첫 단원은 패시브하우스를 이해하기 위한 기본 개념 정립과 설명에 관한 내용이다. 불필요한 숫자는 아주 많이 생략했다. 다음 단계로 이 개념을 설계에 어떻게 반영했는지 집중적

1 패시브하우스 설계 & 시공 디테일, 홍도영 지음, 주택문화사, 2012

으로 다루고, 마지막으로는 시공 단계에서 계획한 것이 어떤 방법으로 적용되었는지를 검토하게 된다.

특히 여름철 실내 환경의 쾌적성을 주로 다뤘다. 쾌적성과 유지보수관리를 고려한 시스템 조합이 아직은 부족한 점이 많다고 느끼기 때문이다. '어느 정도는 만족합니다'의 수준이다. 가장 모범 답에 가까운 조합을 찾기 위해 다각도에서 이 이슈를 다루고자 했지만, 원하는 답을 얻을 수 있을지는 예단할 수 없다. 일단 시도해 보는 것이다.

필자가 독일에서 활동하는 건축가이기에 설명을 돕기 위해 독일의 사례를 많이 소개했다. 독자의 입장에서는 다른 나라는 비슷한 문제를 어떻게 다루는지, 차이는 무엇인지 간접 경험해본다고 여기길 바란다. 그런 점에서 읽는 사람이 불편하지 않도록 독일어 표현을 가급적이면 줄였고, 우리나라 말로 직접 번역이 어려운 경우에는 영어식 표현을 빌려 이해를 돕고자 했다. 단위나 표시방법도 한국식으로 변경하려고 노력했다.

더불어, 건축주가 그동안 본인의 블로그에 올린 내용 중 몇가지 이슈를 그대로 담는다. 현실에 와 닿는 내용이 많아 현장감은 둘째치고 오히려 이해하기가 더 쉬울 것이다. 내용을 서로 비교하고 생각하다 보면 재미도 있고 더 완성도가 높은 글이 되리라 희망한다.

목차

변화의 시대

현재 우리나라 건축에 무엇보다 시급한 과제는 기후변화에 대한 건축계의 답안을 제시하고, 이를 건축환경이라는 바탕 아래 공학적으로 즉, 적용 가능한 정량적인 수치를 확보하는 것이다. 지구온난화의 원인을 찾아내서 분석하고 발표하는 것, 그 결과를 현실에 적용하는 것도 중요하다. 하지만 우리에게 피부로 와 닿는 중요한 목표는 한정된 화석에너지 자원을 필요한 만큼만 효율적으로 사용하고, 투입되는 에너지 효율을 극대화해 현실적인 변화를 만들어 내는 것이다. 지구온난화에 대응하여 기후협약에 서명한 정부 입장에서는 일차에너지값이나 투입되는 에너지의 계수, 온실가스의 절감이 어느 정도 되는지 비교·분석하는 것이 중요하겠지만, 건물 사용자 입장에서는 '내 주머니에서 최종적으로 나가는 에너지 비용이 실제 얼마인가?'가 가장 화두일 것이다. 또한 '그 비용에 합당한 쾌적함을 누리고 있는가?', 그것이 두 번째 관심사가 될 것이다.

우리 후손에게 물려 줄 환경에 대한 고민도 중요하지만 이를 위해 감당해야 할 경제적 부담이 우리의 확신과 목표를 흔드는 수준이라면, 현실과 이상 사이에서 갈등하지 않을 수 없다. 다만, 우리가 확실하지 않은 미래를 위해서 과감히 투자를 하는 대상이 있는데 바로 '건강'이다. 각종 한약이나 비타민제를 복용하고, 좋은 물을 마시기 위해 정수기를 사용하고, 미세먼지를 피한다고 공기청정기를 설치하는 일에 주저하지 않는다.

층간 소음 문제, 미세먼지, 라돈Radon(222Rn)이나 토론Thoron(220Rn)과 같은 방사선 물질에 대한 사회적 이슈, 더불어 건물의 종류와 높이에 따른 방화 문제 등은 이미 유해성 진실 여부를 떠나서 더 이상 남의 얘기로만 치부할 수 없는 일상의 문제가 되었다. 이 이슈들은 나와 직접적으로 관련해 내 주변에서 일어나는 문제이고, 이를 개선하기 위해 무언가를 해야 한다는 것에는 누구나 동감을 한다. 이것이 사회적 비용 증가와 관련이 있다는 것도 이제는 모두가 알고 있다. 반드시 조치가 있어야 한다고는 합의된 문제이지만, "과연 현재 우리 기술력이 경제성 측면에서 납득할 수 있는 수준으로 준비되어 있고, 시장에 공급이 되고 있는가?"라는 질문에는 건축가 입장에서 긍정적인 답을 하지 못하겠다. 우리는 아직 그 정도 수준에는 도달하지 못했다.

2017년 의정부와 제천에서 있었던 참사 등 잇따른 대형 화재 이후 문제를 해결하기 위해 법적인 보완대책이 만들어지곤 했다. 그러나 불연재의 화재 확산 방지띠나 층간소음재에 들어가는 단열재의 각 용도별 하중에 대한 처짐과 같은 기초적인 데이터도 아직 정리되지 않았다. 일선에서는 어떤 단열재를, 어디에 어떤 방법으로 사용하고 시공해야 하는지조차도 혼란스러워하는 상황이다.

2018년 9월 1일부로는 「건축물의 에너지 절약 설계 기준」 법안이 시행되었다. 수치적으로는 단열 성능이 패시브하우스 수준으로 강화되었지만, 패시브하우스를 설계하는 건축가 입장에서는 오히려 걱정이 앞선다. 참으로 아이러니한 일이다. 가장 중요한 문제는 적합한 단열재를 시공할 기준이나 여건이 아직 제공되지 못하고 있다는 점이다. 불연단열재를 외단열 미장공법으로 문제없이 시공하는 것은 결코 쉬운 일이 아니다. 제대로 된 시공을 위해서는 해당 단열재의 제조 및 유통, 관리, 고정 부자재에 이르기까지 그 기반이 마련되어야 한다. 개정된 법안이 형식적으로는 외단열의 안전 강화를 표방하고 있지만, 우리나라가 처한 건축 현실을 감안할 때 현장에서는 제대로 실현되기 어려울 거라 생각한다. 역설적으로 이 법안은 '외단열 금지법'과 동일한 효과를 가지게 될 것이고, 이후 불연단열재를 외단열 미장 공법으로 시공할 수 있는 작은 기회조차 원천 봉쇄될 것이라 우려가 된다. '생산이 가능하다'가 '적용이 가능하다'는 것을 의미하지는 않는다. 여론과 매스컴에 떠밀려 시끄러운 것은 일단 책상에서 치우고 보자는 섣부른 행정 결정이 아닌가 싶은 면도 있다. 단열 기준 강화가 오히려 문제 해결을 어렵게 만들고, 기술 발전을 가로막는 악수(惡手)가 되지 않도록 주의해야 한다.

한 예로 지방자치단체 건축물심의위원회에서 저층 건물에도 "난연단열재는 안 되고 반드시 불연단열재로 변경을 해야 한다"라는 기이한 결정을 내리는 일까지 생기고 있다. 빈대 잡자고 초가삼간을 태우는 격이다. 이것은 비경제적이고 비과학적인 문제 해결 방법인 한편, 우리가 처한 현실이자 소위 전문가들의 위상을 보여주는 행태가 아닐 수 없다.

과거 건축계의 부실공사를 뿌리뽑고자 만든 설계·감리 분리제도라는 것이 과연 합당한지에 대해서도 다시 생각해 볼 때이다. 특히 소규모건축물의 경우 법에 의해 설계를 한 건축사의 손발을 묶고, 건물과 관련이 없는 지역 건축사사무소가 현장 감리를 진행한다. 과연 이로 인해 건축적인 질이 얼마나 좋아졌는가. 독일의 경우 감리만 따로 하는 제도는 없다. 턴키방식으로 하더라도 설계를 한 사무실에서 최소한 디자인 감리(설계 의도 구현)를 진행하는 것이 일반적이다. 그렇지 않고는 설계할 때에 고려한 전체적인 큰 그림을 확보할 수가 없기 때문이다.

독일에서는 보통 설계사무소가 공정별로 발주하고 현장의 모든 진행 사항(공정, 금액, 일정 등)에 책임을 지면서 일한다. 만약 턴키방식이라 할지라도 구조·설비·방화 등 각 분야를 설계한 전문 담당자가 현장 감리를 본다. 실시설계를 하더라도 현장은 변경이 있을 수밖에 없고 이를 위한 대안협의가 반드시 필요하다. 건축설계자나 분야별 전문가들이 설계 시 고려하지 못한 것이 있기 마련이기에 시공 과정에서 지속적으로 보완을 거친다. 설계자가 디자인 감리를 통해 설계 도면과 시방서에 고려된 사항이 현장에서 같은 질로 시공되는지 판단하는 것은 시공사, 감리자보다는 설계를 한 건축가가 디테일에 대해 더 잘 알고 있기 때문이다. 그런 이유에서 독일은 각 단종의 시공 도면을 건축가의 실시도면과 비교하고 건축가가 서명해야만 비로소 시공에 들어간다.

누군가는 제3자의 감독없이 행해지는 건축물의 품질을 어떻게 믿느냐는 의문을 가질 수 있다. 답은 간단하다. 그들은 엔지니어이고 당시 유효한 기술 기준에 준해 설계를 해야 하고, 그에 대한 책임을 가지고 있다. 만일 그들이 부실 설계를 하거나 날림 시공을 눈 감아준다면 독일에서는 그 책임 결과를 감당하기 어렵다. 사무실들은 의무적으로 보상보험을 가입하지만, 보험이 보장하는 것 외의 업무 및 책임 불이행으로 엄청난 타격을 받는다. 준공 후 십 수년이 지난 건물을 두고 건축가의 합당하지 못한 설계로 인한 소송을 진행하는 경우도 많다. 당시 설계에 참여한 사람이 회사를 모두 떠난 상태인데도 말이다. 그 정도로 건축물의 하자는 모든 관계자들을 끈질기게 추적한다. 추적이 가능한 것은 그 당시의 설계와 시공을 판단할 수 있는 '기준'이 있기에 가능한 것이다. 필자 사무실의 책장에는 총 4종류의 문서 분류가 있다. 생산업체의 카탈로그, 프로젝트 문서, 건축 관련 도서 그리고 나머지 하나는 막대한 양의 기준이다. 설계 과정에서는 기준 관련 문서를 제일 많이 찾아본다.

필자가 국내에서 주택 관련 소송을 몇 번 도와주며 놀랄 때가 있었다. 의도적인지는 모르겠으나 전문가들이 제출한 보고서가 가장 중요한 핵심 부분은 다루지 않았기 때문이다. 문제를 객관적으로 판단하기 위해서는 기준 혹은 관련 기술에 근거하여야 한다. 결로, 곰팡이의 발생 원인은 무엇이고 설계와 시공 상태를 고려했을 때 어떤 기준에 부합하는지, 또는 그렇지 못한지에 대한 명확한 언급이 상당히 부족하다는 인상을 받았다. 오히려 우리나라 법정에서는 사건의 실체와는 크게 상관없는 해외의 연구자료가 무슨 대단한 근거인 양 소개되기도 했다. 이런 기준의 부재는 정확한 판단을 흐리게 하고 혼란만 가중시킬 뿐이다. 더불어 적용되는 기준마저도 이해하기에 어려운 점이 많다. 이런 상황이 되면 소송에서 이기는 쪽은 이미 정해진 것이다.

설계를 하는 건축가들이 결과에 대해 책임을 지는 사례가 얼마나 있을까? 건축가가 건축법을 지키는 것은 당연하지만, 법은 언제나 그렇듯 최소한의 규제이다. 예를 들어 어떤 기준에 따라 단열 계획을 하고 창호 계획을 하는가? 단순히 건축법 상의 단열 요구 조건에 따라 지역별 단열재 두께를 지키는 것 외에 건축 부위별로 어떤 단열재를 어떻게 시공해야 하는가? 건축가가 기준에 위반되는 설계와 시방을 했을 경우 법적 책임을 져야 한다는 명확한 인과관계가 정리되어 있는가? 이처럼 간단한 기준조차도 전제되지 않으면 더 나은 발전을 견인하는 데 필수적인 비교 분석은 불가능하다고 본다. 예를 들어 "기준 번호 몇 년도 판에 의거해 시공된 건물의 설계는 합당하지만, 시공 시 몇 번 조항을 고려하지 못했기에 이는 시공사의 책임이다" 라고 결론지을 수 있어야 한다.

다른 한편으로 고려할 점은 법규 상의 기준이 현재의 실현 가능한 기술 수준을 실시간으로 반영할 수 없다는 것이다. 건축 현장에서 문제점을 발견하고, 이를 해결할 수 있는 기술 대안이 나왔다면 건축가는 법규와 기준을 떠나 이를 적용하여야 한다. 다시 말해 "실제 현장에서 드러난 문제점에 대한 기술적인 보완책이 있고 보편적으로 적용하며 이러한 사실이 여러 경로를 통해 발표되거나 공유되었다고 볼 수 있다면, 법규상의 기준이 미비하더라도 이에 준하지 않은 설계를 한 건축가에게 그 책임이 있다"라고 말할 수 있는 명확한 제도적 장치가 필요하다는 것이다.[2]

물론 처음부터 빈틈없는 기준을 만들기는 불가능하다. 다만 가장 문제가 되는 부분을 큰 틀에서 걸러낼 수 있어 불필요한 소송이나 감정 싸움, 이미지 훼손을 사전에 막을 수 있다. 이런 기준을 확충하려는 움직임이 현재 전혀 없지는 않지만 만들어진 기준을 판단하고 적용하는 수단이 폭넓게 교육되거나 공유되지 못하는 것 같다. 실수가 발생하면 해당 피드백이 설계 실무팀에 빠르게 전달되지 못하고 서류 확보의 과정으로, 면피용으로 전락하는 경우가 흔하다. 실시설계를 했더라도 현장에서의 상황은 다르다. 현장의 변수나 변경에 대한 피드백이 실시설계를 한 건축가에게 전달이 되지 못하면 설계 시스템의 발전은 기대하기 어렵다.

마땅한 기준의 재정과 교육·확산이 너무 지지부진하기에 사람마다 말이 달라지고, 결국 건축가든 시공사든 누구의 말도 신뢰하지 못하게 된 건축주들이 발 벗고 나서서 직접 공부하고 이해하려는 현상이 나타나고 있다. 전문가의 부재라기보다 전문가들이 사용하는 기준의 부족에서 오는 신뢰의 실종이다. 전문가에 대한 사회 전반의 인식을 그대로 보여주는 단면이기도 하다.

건축주의 관심과 공부는 단 몇 개월의 고생으로 완성되는 것이 아니기에 사실 필자는 반대하는 입장이다. 모든 연결고리를 터득하지 못함으로 인해 발생하는 괴리로 결국 어느 순간에는 딜레마에 빠지게 되고 심지어는 건강을 잃는 일까지 생기기도 한다. 그렇다고 막을

2 우리나라 대법원도 제조물책임법에서 이와 유사한 관점을 판례로써 밝힌 바 있다. 대법원 2008. 2. 28. 선고 2007다 52287 판결: 일반적으로 제조물을 만들어 판매하는 사람은 제조물의 구조, 품질, 성능, 등에서 현재의 기술 수준과 경제성 등에 비추어 기대 가능한 범위 내의 안전성을 갖춘 제품을 제조하여야 하고, 이러한 안전성을 갖추지 못한 결함으로 인하여 사용자에게 손해가 발생한 경우에는 불법행위로 인한 배상책임을 부담하게 되는데 …(중략)

수도 없다. 여러 번의 자문을 하면서 느끼기로 보통 시작 전에 이런 우려를 얘기하면 그 때는 쉽게 공감한다. 하지만 시간이 지나면서 시공사나 건축가가 최소한의 질적 확보를 위해 제시한 방안이 비용 문제로 이어지곤 한다. 이를 회피하기 위해 건축주는 '쉬운 길'을 선택하고, 결국 우려한 바가 현실이 된다.

그렇다면 결론은 무엇인가? 무엇이 합당한 접근 방법인가? 명료한 답이 있다면 좋겠지만, 그렇지 못한 것이 현실이다. "설계비가 저렴하고 공사비가 싸기에 어쩔 수 없다"라는 얘기도 다 맞는 것은 아니다. 에너지 관련 컨설팅 혹은 건축물리에 관한 요소가 전혀 없음에도 이름 있는 건축가의 단독주택 설계비가 4천만에서 5천만 원 이상하는 경우도 있다. 그럼에도 막상 제출된 도면의 질을 보면 그리 큰 차이가 없는 것도 건축주들이 지갑을 열지 못하는 원인 중 하나일 것이다.

문제의 원인을 규명할 때, 이를 판단할 수 있는 기술적 기준을 명문화시키는 안전 장치가 필요하다. '이것을 실행할 때는 이렇게 하는 것이 일반적인 기술이고 설계 기법이다'라는 것을 누구나 쉽게 이해할 수 있도록 기준화 하자는 것이다. 이렇게 시작하지 않는다면 불필요한 감정 싸움이나 소모전을 막을 방법이 없어 보인다.

정보는 공유하고 알려야 한다. 그래야 작은 변화가 시작될 수 있는 토양이 마련된다. 그런 차원에서 건축주 나름의 답을 찾는데 도움이 되고자 이 글을 쓴다. 일견 어려운 내용이 되겠지만, 일방통행식 몇 줄의 단답형 결론이 아니라 그동안의 경험을 바탕으로 정리한 것도 그 때문이다. 람다패시브하우스 건축주가 말한 것처럼 내가 지나간 길을 살며시 밟고 지나가는 건축주들은 단 한 가지라도 소중하게 얻어가는 것이 있을 것이다. 더불어 우리의 건축현실에 눈을 뜨는 그런 시간이 되기도 할 것이다. 그렇게 되기를 희망한다. 이 책을 쓰는 이유는 그것으로 충분하다.

패시브하우스라는 전체적인 그림을 그리기 위해서는 먼저 기본적인 원리를 바탕으로 서로 얽혀 있는 연관성을 이해하는 것이 필요하다. 기본 규칙과 원리를 강조하는 이유는 패시브하우스가 국내에 알려지면서 일부 중요 내용이 왜곡되거나 그 근거가 잘못 전해진 부분이 있어 그것을 바로잡기 위함이다.

우선 패시브하우스가 엄청 어렵거나 복잡한 하이테크 건물이라고 바라보는 시각부터 오해다. 어쩌면 가장 단순하고 쉬운 것이 패시브하우스일 수도 있다. 단, 눈에 보이지 않는 기본기를 지킨다는 전제 하에 그렇다는 말이다.

1장에서는 독일에서 재발견된 패시브하우스의 정량적인 수치와 기술적 내용을 바탕으로 우리나라의 기후와 생활 환경을 반영해서 무엇을 좀 더 고려해야 하는지 구체적으로 설명하고자 한다. 기후와 생활 습관이 다르기에 원리는 유지하되 적용면에서는 변경과 응용이 필요하다. 독일에서 그동안 인증된 수치들과 수많은 실험을 통해 나온 연구 결과와 기준은 단지 우리에게 참고용일 뿐이다. 단, 그 수치가 어떤 배경과 과정을 거쳐서 만들어졌는지에 대해 집중해야만 우리에게 합당한 답을 찾아내고 발전시킬 수 있다.

2, 3장에서는 람다패시브하우스 설계 과정 중의 중요한 요소를 추려서 좀 더 깊게 이야기를 전개해 갈 것이다. 이어서 4장에서는 시공 과정 중 중요 사항을 선별해 설명을 덧붙일 계획이다.

가장 중요한 5장에서는 정량적인 검증 테스트와 준공 후 건축주가 진행한 모니터링 결과를 다루면서 문제점과 개선 방향을 주로 제시하게 될 것이다. 마지막 6장은 이 프로젝트가 남긴 숙제에 대한 건축가의 개인적인 생각과 건축주·건축가의 후기로 마무리된다.

자! 이제 조금씩 천천히 람다패시브하우스가 계획되고 진행되는 과정을 함께 경험해 보도록 하자. 물론 쉽진 않은 과정이겠지만 얻는 것이 분명 있을 것이다.

일러두기

1. 이 책에 등장하는 세종시 람다패시브하우스는 2014년 10월에 완공된 주택이다.
2. '[1]'처럼 표기된 숫자는 별도의 참고 문헌을 뜻하며 책 마지막 페이지에 모아 두었다.
3. 주택 완공 이미지를 제외하고 출처가 표기되지 않은 이미지 및 자료는 저자가 확보한 것이다.

패시브하우스 이해하기

람다패시브하우스 프로젝트

제1장

1. 패시브하우스는 기존 건물과 무엇이 다른가?

패시브하우스와 기존 건물의 가장 큰 차이는 이전처럼 난방과 기계식 환기를 분리시키지 않아도 되는 기술적인 가능성에 있다고 볼 수가 있다. 공기의 낮은 축열 성능(비열, 물: 1,163 Wh/㎥·K, 공기: 0.33 Wh/㎥·K)으로 인해 일반적인 건물에서는 경제적이고 쾌적한 공기 난방이 불가능하지만, 단열 성능의 향상과 설계·시공 기술의 발달 등으로 패시브하우스에서는 환기장치를 통해 공급되는 공기만으로도 쾌적한 공기 난방(Postheating)이 가능하다. 이것이 바로 '패시브하우스의 핵심이 되는 아이디어의 출발'이다.

패시브하우스는 실내에서 발생되는 폐열(인체와 가전기기 등의 발열)과 실내로 유입되는 일사 에너지같은 패시브적인 에너지를 적극적으로 사용해, 설비를 통한 직접적인 에너지 사용을 최대한 줄이고 간접적인 난방에너지원을 극대화한다. 즉, 어차피 우리 주변에 이미 존재하는 에너지를 활용하는 것이기에 이런 패시브(Passive) 요소를 적극적으로 사용한다는 의미에서 '패시브하우스'라고 부른다.

설계와 건축물리전문가로 일하는 필자의 입장에서는 가급적이면 냉난방에 필요한 액티브적인 설비를 줄이는 것이 패시브하우스가 기존 건물과 다른 가장 큰 차이라고 생각한다. 최우선은 건축적으로 냉난방 부하를 줄이는 것이고, 건물에 필요한 에너지를 공급하기 위한 설비 효율을 최대한 높이는 것이 다음 순서다.

우리나라의 건설 환경에서는 아직 기밀이나 열교 또는 건축물의 내구성에 관한 구체적 내용을 법이나 기준으로 정한 것이 없다. 단지 기밀을 강화하거나 열교를 줄이고 외단열을 하고 단열재를 더 두껍게 하는 것이 패시브하우스 구성 요소의 전부로 생각할 수도 있다. 하지만 이는 건축법이 강화되고 계약서 문화 등이 앞으로 더 확충되면 자연적으로 해결되는 부분이다. 어차피 해야 하는 당연한 건축 과정이기 때문이다. 마찬가지로 결로나 곰팡이가 없어야 하는 것 역시 패시브하우스의 전유물이 아니라 사람이 거주하고 생활하는 건물의 기본 조건이다.

제로에너지 혹은 플러스에너지 건물을 만족하기 위한 건축물의 기본 골격은 적어도 패시브하우스 수준을 갖춰야 한다. 그것이 바탕이 되지 않고 단순히 기존 건축 방식에 신재생에너지만을 설치하고 계산상으로만 제로에너지하우스가 된다면, 이는 진정한 의미의 친환경적인 접근 방법이 아니며 지속 가능한 발전도 아니다. 그럼에도 정부 주도의 정책지원 수단이 이런 방법을 선호하는 이유는 가장 쉬운 방법이고 예산만 있으면 적어도 숫자상으로는 쉽게 '제로'를 만들 수 있기 때문일 것이다.

다른 측면을 살펴보면 패시브하우스는 에너지 부하가 다른 건물에 비해 훨씬 낮기 때문에 신재생에너지를 위한 필요 면적이 줄어들게 된다. 그로 인해 건물의 디자인에 크게 영향을 주는 단점을 극복할 수 있는 여지가 넓어진다. 그러므로 생각하기에 따라서는 건축가들이 좀 더 쉽게 패시브하우스를 받아들일 수 있는 가능성이 있지 않을까 하는 기대도 해 본다.

자주 경험하는 것이지만, 절전 효율이 좋은 가전제품이나 연비가 좋은 차량, 태양광을 설치했다는 핑계로 더 많은 에너지를 소비하는 경우도 적지 않다. 효율이 아니라 소비를 먼저 줄이는 것이 합당한 접근 방법이며, 공급되어야 하는 에너지의 효율은 다음으로 따져야 한다. 1이 필요한데 3을 시공하고, 3을 사용하려는 것은 이상한 계산 방식이다.

마찬가지로 합당하지 못한 규제로 인해, 그 규제를 잘못 해석한 결과로 인해 과도한 구조 설계를 하게 되고 결국 지붕 위에 어울리지 않는 태양광 패널을 설치한 건물이 전국 곳곳에 늘어나고 있다.

아래 사진은 역사(驛舍) 외부에 설치된 태양광 발전이며, 자세히 보면 진한 파란색 부분은 건물로 인한 그림자이다. 아마도 계획한 사람은 그림자가 생기는 부분은 일종의 가짜 모듈로 계획했을 것이다. 만일 이런 분리가 없다면 직렬 연결의 셀 구조상 전체 태양광 발전량이 현저하게 줄어들기 때문이다. 이 경우 해당 부분은 단순한 차양 기능만을 수행하게 된다. 만일 그렇다면 사진에 보이는 태양광 발전은 실제로는 반만 신재생에너지가 되는, 비경제적인 투자가 된다.

사진 1 대전역 청사 외부에 설치된 태양광 발전 모듈

2. 패시브하우스란 무엇인가?

독일 다름슈타트에 소재한 패시브하우스 연구소(Passivhaus Institut, PHI)에 따르면:

"A Passive House is a building, for which thermal comfort(ISO 7730) can be achieved solely by post-heating or post-cooling of the fresh air mass(DIN 1946), which is required to achieve sufficient indoor air quality conditions - without the need for additional recirculation of air."

"패시브하우스란(거주[3] 공간에) 만족할만큼의 충분한 실내 대기질 조건을 갖추도록 신선한 외부 공기만을 데우거나 식힘으로써 실내의 열적 쾌적감을 이룩할 수 있는 건물"을 말한다.

이 정의는 단지 기능적인 표현이고, 절대적 수치를 포함하지 않으며 어떤 기후에도 적용될 수 있다. 이 말 뒤에는 두 개의 중요한 기준이 있다. DIN 1946에 따른 필요한 신선한 공기의 양으로 ISO 7730에 따른 실내의 열적 쾌적함을 논하는 것이다. 패시브하우스 설계의 기본 척도가 되는 기준이다. 실내의 쾌적성이라는 목표를 확보하기 위해 가능하다면 패시브적인 방법(단열, 폐열회수, 일사에너지, 실내 발열 등)을 적용하는 것이다.

숫자로 본 패시브하우스(패시브하우스 주거용 건물 인증기준, 중유럽 기후 기준[4])

- 난방에너지 요구량 ≤ 15 kWh/(m^2a) (에너지유효면적, TFA : Treated Floor Area, 독일식 표현 EBF : Energiebezugsfläche)
- 혹은 난방 부하 : ≤ 10 W/m^2

3 여기서 말하는 거주공간은 주택 건물만을 의미하는 것이 아니라 사람이 머무르며 생활하는 공간 전반을 말한다.

4 한국 기후에도 이 기준을 적용함

- 냉방에너지 요구량 ≤ 15 kWh/(m²a) + 0.3 W/(m²aK) · DDH[5] (Dry Degree Hours)
  0.3 W/(m²aK) · DDH = 제습 에너지
- 혹은 냉방 부하 ≤ 10 W/m²
  그리고 냉방 요구량 ≤ 4 kWh/(m²aK) · θe(외기 온도) + 2 · 0.3 W/(m²aK) · DDH - 75 kWh/(m²a)
  하지만 최대: 45 kWh(m²a) + 0,3 W/(m²aK) · DDH
- 1차 에너지 요구량(난방, 냉방, 온수, 보조 에너지, 가정용 전기 및 공용 전기) ≤ 120 kWh/(m²a)
- 기밀 성능: n50 ≤ 0.6/h
- 여름철 실내 온도 25℃를 넘는 기간이 가급적이면 ≤ 10 %

위에 언급된 숫자는 설계하는 건물이 어느 수준인지를 판단하는 기준이 된다. 이 숫자를 기억하면 우리가 하는 설계가 모두 정량적인 값으로 표현되기에 명확하게 근거를 제시할 수 있고 설계자 역시 안심할 수 있게 된다. 그렇다고 이런 숫자를 보고 당황할 필요는 없다 PHPP 혹은 Energy#의 표를 보면 더 쉽게 이해가 간다. 퍼즐처럼 언제나 시작만 어렵다.

그렇다면 건물의 에너지 계산에 많은 노력을 들여야 하는 이유는 무엇인가? 국내의 경우 현재 에너지 절감법에 따라 연면적 500m² 이상 건축물만 에너지총량제 대상이지만, 전체 건축 시장의 질을 확보하기 위해서는 일정 규모 이상만이 아닌 모든 건물로 확대할 필요성이 있다.

그 이유로 몇 가지를 꼽는다면, 에너지총량제는

- 국가적으로 공통이 되는 국제 기준에 의거해서 각국의 에너지 및 CO_2 절감율을 서로 비교할 수 있다.
- 대내적으로는 정책의 결정 방향과 국가의 현재 건축 기술 수준을 알 수 있는 중요한 도구이다. 이를 위해서 기준의 확충을 필요로 하고 이는 전반적인 건축 시장의 질을 높이는 길로 이어진다.
- 기준이 확충되면 시공사, 건축사, 건축주 그리고 세입자 간의 불필요한 충돌을 줄일 수가 있다.
- 참여 엔지니어에게 설계 기본요소가 하는 역할은 서로의 요소가 미치는 영향을 쉽게 보여주고 설계 시 결정의 순간에 도움을 주는 것이다. 특히 경제성과 자재 수급을 고려해서 어떤 요소의 중요도를 판단하는데 도움이 된다.
- 건축주 입장에서는 내가 짓는 건물의 수준이 어느 정도인지 투명하게 확인할 수 있다. 평당 얼마 짜리냐, 누가 설계하고 시공했느냐는 표현에서, 단위 면적당 소요에너지는 어느 정도이며 이는 기존 건물과 비교해서 어떤 차이가 있는지를 숫자로 확인하는 차원으로 발전하게 된다. 또한, 얼마나 건강한 건물인지 비교가 가능해진다.
- 마지막으로 하드웨어가 아니라 소프트웨어를 갖고 있으면 지렛대를 갖고 있는 것과

5 DDH : 노점 온도와 제습 레퍼런스 13℃를 뺀 시간을 모두 합한 것이다. 냉방 기간 동안 노점 온도는 제습 레퍼런스 13℃ 보다 높다.

갈다. 발전의 가능성이 무한대로 높아진다. 국내에서 다른 국가의 기준을 복사하지 않고 국제 기준에 준해 개발한 소프트웨어는 아직까지는 ISO 13790에 기반을 둔 Energy#[6]이 유일하다.

위에서 구체적으로 언급하지는 않았지만 흔히 놓치기 쉬운 것으로 열교(Thermal bridging)가 있다. 보이지는 않지만 패시브하우스를 한순간에 저에너지 건물로 만들어 버리는 요소다. 패시브하우스에서는 반드시 열교를 최소 2차원적으로 검토해야 한다.

독일 PHI가 정의한 것처럼 패시브하우스의 에너지 콘셉트는 실내가 쾌적하고 신선한 공기가 충분히 실내로 공급되며, 필요에 따라서 급기를 약간의 에너지 공급을 통해 데우거나 식힐 수 있는 것을 말한다.

일반적인 건물에서 공기는 다른 난방 장치를 통해 대류에 직·간접적으로 데워지는 이른바 순환 혹은 혼합형이라면, '전형적인' 패시브하우스는 단지 급기를 데우고 식히는 것이라 이해하면 된다. 많은 사람들이 패시브하우스에서는 반드시 급기를 이용한 공기 난방 장치를 사용해야 한다고 생각하는데, 이는 잘못된 정보이다. 패시브하우스의 난방 부하는 단지 공기조화기를 통해 유입되는 공기만을 데우는 것으로도 기존의 난방 장치를 대체할 정도로 충분하다는 의미이지, 꼭 그런 시스템을 적용해야만 패시브하우스로 인정되는 것은 아니다.

패시브하우스가 많이 지어진 독일이나 스위스, 오스트리아에도 공기 난방을 적용한 패시브하우스는 생각처럼 많지 않고 대부분의 설비전문가 역시 추천하지 않는다. 가장 큰 걸림돌로 겨울철 실내의 낮은 상대 습도를 꼽는다. 건조한 실내공기는 현열교환기가 아닌 습기를 회수해 주는 전열교환기를 적용하면 훨씬 그 효과가 높다. 초기에는 단순한 공기 난방을 했다면 현재는 난방과 공조 환기를 분리하는 추세이다. 우리나라의 경우는 겨울이 더 건조하기에 상시 거주하는 건물에서 공기 난방은 가급적 피해야 하는 설비 시스템이다. 가끔씩 사용하는 휴양림과 같은 건물에서는 권장할 만하다. 시공 비용과 관리비 절감 효과가 높기 때문이다.

우리나라의 경우 기존 생활 습관이 있기 때문에 바닥 난방과의 조합을 신경 쓰지 않을 수 없다. 국내 패시브하우스 인증을 담당하는 사단법인 한국패시브건축협회(www.phiko.kr)에 등록된 사례를 보더라도 주거 건물의 경우는 대부분 바닥 난방이다. 바닥 난방 혹은 기타 다른 난방 시스템이더라도 일사량 유입을 고려한 난방 장치의 조절 성능에 주의해야 한다. 그렇지 못하면 실내가 사우나처럼 일시적으로 더워지는(Overheating) 시점이 생길 수 있다. 춥고 햇빛이 잘 드는 맑은 겨울철 한낮이 바로 그렇다. 우리나라의 경우 높은 온도로

6 에너지샵 블로그 https://blog.naver.com/energysharp

인해 창문을 열어 환기를 해야 하는 상황이 더 흔하다. 이런 경우 유입된 일사 에너지는 난방원(Utilisation factor heat gains η_G)으로 사용되지 못하고 환기를 통해 손실된다.

이런 조건에서는 열 전달 반응이 상대적으로 느린 바닥 난방의 경우, 난방수의 온도를 사전 검토하는 등의 난방 시나리오가 필요하다. 또한, 우리나라에서는 쾌적성과 무관하게 바닥 난방의 온도가 높기를 바라는 경향이 있다는 것도 짚고 넘어갈 필요가 있다. 이때, 층간 소음 때문에 두꺼울 필요가 있는 바닥 모르타르층이 조금이라도 바닥 온도를 높히기 위해 가급적이면 얇게 시공되어야 한다는 난감한 모순점을 맞는다. 과거의 구들장이 아님에도 온도가 낮은 것에 불만을 제기하거나 심지어 하자라고 생각하는 경우도 있다. 중유럽의 패시브하우스에 적용되는 바닥 난방의 토출수 온도는 35°C가 일반적이다. 우리나라에서는 절대 받아들일 수 없는 낮은 온도다. 또 다른 예로 현관문은 밖으로 열려야 정석이고 전통적인 방법이라고 생각하는 사람들이 많다. 또 현관에는 턱이 있어야 하고 턱 안쪽으로 신발을 벗을 수 있는 공간이 있어야 한다고 생각한다. 아이러니하게도 4성 혹은 5성급 호텔에는 이런 턱이 전혀 없는데도 시설이 좋다고 모두들 말하면서 왜 자기 집에는 이런 불필요한 턱을 꼭 두려는지 이해하기 어렵다.[7]

결론적으로 패시브하우스는 아주 적은 에너지 소비로 지역 기후에 상관 없이 최고의 실내 쾌적성을 확보하기 위한 하나의 유동적인 시스템이다. 그 부수적 결과물로 건축 구조 자체도 견고해지고 내구성이 높아지는 장점을 얻는 것이다. 아직은 에너지 비용이 상대적으로 저렴한 편에 속하는 우리나라에서는 오히려 이런 면이 에너지 절감보다 더 중요한 요소가 될 수도 있다. 다시 말해, 건축 시공 시 초기 투자비가 지금까지의 주된 의사 결정 요소였다면 앞으로는 내구성이 높아 유지 관리비가 적게 들고 보수나 수선의 주기가 긴 시스템을 선호하는 방향으로 바뀔 것이다.[1]

7 공동주택의 경우 이 현관문 안쪽의 낮은 턱을 시공하기 위해서 해당 부분의 바닥 단열재(또는 층간 소음재)를 생략하고 있다. 이로 인해 해당 공간의 단열선이 끊어져 결로의 요인이 되고, 층간 소음 증가의 원인이 되기도 한다. 턱을 그냥 둔 채 문제를 해결하기 위해서는 전체 바닥 두께를 턱 높이만큼 늘려야 하는데, 이로 인한 시공비의 상승과 다른 부수적인 문제가 동반된다.

3. 패시브하우스 기본 구성 요소

패시브하우스를 만족하기 위해서는 아래의 기본 요소를 먼저 이해해야 한다.

- 고단열
- 틈새 바람의 최소화(기밀)
- 열교의 최소화(높은 표면온도)
- 패시브에너지의 적극적 사용(일사, 내부 발열)
- 좋은 실내 공기질의 확보(폐열회수성능이 좋은 기계환기장치)
- 신재생에너지(권장사항)

① 단열

패시브하우스를 비롯한 모든 에너지 절감형 건물에서 가장 쉽게 적용 가능한 것이 단열 항목이다. 말 그대로 경제성을 고려한 '최고'의 두께로 단열을 하면 된다. 그런 이유에서 인터넷상에서 패시브하우스 전문가라 광고하는 회사는 대부분 단열을 집중적으로 강조한다.

하지만 여기서 말하는 최고 두께의 단열이라 함은 패시브하우스를 만족하기 위해 필요하다고 계산한(에너지 해석 프로그램을 통해) 적정 두께를 의미할 뿐이다. 다음 장에서 구체적으로 다루게 될 열교에 대한 면밀한 검토 없이 단지 단열재의 종류와 두께만으로는 패시브하우스에 다가갈 수 없다.

독일 PHI(Passive House Institut) 관계자의 말에 따르면 인증되지 않은 패시브하우스 건물의 경우 PHPP로 계산한 에너지 요구량보다 많게는 약 두 배 이상의 에너지 소비량 차이를 보이는 경우가 있다고 한다. 물론 인증된 건물에서도 비슷한 경우가 있기는 하다. 주로 적절하지 못한 설비 제어로 발생하는데, 그런 경우에는 준공 후 1~2년 정도 지속적으로 점검을 거치고 문제점을 개선하곤 한다. 하지만 점형 혹은 선형 열교의 경우는 각별히 주의해야 한다. 건축가들이 제일 신경 쓰고 세심히 계획해야 하는 부분이다. 열교 없는 단열을 완성하기 위해서는 시공 중에도 현장 상황에 따른 즉각적인 디테일이나 대안 협의가 원활하게 이루어져야 한다.

단열재 두께와 종류에 따라 외부 마감이 달라지고 단열재의 고정에 관한 내용도 달라진다. 무조건 다른 건물에 비해 두꺼운 단열재만을 고집하게 되면 마감 작업 시 특히 창호나 차양 등의 고정 부분에 간섭이 될 수 있고, 만족스럽지 않은 최종 마감으로 이어지게 된다.

단열 계획 시 고려해야 하는 요소

건축물의 구조

건축물의 구조에서는 중공층[8]의 존재 여부에 따라 치장 벽돌, 미장보드 위 미장 혹은 알루미늄 등으로 마감 자재가 달라지게 된다. 이 때 중요한 것은 중공층의 통기성 여부다. 조적, 철근콘크리트조, 경량목구조 혹은 경량철골조 등 구조의 종류에 따라 단열재의 선택을 달리 해야 하고 그에 준한 디테일 작성이 필요하다.

소방 관련 법률 검토

건축물의 규모에 따라 외단열 미장 공법의 경우 불연, 준불연 등 등급이 다르고 마찬가지로 화재 확산 방지띠와 같은 추가적인 안전 장치가 필요할 수 있다. 주의할 사항은 불연이라고 항상 좋은 것은 아니다. 조합이 관건이다. 절대 공포 마케팅에 흔들릴 필요는 없다.

단열재의 종류와 두께 그리고 고정 방법

구조와 소방법 등을 고려한 단열재 종류가 정해졌다면 다음 순서는 원하는 단열재 두께의 생산 여부와 가능한 고정 방법, 최종 마감과의 조합을 검토하는 단계다. 여기서도 주의해야 할 것은 생산 가능한 두께라 하더라도 품질이 항상 같지는 않다는 것이다. 어떤 경우에는 얇은 단열재 두 개를 접착해서 두께를 만들어 내는 경우도 있다. 사용 위치에 따라 이는 장점이 아니라 단점이 될 수도 있다.

창호 설치 위치와 고정 자재

단열재 고정 여부를 검토하면서 고려해야 하는 것이 창호 프레임의 열교를 줄이기 위한 단열재와의 연결 부위 디테일이다. 단열재가 창호 프레임을 어느 정도의 폭과 두께로 덮을

8 중공층이라 함은 외피 마감과 단열재 사이에 있는 공기층으로 통기가 원활한, 제한적인 혹은 불가능한 기능층을 말한다.

것인지, 창호의 고정 위치는 어디인지 먼저 정해야 한다. 고정 위치에 따라 고정 철물이 달라지고 후속 공정의 추가적인 작업 유무와 시공비 상승 등을 예측할 수 있다. 단지 열교를 최소화하기 위해 창호를 단열재면에 시공한다면 일차적으로는 더 많은 일사가 가능해져(창호가 외벽 바깥쪽에 시공되기에) 간접 난방원으로는 도움이 될 것이다. 하지만 골조면에 시공되는 창호에 비해 더 많은 하중을 전달하도록 철물을 사용해야 하고(가격 상승) 이로 인해 철물 사이에 시공되는 단열재도 세밀한 작업이 요구되는 등(후속공사 비용 상승) 꼭 합당한 시공 방식인지 살펴볼 필요가 있다. 즉, 약간의 좋은 열교값을 얻기 위해서 하자 발생이 높아지는 내구성 위험을 감수할 것인지 검토해야 한다. 독일은 4mm 유리가 일반적인데 국내에서는 5mm두께의 유리를 쓰는 등 하중에 대해 더욱 면밀히 알아보는 것이 중요하다. 또한 현실적으로 여러 종류의 고정자재를 쉽게 구하기가 어렵기에 이론과 현장 사이의 합의점을 찾는 과정이 필요할 것이다.

더불어 상부 인방에 설치되는 차양 장치 케이스와 단열재 및 창호의 간섭을 고려한다면 창호를 마냥 단열재면에 설치할 수 없다. 일반적인 외부전동블라인드(EVB - Exterior Venetian Blind) 케이스의 경우 현재의 기술력으로는 최소 140mm 이상의 공간이 필요하다. 케이스 앞으로 단열재 40mm정도가 추가 확보되지 않는다면, 시멘트보드 재질의 미장 보드를 약 12.5mm 선시공하고 그 위에 미장 마감을 해야 한다.[9] 즉, 전체 단열재가 만일 200mm라면 외부에 단열재 최소 40mm, 케이스 140mm, 여유치 10mm를 고려했을 때 창호를 10~20mm만 단열재면 방향으로 밀어서 시공 가능하다는 계산이 된다. 결과적으로 86mm 깊이의 창호프레임을 단열재면에 시공하려 한다면 단열재는 최소 240mm가 되어야 한다. 만일 앞서 기술한 미장 보드를 사용하는 디테일이라면 단열재의 두께는 200mm로 줄어들게 된다. 모든 것이 복잡하게 연결되어 있기에 공통분모를 찾는 과정이 그리 쉽지 않다.

차양 장치 유무와 종류 그리고 설치 위치

차양 장치의 종류 그리고 설치 위치에 따라 고정 방법과 마감이 달라진다. 이는 단열재와의 간섭을 고려하여 열교 현상을 줄이자는 목적도 있지만, 더 중요한 것은 방수 기능과 내구성이다. 여러 자재가 한 곳에 집중되어 시공되기에 각 구성품의 표시 성능을 구현하면서도 내구성이 좋은 디테일을 완성하기 위해서는 많은 시간과 노력이 필요하다. 하지만 대개의 경우 실리콘으로 그 주변을 대충 충진하는 것이 관성적으로 이루어지고 있다. 실리콘은 일정 시간이 지나면 재시공을 요하기 때문에 기본 방수층으로는 합당하지가 않아 그 뒤에 반드시 방수를 하는 추가층이 별도로 있어야 한다.

치장 벽돌 마감에서는 그리 실수할 것이 없지만, 외단열 미장 공법에서는 창틀과 단열재가 만나는 부위에 정교한 디테일이 절대적으로 필요하다. 공적 기준이 부실한 상황에서 건

9 독일의 일반적인 외단열 미장 마감 시공 매뉴얼

축가나 건축주들은 가격만을 놓고 시공사를 선정하고 공사를 수주한 시공사는 당연히 시공비를 아끼기 위해 미장 마감을 위한 전용 비드를 충분히 사용하지 않는다. 하자를 만드는 악순환의 고리라고 볼 수밖에 없다. 비드는 마감이 끝나면 겉으로 보이지 않기에 차이를 알 수 없다. 나중에 하자가 발생한 뒤 그 필요성을 알게 되지만, 책임 당사자를 특정할 수도, 하자를 보수하기도 매우 어렵다. 이런 악순환이 단시간에 사라지지는 않을 것이다. 향후 외단열 미장에 관한 기준과 시방서가 암묵적으로라도 정해지고 그에 합당한 자재를 시공하지 않았을 경우 책임 소재를 묻겠다는 법적, 사회 통념적 기준이 확립되길 바란다.

패시브하우스 외단열 미장 공법 견적가는?

외단열 미장 업체 중 위의 시스템을 적극 적용하고 하자를 줄이기 위해 노력하는 회사들도 있다. 문제를 개선하기 위해 단가를 계산해 보면, 패시브하우스가 아니더라도 m²당 최소 10만 원 이상이라는 결론이 나오는데, 이 금액을 제시하면 반응은 한결 같다. 건축주나 건축가들은 무엇이든 최고의 시스템을 찾으면서 가격은 낮추려고 든다. 수입에 의존하는 부수기자재를 대부분 적용하기를 요구하면서도 단가를 독일의 시공가보다 더 낮추라고 요구하는 것은 뭔가 맞지 않는다. 개인적으로는 패시브하우스라면 외단열 미장 공법은 110mm단열재를 두 겹(2ply)으로 시공할 경우, 최소 14만 원(2018년 기준)은 되어야 한다고 본다. 이 가격은 현재 패시브하우스 경험이 많은 외단열 미장 업체가 내고 싶은 견적가와도 같다. 물론 이런 가격을 제시하면 차라리 석재를 외장재로 사용하겠다는 사람들이 있을 것이다. 인건비를 고려한다면 현재의 m²당 시공단가는 너무나 저렴하다. 이것은 뭔가 맞지 않다.

사진 2 창호를 골조 외부 단열재면에 설치한 경우(출처: SFS Intec, germany)

창호 물받이대의 유무, 종류 그리고 고정 방법

창호 물받이대의 경우 이전에는 만일 그런 것을 시공한다면 화강석과 같은 자연석이나 인조대리석과 같은 판재 등을 접착해서 사용하곤 했다. 혹은 단열재에 경사를 주고 그 위에 미장을 하면서 입면 효과용 알갱이를 뿌려 접착 시공하는 것이 일반적이었다. 몇 년 전부터는 알루미늄을 절곡해서 사용하는 창호 물받이대와 여기에 조립할 수 있는 알루미늄 사출의 양쪽 마구리 구입이 가능해졌다. 적어도 패시브건축을 하는 시공사나 창호 업체라면 이에 대한 시공 경험이 있고 필요성을 인지하는 단계까지 와 있다. 하지만 아직은 중유럽에서 기본적으로 시공되는, 열적 팽창에 반응하는 유동적인 제품의 물받이대와는 품질 면에서 많은 차이가 있다. 여름과 겨울의 온도 차로 인한 외부마감재의 열적 변화에 같이 반응하기 위해서는 기술적으로 개선되어야 할 사항이 적지 않다. 제품 시험성적서와 같은 정량적인 검토를 확인할 장치가 없기 때문에 바람의 영향이 큰 고층이나 제주도와 같은 지역에서의 적용에는 한계가 있다. 창틀과 만나는 부위, 단열재와 만나는 부위 그리고 차양 장치 레일과 만나는 부위를 해결할 수 있는 전문적인 해결 방법이 아직은 일반적인 표준으로 자리잡지 못하고 있다. 다만, 많지는 않아도 여러 시도를 통해 시행착오를 거치는 회사들이 있고, 이들이 고맙게도 현장에서 필요한 자재를 공급하기 위해 많은 노력을 해 오고 있다.

하지만 여전히 단열재를 경사지게 시공하고 마감하는 것이 일반적이라고 말하는 시공사들이 많다. 실시 설계를 하는 건축가들 역시도 그 중요성을 인지하지 못하기에 창호업체에서 알아서 해주리라 간주하는 것으로 책임을 회피한다. 이런 식으로 아무도 챙기지 않고 방치되는 현장에서 공통적으로 나타나는 뚜렷한 특징이 있다. 디테일 설계 도면을 보면 창호업체에서 제공한 창호 도면은 상세하게 나오지만 나머지는 그냥 비어있다. 그런 이유에서 지금까지 해온 방법으로 계속 시공해 온 것이다. “그게 무슨 큰 차이를 만드느냐? 그런 난리를 치지 않더라도 지금껏 몇 십년 시공을 했는데 문제가 없었다”라는 말을 한다. 한편, 건축주 역시 “어떻게 그런 세부 사항까지 신경 쓸 수 있는가?”라고 반문한다. 현재로서 이를 해결할 방법은 오로지 기준이다. 기준이 확충될 때까지는 디테일을 알고 이해하는 건축사와 시공사를 만나길 바라는 수 밖에는 없다. 제대로 짓는다면 시공비는 올라갈 수 밖에 없다. 그동안 집을 너무 ‘대충’ 지어왔기 때문이다.

선홈통의 위치와 고정 방법

외피에 선홈통을 시공하고 지중의 배관과 연결하는 것이 일반적으로 흔한 시공 방법이다. 국내에서는 대지나 도로 가장자리로 바로 배수하기도 한다. 대부분의 선홈통은 일정한 간격으로 고정되어야 하는데 크게 다섯 가지 경우로 볼 수 있다.

• 외단열 미장 공법에서 외부 마감재 앞에 시공하는 경우
• 외단열 미장 공법에서 단열재를 선홈통만큼 잘라내고 사이에 끼워 시공하는 경우
• 치장 벽돌처럼 통기층이나 중공층이 있는 경우, 치장 벽돌 앞에 시공하는 경우
• 치장 벽돌과 같은 면에 시공하는 경우
• 치장 벽돌 뒤의 중공층에 단열재 두께를 줄여서 시공하는 경우

그 외

유지관리 비용을 고려한 구조 선정, 내구성을 고려한 설계 및 시공 등도 꼽을 수 있다. 같은 단열재라도 자외선 노출 여부, 습기를 고려한 설계 방법 등도 참고 대상이 된다. 친환경 건축은 생산을 위해 투입되는 일차 에너지 등급과 건축물의 생애주기를 고려해 최종 철거 시 폐기되는 것, 리사이클 등을 함께 살펴봐야 한다. 이 모든 것을 판단하기 위해서는 자재별 EPD(Environmental Product Declaration, 환경 성적 표지 인증) 등이 필요하지만 단열재의 용도나 기본 데이터도 부족한 현실에서 GWP(Global Warming Potential, 지구온난화지수)같은 것을 요구할 수는 없다.

② 기밀

기밀한 건축은 패시브하우스에서만이 아니라 우리가 짓는 건물에 기본으로 적용돼야 하는 기술이다. 창호, 창호 연결 부위, 경량목구조 등 기밀층이 필요한 모든 건물에 적용되는 가장 기본이 되는 설계 및 시공 기술이다. 기밀층 겸 방습층의 위치는 온도에 따른 수증기압으로 보면 단열과 반대로 따뜻한 실내 측이며 외부로 갈수록 투습 성능이 좋아야 한다.

기밀하게 건물을 짓는 가장 중요한 이유는 예측 불가한 틈새 바람의 양을 가급적이면 최소화하기 위함이다. 틈새 바람의 양이 최소로 줄면 재실자가 건물의 환기 조건을 자기 뜻대로 조절할 수가 있고 정량적인 데이터와 오차를 확보할 수 있어 그 차이를 줄일 수 있게 된다. 따라서 기밀한 건축의 장점으로는

• 첫째로, 곰팡이나 결로로 인한 건축물의 하자 위험을 줄일 수 있다.
• 둘째로, 패시브하우스처럼 공기조화기가 설치된 건물에서의 기밀층은 따뜻해진 공기가 틈새로 배출되면서 발생하는 에너지 손실을 막는다. 만약, 외부의 찬 공기가 공기조화기의 열 교환 없이 틈새를 통해 실내로 유입되면 내부의 열적 균형이 무너지면서 공기조화기의 효율이 떨어지고 에너지 손실이 증가하게 된다.
• 셋째로 기밀은 방음 효과와 밀접한 관계가 있다. 공기가 통하는 곳은 소리도 전달이 되기 때문이다. 공동주택의 배관 부위를 기밀하지 않게 시공했다면 화장실을 통해

층간 소음이 발생하는 식이다.

• 넷째로 틈새 바람이 줄어들면 오염된 외부의 공기가 실내로 들어오는 위험도 줄어든다. 특히 차량으로 인한 오염이 심각한 도심지 혹은 라돈 농도가 높은 지역에서는 중요한 요소가 된다. 미세먼지 문제도 같은 맥락이다.

패시브하우스 인증을 위해서는 $0.6h^{-1}$의 기밀 성능을 만족[10]해야 한다. 블로어도어(Blower-Door[11])라는 기밀 테스트 장비를 현관 입구나 창호 등에 기밀하게 시공하고 실내에 감압(-)과 가압(+)을 한다. 이때 실내공기 체적과 외부로 배출되는 공기량의 비율을 내외부의 압력 차가 50pascal일 때를 기준으로 평균을 낸 값(5.1. 기밀 테스트 비교)이다.

공식 1 n50 값

$$n50 = \frac{V50}{V}[\frac{1}{h}]$$

V50 : 환기량(50pascal)
V : 실내 체적(EN 13829)

최종 기밀 테스트 값을 구하는 경우는 감압과 가압의 평균을 사용하지만, 공사 중에 침기를 알아보고 수정하는 단계에서는 50pa의 감압 즉, 실내를 음압으로 만들어서 외부에서 공기가 들어오도록 만들고 테스트를 진행하는 것이 일반적이다. 보통의 시스템 창호는 내부로 열리는 방식이기에 감압이 형성되면 창호의 세팅과 조립에서의 부실 여부가 좀 더 쉽게 파악이 가능하기 때문이다.

보통은 n50값을 구했을 때 그 결과가 시간당 0.6 이하의 환기율이면 좋은 결과라고 생각하지만, 이는 일종의 평균값이다. 0.6 이하가 습기와 관련된 하자 발생의 위험을 줄이는 척도가 될 수는 있지만 이를 반드시 보장하는 것은 아니다. 체적이 큰 건물 일수록 A/V(Compactness ratio, 난방 체적 대비 난방 표면적 비율. 수치가 낮을수록 좋다)값이 좋아지기에 단순히 n50값 만을 검토하는 것은 한계가 있다.

- A: Area (혹은 SA: Surface area of building envelope)
- V: Volume

왜냐하면 체적이 큰 건물에서는 n50값을 좋게 얻기가 매우 쉽기 때문이다. 체적이 큰 창고 건물을 생각하면 된다. 가장 대표적인 것이 n50값은 그대로인데 A/V이 값이 내려갈수록 q50값이 높아지게 되는 것이다[2]. 그런 이유에서 체적이 큰 건물에는 단순히 n50값

10 시간당 실내 공기(체적)가 60% 교환된다는 말이다.

11 블로어도어 테스트(Blower Door Test)는 처음 스웨덴에서 시작해 미국에서 국제적인 테스트가 된 것으로 알려져 있다.

이 아니라 q50값을 같이 고려하는 것이 더 합당하다고 본다. 독일 에너지절감법에서도 1,500m³ 이상의 건물부터는 q50값도 같이 검토를 해야 한다.

공식 2 q50 값

$$q50 = \frac{V50}{A} [\frac{m^3}{hm^2}]$$

저에너지 건물이면서 폐열회수공기조화기가 설치되는 건물이라면 ≤ 1.0m³/(m²·h)를 목표치로 보는 것이 좋고, 패시브하우스라면 n50과 같은 값인 ≤ 0.60m³/(m²·h)를 최대값으

©손태청

©Ingelheim Germany

사진 3 기밀 테스트기 설치 모습, 세종시 (위)
사진 4 기밀 테스트기 설치 모습

로 보면 된다. q50값을 얻기 위해 추가적으로 비용을 지불할 필요는 없다.

자연 상태에서는 50pa의 조건으로 실내가 환기되는 것은 아니다. 50pa로 정한 이유는 자연 상태에서는 기밀 테스트가 불가능하고 50pa 정도면 경량목구조의 기밀층이 내실 있게 시공되었는지 알 수 있기 때문이다. 특히, 고정 간격 등을 무시하고 단순히 타카로 시공한 경우, 합당한 자재로 시공하지 않았을 경우에는 테스트를 하는 동안 육안으로 쉽게 확인이 가능하다[1].

기밀층에 대한 구체적인 설계나 시공 경험이 없는 경우, 각 설계 프로젝트의 구조에 따라 구체적으로 단면도와 평면도를 그려가면서 합당한 자재를 고민하는 것도 좋은 방법이다. 잘 될 것이라고 얕봤다가 낭패보기 쉬운 공정이다.

50Pa은 보퍼트 풍력 계급(Beaufort Wind Scale)으로 보면 바람 세기 4(건들바람)에서 5(흔들바람)의 단계이며 5.5~7.9m/s에서 8.0~10.7m/s의 풍속과 유사하다. 예민한 사람들은 테스트 중 그 차이를 느낄 수가 있다.

③ 열교 Thermal bridging

열교를 억제하고 줄여나가는 방법을 모색하는 과정은 집을 설계하면서 가장 재미있고 보람 있는 일 중에 하나다. 반면 제일 성가시고 어려우며 티가 나지 않는 분야이기도 하다.

설계와 시공 시 오직 단열재의 두께, 연결 및 누락에 대해 검토하고 대책을 마련하는 것만으로는 열교를 해결할 수 없다. 무엇이 열교인지 그리고 어떤 종류의 열교인지 정확히 알아야 그에 대한 해결책을 찾을 수 있다.

각각의 디테일을 그리는 것에만 집중하면 열교를 해결하는 디테일 간의 조합을 놓치기 쉽다. 재료의 특성과 건축물리적 관계를 정확히 이해해야 한다. 대충 작성을 하고 문제가 있는 것은 '시공사가 알아서 할거야'라는 식이면 위험하다. 결국 검증 단계에서 PHPP 혹은 Energy#의 에너지 요구량과 많은 차이를 보이게 된다. 계속해서 열교가 강조되는데, 이쯤에서 열교란 과연 무엇인가 천천히 살펴보자.

국제 표준화 기구 ISO 10211 3.1.1에서 말하는 열교는 '일반적으로는 동일한 형태를 보이는 열 저항이 외피의 일부분에서 급격히 변화하는 것'으로 정의된다. 열교는 아래와 같은 조건에서 발생한다.

- 다른 열전도율을 가진 건축 자재가 건물 외피를 완전하게 혹은 부분적으로 통과한다(재료적 열교).
- 외피 부위의 두께가 달라진다(기하학적 열교).

- 벽, 바닥, 지붕의 연결 부위처럼 내부와 외부의 면적 차가 다양한 경우를 통해 발생한다(혼합적 열교).

급격히 무언가 변화한다는 의미를 다음의 예시를 통해 이해해 보자. 고속도로에서 잘 달리던 차가 차선이 줄어드는 구간에 이르면 병목현상으로 인해 좁은 공간으로 모이게 된다. 옆 차와의 간격에 여유가 없어진다. 마찬가지로 어떤 외벽에 가상의 선이 있는데, 이 선은 모두 같은 온도를 연결한 것이다. 바로 이 지점에서 전과는 달리 온도선이 좁게 모이거나 중간에 끊기는 상황이 벌어지는데, 이것이 열교현상이다.

독일 패시브하우스 연구소에서는 2차원적인 선형 열교가 Ψ(Psi) ≤ 0.01 W/(mK)일 때 열교가 없는 구조로 정의하고 있다. 하지만 건물의 모든 부분을 이 수치 이하로 맞추기엔 어려움이 있다. 필자의 경험상 상당히 이론적인이며 비경제적인 수치이다. 특히, 지하실이나 지하 주차장과 연결되거나 건물이 조적이 아닌 철근콘크리트 구조인 경우는 더욱 제한적이다. 하지만 열교를 줄이기 위한 노력은 반드시 필요하고 오히려 건물을 더욱 경제적으로 짓기 위한 과정이다. 더불어 외피 내부의 표면온도를 검토해서 곰팡이와 결로 발생 여부를 알 수가 있기에 여러 장점이 있다.

열교 현상은 모든 요소에 대해 1:1의 관계로 이해를 해야 한다. 설계자나 자문하는 사람이라면 여러 인과관계를 동시에 살펴야 한다.

- 에너지 소비
- 곰팡이나 결로 발생
- 구조 및 마감의 내구성 하락
- 겨울철에 실내 온도가 올라가지 않는 요인
- 여름철의 냉방에너지 증가

효율적인 열교 억제 계획 개념은 아래와 같다.

- 가급적이면 같은 자재를 사용한다(재료적 열교).
- 외피를 통과하는 구조체를 최대한으로 줄인다.
- 열이 많이 빼기는 면적을 최소화한다(기하학적 열교).
- 외부에 별도의 구조체(발코니)를 설치하는 경우, 구조체를 독립적으로 두거나 열교 억제 전용 자재를 적극 사용한다.
- 가급적이면 단열재가 끊기지 않도록 계획한다.

- 단열재의 두께가 변하는 곳에서는 부족한 두께를 대신 할 열전도율이 더 낮은 단열재의 적용이 가능한지 검토한다.
- 구조적인 이유로 단열재를 연결하지 못할 경우, 열교가 발생한 부위에 약 1m 정도의 열교 방지 단열재를 고려하되 그 두께는 열교 계산 프로그램에 따른다. 1m는 예시일 뿐, 생산되는 단열재의 기본 길이를 고려하지 않고 1m를 기계적으로 맞추기 위해 현장에서 잘라 시공할 필요는 없다. 예를 들어 공급되는 단열재의 길이가 80cm라면 이것으로 충분한지 검토한다.
- 단열재면에 구조적인 이유로 철물을 사용해야 한다면 가급적 열전도율이 낮은 스테인리스 등을 쓰고 골조면에는 반드시 이격재를 적용한다. 철물의 크기는 필요한 만큼만 최소화시킨다. 열교 차단 없이 골조에 바로 철물을 고정시키는 일은 피해야 한다.

열교 평가 방법에서 주의할 점

열교 평가 방법에 있어서 국내 법규인 건축물의 에너지 절약 설계 기준 해설서[12]에 따르면 ISO 10211에 따른 계산과 "별표의 ISO 13789에서 치수 체계는 내부 치수(Internal dimension), 전체 내부 치수(Overall Internal Dimension), 외부 치수(External Dimension)로 구분하고 있으나, 적용에서는 추후 국내 건물 에너지 성능 평가 제도 내에서 외피 손실 열량 산출에도 활용할 수 있도록 중간 치수 체계를 사용하는 것으로 한다"라고 정하고 있다. 그러나, 이 조항

사진 5 열교 계산 시 사용되는 기준선

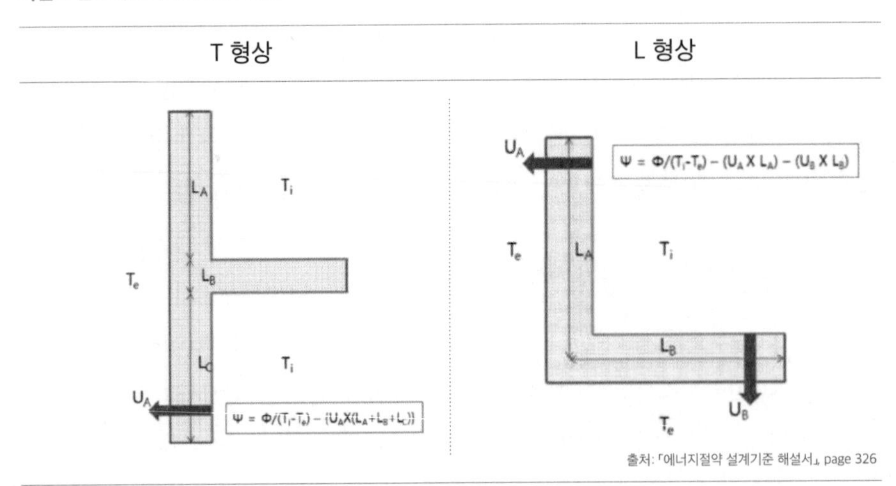

출처: 「에너지절약 설계기준 해설서」 page 326

12 국토교통부 고시 제2017 - 71호, 시행 : 2017. 6. 20, page. 325

은 에너지 총량제 계산에서의 외피체적 계산방법과 서로 맞지 않는다. 에너지 총량제에서는 외피선을 기준으로 한다. 우리나라에서 주로 사용하는 ECO2 프로그램과 PHPP 그리고 Energy# 모두 외피 기준이기에 열교 계산에서도 외피를 기준으로 계산해야만 열교 보정이 가능해진다. 다른 문제로는 열교 계산 시 서로 다른 온도에 접한 열교 계산이 부족하며, 해당 열교 구역의 열관류율을 명확히 정한 유효 길이가 없다는 것이 가장 큰 단점이다.

예를 들어 창호의 열교 계산 시에 창호와 골조 사이의 약 10~20mm의 틈을 창호 길이로 볼 것인지 아니면 외벽으로 보고 계산할 것인지에 대한 명확한 기준이 없다. 이에 따른 선형 열교의 차이는 크다. 아쉬운 것은 국내에서 이 창호의 열교를 계산하는 기준이 기관들마다 차이가 있고 기준을 잘못 해석해서 적용하는 경우가 흔하다는 것이다.

단순하게 열교 구역을 해당 프로그램으로 그리고 나서 열교를 계산하는 방식은 전체 건물을 3D로 작성해서 Enter를 누르면 그 결과물을 얻는다는 지극히 이론적인 가정하에 가능하다. 하지만 이런 접근 방식은 열교를 줄이는 것과는 거리가 있으며 실제 적용에 있어 그 작업의 양이 워낙 방대하기에 현실적이지 못하다. 물론 건축 면적 계산 시 구조체의 중심선을 사용하는 것은 이해하지만, 열교 계산은 면적이 아니라 길이를 보는 것이기에 이 두 가지를 같이 연결하는 것은 설득력이 부족하다고 본다.

온도 차이 비율(TDR: Temperature Difference Ratio)

「공동주택 결로 방지를 위한 설계 기준」 제2조에서 밝히길 "온도 차이 비율이란 실내와 외기의 온도 차이에 대한 실내와 적용 대상 부위의 실내 표면의 온도 차이를 표현하는 상대적인 비율을 말하는 것"으로, 제2조의 '실내외 온습도 기준' 하에서 제4조에 따른 해당 부위의 '결로 방지 성능'을 평가하기 위한 단위가 없는 지표로써 아래의 계산식에 따라 그 범위는 0에서 1사이의 값으로 산정된다[13].

TDR은 국가 간의 비교가 가능한 국제 기준을 그 근거로 하지 않기에 법적인 기준으로는 좀 더 보완이 필요하다[14]. 일선에서의 적용을 고려한다면 「공동주택 결로 방지를 위한 설계 기준」 [별표 1] '주요 부위별 결로 방지 성능 기준 1'을 보면 무엇보다 학회나 연구소 그리고 학교에서 다루는 논문 수준의 복잡한 수치를 많이 포함하고 있다. 지역에 따른 분류는 경제성과 관련이 있기에 좋은 접근이라고 생각하지만, 개인적으로는 벽체 접합부 하나면 충분하다고 생각한다. 문과 창호는 별도로 단열 기준이 있기에 여기서 문짝과 문틀을 추가적으로 다루는 것은 이중으로 일을 하는 것이며, 유리를 포함한 창과 창틀을 검토하는 것도 같은 맥락이다.

13 개정 2016. 5. 4 국토교통부 고시 제2016-238호

14 TDR이라는 용어가 나온 영국에서도 EN ISO 13788 기준에 따라 fRSI (Internal surface temperature factor)라는 계산방식을 따른다.

결로를 억제하는 것은 단열 성능과 직접적인 관련이 있다. 창호에 관한 단열 성능은 이미 「에너지 절약 설계 기준」에서 다루기에 「공동주택 결로 방지를 위한 설계 기준」에서는 곰팡이 발생에 대한 위험을 더 무게 있게 다루는 것이 맞다고 본다. 결로가 발생하더라도 창호는 표면에 곰팡이가 발생하는 재질이 아니기에 어느 일정량까지는 문제가 없다. 어느 정도까지 허용할 것인가에 대한 기준을 마련하는 것이 오히려 더 도움이 될 것이라고 본다. 그런 이유에서 일반 창호가 아닌 다른 외피 부분을 검토하고, 창틀과 연결되는 부위의 위험성을 점검하는 것이 더 합당한 접근 방식이 아닐까 생각한다. 그렇게 되면 주요 부위별 결로 방지 성능 기준표에는 '벽체 접합부' 한 줄만 있어도 된다. 창틀과 연결되는 부위의 위험성을 열교 프로그램등을 통해 검토하게 되면 자동적으로 창문의 단열 성능(Uw)을 입력하게 되기에, TDR을 통한 창틀, 유리 가장자리 그리고 중앙 등의 세부적인 검토가 전혀 필요 없다.

이러한 정보를 자세하게 검토하고 조사하는 것은 기준을 만드는 사람에게는 의미가 있지만, 일선 현장에 종사하는 엔지니어들까지 모든 정보를 알아야 할 필요는 없다. 만일 에너지 관련 전문 엔지니어 기관이나 조직을 염두에 두고 세부 기준을 세웠다면 사실 더 큰 문제라

공식 3 두 종류의 온도 차이 비율

$$TDR = \frac{\text{Internal air temperature} - \text{Cold bridge temperature}}{\text{Internal air temperature} - \text{External air temperature}}$$

$$TDR = \frac{\theta i - \theta si}{\theta i - \theta e}$$

$$fRsi = \frac{\text{Minimum internal surface temperature} - \text{External temperature}}{\text{Internal air temperature} - \text{External air temperature}}$$

$$fRsi = \frac{\theta si - \theta e}{\theta i - \theta e}$$

TDR 온도저하율(Temperature Difference Ratio), 지역적 기준?
근거자료: Oreszczyn T., 1992. Insulating the existing housing stock: Mould growth and cold bridging, 영국

fRsi온도계수(Surface Temperature Factor), 국제 기준!
근거 기준: ISO 10211:2007, EN ISO 10211:2007, EN ISO 13788

fRsi = 1 실내공기온도와 같음
fRsi = 0 외기공기온도와 같음
θsi: 실내측 표면온도(℃)
θi: 실내온도(℃)
θe: 실외온도(℃)

표 1 주요 부위별 결로 방지 성능 기준

대상 부위			TDR값*		
			지역 1	지역 2	지역 3
출입문	현관문 대피공간 방화문	문짝	0.30	0.33	0.38
		문틀	0.22	0.24	0.27
벽체접합부			0.23	0.25	0.28
외기에 직접 접하는 창	유리 중앙 부위		0.16(0.16)	0.18(0.18)	0.20(0.24)
	유리 모서리 부위		0.22(0.26)	0.24(0.29)	0.27(0.32)
	창틀 및 창짝		0.25(0.30)	0.28(0.33)	0.32(0.38)

* 각 대상 부위 모두 만족하여야 함. 괄호 안은 알루미늄창의 적용 기준

출처: 공동주택 결로 방지를 위한 설계 기준

고 볼 수 있다. 정작 이해를 해야 할 건축가 본인이 해야 할 일에서 완전히 소외되는 상황으로 이어지기 때문이다.

건축가들이 실시 설계 단계에서 에너지 전문가와 바로 옆 자리에서 일을 하지 않는 이상 빠른 협의를 하는 것은 현실적으로 불가능하다. 건축가들이 어떤 결정을 내려야 할 때는 실시간으로 바로 합당한 답이 필요하다. 기다릴 시간이 별로 없다. 결국 건축가는 앞으로 문제 해결을 위한 디테일을 발전시키는데 시간을 투자하기 보다 창작과 같은 디자인적인 요소에 묶이는 경우가 더 많아지게 되는 것이다. 이러한 현상이 지속되면 단독 혹은 소규모 건물로 에너지 총량제를 확대하는 것은 아예 불가능하게 될 것이다. 건축사가 직접 할 수 없을뿐더러 소규모 건물이라면 에너지 관련 전문가 사무실에 별도 용역을 줄 건축주도 없을 것이기 때문이다. 결국 서류상으로 형식적인 구색만 갖춘 채 진행 될 가능성이 농후하다.

결론적으로 패시브하우스의 열교 계산은 독일 패시브하우스의 인증을 받는데 문제가 없기 위해서라도 국제 기준에 따른 계산을 해야 한다. 국내 기준이 맞다, 다른 국제 기준이 맞다는 식의 논쟁은 중요한 것이 아니다. 통일된 언어로 에너지 총량제를 계산해야 하는데, 현재 우리는 두 개 이상의 언어를 갖고 있고 기준점이 다른 그 두 개의 언어를 섞어서 사용하는 것이 문제다. 결국 추진함에 있어 효율이 떨어지는 문제를 낳는다.

「에너지 절약 설계 기준」과 「공동주택 결로 방지를 위한 설계 기준」의 성공적인 적용을 위해서는 추가적으로 국제 기준과의 비교 가능성을 염두에 두고 보완할 필요가 있다. 그때까지는 연면적 500m² 이하의 패시브하우스는 국제 기준인 ISO 10211에 준해 외피선을 기

준으로 계산하면 될 것이다. 그 방법이 현재 국내에서 사용하는 에너지총량제 프로그램과 호환이 되는 유일한 방법이다.

그렇다면 연면적 500m²가 넘는 제로에너지단지와 같은 국책 과제들은 과연 어떤 방법으로 독일 인증을 받았을까? 아마도 최소한 두 번의 서로 다른 계산을 했을 것이다. 국내 기준으로 한번, 그리고 국제 기준으로 한번 더 보완이 필요하다.

④ 패시브에너지

'패시브(Passive)'의 어원이라고도 할 수 있는 것으로 겨울철 창호를 통해 공급받는 일사량이 있다. 쉽게 이해하자면 공짜로 얻는 것을 말한다. 일차적으로 유리를 통과한 일사에너지는 내부의 물건이나 구조물에 부딪치면서 열에너지로 전환되어 직접 일사를 받은 구조물을 데우거나 반사를 통해 다른 구조물에 열에너지로 저장된다. 다음 단계로 대류(Convection)와 복사(Radiation)를 통해 나머지 공기에 면한 내부면이 데워진다.

이때 투명한 유리에 소위 '온실 효과'가 나타나는데, 단파의 태양광이 일부는 유리 표면 외부에서 반사되고, 일부는 유리에 흡수가 되지만 나머지 대부분은 내부로 그대로 통과한다. 통과된 태양열은 사물에 부딪치면서 장파로 전환되는데, 이 장파는 다시 유리를 통해 외부로 다시 나가기가 어렵다. 온실 효과(비닐하우스 효과)이다.

쉬운 예로 겨울철 맑은 날 자동차를 타고 가다 보면 히터를 켜지 않았는데도 내부가 따뜻하다. 바로 이 온실 효과와 같은 물리적 현상 때문이다. 이런 물리적 현상을 열원으로 적극 사용하는 것이 바로 패시브하우스다. 그래서 가급적이면 많은 복사열이 내부로 들어올 수 있도록 남향에 주 창호를 설치하는 것이다. 이 값을 g-값, g-value(전체 에너지 투과율, SHGC: Solar Heat Gain Coefficient)으로 나타낸다. 높을수록 일사에너지가 실내로 더 들어오는 것이고 낮을수록 덜 들어오는 것을 의미한다.

사진 6 개구부 주위를 사선으로 처리한 예, Heidelberg 대학병원

사진 7 개구부 주위를 사선으로 처리한 예, Heidelberg Bahnstadt

겨울철 난방에너지와 관련해서는 창호의 정확한 위치와 수평·수직 길이, 발코니 여부 그리고 외부 인접 건물과의 각도 등을 확실하게 PHPP 혹은 Energy#과 같은 프로그램에 기입해야 한다. 난방의 경우, 전체 에너지 요구량을 고려한다면 보통 일반 건물에서의 일사량이 큰 영향을 미치지 못하지만, 패시브하우스는 창호 위치와 프레임의 폭에 따라 음영이 달라져 이에 따라 내부 일사량도 큰 폭으로 변한다. 보통 간단한 계산을 위해서는 프레임과 기타 방해 요소를 고려해 실제 일사를 받아들이는 창호의 유효 면적을 70%로 보지만, PHPP에서는 기본값이 75%이다(0.75). 이는 독일 에너지총량제 계산 시 고려하는 일괄적인 수치와 동일하다. PHPP에서는 엑셀시트에 따로 정확하게 기입할 수 있다[1].

패시브하우스는 보통의 건물보다 단열재가 두껍다. 열교를 줄이기 위해 가장 효과적인 단열면에 창호를 설치하더라도 외부마감면에서 창문프레임까지 약 20cm 정도 깊이를 보이는 것이 일반적이다. 20cm 깊이도 일사량과 연관시켜보면 작은 것이 아니라는 것을 실감하게 되는데, 이런 이유에서 창호 주위를 사선으로 깎아 시공하는 건물도 자주 볼 수 있다.

개구부 주위를 사선으로 처리해서 실내로 유입되는 일사량을 더 많게 하고 자칫 단조로운 입면을 보완하는 것은 좋은 시도이기는 하지만, 외단열 미장 공법에서는 하자로 이어지는 경우도 많다. 외단열 미장에서 중요하게 고려하는 시공 기준은 외피면이 수직이 되도록 하는 것이고 가급적이면 약간의 경사진 면이라도 피해야 하기 때문이다.

빗물이 가급적이면 빠른 시간에 밑으로 흘러내려야 하는데 수직이 아닌 경사진 입면에서는 빗물이 오랜 시간 표면에 붙어있으면서 표면의 함수량이 증가하게 된다. 이는 습기와 관련된 하자로 이어진다. 젖은 표면은 먼지를 잡아당기는 정전기같은 역할을 하기 때문이다. 오염의 문제도 있지만 무엇보다 곰팡이가 자랄 수 있는 토양이 되는 것[15]도 문제다.

이런 사선 처리는 또한 기성품의 창호 물받이대를 그대로 사용하지 못한다는 문제점도 가지고 있다. 소폭이라도 시공비의 상승을 피할 수 없다. 좋은 시도이지만 설계와 시공측면에서 고려해야 할 사항이 너무나 많다.

사진 7을 살펴보자. 비슷한 사례이지만 걱정했던 것과는 달리 준공한 지 4년 가까이 되지만 외피에 약간의 얼룩이 있는 것을 제외하고는 온전하다. 사진 6과 다른 점은 경사진 면이 돌출되어 있다는 것이다. 이로 인해 문제가 덜 생긴 것이 아닌가 추론해본다. 다만 이런 돌출 형태의 처리는 일사와는 전혀 관련 없는, 의장적인 성격만을 보인다. 개인적으로는 건축가가 일사량을 고려한 경사면 기법을 잘못 이해한 것이 아닌가도 싶다. 물론 입면을 강조하기 위한 디자인적인 의도가 숨어 있을 수도 있지만, 재료적인 면에서 단열재 접착과 고정을 고려할 때 조금은 위험한 시도처럼 보인다. 또한, 독일에서는 300mm까지의 EPS 단열재는 일반적인 허가증[16]이 있어서 적용에 문제가 없지만, 이 두께를 넘어가면 사례에 맞는 별도의 허가증을 만들어 제출해야 하기에 작은 현장이라면 오히려 비경제적인 방법이 될 수도 있다.

이렇게 외관에도 영향을 주는 패시브에너지는 건물 내부에서 모두 난방에너지로 사용할 수 있을까? 패시브하우스를 짓고자 한다면 이 질문에 주목할 필요가 있다. 역설적으로 건물의 에너지 성능이 낮은, 단열이 부족한 건물일수록 패시브에너지를 사용하는 비율은 높다. 패시브하우스와는 달리 기본적으로 필요한 열 에너지량이 많기 때문에, 실내로 유입된 에너지를 외부로 버리지 않고 100% 활용할 수 있기 때문이다. 단열이 부족한 건물임에도 겨울철 맑은 날에는 유리창으로 들어오는 에너지만으로 실내가 충분히 따뜻해지는 경우를 종종 볼 수 있다. 물론 밤 시간에는 더 많은 에너지 손실이 발생한다. 창호의 단열 성능이 많이 떨어지기 때문이다. 반면, 패시브하우스처럼 에너지 성능이 좋은 건물에서는 이 간접 에너지를 모두 난방원으로 사용하지 못하게 되는데, 실내의 온도가 필요 이상으로 상승할 경우 창호를 통한 환기를 자주하기 때문이다. 결국 사용하지 못한 채 버리게 되고, 이는 에너지 손실로 이어진다. 모든 경우에 적용되는 것은 아니다. 노약자나 유아가 있는 공간은 PHPP에서 제안하는 실내 온도인 20℃ 보다 더 높은 온도를 원하는데, 그런 경우에는 창호를 통해 인위적으로 열 에너지를 배출할 필요가 없기 때문에 에너지를 절감할 수 있다.

⑤ 건축물의 향과 창호

패시브하우스에서 창호(환기)의 주 면적을 남향으로 배치하는 것이 좋다는 것은 누구나

15 우리나라의 경우 아직 공기가 좋은 일부 도서 산간지역을 제외하고는 걱정할 필요 없다. 아이러니하게도 산성비가 곰팡이균을 모두 죽이기 때문이다.

16 독일의 외단열 미장 공법은 독일 기술연구소(DiBT)에서 발부한 시스템 허가서가 있어야만 인정이 된다.

사진 8 주방에 설치된 창호

알고 있다. 패시브하우스가 아니라도 대지의 형태만 허락한다면 모든 사람이 남향집을 선호한다. 하지만 대지의 형상이 항상 남향으로 제공되는 것은 아니다. 여기서 패시브하우스 건축주들의 첫번째 고민이 시작된다.

결론부터 말하자면, 앞에서 언급된 A/V 값의 경우처럼, 남향집만이 패시브하우스를 위한 절대적 필수 조건은 아니다. 독일 프랑크푸르트의 다가구 건물의 경우처럼 전망이 좋은 쪽이 북측이라면 부동산 가치를 올리기 위해서라도 북측으로 건물의 방향을 잡는 것이 맞다. 두 마리의 토끼를 잡으려다 다 놓칠까 봐 걱정을 하는 것도 이해되지만, 일사에너지와 조망 모두 만족시키는 설계와 시공이 현재 기술력으로 충분히 가능하다. 쉬운 일은 아니겠지만, 그렇다고 넘기 힘든 불가능한 장애도 아니다.

이 문제를 풀어나가기 위해서는 각 방향에 따른 에너지 요구량 연관 관계를 이해하고 있는 것이 좋다. 마찬가지로 대지 위치에 따른 방향별 창호의 크기가 미치는 연관 관계도 참고할 필요가 있다. 이는 PHPP나 Energy#과 같은 프로그램을 통해서 더 확실하게 이해하고, 정량적 수치로 도출할 수 있다. 이를 통해 프로젝트 참여 전문가나 건축주는 좀 더 명확하게 그 영향의 정도를 파악할 수 있다.

건물 외피에서 창호는 단위면적당 시공비가 높기 때문에 경제성을 고려하지 않을 수 없다. 전체 면적으로 볼 때 약 20~30% 정도의 비율이 적당하다고 본다. 에너지 획득에 큰 역할을 하지 못하는 창호라면 각 실의 바닥 면적에 대해 10~12% 정도를 창호 면적으로 만

사진 9 화장실로 추정되는 부분의 창호

드는 것이 좋다[17]. 무작정 창호의 단열 성능이 벽체보다 좋지 않다고 에너지 절약의 명목으로 창호를 작게 하는 것은 피해야 한다. 실 높이를 무조건 낮게 할수록 난방에 유리하다는 것도 패시브하우스에서는 큰 의미가 없다.

비주거 건물에서는 창호가 작을 경우 어두운 실내를 밝히기 위해 조명을 켜곤 하는데 이는 그리 생산적인 접근 방법이 아니다. 더불어 창호 크기가 작아질수록 단열 성능이 떨어지는 창호프레임면적(Uf)이 상대적으로 늘어나 전체 창호 단열 성능인 Uw(w: window[18]) 값이 나빠지게 된다. 예를 들어 화장실 창문 폭이 60cm 이하면 실제 유리 너비는 40cm 이하가 된다[1]. 결국 최소한의 크기를 정하되 그 선을 넘어야 한다면 별도의 계산이 필요하다. 다른 길은 없다.

같은 크기의 창호 개구부이지만 사진 8은 창을 열 때 싱크대 수전과 서로 간섭되는 것을 막기 위해 추가적으로 하부 고정창을 계획했다. 이는 단열 성능이 낮은 프레임의 면적은 늘어나고 유리의 면적은 줄어드는 결과를 낳는다. 그래도 위의 사례는 잘 해결된 경우라고 볼 수 있다. 시공하면서 너무 늦게 문제점을 발견해 하부의 고정 유리가 거의 없거나 프레임만

17 독일 각 지자체의 건축 법규(LBO, Landesbauordnung)에서 유리 면적만 볼 때는 보통 10%, 창틀까지 포함하면 12%로 정한다.

18 약호: Uw (창문 - Window), UD (문 - Door), Uf (틀 - Frame), Ug (유리 - Glazing), Up (패널 - Panel), Ucw (Curtain Wall),

있는 사례도 종종 있다. 사전에 철저한 검토가 이루어지지 않으면 깔끔하게 해결하기가 어려운 부분이다.

또한, 창호 프레임을 단열재로 덮는 것이 단열에 유리한 것은 맞지만, 단열재를 덮기 위해서 프레임 면적을 더 넓게 하는 것은 잘못된 접근 방법이다. 일반 창호에서 프레임의 면적은 30% 미만이 되도록 유리 면적 대비 창호 프레임의 면적을 줄이는 것이 좋다.

우리나라 기후를 고려한 창호 계획

창호 면적을 계획할 때는 우리나라 기후의 특이성을 먼저 이해해야 한다. 1, 2층의 창호 면적을 서로 비교했을 때, 1층에 비해 2층의 창호 면적의 합이 적도록 계획하길 권한다. 특히, 창호 앞에 효율적인 차양 장치 또는 처마가 있다 해도 그리 깊지 못하다면, 지면 반사율(Albedo)과 간접광 등을 통해 외부의 열에너지가 유입되고 이는 냉방 부하 증가로 이어지게 된다. 또한 더운 공기는 위로 상승하는 것이 물리적 법칙이기에 2층 실내 온도가 1층보다 더 높아져 이를 상쇄하기 위해서라도 창호 면적을 줄일 필요가 있다. 특히 사무실처럼 유리 면적이 상대적으로 많은 건물의 경우, 층간 온도 차로 인한 냉방 부하 문제는 더욱 심각해진다.

독일 중부지역 Gelsenkirchen에 위치한 과학 공원(https://www.wipage.de) 건물(1995년 준공)을 예시로 들어보겠다. 위의 문제를 해결하기 위해 냉방 장치를 추가하는 등 수 차례 시행착오를 거쳤지만, 결과적으로 사람이 겨우 '견딜 수 있는' 수준의 건물이 되는 것으로 만족해야 했다. 1층에 음식점을 두는 등 당초 계획한 시설을 적용하기가 어려울 정도로 300m의 긴 공간이 온실과 같은 상태가 되었고, 결국 현재는 사용하지 못해 비어 있는 상태다. 필자가 직접 각 층의 온도 차를 느껴보기 위해 방문했을 때는 한여름이 아니었음에도 층간의 온도 차가 약 4°C 이상이었다. 차양 장치 일부가 훼손되는 등 당시의 상황이 좋지 않은 조건이었기는 하지만, 유리 면적이 큰 건물에서 흔히 나타날 수 있는 문제라는 것을 피부로 경험할 수 있었다. 디자인 측면에서는 성공한 건물이었을지 몰라도, 공학적으로는 실패한 대표적인 사례다. 문제의 심각성을 인지하지 못한 건축가와 설비전문가의 실수이자, 한때 국내 건축계에서도 많이 따라한 이중 외피의 실패를 보여주는 교훈적 사례라 생각된다.

유리 면적을 조절하는 방법이 어렵다면, 차양 장치는 그대로 두더라도 유리 전체 에너지 투사율(g값)을 줄이는 것도 적극적으로 고려할 만하다. 단점은 가시광선 투사율이 달라지기에 외부에서 볼 때 유리의 색상이 조금 다르다는 것이다. 보통 녹색이나 파란색 계열의 색을 보인다. 차양 장치를 걷었을 때 외부에 보이는 전체 유리의 색도 중요하기에 처음부터 같이 고려하는 것이 좋다. 가급적이면 맑은 유리를 권장한다. 가시광선 투과율은 70%가 넘

사진 10 2층 남향 창의 구성 사례, 람다패시브하우스

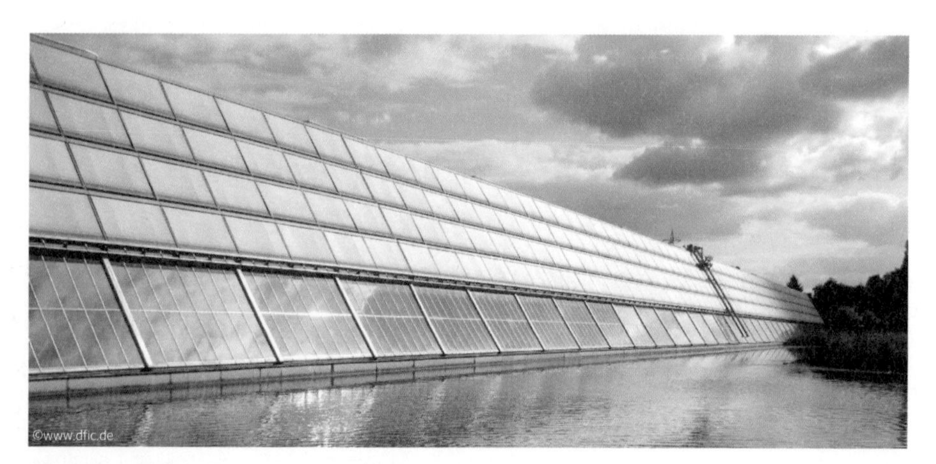

사진 11 독일 Gelsenkirchen에 위치한 과학공원 전경.

사진 12 사고 : 거실 유리와 부딪친 새

으면 일단 합격선이라고 보면 된다. 이중 유리는 보통 80%를 넘는 게 흔하지만, 삼중 유리는 보통 70~75% 정도가 가능하다. 람다패시브하우스의 경우는 약 74%다.

이런 맑은 유리는 새들이 유리에 부딪히는 확률을 높이기에 유리 면적이 많은 사무실이라면 조류와의 충돌을 대비한 계획을 별도로 세우는 것이 좋다. 독일의 경우는 맑은 유리가 주로 가격이 경제적인 수준으로 책정된 반면, 우리나라는 컬러 유리를 일반적으로 사용하다 보니 오히려 맑은 유리의 가격이 높은 편이다. 설계 사무실에서 습관적으로 '컬러복층유리 24mm'라고 도면에 표기한 결과가 아닌가 생각한다.

창호 유리 면적이 에너지 요구량에 미치는 영향

그렇다면 창호 유리 면적과 건물의 향이 에너지 요구량에 미치는 영향은 어느 정도인지 살펴보기로 하자. 독일 Darmstadt의 외곽 Kranichstein지역에 있는 최초의 패시브하우스 건물이며 패시브하우스 연구소 소장인 Feist 교수가 거주하는 건물을 예로 들어보자.

이 건물 남측 외피에서 유리가 차지하는 비율은 총 35%이다. 지어질 당시만 하더라도 3중 유리가 일반적으로 생산되지 않았기에 상당히 많은 공을 들인 케이스이고 그로 인해 비용이 많이 상승했을 것이다. 현재는 쉽게 획득할 수 있지만 당시의 Ug값은 0.71 W/(m²·K) 이고, 전체 에너지 투사율은 49.5%로 지금의 일반적인 조합[19]의 경우보다 조금 낮다.

남향 창의 비율이 14% 미만인 경우 실내 온도가 25°C를 넘어가지 않으며, 유리 면적이 20%를 넘으면서 실내가 더워지는 빈도가 급격하게 증가한다. 더불어 g값(전체 에너지 투사율)이 비슷하다면, 2중창의 경우도 3중창과 별 차이 없는 실내 온도 변화를 보인다. 에너지 요구량을 본다면 남측 창호의 면적이 14%가 되면서 연간 난방에너지 요구량은 15kWh/(m²·a) 이하를 보이고, 약 45% 정도가 되면 10kWh/(m²·a)의 수준을 유지한다[20].

결론적으로 투명한 유리를 통해 실내로 유입되는 일사에너지가 가장 크다는 것과 넓은 면적일수록 난방에너지의 요구량이 줄어든다는 것을 알 수 있다. 이것이 바로 여름철 실내 온도에 가장 큰 영향을 주는 요소이다. 결국 차양 장치는 선택 사항이 아니라 설계 및 시공의 필수 요소이다. 난방에너지 요구량에만 집중한다면 여름철 쾌적성을 많이 벗어나거나 상당히 많은 냉방에너지가 공급되어야 하는 상황으로 이어질 수 있다. 따라서 각 지역의 특성에 맞는 최적의 공통분모를 찾는 작업이 무엇보다 중요하다.

19 강화유리가 아닌 경우 4 / 12 / 4 / 12 / 4의 조합에서 보통 55%를 보인다. 60% 이상인 경우는 보통 간봉간의 간격으로 조정한다.

20 패시브하우스의 여름에 대한 독일 자료 https://passipedia.de/grundlagen/sommerfall/passivhaus_im_sommer

건물의 향이 에너지 소비에 미치는 영향

조건은 정남향의 3중 유리이며 유리 비율이 34%(19.127m²)인 외피의 향을 서쪽으로 돌리면서 그 변화의 형태를 살펴보았는데 약 60°(서북향)가 되었을 때 15kWh/(m²·a)를 넘어섰다. 실내 온도가 25°C를 넘는 비율은 정남향 10%에서 증가하기 시작해 마찬가지로 약 60°가 되었을 때 25°C를 넘는 비율이 20%에 육박하게 된다. 그리고 약 135°일때 25°C를 넘는 비율은 10% 이하로 다시 떨어지게 된다[21].

• 서향 건물은 어느 정도까지는(약 30°, 남향에서 시계방향으로) 냉난방에너지 요구량에서 큰 차이를 보이지는 않으며 기술적으로 상쇄 가능하다.

• 그 이상의 경우라면 건축 설계적인 측면에서 그리 효율적인 접근 방법이 아니기에 직접 에너지(액티브 요소)의 추가 공급이 필수적이다. 에너지 계산 프로그램을 통한 분석과 개선이 반드시 필요하다.

중유럽과 정도의 차이만 있지 우리나라도 서측이나 동측의 일사가 미치는 영향의 원리는 같다. 위의 예를 유념하면서 방향과 면적이 미치는 영향을 프로그램을 통해 계산한다면 합리적인 결론을 얻을 수 있다. 나머지는 디자인 의도에 따라 가감하면 될 것이다.

여름이 비교적 건조하고 실외 온도가 덜 높은 중유럽의 경우, Darmstadt에 소재한 최초의 패시브하우스 건물과 비슷한 수준이라면 큰 범위에서 벗어나거나 위험한 것은 사실 별로 없다. 하지만 우리나라에서는 좀 더 세분해서 살펴 볼 필요성이 있다. 유럽의 적용 사례를 에너지 해석 없이 일대일로 국내에 적용한다면, 결과적으로 많은 냉방에너지 투입으로 이어지게 된다. 난방에너지 요구량만 경쟁하듯 무조건 줄이려고 하기보다는 여름철 냉방부하와 냉방에너지 요구량을 같이 고려해 그 안에서 합의점을 찾아야 한다. 그것이 결과적으로 훨씬 경제적인 접근 방법이다.

여기서 한 가지 추가로 생각할 부분이 있다. 독일 패시브하우스 인증에서는 여러 가지 특정 기준을 만족하길 요구한다. 예를 들어 난방에너지 요구량이 ≤ 15kWh/(m²·a) 혹은 난방부하가 ≤ 10W/m²를 만족하는 것, 여름철 냉방에너지의 경우는 다른 계산 기준[22]이 있기는 하지만, 독일 PHI의 권고기준만을 고려한다면 ≤ 15 kWh/(m²·a) 혹은 냉방부하 ≤ 10W/m²의 조건을 갖추는 것이다. 보통 냉난방을 합해서 전체 에너지 요구량이 30kWh/(m²·a)이하가 되면 패시브하우스라고 한다. 하지만 겨울철 일사가 좋은 지역이라 난방에너지가 10kWh/(m²·a)이고, 냉방에너지는 20kWh/(m²·a)을 보여 전체 합계가 30kWh/(m²·a) 이하이기에 결과적으로는 맞춘 것일지라도 독일 패시브하우스 연구소에서는 이 값

21 패시브하우스의 여름에 대한 독일 자료 https://passipedia.de/grundlagen/sommerfall/passivhaus_im_sommer

22 Certified Passive House - Certification Criteria for Residential Passive House Buildings, 13.09.2013

을 인정하지 않는다. 냉방과 난방 그리고 전체 에너지 요구량이 모두 만족되어야 패시브하우스 조건을 만족하는 것으로 인정한다.

독일의 기준이 그렇다고 하여 무비판적으로 수용할 이유는 없다. 우리나라 같은 기후 특성을 고려한다면 난방에너지를 패시브하우스 기준 이하로 맞추는 것은 겨울철의 좋은 일사조건으로 인해 비교적 쉬운 편이다. 반면, 제습까지 포함한 냉방에너지는 쾌적성을 동시에 고려한다면 그리 녹록지 않을 것이다. 전체 에너지 요구량은 같더라도 '지역 특수성'을 고려하는 유동적인 인증 체계가 더 현실적이지 않을까 하는 생각을 해본다.

국내 자체적인 기준을 만든다면 이런 상황을 고려한 인증도 충분히 가능할 것이다. 하지만 이런 기준 확립은 단순한 몇 가지 시뮬레이션만으로는 완성되는 것이 아니다. 실질적인 모니터링을 통한 기초 데이터의 확보와 이를 분석해 시뮬레이션의 부족함을 찾아내고 보완하는 작업이 수반되어야 한다.

⑥ 환기 / 공기조화기

재실자에 의해 조절 가능한 기계식 급·배기 공기조화기는 패시브하우스에서 핵심적인 요소다. 자연 환기는 고온의 실내 공기가 함유한 에너지를 재사용하지 않고 버리는 것이기에 난방 부하를 낮추고, 실내로 공급되는 난방에너지 요구량을 15kWh/m²·a 이하로 낮추기 위해서는 환기를 통해 손실되는 에너지를 다시 회수해야만 한다. 열회수 후에 최종적으로 건물을 빠져나가는 공기에도 에너지가 있다. 한 단계 더 나아가 그 작은 에너지도 다시 배기 히트펌프의 기술을 이용해 추가적인 에너지원으로 사용하는 것도 가능하다.

사람은 호흡을 통해 시간당 약 18ℓ의 이산화탄소(CO_2)를 배출한다. 수면 시간에는 12ℓ로 줄어들지만 실내의 이산화탄소 농도를 낮추기 위해서는 지속적으로 신선한 공기가 유입되어야 한다. 이산화탄소는 실내 공기 상태를 알 수 있는 척도이기도 하다. 주거용 건물에는 일인당 약 30m³/h의 신선한 공기가 필요하며, 환기를 통해서 실내 수증기를 외부로 배출해 습기로 인한 곰팡이나 결로 발생의 위험을 줄여야 한다. 실내에는 각종 가구나 건축 자재로부터 방출되는 환경 위해 요소와 실내에서 만들어지는 좋지 않는 냄새가 있기에 사용된 공기는 지속적으로 외부로 배출하고, 외부로부터 신선한 공기를 공급받아야 한다. 청소 시에 사용하는 세제(VOCs), 촛불(미세먼지), 향(미세먼지), 실내용 램프(VOCs), 가스레인지(미세먼지) 등이 대표적인 경우다. 실내에서 배출되는 공기에서 열만을 회수하는 공기조화기를 '현열교환기'라 하고, 습기도 같이 회수하는 것을 '전열교환기'라 한다.

패시브하우스에 적용되는 공기조화기의 기본 성능은 다음 표와 같다. 이 기준은 독일 PHI의 공조기 인증기준이다.

표 2 패시브하우스에서 요구되는 공기조화기 기본 성능

공기조화기의 성능 기준	내용
쾌적성: 실내 유입 온도	≥ 16.5 ℃
열 교환기의 성능: 실제 유효열 교환율	≥ 75 %
전력량 소모: m^3당 공기의 전기 소모	≤ 0.45 W/(m^3/h)
배관의 누기율	≤ 3 %
기계의 단열	≤ 5 W/K
필터의 오염으로 인한 불균형	≤ 10 %
공기량 조절	0, 100 그리고 70, 130%
실내 공기 위생*: 급기 필터 배기 필터	F7 G4
불균형이 없는 결빙 보호	
방음: 기계 설치 공간 주거 공간	≤ 35 dB(A) ≤ 25 dB(A)

출처: [3]

* 2018년부터 필터 성능 표시 등급이 바뀌었지만 아직은 기존 표시가 더 눈에 들어온다. 기본 필터 G1~G4, 중간 필터 M5~M6, 미세 필터 F7~F9

표 3 공기조화기의 운전 유형

단계	의미	환기량	내용
0	끔	0.06~0.10 1/h	• 가장 최소한의 환기
			• 위생 환기
			• 오랜 시간 건물이 비어 있는 경우
			• 더운 여름 낮 시간에 선택
			• 겨울철 휴가 동안 건물을 비우는 경우에는 이 모드를 선택하지 않는 것이 좋음. 귀가 후 온도를 다시 올리는데 많은 시간이 소요됨
			• 안전문제*
1	부재중 (최소)	0.20 1/h	• 건조한 실내 공기를 환기량을 통해 조절하는 단계
			• 에너지 절감
2	일반 모드 (기본**)	0.30 1/h	• 환절기와 겨울에 가장 일반적인 단계
			• 낮과 밤
3	파티 모드	0.60 1/h	• 실내 공기가 좋지 못할 경우, 일시적으로 많은 환기가 필요한 경우 (요리, 아침·저녁 시간)
			• 여름철 외부 공기 온도가 내려갔을 때 야간 환기를 효율적으로 하려는 경우

출처: [4]

* 생산업체와 전문가 사이에서 아직 논의되고 있는 내용이다. 만일 화학 공장 등의 사고 혹은 화재로 인해 공기 중에 유해물질이 문제가 되는 경우 '끔' 모드에서 공기 순환이 아예 없게 하는 것과 최소한의 환기를 지금처럼 고려하는 것에 관한 문제이다.

** 패시브하우스연구소에서는 위생을 위한 평균 최저 환기를 0.3/h로 본다(PHPP 환기 참조).

공기조화기의 운전 유형

일상 생활에서 공기조화기를 효율적으로 사용하기 위해서는 4단계의 풍량 조절 기능을 갖추는 것이 유리하다. 보통 2단계로 풍량을 조절하고 기계를 정지하는 기능을 포함하는 제어판을 최소한의 기능으로 보지만, 가급적이면 4단계를 추천한다. 각 단계별 풍량을 정할 때, 특히 급기(SUP)를 통한 공기 난방을 고려하는 경우에는 표 3의 내용[4]을 고려해서 정할 수 있다. 물론 사용되는 공기조화기의 용량(실제 필요한 것보다 큰 경우)과 또 여름철에 급기를 냉각시키는 기능 등이 있다면 운전 유형별로 환기량은 위의 내용과 차이가 있을 수 있다.

시간당 최소 환기 횟수는 0.6회?

국내에서는 시간당 최소 환기 횟수가 0.6회로 알려져 있다. 개인적으로는 이 수치의 근거가 아주 궁금하다. 독일에서도 많은 전문가들이 최소 환기로 0.5회를 말하는데, 이 또한 근거가 없는 얘기다. 0.5회는 일반 건물의 난방 부하 계산 시(설비용량) 독일 기준으로 적용하는 환기량을 평균해서 나온 결과 값일 뿐으로 모든 건물이 종류나 높이, 위치에 상관 없이 이 수치를 만족해야 하는 것이 아니다. DIN 4108-6에서 논하는 최소한의 환기는 실내의 곰팡이 발생 위험을 체크하는 것으로, 만일 단열과 기밀 성능이 떨어지는 건물이라면 0.3회를 만족하는 경우도 흔히 있다. 그런 경우라면 별도의 환기 계획이 필요 없다[23]. 다만, 기밀한 건물은 재실자가 건물에 없더라도 최소한의 환기를 만족시키기 위해 환기 계획을 세워야 한다. 만일 1년 내내 0.6회의 환기를 한다면 환기로 인한 에너지 손실이 커지게 될 뿐더러 겨울엔 실내가 너무 건조해져 가습기를, 여름은 오히려 습해지는 상황을 맞게 된다.

중앙집중식 혹은 세대별 설치

우리나라의 경우 공동주택에서 각 세대별로 기계를 설치하는 시스템이 주를 이루지만, 유럽은 자기 소유 세대가 아니라면 보통 중앙집중식을 적용해서 관리의 편의성에 중점을 두는 편이다. 예를 들어 필터를 교체할 때 세대주와 일정을 조율하지 못하면 관리 비용이 증가하기 때문이다. 휴가가 잦고 기간도 긴 독일에서는 일정을 하루에 다 잡는 것이 사실상 불가능해 지하나 계단실 등에서 각 세대의 기계를 관리하는 시스템이 주를 이룬다.

공기조화기 시스템에서 가장 중요한 것은 기본적인 공기는 중앙에서 공급하더라도 각 세대, 각 실의 기능, 재실자의 요구 사항 등에 따라 개별적으로 공기의 양과 온도를 조절할 수 있어야 한다는 것이다. 적어도 풍량만큼은 재실자가 설정할 수가 있어야 한다. 이는 독

23 독일의 현재 환기계획의 가장 큰 이슈는 재실자 의지와 상관없이 최소 위생적으로 필요한 실내의 환기량을 확보하는 것이다. 맞벌이 직장인이 많은 경우에는 규칙적인 환기가 불가능 하기에 이에 대한 기술적인 반응이 필요하다.

일 패시브하우스 인증 기준 중에 하나이기도 하다. 각 세대별 설치가 일반화되어 있는 우리나라에서 아주 쉽게 적용가능한 부분이기도 하다.

이 시스템은 만일 외부에 화재가 났을 경우 바로 작동을 멈춰 유해한 공기가 실내로 유입되는 것을 막을 수 있다는 장점이 있다. 세종시의 다른 패시브하우스에 적용된 사례이기도 하지만, 실내의 화재 감시 센서와 연동해 환기장치가 자동적으로 꺼지는 것도 고려할 만한 사항이다.

중앙집중식의 경우는 층간 혹은 세대간 방화 구획을 통과하기에 추가적인 시공 비용이 많이 상승한다. 각 세대 내에 개별 환기장치를 설치하면 기계 비용은 증가하지만, 방화구획과의 간섭이 없기에 시공이 편하고 비용은 절감된다. 마찬가지로 중앙 배관의 누기로 불쾌한 공기 유입을 차단할 수 있는 장점이 있다.

중앙집중식의 장점이 있다면 지하 주차장 등으로 배관을 돌리면 공조기에서 열을 회수하고도 배기되는 공기 중에 남아 있는 잔존열을 다시 회수할 수 있어, 경우에 따라 겨울철 지하 주차장의 온도를 영상으로 유지할 수 있다는 점이다.

사진 13 지하 주차장 공기 배출구, Tassilo Quatier, Ingelheim

사진 14 강원도 횡성 둔내 패시브하우스 단독 주택

양압(+) 혹은 음압(-)

건축물리적인 관점에서 실내에 양압(+)이 걸리는 것은 좋지 않다고 본다. 양압은 실내에서 공기를 외부로 밀어내는 것이기에 따뜻한 에너지, 특히 수증기를 함유하고 있는 실내 공기가 건물 외피의 틈새로 빠져나가게 된다. 결국 온도가 낮아져 노점온도 이하로 내려가면 습기와 관련한 하자 문제가 발생하게 된다. 이런 문제는 중량형 건물보다는 경량목구조와 같은 가벼운 구조의 건물에 더 치명적이다.

횡성 둔내 패시브하우스[24]의 겨울철 사진이다. 외벽에 점형 열교(원형으로 빨리 녹은 자국)가 보이고, 처마를 따라 군데군데 하얗게 서리가 맺힌 것을 볼 수 있다. 이 주택은 기밀 테스트 값 $n50 = 0.18\ h^{-1}$으로 아주 좋은 수치를 획득했지만 전형적으로 건물 하부는 음압을, 상부

24 국내 최초 PHI 인증을 받은 단독주택 패시브하우스. 시공: 콩속의 산

는 양압을 보이는 사례이다.

그렇다면 건물에서의 음압(-)은 어떠한가? 마찬가지로 좋은 것은 아니다. 외기가 들어오는 것을 뜻하기에 겨울철에 더 많은 난방에너지가 소비되는 문제도 있지만, 라돈 가스와 미세먼지 유입을 생각한다면 더더욱 음압은 좋지 못하다. 건물 내에서 양압과 음압은 모두 피해야 하며 밸런스를 맞추는 것이 좋다는 결론이 나온다. TAB 테스트를 거친 공조기는 건물 내의 압력 밸런스를 잘 맞춰주므로 습기로 인한 하자도 막는다.

한편, 급기는 되는데 배기가 원활하지 못하거나, 창을 열었을 때 배기구에서 공기가 역류되는 현상이 간혹 발생하기도 한다. 환기 장치의 고장이 아니라면 이는 대부분 배기구 필터가 막힌 것이 원인이다. 이런 경우 실내에 보통 양압이 걸리는데, 이때 갑자기 창문을 열면 순간적으로 실내의 압력 밸런스를 맞추기 위해 배기관의 공기가 실내로 역류되는 현상이 발생하는 것이다. 배기구 내에 습기로 인한 곰팡이균이 있다면, 실내로 유입될 수 있기에 그리 반가운 일은 아니다. 요리를 통한 기름이나 유분으로 배기 필터가 막히기도 하지만, 접착 성능이 있는 헤어 고정용 스프레이도 영향을 주어 먼지나 부유물과 합쳐지면 빠른 속도로 차단막을 형성한다. 따라서 정기적으로 배기 필터를 점검하는 것이 좋다.

필터가 막히면 정해진 공기량을 공급하기 위해 팬이 더 가동해 경우에 따라서는 전기 소모량이 평소보다 증가할 수 있다. 외기를 빨아들이는 곳이 막히면 기대하는 내부 환경을 얻기가 어렵다. 인입구의 프리필터를 수시로 점검하고 청소가 수월하도록 위치를 선정하는 것도 계획상 중요하다. 청소기를 돌릴 공간이 확보되어야 한다. 물론 외부에서도 청소가 가능은 하겠지만, 공동주택이나 다가구 건물에서는 외부에서 청소를 하는 것이 거의 불가능하기 때문이다.

물을 사용하는 공간의 배기

전형적인 패시브하우스는 화장실 외부로 바로 배기하는 시스템이 아니라 공기조화기에 배기구를 연결한다. 이는 생활 습관과도 직접적인 연관이 있다. 샤워나 목욕 후 창문을 열어 일시적인 자연환기를 통해 많은 양의 습기를 배출한 후 남은 수증기는 공기조화기를 통해서 배기한다. 더불어 수건 등으로 벽과 바닥 타일에 묻은 물을 바로 닦아낸다. 패시브하우스가 자동화시스템은 아니기 때문이다.

공기조화기를 통해 배기가 되는 공간의 시간당 환기 회수는 기본 풍량이라 할지라도 3회에서 5회를 넘는 경우가 많다. 즉, 급기가 되는 공간의 시간당 환기 회수보다도 훨씬 높기 때문에 공기조화기를 통한 배기로도 큰 걱정을 할 필요는 없다. 반면 공조기를 통하지 않는 자연 환기의 경우, 필요에 따른 선택임을 감안하더라도 상대적으로 높은 온도의 공기를 외부로 직접 배출하는 것이기에 그리 합당한 접근 방법은 아니다. 전동 댐퍼가 달린 환풍기를 외피에 시공하는 경우도 있지만, 공기 급배기의 밸런스가 무너져 실내에 음압이 걸리게 된다. 따라서 이런 종류의 배기 장치를 사용할 때는 수동으로라도 동시에 창문을 열어야 한다. 이런 조치가 없다면 외부 창호 틈새로 공기가 들어오면서 휘파람 소리 같은 소음이 나기도 한다. 큰 창호라면 중간에 잡아주는 추가 하드웨어를 고려할 만하다.

결론적으로 여름철에는 공기조화기를 통한 배기와 자연환기를 동시에 활용하고, 부분적으로 제습기를 돌리면서 화장실의 습기를 관리하는 것이 일반적인 운용에서는 가장 경제적인 조합이다.

4. 패시브하우스의 계획 원칙

패시브하우스 각각의 요소에 대한 이해가 어느 정도 되었다면, 다음 단계부터는 이슈가 되는 분야를 정하는 로드맵이 필요하다. 일종의 To Do List라고 이해하면 된다. 아래에 중요한 사항 몇 가지를 적었다. 이는 물론 확장 가능하며 각 프로젝트의 성격에 따라 중요도가 더 높은 이슈를 원칙으로 정해서 설계를 진행한다.

To Do List

- 지면과 외기에 면하는 열 손실 면적을 최소화한다.
- 외피 구조의 경제성과 수급 가능성을 다양하게 비교·검토한다.
- 창호의 크기와 성능을 정한다.
- 공기조화기를 비롯한 설비 시스템을 정한다.
- 일반 건물에 비해 설비 공간이 더 필요하기에 위치와 배관 인입 및 분배 계획을 세운다 (지하층, 1층, 경사지붕이라면 지붕 하부 등).
- 가장 미미한 분야이고 소홀히 취급하기도 하지만 실내의 모든 가전 제품 및 조명 계획은 에너지 효율성에 입각해 수립한다. 이 분야는 건축주의 관심도가 높기에 건축가와 협력해서 건축주가 직접 작성하는 것도 방법이다.
- 각 화장실 도기들을 비롯한 모든 수전들의 물 사용량을 바탕으로 별도의 계획을 수립한다. 엄격히 말하면 지속가능한 친환경적인 접근 방법이지만 현실에서 지켜지지 않는 이론적인 사항이기도 하다.
- 신재생에너지가 투입된다면 그 종류, 크기, 설치 위치, 기타 설비와의 연동 등을 미리 검토하고 지자체 및 국가보조금제도와 효율적으로 연결이 가능한지 미리 살펴본다. 대부분의 지원프로그램은 패시브하우스와 같은 저에너지 건물에 적용하기에는 용량이 너무 큰 것이 많다.

5. 한국 기후의 특성과 적용

패시브하우스를 이해하고 건축주가 정한 목표치를 풀어내기 위해서는 우리에게 주어진 자연환경을 먼저 정확히 이해해야 한다. 감성적인 이해가 아니라 수치로 보는 기후가 되어야 한다. 기후의 상관 관계를 알면 어려운 조건이라도 쉽게 풀어낼 수 있고, 조건이 맞다면 건축비를 절약하는 방법도 얻을 수 있다.

결론을 먼저 말하자면, 우리나라 기후는 건축하기에 아주 어려운 조건이다. 겨울은 춥고 건조하며, 여름은 덥고 습하다. 여기에 열대야라는 특수 상황과 장마까지 있다. 추운 겨울은 건축물의 단열과 기밀로 해결이 가능하며 여름은 개구부에 설치하는 차양 장치와 단열, 제습으로 보완할 수 있다. 물론 건물의 성능에 따라 액티브한 냉방에너지를 공급해야 비로소 쾌적성을 확보할 수 있다.

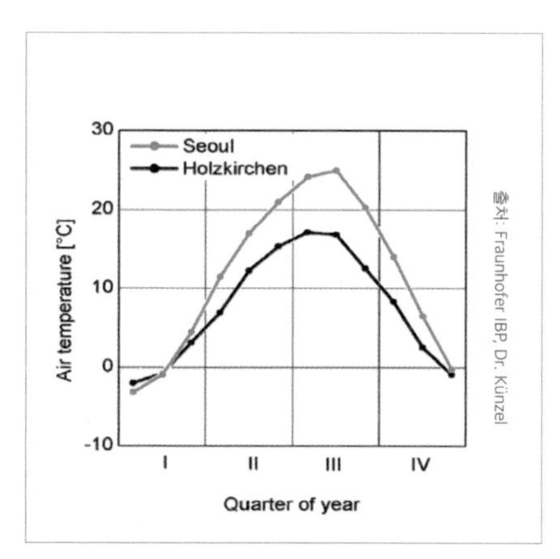

사진 15 월별 외부 평균 온도 비교

서울의 기후를 알프스 지역이 시작하는 독일 프라운호퍼 건축물리 야외 연구소가 소재한 홀츠키르헨(Holzkirchen)과 비교했다. 예상대로 겨울의 평균 온도는 서울이 조금 더 낮지만, 여름으로 갈수록 서울의 평균 온도가 더 높게 나타난다.

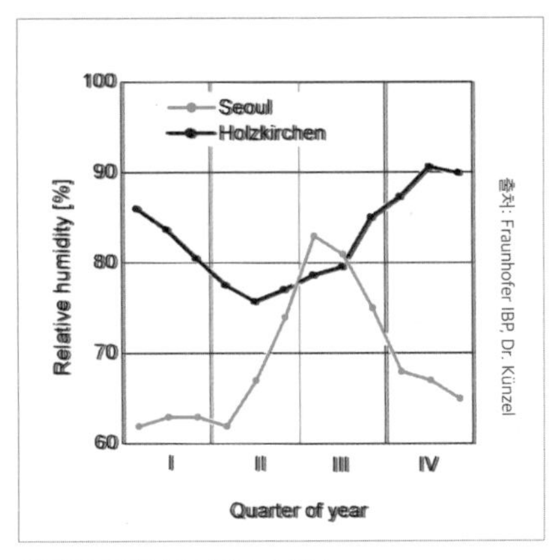

사진 16 월별 외부 상대 습도 비교

평균 상대 습도를 비교했다. 평균 60%를 넘는 서울의 겨울에 비해 독일 Holzkirchen의 상대 습도는 80%를 훌쩍 넘는다. 반면 여름엔 서울의 상대 습도가 80%가 넘는 경우가 많다. 온도가 높으면서 상대 습도까지 높기에 냉방 부하의 현열 부하가 증가하지만 습기로 인한 잠열 부하(제습 부하)도 높게 된다.

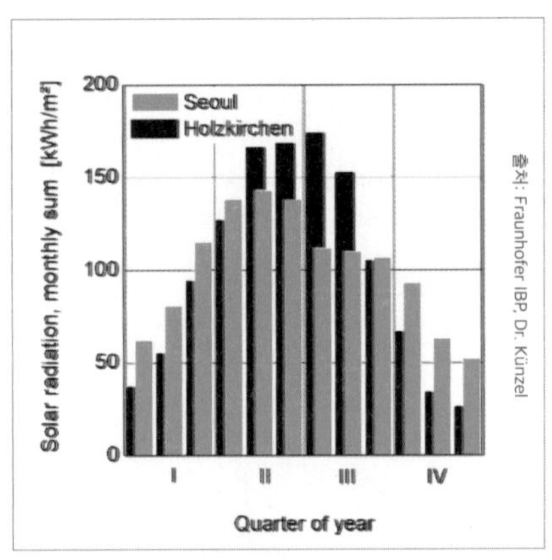

사진 17 월별 외부 일사량 비교

일사량을 비교했다. 서울의 경우 겨울에 일사량이 더 많고 여름에 더 적은 측정치를 나타낸다. 즉, 겨울철에도 태양열 집열판을 이용한 급탕이나 난방 보조의 효율이 독일 기후에 비해 높다는 말이다. 독일에 비해 여름 일사량은 더 적어 간단한 햇빛 차양장치로 원하는 결과를 얻을 수 있고 제어에도 유리하다. 따라서 난방에너지를 1.5ℓ로 계획하는 패시브하우스에서 우리나라의 겨울 조건은 독일에 비해 훨씬 유리하다고 할 수 있다.

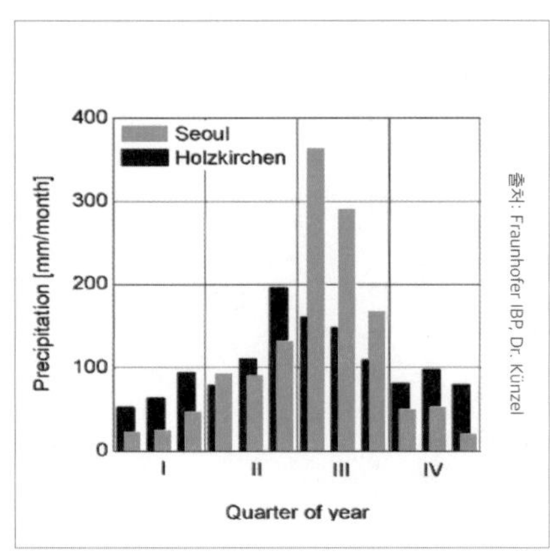

사진 18 월별 외부 강수량 비교

여름에 집중된 장마가 과거에 비해 많이 줄어든 것은 사실이지만, 우리나라의 경우 1년 강수량이 여름에 집중되어 있어 이를 고려한 빗물 처리 계획이 필요하다. 더불어 처마의 깊이는 짧아지는 데다 외피에 빗물이 들이치는 소위 'Driving rain'의 영향을 고려한다면 건축 자재의 물성을 고려한 구조와 내구성을 염두에 둔 레이어의 조합이 더욱 중요해졌다고 할 수 있다.

습기의 이동 경로, 재료의 습윤/건조 성능, 자재의 수분량(함습량/함수량), 모세관 현상을 통한 수증기의 이동, 증기 확산 저항, 각 자재의 함수율에 따른 열전도율 등을 고려한 건축물리적 접근이 더욱 중요해졌다. 특히 단열재를 외부에 설치하고 미장하는 외단열 미장 공법(EIFS)과 경량목구조나 경량철골구조에 대한 이해도 필요하다. 더불어 보통 2층 테라스와 평지붕의 배수의 경우에도 기존의 관습적인 누름 '콘크리트 + 우레탄 방수'라는 공식을 벗어나, 위치와 구조에 맞는 방수 계획을 세워야 한다. 평지붕이라면 온지붕 혹은 역전지붕(Inversion roof) 형태로 나누어 합당한 배수 설비를 계획 시공하는 것이 중요하다. 기존의 배수구가 하수구에 연결되어 있는 경우 오래 관리가 되지 않으면 역류나 막힘의 우려가 있어 오버플로우 설치도 추가적으로 고려해야 한다. 특히, 테라스에 접한 공간은 최근 배리어 프리(barrier free, 장애물 없는 설계) 개념에 따라 실내와의 단차가 없어지는 추세이기에 빗물이 역류하는 2차적인 피해를 고려해야 한다.

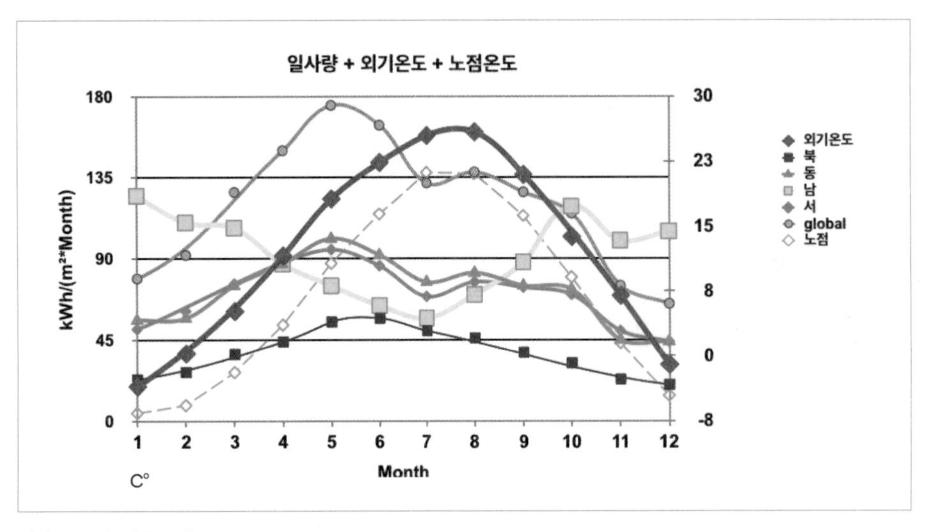

사진 19 PHPP 기후 그래프

위의 그래프는 람다패시브하우스를 계획하면서 고려한 현지 기후다. 앞서 언급된 독일 프라운호퍼 건축물리연구소(IBP)의 기후 데이터 값과 비교하여 본다면 노란색으로 표시된 남측의 겨울철 일사량이 동측과 서측에 비해 훨씬 많은 것을 알 수 있다. 이는 건물을 배치할 때 가급적이면 남쪽을 향하는 것이 좋다는 것을 의미한다. 마찬가지로 여름에는 동측과 서측의 일사량이 오히려 남측보다 더 높은 것을 알 수 있고, 더불어 북측의 일사량과도 그리 큰 차이가 없기에 남측에만 차양장치를 해도 된다는 것은 잘못된 생각이다.

정남에서 동서로 약 30° 정도까지 벗어나는 것은 겨울철 난방요구량에 큰 영향을 미치지는 않는다. 반면, 여름철 일사량은 동서측이 남측에 비해 높은 것을 알 수 있는데, 햇빛 차양 장치가 남쪽보다는 동서측이 더 중요하다는 의미가 되기도 한다. 여름철 북측의 일사량도 남측과 큰 차이를 보이지 않기에 우리나라 기후에서는 간접광을 고려할 때 사면 모두 차양 장치를 설치하는 것이 냉방 부하를 효과적으로 줄이는데 필요하다고 분석된다.

위의 그래프는 현대의 실험을 통해 정량적 수치를 보여주는 것이지만, 우리 선조들은 생활 속에서 피부로 느끼면서 처마가 깊은 건물을 지어왔다. 어찌 보면 패시브하우스는 여러 가지 측면에서는 새로운 발명이 아니라 재발견이라는 표현이 더 합당할지도 모르겠다.

6. 쾌적한 실내 환경

① 열적쾌적함이란?

실내 공간의 열적 쾌적함에 미치는 중요한 요소[25](물리적 그리고 개인적)로는 공간과 그 공간을 둘러싸고 있는 면들의 온도(실내공기온도 + 평균복사온도), 습도, 실내 기류의 속도와 침기, 재실자의 활동량과 착의 상태, 재실자의 나이와 성별 등이 있다.

온도

실내 공기에 면한 벽체, 바닥 그리고 천장의 온도가 열교나 단열 부족으로 인해 복사 불균형이 있는 경우, 열적쾌적함이 떨어지며 결과적으로는 이를 상쇄하기 위해 실내 온도를 높이게 된다. 우리 신체의 복사열로 인한 열 손실이 전체 손실의 약 1/3 정도가 되기에, 복사 불균형은 실내의 열환경에서 매우 중요하다. 복사 불균형이 심한 건물일수록 실내 공기 온도가 높다고 볼 수 있다. 내단열이 주를 이루는 공동주택의 실내온도가 대부분 20°C를 훨씬 넘어서는 이유이기도 하다.

패시브하우스의 열 쾌적 목표는 복사 온도(Radiant temperature asymemetry)의 불균형이 4K 이하[26]가 되는 것이며, 중유럽 기후를 기준으로 창호의 전체 열관류율값이 0.80W/m²·K가 되어야만 이 기준을 만족할 수 있다. 물론 기후가 다른 지역에서는 이 수치는 변경되어야 한다. 가장 대표적인 예가 우리나라다.

ISO 7730:2006의 등급 A와 PHI 권고에 따라 외피에서 50cm 이격된 거리에 앉아 있는 사람의 발목(0.1m)과 머리(1.1m)의 온도 차가 < 2K 이하가 되는 것을 목표로 한다. 그 이상의

25 ISO 7730 (2006)

26 어떤 보고서에서는 최대 3.5K 이하로 보기도 한다(www.passipedia.de). ISO 7730에서는 5K로 정하고 있다.

차이에서는 불쾌감이 증가하기 때문이다. 그 외에 공간에서는 각 부분의 체감 온도 차 0.8°C 이하로 규정하고 있으며, 차이가 클수록 당연히 만족도는 떨어진다.

습도

습도가 겨울철 열적 쾌적함에 미치는 영향은 극히 미미하다. 실내 상대 습도가 10% 증가하는 것은 실내 온도를 0.3K올리는 것과 같은 에너지 소비를 가져온다.[5] 겨울철 실내 상대 습도는 30%를 넘는 것이 좋으며,[27] 일시적으로 그 이하가 되는 것은 건강상으로 크게 문제가 되지는 않는다. 집안에 아이가 있다고 상대 습도를 60%로 맞추기 위해 별도의 가습기를 돌릴 필요가 없다는 뜻이다. 여름철에는 실내의 상대 습도가 최대 70%를 넘지 않는 것을 권한다. 실내의 상대 습도로는 일평균 30~60%(스위스 SIA 382/1)를 말하기도 하고, 35~55%를 권하기도 한다. 2019년 1, 2월의 람다패시브하우스이 실내 평균 상대 습도는 구조체의 수분 증발로 평형 상태가 되었기에, 전년에 비해 낮은 약 45% 수준이었다. 아주 안정적인 수치다.

건조한 실내보다 더 위험한 것은 실내 습도가 높은 경우다. 구조체 표면의 상대 습도가 80%를 넘기 시작하면 곰팡이 발생 위험이 높아진다고 보지만, 실제 70%를 넘기 시작하면 전반적으로 위험이 커진다. 공기가 습하면 덜 신선하다고 느끼게 되고 미생물이 더 빨리 자라는 환경을 제공해 불쾌한 냄새가 발생하는 원인이 된다. 습한 환경일수록 건축 자재로부터 더 많은 포름알데히드가 발산이 된다는 문제도 있다. 발생량은 보통 실내의 습기에 비례한다.[6] 높은 습도 (70~80%, 온도 25°C) [7]에서는 진드기의 활동도 활발해진다.

따뜻하고 건조한 조건에서(30% 이하의 상대 습도) 장시간 호흡하게 되면, 목이 건조해지기 시작하고 침이 마르면서 더 이상 침이 흐르지 않게 된다. 기도의 자정 능력이 건조한 공기로 인해 영향을 받아 결국 먼지나 균들의 개체 수가 증가하고 우리 몸으로 침투한다. 이로 인해 감염의 위험에 노출되고 무엇보다 호흡기 질환에 취약해진다. 공기가 건조해지면 우리 몸은 자동적으로 입과 기도에 더 많은 액체를 공급하려 하기에 말을 할 때 유난히 더 많은 침이 튄다. 침이 튀면 병균이 더 번진다. 낮은 습도에서는 진드기의 활동이 줄어들지만, 대신 진드기 배설물이 먼지처럼 공중에 떠다니기에 알레르기 위험이 높아진다.

실내 기류의 속도와 침기

실내 공기의 흐름은 대류를 통한 열 전달을 통해 신체와 주변과의 열 교환에 영향을 미

27 DIN 1946-2

친다. 특히 큰 신체적 활동 없이 앉아 있거나 누워 있는 사람에게는 흔히 말하는 '외풍' 즉, 침기로 느껴지는게 더욱 강하다. ISO 7730에서는 0.08m/s의 조건에서 불만족하는 사람들을 6% 이하로 본다. 독일 PHI에서는 창호 하부를 CFD[28]로 시뮬레이션한 결과 약 0.11m/s의 공기의 흐름[29]이 있지만 이를 난방 장치를 설치할 정도의 큰 차이로 보지는 않는다.

재실자의 활동량과 착의 상태

신체에서 발생되는 열은 기본적인 열[30] 외에(편안하게 쉬고 있는 상태 46 W/m², [0.8 met]) 활동량에 따라 달라진다(중노동 약 500 W/m²) [8]. 주거와 사무실에서 활동량을 고려한 에너지 발생량에 관한 내용은 ISO 7730:2006에서 다룬다. 일반적인 신체의 표면적을 1.75m²로 보기에 PHPP에서 신체 발열을 80 W/P(46 × 1.75)로 계산한다. 단위는 met다.

착의 상태라 함은 옷을 입은 정도를 의미하는 것이며, 옷은 일종의 단열재 역할과 같은 것으로 인체와 주변의 열 교환에 영향을 미친다. 복사와 대류를 통한 인체의 열 발산에 큰 역할을 하게 되며, ISO 7730:2006에서는 여러 종류의 의복 상태를 단열 성능으로 [m²K/W] 그리고 [clo = clothing factor]로 나타낸다. 1 clo는 열 저항으로 표시를 하면 0.155 m²K/W이며 겨울철 실내에서 입는 옷의 상태를 나타낸다. 옷을 전혀 입지 않은 상태는 0 clo이다. 실내의 열적 쾌적성을 계산할 때 여름에는 0.5, 겨울에는 1.0 clo를 기준으로 한다.

나이와 성별

거주자의 성별과 나이에 따라서 쾌적성을 느끼는 것은 다르다. 물론 ISO 7730:2006에서 규정하는 PMV(Predicted Mean Vote, 예상 온열감)나 PPD (Predicted Percentage Dissatisfied, 예측불만족율)처럼 모든 사람이 동일 기후에서 만족하는 것은 아니지만 이해를 돕기 위해 실제 독일 사례를 들어 그 중요성을 언급해 보고자 한다.

- 사례 분석 : 다가구 패시브하우스 세대에서 발목 부위가 차갑게 느껴지는 현상

  이 사례는 2016년 필자가 근무하는 설계 사무소에서 설계와 현장 시공 감독을 맡은 패시브하우스 다가구 건물 현장에서 제기된 민원이다. 준공 후에 한 세대에서 발목 부위가 특히 차갑게 느껴지는 복사 불균형으로 인한 문제와 실내의 낮은 상대 습도

28 CFD : Computational Fluid Dynamics, 유체역학 문제를 수치적으로 푸는 것에 대한 학문을 말한다. 기존의 풍동 실험 등을 컴퓨터로 대신하는 것으로 항공, 자동차, 토목, 플랜트 등 유체가 사용되는 모든 부분에 적용할 수 있다.

29 시뮬레이션의 조건은 모르지만 상당히 이론적인 조건하의 검토라고 생각한다.

30 신체의 온도를 유지하기 위해 필요한 열에너지

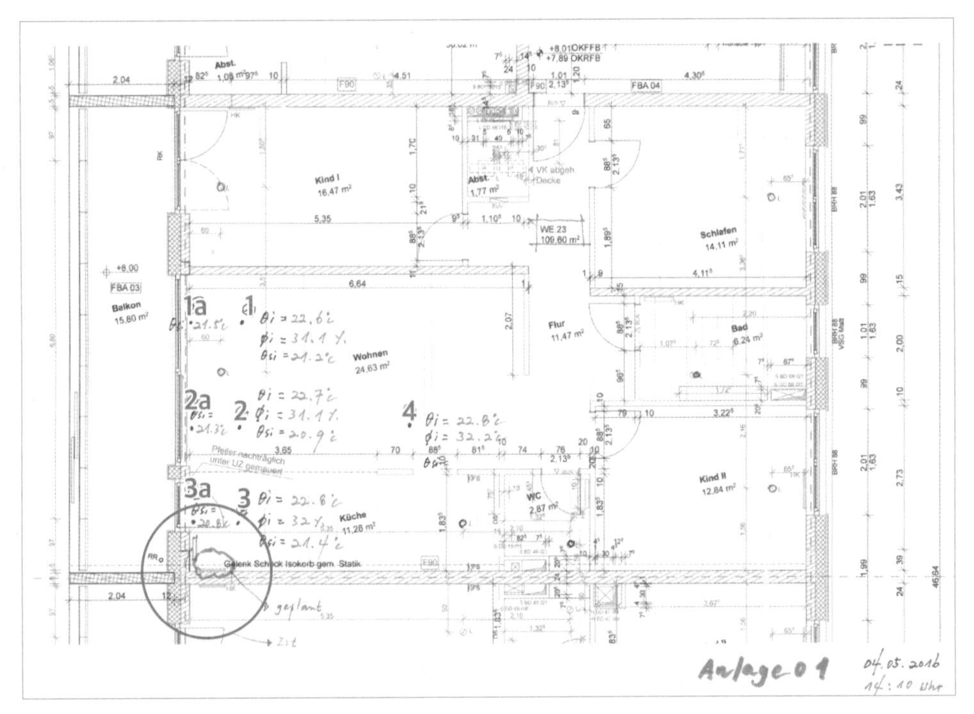

사진 20 해당 세대에서 온습도 측정한 지역을 표시한 평면도

사진 21 해당 세대에서 온습도 측정 모습

(30~35%)에 대한 문제점을 호소한 경우다.

• 현상 : 현장 실사 시 입주인은 '날씨가 따뜻한 경우에도 발목 부위가 차가움을 느낀다'라고 설명했다. 5월의 봄 날씨에서는 전형적인 열교 현상으로 인하여 표면 온도가 낮아질 위험이 없기에 외피를 통한 열교 현상이 직접적인 원인이 될 수는 없다. 창호 앞에 있을 때 발목 부위가 매우 차갑게 느껴진다고 한 점을 고려하면, 오히려 복사 불균형으로 인한 문제일 확률이 높다. 같은 형태의 평면을 가진 아래층도 빈집이 아니라 난방이 되는 세대이기에 열교로 인한 전형적인 발목 시림은 원인에서 제외할 수 있다.

• 원인 : 문제가 되는 세대의 거실에서 총 4군데의 공기중 온도, 상대 습도, 표면 온도 등을 측정했다. 그 외에 의심이 되는 창호와 발코니로 나가는 문 앞 등 3군데를 추가적으로 측정했다. 이 측정은 일회적인 측정으로 어떤 평균값을 도출해 내기에는 한계가 있지만, 건축적인 하자와 관련된 연관성을 추측하는 기초 데이터로는 큰 문제가 없다.

표 4 온습도 측정 표

	1	1a	2	2a	3	3a	4
실내온도 (θi)	22.6°C		22.7°C		22.8°C		22.8°C
상대 습도(%)	31.1%		31.1%		32%		32.2%
표면온도 (θsi)	21.2°C	21.5°C	20.9°C	21.3°C	21,4°C	20.8°C	
온도차이 (K)	1.40	1.10	1.80	1.40	1.40	2.00	

위 표의 수치를 살펴보면 구조체의 표면 온도와 실내 온도와의 차이가 4K[31] 이하이기에 기준 상으로는 문제가 없다. 실제적인 온도 차는 약 1.10과 2K이다. 가장 큰 온도 차는 2K로 P3와 3a에서 보이는데 이는 발코니로 나가는 문이 장시간 열려 있었기에 이 부위의 표면 온도가 다른 곳에 비해 더 낮았다고 볼 수 있다. 이 측정치를 통해 복사 에너지 불균형은 문제의 원인으로 합당하지 않다. 쾌적 범위를 보여주는 표에 거실에서 측정한 값을 기입해 본 결과, 최상의 쾌적 범위는 아니었지만 모두 범위 안에 있음을 알 수 있다. 최상의 쾌적 범위에 들어오지 않는 이유는 낮은 실내 상대 습도가 그 원인이다.

31 Thermische Behaglichkeit im NEH (Teil 1: Winterliche Verhältnisse), DENA (Deutsche Energie-Agentur GmbH 2007)

- 바닥 마감재: 바닥 마감재는 원목마루이기에 자연석이나 타일에 비해 열전도율이 낮아, 양말을 안 신고 있어도 전도에 의한 열 손실은 극히 적다. 마찬가지로 발목 시림 현상의 원인으로 보기는 어렵다.
- 침기 현상: 측정값을 기준으로 판단하자면, 침기 혹은 실내의 기류 속도가 올라가서 국지적인 불쾌 현상을 야기하기에는 발코니로 가는 문 앞의 온도 차 2K는 너무 작은 차이라고 볼 수 있다. 물론 겨울에는 이 온도 차가 심해져 차가운 공기가 바닥으로 내려오는 침기 현상(Cold draft)이 가중될 수는 있다. 하지만 5월 초에도 이런 발목 시림 현상이 있다는 것은 이것과는 직접적인 관련이 없는 것이다.
- 급기구 통한 찬 공기 유입 : 또 한 가지 예상가능한 원인으로 급기구가 설치된 곳이 창호 앞이고 바로 그 자리에 주로 앉거나 누워서 TV를 시청하는데, 만일 급기구에서 비교적 찬 공기가 유입되는 것을 들 수 있다. 이 시기에 공기조화기의 유입 온도를 세팅하였기에 가능한 가정이다. 그런 이유에서 급기가 단순 열 교환이 되어 포스트히팅(Postheating)이 되지 않는 경우에는, 그 하부에서 주로 생활하는 것은 피해야 하고(특히 침실), 가구 배치도 이에 준해서 해야 한다. 하지만 방문 당시에는 급기구 주변으로 공기의 유동이 심하거나 차가운 외기가 들어오지 않고 있었다.

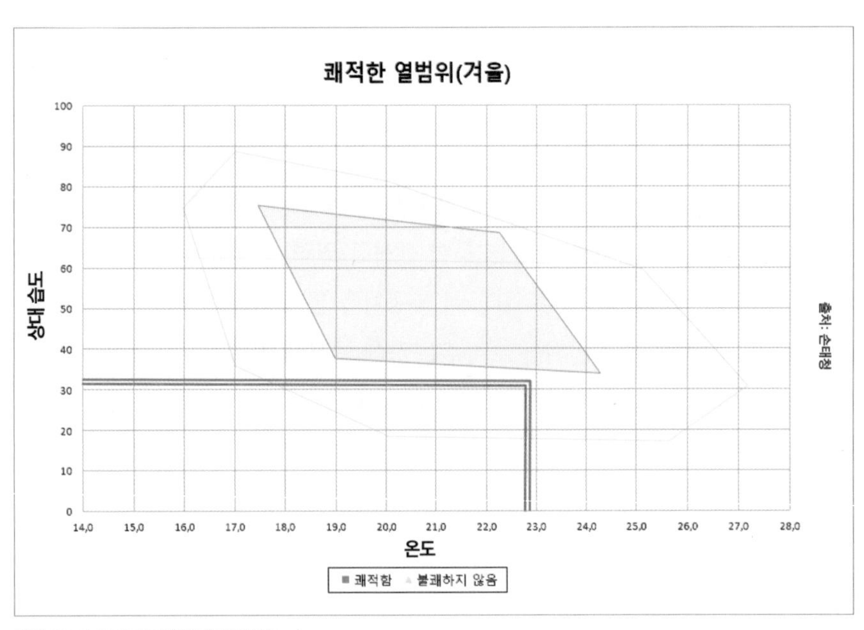

사진 22 온습도를 고려한 쾌적 범위표

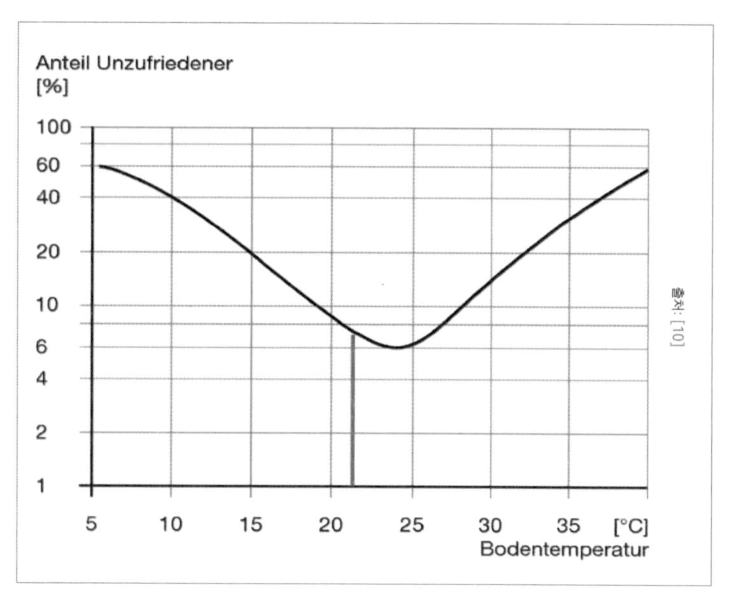

사진 23 만족하지 못하는 사람의 비율과 바닥 온도와의 연관성(얇은 양말 착용)

- 입주 이후 공사: 급기만으로 실내가 충분히 따뜻해지지 않을 경우, 자연석에 설치된 전기 난방 장치를 추가적으로 가동할 수 있다. 계획 당시에는 세대간 벽에 복사열이 반대 방향으로 충분히 전달되도록(사진 20, 빨간색의 원) 작업했다. 이후 입주자는 가구 설치를 이유로 외벽 뒷면에 시공을 해서 부엌 공간으로의 복사열 전달은 좋아졌지만 외벽과 창호 부위의 열 전달은 오히려 줄어들었다. 물론 90°를 돌려서 시공했어도 겨울이 아닌 5월의 날씨에서는 단지 작은 영향만 미칠 뿐이다.
- 적정 바닥 온도: 발목과 발바닥의 쾌적성에 가장 중요한 것은 사실 바닥 온도다. 조사[10]에 따르면 일반적으로 모두가 만족하는 바닥 표면 온도는 없으며, 일정 수는 만족을 못하지만 바닥 온도가 24°C일 때 가장 만족도가 높은 것으로 나타났다. 해당 세대에서 P01의 표면바닥온도는 21.2°C로 이를 [10]에서 발표된 표에 기입하면 표4와 같다.
- 결론 : 발목 시림 현상의 원인과 결과로 여러가지 건축적인 연관 관계를 기술적으로 설명하고 복사 불균형이나 열교로 인한 문제가 아님을 증명하는 것으로 이 보고서는 마무리가 된다. 다만 현장을 방문하기 전에 세대주를 잘 알고 있는 현장 감독에게 이런 기술적인 요소와 상관 없이 몇 가지를 확인한 것이 있었다. 개인적으로 가장 관심

이 있던 사항은 이론과 실제의 차이가 어느 정도인지를 확인하는 것이다. 그런 이유에서 질문한 것이 신체적 특징인데

- 그 사람이 남자지만 좀 마른 편인가
- 운동을 싫어하는 스타일인가
- 근육이 부족해보이는 신체조건을 갖추었는가

대답은 '그렇다!' 였다. 이렇게 질문한 이유는 쾌적성이라는 것은 결국 주관적인 느낌이 매우 중요한데 특히 열적 쾌적함에 있어서 근육이 부족한 사람은 몸에 열에너지를 많이 저장(축열성)하지 못하기에 근육이 많은 사람에 비해 추위를 특히 국지적으로 많이 느낀다는 것이다. 그런 이유에서 남성에 비해 근육량이 부족한 여성들이 특히 목 부위와 발목을 더욱 감싸곤 한다. 물론 이런 연관 관계를 해당 세대주에게 설명할 수는 없었다. 다만 간접적으로만 언급을 했을 뿐이다.

• 건조한 실내: 실내의 상대 습도가 30~35%로 건조한 편이다. 문제가 되는 세대 방문 전, 측정을 위한 장치 점검을 위해 가까이 있는 현장 사무소에서 외부 온도와 외부 상대 습도를 체크했다.

표 5 외부 기온과 상대 습도 및 절대 습도

외부 공기 온도	외부 상대 습도	절대 습도 (100% 포화 수증기)	절대 습도 (상대 습도)
21℃	34%	18.35g/m³	6.24g/m³

표 6 내부 기온과 상대 습도 및 절대 습도

실내 온도 P01	실내 상대 습도 P01	절대 습도 (100% 포화 수증기)	절대 습도 (상대 습도)
22.6℃	31.1%	20.12g/m³	6.26g/m³

외부 조건(6.24g/m³)이 표 5와 같은 경우에는 환기를 한다고 실내의 상대 습도가 올라가지는 않는다(6.26g/m³). 실내의 습기 발생 부하(재실자 수, 요리, 식물 등)가 작을 경우 오히려 환기로 인해 실내는 더 건조해진다. 창문을 통한 환기 횟수는 공기조화기를 통한 환기 횟수

보다 높기에, 이런 환경에서는 건조함을 억제하기 위해 자연 환기를 가급적 하지 않는 것이 더 좋다. 5월의 독일 오후 날씨가 좋아 오랜 시간 자연 환기를 한 것으로 추정된다.

아쉽게도 이 단지에 적용된 공기조화기는 습기를 회수하지 않는 현열교환기였다. 겨울이 우리나라보다 습한 독일이라도 습기를 회수하는 전열교환기가 더 합당한 선택이었을 것이다.

결론: 외기의 온도가 낮고, 상대 습도가 높더라도 실제 함유하는 공기 중의 수증기량은 그리 많지 않다. 이런 외부의 공기가 환기를 통해 내부로 유입되면서 실내 온도 20°C로 난방이 되면 실내의 상대 습도가 30% 이하를 보이는 경우가 흔하다. 이 사례에서는 5월의 기후로는 예외적인 외부의 상대 습도까지 낮은 상태였기에, 실내는 더 건조해질 수 밖에 없다. 그 외에 세입자가 요리를 자주 하지 않았으며 무엇보다 실내에 식물도 전혀 없었다. 호흡을 통한 수증기 발생 외에는 별도의 수증기 발생이 거의 없는 세대였기에 실내가 건조한 것은 당연한 결과로 보이며, 전에 살던 건물에서 규칙적으로 창문을 열고 환기를 하던 습관이 패시브하우스에서도 이어져 실내가 더 건조해진 것으로 추정해 볼 수 있다.

신축 건물의 낮은 상대 습도 원인

전반적으로 최근 국내에 지어지는 건물은 대부분 기밀하다. 이는 구조체뿐 아니라 창호도 기밀하기에 외부의 건조한 공기가 실내로 들어오는 양이 많이 줄었다는 것을 뜻한다. 실내의 습 부하는 줄지 않았기 때문에, 과거에 비해 실내의 상대 습도는 높은 편이다. 물론 조습 성능이 부족한 내부 벽 마감으로 인해 약간의 변수는 있을 수 있다. 높아진 상대 습도는 열교로 인한 낮은 표면 온도를 고려할 때 꼭 좋은 것만은 아니라 딜레마와 같은 상황이다.

그렇다면 신축 건물임에도 실내의 상대 습도가 30% 근처라면, 그 원인은 과연 어디에 있을까? 위의 사례에서 언급한 것처럼 여러 가지 원인이 있을 수 있지만, 요리도 많이 하고 빨래도 말리고 실내에 많지는 않지만 화분도 몇 개 있고 더불어 환기를 자주하는 편도 아닌데 실내가 건조하다면? 원인은 조습 성능이 부족한 내부 마감자재, 외기에 면하는 구조체나 창호의 틈새에 있다[32]. 이 틈새로 차가운 외기가 실내로 유입되면서 실내의 상대 습도를 낮추는 것이다. 아이러니하게도 이런 건물은 낮은 상대 습도로 인해 내부에 결로가 발생하는 일이 거의 없다. 단지 더 많은 난방에너지를 소비할 뿐이다. 이런 틈새를 에너지 누출

32 조습 성능이 부족한 경량목구조나 철골구조에서도 겨울철 상대 습도가 비교적 낮은 편이다. 또 환기장치가 필요한 환기량 이상으로 가동할 경우도 건조하다. 겨울철에는 환기량을 약 0.3 정도로 낮추는 것도 방법이다.

(Energy leak)이라고 한다. 하자 발생은 없지만, 에너지 손실을 만드는 틈새를 두고 하는 말이다. 간단한 예를 들어보자.

표 7 여러 기후조건에서 실내 상대 습도의 변화

검토 수치	단위	사례1	사례2	사례3	사례4	사례5
습기 발생(실내)	g/h	100	100	100	100	100
실내 체적	m^3	50	50	50	50	50
환기 회수	1/h	0.3	0.5	1	2	3
내외부의 절대 습도 차이	g/m^3	6.7	4.0	2.0	1.0	0.7
외부 기온	℃	-5.0	-5.0	-5.0	-5.0	-5.0
외부 상대 습도	%	70.0	70.0	70.0	70.0	70.0
외부 포화수증기압	Pa	402	402	402	402	402
외부 절대 습도	g/m^3	2.3	2.3	2.3	2.3	2.3
환기 시간	h	8.0	8,0	8.0	8.0	8.0
내부 기온	℃	20.0	20.0	20.0	20.0	20.0
외부 포화수증기압	Pa	2.338	2.338	2.338	2.338	2.338
내부 절대 습도	g/m^3	8.3	6.2	4.3	3.3	2.9
내부 상대 습도	%	48	36	25	19	17
표면온도(최소단열규정 DIN)	℃	12.6	12.6	12.6	12.6	12.6
표면 온도의 포화수증기압	Pa	1.460	1.460	1.460	1.460	1.460
표면의 상대 습도	%	77	58	40	30	27

사례 1에서 외기 온도 -5°C, 상대 습도는 70%, 내부 기온은 20°C이다. 8시간 동안 시간당 0.3회의 환기를 한다고 본다면, 2인이 거주하는 체적 50m³ 공간의 실내 상대 습도는 48%이다. 독일의 최소 단열 기준을 고려해 표면의 온도를 12.6°C로 계산하면 이때의 표면 상대 습도는 77%로 곰팡이가 발생하는 80% 이하에 있어 결로 조건과 거리가 있다. 다른 조건은 모두 동일하지만 환기 회수를 0.3에서 시간당 3회로(사례 5) 높이면 실내 상대 습도는 48%에서 17%로 줄어들며, 최소 단열 기준임에도 표면의 상대 습도는 겨우 27%로 떨어진다. 여기서 말하는 최소 단열 기준은 EPS단열재를 기준으로 약 45mm에 불과하다. 낮은 단열 성능에도 불구하고 곰팡이는 물론 결로 조건 과도 거리가 멀다(1.7. 습기 발생 부분 참고).

단지 건조하다는 이유로 단열 성능이 아주 부족한 사무실 건물에 결로가 거의 생기지 않는 것이다. 아주 단순한 비교로 사무실에서는 결로가 발생하지 않았지만, 만일 같은 성능의 알루미늄 창호를 주거 건물에 설치한다면 결로수가 흐르기 시작한다. 주거 건물은 습 부하가 크기에 실내의 상대 습도가 높은 것이 그 이유다. 이것이 단열과 습기(수증기) 그리고 환기의 연관 관계다.

물론 내부 마감재의 투습 저항 성능에 따라 변수가 있을 수 있는데, 바로 공사 중에 사용된 수분이 실내로 증발하는 속도다. 만일 투습 성능이 좋을 경우는 실내의 상대 습도를 올리는데 도움이 되고, 표면의 곰팡이 발생 위험을 줄이는 역할을 하기도 한다. 반대로 투습이 제한적인 실크 벽지를 사용한다면 습기의 정체로 인해 곰팡이 발생 위험이 증가하는 경우도 있다. 외기에 면하지 않은 내벽에서도 습기에 약한 목재나 합판을 사용한 붙박이장이 있으면 곰팡이 발생 위험이 높아지기도 한다.

철근콘크리트 건물에서의 내단열과 이어치기

여기에 또 다른 변수로 비록 마감재에서 투습이 잘 되더라도 골조의 높은 함수율 때문에 보통은 준공 후 2년까지는 곰팡이 발생 위험이 상존한다고 본다. 그러나 이러한 현상과는 별개로 외벽 콘크리트의 이어치기한 부분에서의 우수 유입은 상황이 아주 다르다. 원인이 해결되지 않는 한, 구조체의 수분 증발에 따른 결로 곰팡이 현상과는 달리 지속적인 빗물 유입으로 인한 하자의 범위가 더 커진다. 만일 이어치기 부분의 크랙이 예상되는 경우라면 기밀 자재에서 언급한 가변형 방습층(뿜칠형)을 시공하는 것도 좋은 예방책이다. 방습층이면서 방수 자재로도 사용이 가능하기 때문이다.

공사 기간을 단축하려다 보면 이어치기 부분을 제대로 연결하는 것에 소홀해지기 쉽다. 과거 비교적 꼼꼼하게 진행된 공동주택의 이어치기 공사 수준을 지금은 기대하기 어렵다.

에너지 절감과 쾌적성을 고려한 합당한 구조

경량목구조, 경량철골, 조적 혹은 중량의 철근콘크리트 구조 중에서 무엇이 열적쾌적함에 있어 합당한가라는 질문은 그동안 많이 있었다. 경량목구조는 축열 성능이 부족하고 실내의 내부 발열과 같은 에너지를 효율적으로 사용하지 못해 난방에너지 소모가 좀 더 많은 편이다. 중량형의 건물은 실내로 증발하는 수증기와 깊은 관련이 있다. 즉, 난방 기간 동안 콘크리트에 함유된 습기가 아래 표에서 비교된 레퍼런스 건물(조적)보다 더 많이 실내로 증발된다. 결과적으로 추가적인 잠열 에너지 요구량이 실내의 내부 발열과 일사 에너지 등을

이용한 실제 열 획득 이용률(η) 영향보다 더 많아진다.[7]

실내에서의 많은 수분 증발은 상대 습도의 증가로 이어지게 된다. 이는 람다패시브하우스의 모니터링을 통해 명확히 증명되었다. 물론 아래 표의 수치는 어느 한 지역의 기후를 대변하기에 일반화할 수는 없지만, 그 연관 관계를 통해 구조의 중요성을 알 수 있다.

결론적으로 건조한 겨울이 있는 우리나라 기후에서는 실내의 상대 습도만 고려한다면 중량형의 건물이 더 합당한 구조라고 볼 수 있다. 하지만 그 차이가 큰 것이 아니기에 나쁘다 혹은 좋다의 의미로 해석해서는 안 된다.

표 8 건물 구조에 따른 냉방에너지 요구량 그리고 상대 습도 비교(수분 교환 없음)

	경량	비교 레퍼런스	중량
난방에너지 요구량 [kWh/(m²a)]	15.1	13.9	14.2
상대 습도 30% 이하의 비율(%)	3.4	2.4	1.2
가장 낮은 상대 습도(%)	19.3	21.1	23

출처: PHI, Germany

② 여름철 적정 실내 온도

여름철의 적정 실내 온도는 먼저 각 지역의 월간 평균 온도를 고려해서 건물의 용도에 준해 설정되어야 한다. PHPP는 '25°C를 기준으로 하고 연간 실내 온도가 기준 온도를 넘는 경우가 10%가 되면 온도를 낮추기 위한 패시브적 혹은 액티브적인 방안을 적극 마련해야 한다'고 기준을 정하고 있다. 여기서 25°C는 안전율을 고려해 정해진 상당히 보수적인 값이라 이해할 수 있다. 25°C의 배경은 다음과 같다. 독일 DIN 4108-2[33]의 여름 기후대는 총 3곳으로 분리되어 있으며 여름이 시원한 지역인 A지역(실외 월평균 온도 ≤ 16.5°C)의 경우 최고 실내 온도를 25°C로 보고 시뮬레이션을 통해 연간 10%인 총 876시간, 35일을 넘지 않는 것을 2003년도 기준[34]으로 보았다. 하지만 10%라는 것은 요즘 현대인의 생활에 맞는 것이라 보기 어렵다. 그런 이유에서 패시브하우스 연구소는 PHPP 계산 툴을 통해 쉽게 여름철 실내 쾌적성을 검토할 수 있도록 10%가 아닌 5% 이하로 실내 온도가 유지하는 것을 권하고 있다.

독일 인접 국가인 스위스는 SIA 382/1: 2007에서 26.5°C를 100h 넘지 않는 것을 기준

33 DIN 4108-2: Thermal protection and energy economy in buildings - Part 2: Minimum requirements to thermal insulation

34 2013년도 개정판에서는 지역별로 기준 온도를 넘는 시간을 주거 건물은 1200Kh/a로, 비주거건물은 500Kh/a로 변경했다.

으로 한다.

독일 패시브하우스 연구소의 기준 외에 독일 DIN 4108-2(2003)를 참조한다면 기후 지역대 C는 외기의 평균 온도가 18°C가 넘는 경우 실내 온도를 최대 27°C로 정할 수 있다. 세종시의 실외 평균온도가 18°C를 넘는 달은 5월에서 9월까지 총 5개월이다. PHPP에서 권하는 실내 온도 25°C는 우리나라의 여름 기후를 고려했을 때 현실적인 수치인 27°C로 수정하는 것이 이론적으로 가능하다는 말이다. 다만, 현재 단열 기준을 지역별로 정한 것처럼, 여름철 적정 실내 온도를 실내의 절대 습도량(12g/kg) 및 기후 특성에 따른 월별 평균 외기 온도와 연동해서 지역별로 설정하는 것이 보다 실효적인 접근이라고 본다. 이를 위해서는 실 환경에 대한 추가적인 연구가 좀 더 필요하다.

2016년 람다패시브하우스의 여름철 실제 평균 온도는 약 25°C 선이었지만, PHPP 시뮬레이션상에서는 26°C, 절대 습도는 12g/kg임을 고려했다. 이는 상대 습도가 평균 약 57%인 것을 의미한다. 정부에서 고시한 「건축물의 에너지 절약 설계 기준」[35]에서는 실내 온도 26°C를 기준값으로 하며, 이는 국제 표준인 ISO 13790의 냉방 기준 온도인 26℃와도 같은 값이다.

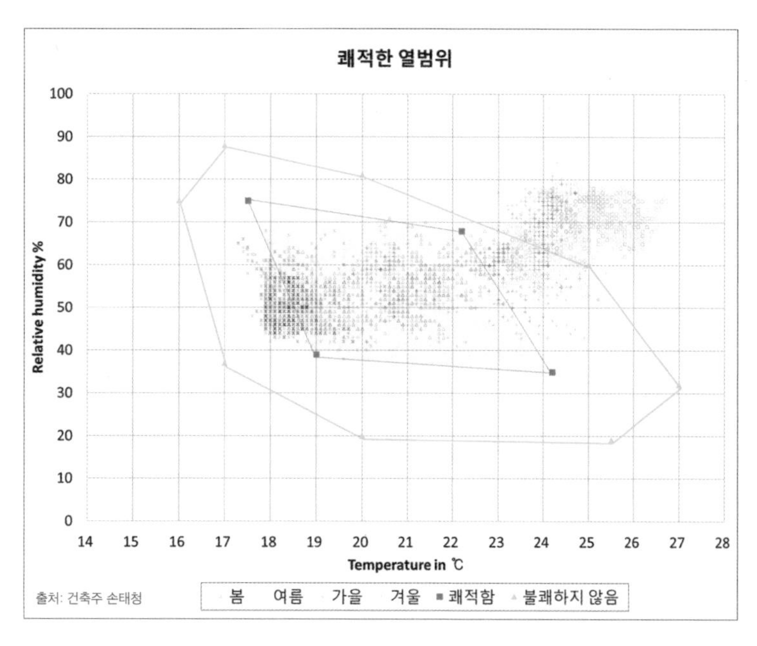

사진 24 쾌적성 표에 람다패시브하우스의 온습도를 표시

35 국토교통부고시 제2017-71호

실내 온도를 맞추는 것은 결과적으로 그리 어려운 것이 아니었지만, 실내의 절대 습기량을 12g/kg 이하로 맞추는 일은 쉬운 과제가 아니었다[36]. 사진 24의 쾌적성 범위를 표시하는 그래프에서도 온도보다 여름철 실내 상대 습도가 쾌적 범위인 노란색을 벗어나는 경우가 자주 있음을 알 수 있다. 물론 테스트를 목적으로 열심히 제습하지 않은 원인도 있지만, 실내 습도의 영향이 고스란히 그래프에 드러난다. 불쾌하지 않을 정도의 쾌적 범위를 벗어나는 경우가 여름에는 흔하다.

PHPP와 Energy#을 통해 여러 환경을 검토를 했지만, 습 부하와 지역 등을 고려할 때 어떤 온도가 가장 합당하다고 단정하기는 어렵다. 공기 중의 절대 습도 12g/kg를 중심 요소로 판단한다면, 실내 온도에 따른 상대 습도값을 알 수 있고 이를 기준으로 각 지역에 투입되는 현열과 잠열을 위한 냉방에너지 요구량을 계산해낼 수 있을 것이다.

결국 25°C 혹은 26°C라고 할 때, 상대 습도는 57~60% 사이이므로 우리나라의 여름 기후에서 제습은 패시브하우스라도 절대적으로 필요하다. 다만, 이를 해결하는 방법이 에어컨과 이동용 제습기를 이용한 실내 공기 제습 조합으로 할 것인지 아니면 에어컨과 공조기를 통해 실내로 유입되는 급기를 제습하는 조합으로 할 것인지, 복사냉방으로 현열을 해결하고 공조기로 제습을 할 것인지에 대한 방법은 연구가 더 필요하다. 더불어 중요한 것은 아무리 좋은 기술이라 할지라도 지불하기에 무리가 따르는 비용이라면 의미가 없다는 것이다.

③ 내부 발열

패시브하우스에서 내부 발열은 열교처럼 눈에는 보이지 않는 요소이지만 매우 중요한 검토 항목이다. 겨울철 난방 기간 동안은 도움이 되는 요소이면서도 여름철에는 냉방 부하를 높여 패시브하우스가 아닌 건물에 비해 냉방에너지에 미치는 영향이 크다. 두 가지 요소의 공통 분모를 찾아야 하는데 그리 단순한 과정이 아니다.

투명한 유리(높은 에너지 투사율) 등을 통해 실내로 유입되는 태양에너지는 차양 장치로 대부분 차단이 가능(최대 90%)하다. 따라서 실내에서 발생하는 발열량을 줄이는 것과 효율이 좋은 전기 제품, 열에너지가 적게 발생하는 가전 제품을 적극적으로 사용하는 것이 여름철 실내 쾌적성을 높이고 냉방에너지를 줄이는 중요 변수가 된다.

36 5.4 기타 모니터링 참조

내부 발열에 영향을 미치는 중요 요소

- 재실자 수 및 실내 활동 정도
- 목욕 혹은 샤워로 인한 온수 사용, 온수 배관 길이와 배관 단열재
- 화장실, 세탁 혹은 식기 세척 시 사용하는 냉수(냉수 온도에 따라 다름)
- 식물, 빨래, 화장실에 걸어둔 젖은 수건 등의 수분 증발
- 요리할 때 사용하는 가스 및 전기레인지를 통해 나오는 수증기
- 기타 여러 종류의 가전 제품 사용 빈도 및 종류와 위치

초기 독일 패시브하우스연구소의 PHPP에서는 주거 건물의 경우 내부 발열량을 일률적으로 2.1W/m²에 맞춰 시뮬레이션했다. 그러나 현대인의 생활 환경 변화와 미디어 기술의 발전으로 바닥 면적에 따른 유동적인 값을 V9부터 적용했다. 특히, 건물의 면적이 작을수록 실내 발열량은 더 높다. 크기 차이는 있지만 작은 원룸이라도 대개 가전제품은 모두 구비하기 때문이다.[11] 즉, 일반 주거 건물에 비해 학생 기숙사 같은 건물은 실내 발열량이 더 높기 때문에 겨울에도 일시적으로 온도가 많이 상승을 할 수 있으며, 여름에는 냉방 문제가 더 심각할 수 있다.

한국과 중유럽의 내부 발열량 차이

내부 발열량과 관련해서는 우리나라와 중유럽의 조건을 조금 다르게 판단할 필요성이 있다. 우리나라 가정에는 정수기, 전기밥솥, 약탕기나 음식을 조리하기 위한 별도 기기가 더 많이 구비되어 일반적으로 PHPP의 스탠다드 값에 비해 발열량이 더 높게 나온다. 겨울철이 아니라 여름철 냉방 부하를 정확하게 계산하기 위해서라도 여러 각도에서 살펴볼 필요가 있다.

람다패시브하우스의 경우, 내부 발열 PHPP IHG의 수치를 검토하니 약 2.74W/m²라는 결과가 나왔다. 이 계산에는 전기밥솥 등은 포함하지 않았기에 실제로는 약 3W/m² 이상에 접근할 것이라고 본다. 참고로 한국설비학회 산하 패시브제로에너지건축연구소(IPAZEB)에서 조사한 자료에 따르면 세대 면적에 따라 약간의 차이는 있지만 우리나라 아파트 세대의 실제 실내 발열량은 약 4W/m² 이상이다. 국내 인증의 경우 내부 발열량은 현재 약 4.2W/m²로 보는 게 일반적이다. 이 수치를 적용하면 단위 면적당 난방에너지 요구량은 아주 쉽게 만족시킬 수 있다. 하지만 람다패시브하우스는 조금은 보수적으로 접근하기로 했다. 독일 PHI의 표준 계산 방법을 통해 계산된 내부 발열 2.41W/m²와 IHG 계산을 통한 2.74W/

m^2을 적용 가능한 내부 발열량으로 검토했다.

변경된 내부 발열량 계산식:

IHG(Internal Heat Gain) = 2.1W/m^2 + 50 / TFA

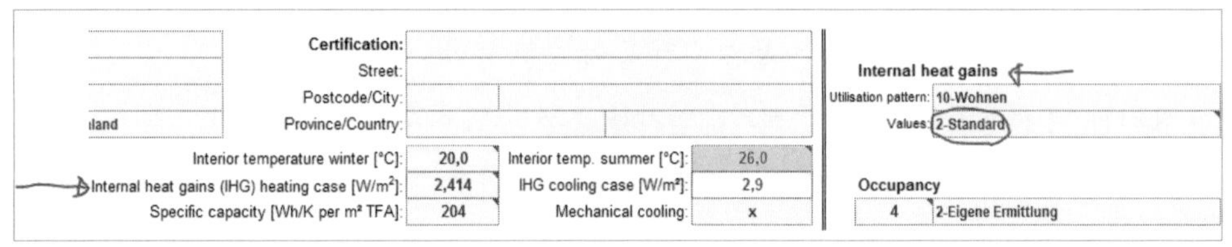

내부 발열 2.4 w/m²

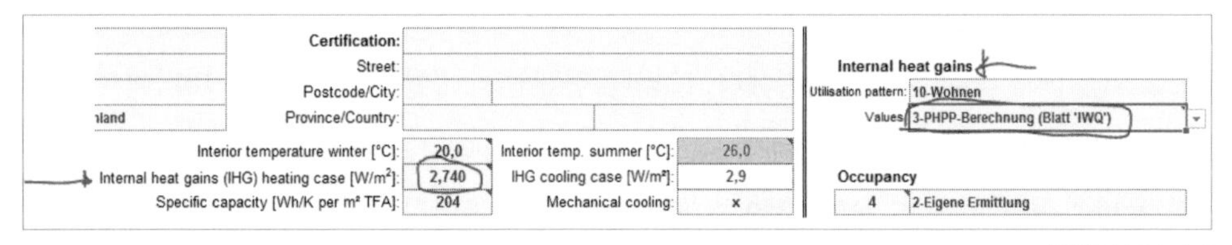

사진 25 PHPP에서 내부 발열량

내부 발열 2.74 w/m²

이에 설계 시 다양한 요소들을 검토했다. 조명은 분산되어 위치해 있지만 가전 제품은 보통 모여 있다. 따라서 조금만 신경 쓰면 발생된 열이 실내로 분산되기 전에 배기구를 통해 집중적으로 배출할 수 있다. 람다패시브하우스에서는 발열이 큰 가전 제품을 별도의 다용도실에 모아서 설치하고 주변에 배기구를 두어 가급적이면 문을 통해 다른 공간으로 분산되는 것을 최대한 줄였다.

여러 대의 냉장고와 김치냉장고와 같은 가전 제품을 빌트인 방식으로 시공할 경우, 가전 제품의 폐열을 바로 위로 배기하곤 한다. 이때 국부적으로 높은 온도의 공기가 배기구로 집중적으로 유입되어 환기장치가 오작동할 수도 있기 때문에 어느 정도 이격해서 배기구를 시공하는 것이 좋다. 예를 들어 환기 장치와 배기구 간 거리가 짧고, 배기 용량이 많은 국내의 한 현장에서 비슷한 일이 있었다. 가전 제품에서 배기되는 공기가 관로상에서 열 완충을 하지 못한 채로 환기 장치로 유입된 것이다. 결과적으로 실내 온도가 외기보다 낮음에도 불구하고 가전제품 직상부에서 배기되는 공기 온도를 실내 온도로 착각하고 외기의 더운 공기를 그대로 실내로 들여보내는 현상이 발생했다. 외부 공기 열 교환 후 냉방 제습을 별도로 하지 않는 시스템이라면 환기량을 약간 낮추는 것도 방법이다.

④ 축열? 단열?

먼저 여기서 말하는 축열 혹은 단열의 의미는 건물 외피에 시공하는 단열재를 구조체의 축열을 통해 대체할 수 있다는 뜻이 아니다. 우리나라도 전통 건축 쪽에서 특히 그렇지만, 독일어권에서도 에너지절감법에서 요구하는 단열재의 두께가 너무 두껍다거나 태양열을 계산 과정에서 충분히 고려하지 않는다는 주장이 여전히 있다.

에너지 절감을 목표로 단열재가 두꺼워지면서 마감 자재의 축열 성능 부족으로 인해 외단열 미장 공법과 같은 시스템에서 직·간접적으로 외피 하자가 증가한 것은 사실이다. 하지만 이 사실만으로 단열이라는 전체 시스템이 작동하지 않는다고 축열만을 주장하는 것은 과학적 설득력이 떨어진다. 간단한 예를 든다면 추운 겨울 핫팩에 뜨거운 물을 넣게 되면 에너지를 투입한 것이지 추가적으로 에너지를 생산해 내는 것은 아니다. 보온이 되지 않는 즉, 단열이 되지 않는 보온병이나 핫팩을 그대로 두면 몇 시간 후에는 차갑게 되기에 저장된 열(축열)을 효율적으로 이용하기 위해서는 보온(단열)이 필수적이라는 논리다. 겨울철 이불이 더 두꺼워지는 이유이기도 하다. 태양열 집열판을 통해 얻은 잉여에너지를 여름철에 계간축열조 같은 곳에 저장해서 난방이 필요한 겨울철에 사용하는 시스템도 결국은 외부에 단열재를 시공해야만 작동하는 것과 같은 원리다.

축열은 외기에 면한 구조체의 축열을 의미하는 것이 아니라 외벽의 실내측과 내벽 및 바닥의 열을 실내에 저장하는 성능을 의미한다. 보통 실내 공기에 면한 10cm 정도의 깊이가 중요한 역할을 한다. 벽체가 양방향으로 공기에 면한다면 20cm가 유효 깊이다. 구조체의 축열 성능은 실내의 온도 상승을 억제하는 중요한 역할을 해 여름철 쾌적성을 고려하면 설계 단계부터 충분한 계획이 필요하다. 하지만 너무 지나친 기대는 하지 않는 것이 좋다. 아무리 축열 성능이 좋아도 언젠가는 한계에 이르기 때문이다. 저장된 열이 다시 배출되는 순환이 없다면 축열은 아무런 의미가 없다. 그런 의미에서 순환이 담보되지 못한 고가의 상변화물질(PCM, Phase Change Material)은 한국 시장에서 큰 효과가 없는 것이다.

점점 짧아지는 처마 깊이와 축열 성능을 고려하지 않은 석고 보드, 비닐 혹은 플라스틱 계열의 벽지, 가벼운 자재 및 마감 등은 요즘 건축에서 자주 쓰이는 요소들이다. 비용 문제로 창호 차양 장치를 설치하지 않는다면 아무리 냉방장치를 최대로 가동하더라도 실내 온도를 쾌적성 범위 안으로 내리기 어려울 수 있다. 우리나라는 습기라는 또 하나의 어려운 상대가 있기에 가볍게 볼 문제가 아니다.

먼저 겨울철 난방에너지 절약면에서 축열 성능을 살펴 본다. 난방하는 동안 축열체에 저장된 열이 있으면 보일러를 끄더라도 축열 성능이 떨어지는 마감이나 구조 공간에 비해 실내 온도가 천천히 내려가는 것은 맞다. 다만 전체 투입되는 에너지 양을 두고 본다면 기대치보다 그리 효과가 크지는 않다. 독일 패시브하우스 연구소에서 조사한 연구 데이터에 따르면 약 3.5% 정도 절약되는 수준이다.[12]

패시브하우스는 일반적인 건물과 달리 난방을 시작하는 시기가 더 늦다. 중유럽의 한겨울은 창호를 통한 일사에너지의 유입이 적어 에너지를 추가적으로 구조체에 저장하는 데 한계가 있다. 그럼에도 이 정도의 절약을 보이는 것은 가을에서 겨울로 넘어가는 동안 구조체에 많은 양의 열에너지가 저장돼 난방 시기가 다른 건물에 비해 더 늦어지기 때문이다. 이 원리는 여름 냉방과도 직접적인 연관이 있다. 겨울과 봄을 지난 구조체의 온도가 낮을수록 냉방을 시작하는 시점은 다른 건물에 비해 늦다. 모니터링을 통한 람다패시브하우스가 대표적인 예다.

한 가지 좀 더 연구가 필요한 것은, 우리나라는 한겨울 일사 에너지가 중유럽에 비해(이웃 건물로 인한 그림자가 많지 않다면) 3배 이상[37]인 지역이 많다는 점이다. 일반 건물에서는 이러한 패시브적 에너지를 난방에너지로 거의 다 소모할 수 있지만, 패시브하우스는 난방 부하가 아주 낮은 건물이라 일사를 통한 패시브에너지를 모두 난방에 사용할 수 없다. 실내가 더워져 창을 개방한다거나 겨울임에도 차양 장치를 내리는 아이러니한 현상이 발생하게 된다. 이런 이유에서 PHPP와 Energy#에서는 실제 열획득 이용률(η)을 별도로 검토한다.

이런 점들을 감안해(태양광 발전을 별개로 놓는다면) 우리나라의 겨울이 일사량이 많음에도 실제 난방에너지에 사용 가능한 양은 독일과 비슷한 수준일 수 있다는 추론이 가능하다. 물론 더 많은 연구를 해봐야 정량적인 접근이 가능한 부분이다. 즉, 사용하지 못해서 버리는 일사에너지가 중유럽보다 더 많을 수도 있다는 이론적 접근이 가능하다. 제공되는 양이 많은 만큼 버리는 양도 그만큼 많다는 것이 개인적인 생각인데, 여기에서 발생할 수 있는 변수로는 국내의 실내 설정 온도가 의외로 매우 높다는 것이다.

그렇다면 실내 공기에 면한 구조체의 축열 성능이 실내 쾌적성에 미치는 영향은 과연 어떠한가[38]? 독일 패시브하우스 연구소에서 중유럽 기후를 바탕으로 발표한 자료[13]를 살펴보면, 그 상호 연관 관계를 잘 알 수 있다. 처음 실험 시작은 간단한 경량목구조 건물에서 석고보드 6mm(약 7%, 24Wh/K)로 시작해 100mm (약 2.5%, 26,000Wh/K)까지 두께를 변화하면서 실내 온도가 25°C 이상이 되는 빈도를 살펴본 것이다. 효과는 분명히 있다.

위에서 언급한 25°C는 여름철 실내 쾌적성을 보기 위한 기준이다. 실내 온도 25°C를 넘는 경우가 10% 이하일 때를 안정권으로 본다. 이 수치는 낮을수록 좋다. 람다패시브하우스는 26°C를 기준으로 해도 연간 약 18%로, 총 1,577시간(약 65일)이다. 물론 확실한 계산을 위해 창호를 통한 자연 환기까지 고려한다면 결과는 더 긍정적으로 나오겠지만, 소음·미세먼

37 중국발 미세먼지구름을 고려한다면 겨울철 일사량도 앞으로는 수정이 필요해 보임

38 냉방에너지에 관한 내용은 '여름 보고서(5장)'의 내용 참조

지·공기 오염 등의 문제가 있어 적극적인 야간 환기는 현실적으로 한계가 있었다. 또한, 실내 온도가 조금 높더라도 습기가 높지 않으면 쾌적한 경우도 있다. 결론적으로 지금의 우리나라 여름의 기후 조건에서 패시브 냉방만으로는 한계가 있다고 보며, 액티브 냉방 시스템을 반드시 병행해야 한다고 생각한다.

다만,

- 실내 구조체의 축열 성능을 적극적으로 사용하고
- 외부 온도가 내려간 밤과 새벽 시간의 창호 개방을 통한 자연 환기가 가능하며
- 일교차가 비교적 심한 지역(산간 지방)이고
- 일사 에너지를 효과적으로 막는 차양이 있으며
- 실내의 냉방 부하를 최대한 줄인 건물

이라면, 약간의 제습을 통해 현열 부하를 위한 액티브 냉방 시스템을 설치하지 않아도 될 가능성이 높다. 이런 경우는 단지 예외일 뿐이며, 일반적인 조합은 아님을 밝힌다. 가장 중요한 목표는 투입되는 에너지를 줄이는 것이 아니라 쾌적성을 유지하면서 투입되는 에너지를 효율적으로 관리하는 것이다.

⑤ 차양 장치

여름철 실내 온도가 25~26℃를 넘는 시간을 연중 5% 이하로 맞추기 위해서는 차양이라는 건축적 요소가 반드시 필요하다. 이것은 패시브하우스 기준이기도 하지만 일반 건물에서도 실내 쾌적성을 고려해 강력하게 권장하는 바이다. 차양을 설치한다고 여름철 쾌적성 문제가 한번에 해결되지는 않겠지만, 냉방에 있어 비중이 꽤 크다고 볼 수 있다.

언제부터인가 아파트 등 공동주택의 발코니를 확장하는 것이 당연한 것이 되었다. 그 결과 실내 냉방 부하가 상대적으로 많이 증가했지만 원인이 무엇인지, 얼마나 심각한지는 잘 알려지지 않은 듯하다. 외부 차양만으로도 냉방에너지를 많이 줄일 수 있다.

일반적인 건물에 비해 창호 면적이 큰 패시브하우스에서는 아무리 야간에 자연 환기를 열심히 규칙적으로 할지라도, 우리나라는 야간 외부 온도가 중유럽보다 더 높아 실내 온도를 쾌적 범위로 유지하는 것이 어렵다. 특히 도심에서는 불가능에 가깝다. 우리나라 기후에서는 액티브적인 냉방 장치 없이 차양 장치만으로 원하는 결과를 얻을 수 없다[39]. 원칙은 냉방 장치를 가동하더라도 투입되는 에너지를 최소화하기 위해 차단 효율이 좋은 차양을 외부에 설치해 냉방 부하를 줄이는 것이다.

39 지열을 통해 환기장치의 온도를 낮추는 방식은 가능은 하지만 쾌적성 면에서는 한계가 있다.

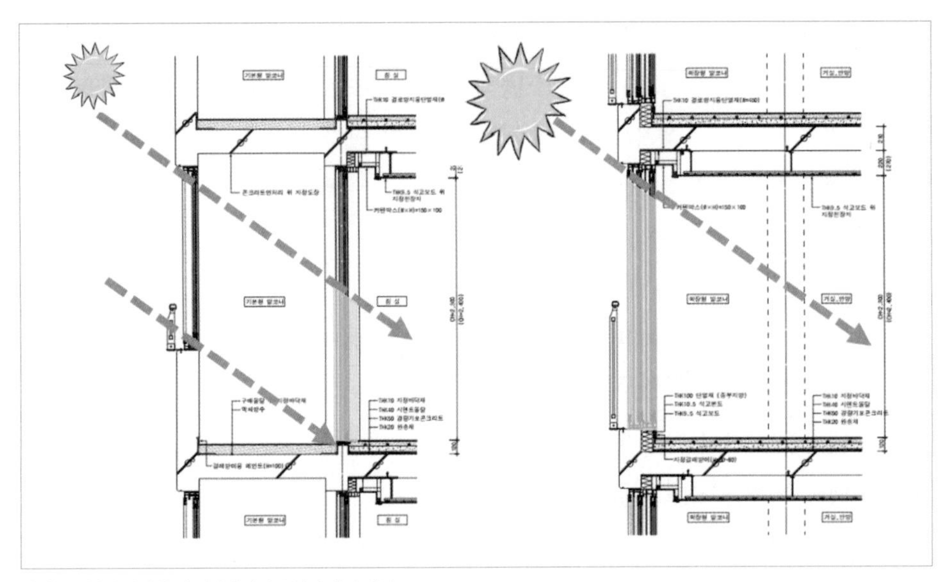

사진 26 확장 전과 후의 일사에너지 유입의 차이 개념도

패시브하우스는 여름철에 다른 건물보다 더 예민하다?

낮 시간 동안 실내로 유입된 열은 온도가 내려간 밤 시간에 건물의 외피를 통해 방출된다. 패시브하우스 외피의 단열 성능은 평균 0.15W/m²·K 이하이고 창호는 기본 차양의 열관류율이 약 0.8W/m²·K이다. 기존 건물의 단열 성능보다 약 2배 정도 강화되었다고 보면, 외부로의 열 손실도 마찬가지로 50% 정도 줄어든다고 본다. 별도의 추가 조치가 없다면 단열이 부족한 다른 건물에 비해 실내에서 열이 더 많이 정체된다는 뜻이다. 물론 창호가 아닌 외피의 높은 단열 성능 덕분에 낮 시간 동안 유입되는 열에너지 획득도 훨씬 적다. 하지만 만일 차양이 없다고 본다면 유리의 일사 에너지투과율이(g-값, SHGC: Solar Heat Gain Coefficient) 약 50%(0.5)에 달하는 패시브하우스의 경우, g값이 그 이하인 기존 건물에 비해 낮 시간 동안 더 많은 일사에너지가 유입된다. 겨울에는 난방에너지 절약에 도움이 되는 요소가 되지만 여름철에는 단점이 된다.

다시 말해, 높은 에너지투과율의 유리를 거쳐 낮 시간에 유입된 열에너지가 창호의 높은 단열 성능(낮은 열관류율) 때문에 야간에는 외부로 적게 손실되기에 패시브하우스는 냉방 부하를 줄이는 것이 중요하다.

에너지 총량제 프로그램인 PHPP 혹은 우리나라의 Energy#과 같은 프로그램은 지역, 건물 밀집도 등을 고려해 유리의 일사 에너지투과율 값을 교과서적으로 약 50%만 적용할 것이 아니라, 그 이하로 줄이는 것도 고려할 필요가 있다.

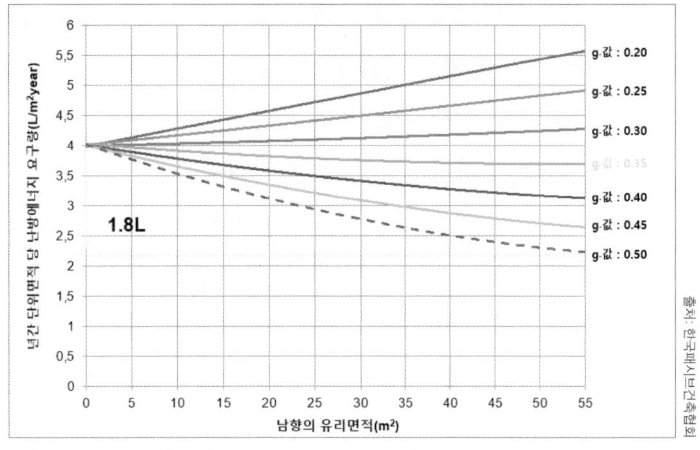

출처: 한국패시브건축협회

사진 27 국내 인증 건축물 성능 비교 - SHGC(g값) : 중유럽 표준기상 데이터 적용

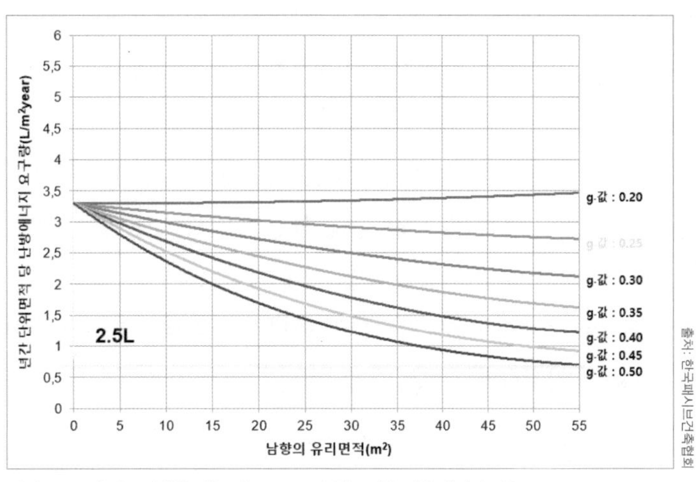

출처: 한국패시브건축협회

사진 28 국내 인증 건축물 성능 비교 - SHGC(g값) : 서울 기상 데이터 적용

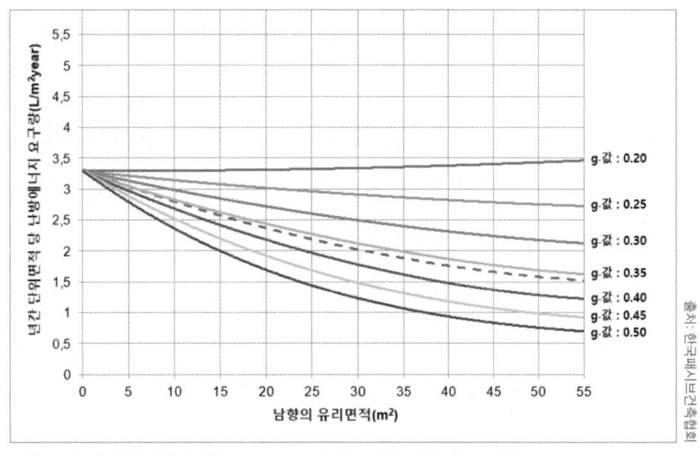

출처: 한국패시브건축협회

사진 29 국내 인증 건축물 성능 비교 - SHGC(g값) : 서울 기상 데이터 적용

3개의 그래프를 모두 분석해 보자. 국내 인증 건물을 독일 기후에 적용해 봤다. g값이 0.5가 되면 남향의 유리 면적이 25%일 경우 난방에너지 요구량이 약 3ℓ인 반면, 서울의 기후데이터를 적용하면 25%의 유리 면적에서 절반으로 줄어든 1.5ℓ가 된다. 만일 3ℓ를 기준으로 보게 된다면, 서울 기후에서는 유리의 전체 에너지투사율을 0.5가 아니라 0.25를 사용해도 독일 기후에서의 난방에너지 요구량과 같은 값을 보이게 된다.

물론 이 결과를 바탕으로 모든 유리의 g값을 낮추는 것은 경우에 따라 아주 위험해질 수 있다. PHPP는 건물 전체를 하나의 구역(Zone)으로 보고 계산하기에 남향의 좋은 결과를 모든 건물에 평균해서 나눌 수 없기 때문이다. 즉, 다른 방향에 면해 있는 공간은 더 많은 에너지가 필요할 수 있으며, 더불어 주변 건물의 그림자가 많을 수도 있기에 이는 이론적 바탕과 실제 조건 등의 조합이 필요하다. 확실한 것은 국내 기후에서 g값 약 0.4(40%) 정도를 패시브하우스에 적용하는 것은 큰 문제가 없다고 볼 수 있다.

내외부에 안전 유리를 설치한다면 특별한 경우를 제외하고, 삼중유리의 에너지 투과량이 0.4 수준을 보이기에 중유럽의 기후를 바탕으로 권장하는 독일 패시브하우스의 50% 기준을 맞출 필요가 없다.

초기 국내 패시브하우스에서는 난방을 하지 않았는데도 실내 온도가 올라가는 것을 두고 긍정적으로 판단하기도 했다. 결과적으로는 실내 환경 쾌적성이 떨어지는 것으로 여기고 현재는 대책 마련에 고심하는 분위기다. 그동안 국내 패시브하우스 프로젝트가 에너지 소비량에 더 집중했다면, 앞으로는 에너지 절감뿐만 아니라 쾌적성에도 눈을 돌려야 패시브하우스의 지속적인 발전과 현실화가 가능해질 것이다.

차양에 관한 독일의 사례

Heidelberg Bahnstadt는 세계에서 가장 큰 규모의 패시브하우스 단지이며 2014년에 Passive House Award를 수상한 곳이다. 잘 보이지는 않지만 2층 앞부분 세대를 보면 창문 유리 뒤로 살짝 반짝이는 것이 보인다.

다름 아닌 부엌에서 자주 사용하는 알루미늄 호일이다. 전체적인 공사 일정이 너무 늦어지는 관계로 세입자들은 먼저 입주를 할 수 밖에 없는 상황이었고 내·외부 모두에서 공사가 한창 진행 중이었다. 한 입주자가 한여름 외부 차양 장치 없이 도저히 견디기 어려워 반사율이 높은 알루미늄을 유리에 붙인 것이다. 세계 최고를 자랑하는 독일에서, 그것도 시 차원에서 많은 지원과 관리를 아끼지 않았음에도 발생한 일이라 그리 반가운 상황은 아니었지만 차양 장치의 유무로 인한 결과를 알 수 있는 좋은 교재거리라 소개한다.

이 임기응변을 아주 기막히게 풀어낸 사람은 다름아닌 센스 있는 한국인 유학생 부부

사진 30 독일 Heidelberg Bahnstadt, 세계 최대 규모의 패시브하우스 단지

사진 31 창문 유리 뒤에 알루미늄 호일을 접착한 모습

사진 32 2018년 10월 말의 현장 사진

사진 33 2018년 10월 말의 현장 사진

였다. 이후 주변 세대들이 모두 따라하기 시작했으며 더욱 기가 막히는 것은 관리업체에서는 이 부부를 따라할 것을 권장했다고 한다.

여름이 지나고 문제가 되었던 현장을 다시 방문했을 때는 다행스럽게도 외부에 차양 장치가 시공되어 있었다. 그런데 1층에 상가 겸 사무실로 보이는 곳이 아직도 알루미늄 호일을 붙여두고 있었다. 원인을 유추해 봤다. 자세히 보면 외부에 차양 장치를 시공할 공간이 아예 없다는 것을 알 수 있다. 유리의 g값을 낮춰 햇빛의 유입을 줄일 계획으로 보이지만, 워낙 유리 면적이 커서 간접광을 고려하면(만일 차양장치를 고려하지 않았다면) 아무리 독일의 여름이라도 여름철 내부 온도 급상승을 막기는 어렵다. 일사 차단 코팅을 외부 차양 장치 대용으로 생각하지는 않았을 것이다. 또한, 사무실은 밤 시간대에 자연 환기를 수행할 사람이 없기에 결과적으로 아침부터 실내 온도가 높아질 것이라는 추정이 가능하다.

출처: Beck-Heun, germany

사진 34 단열재와 조합된 외부전동블라인드(EVB) 시스템

지금은 많이 알려진 외부 전동 블라인드(EVB) 외에 다른 차양 장치는 무엇이 있을까? 기후 조건에 따라 조절 가능한 차양 장치 외에 동·서측과 남측 거실의 메인 창 앞에 돌출 처마나 캐노피를 고려하는 것도 한 가지 방법이다. 단순 돌출형은 깊이에 따라 차단 성능이 다르지만(약 50% 정도에 불과), 여름과 겨울의 태양 고도 차이, 산란광(간접광) 등까지 고려한다

면 한계가 있는 장치다. 겨울에도 실내 온도의 상승을 막기 위해 차양 장치가 필요한 경우가 있기 때문이다.

창호가 크거나 외부 바닥 마감 자재의 지면 반사율이 높을 경우엔 외부 차양 장치를 특히 권장한다. 지면 반사율은 난방에너지 절감에 큰 도움이 되는 요소지만, 유리 면적을 고려할 때 여름철에는 오히려 마이너스 요소다.

표 9 람다패시브하우스의 지면 반사율 계산 과정

출처: 배성호

관목 : 0.16, 흙 : 0.26, 벽돌 : 0.17, 콘크리트 : 0.18, 아스팔트 : 0.08, 타일 : 0.25, 눈 : 0.7

방위	외부 바닥 재료			유리면적(m^2)	반사율
북	관목 15%	흙 15%	벽돌 70&	8.5	18%
동	관목 15%	콘크리트 15%	아스팔트70%	5.7	11%
남	타일 15%	벽돌 70%	흙 15%	24.0	20%
서	벽돌 25%	관목 15%	흙 60%	3.4	22%
합계/평균				41.5	18%

눈의 영향 4% 고려 시 : 20%

차양 장치 고려 시 중요한 요소 중 하나는 실내 밝기다. 일사를 차단하는 것에만 집중하다 보면 실내에 유입되는 가시광선의 중요성을 간과하기 쉽다. 특히 거주 공간의 한 방향에만 창호가 있다면 차양 장치로 인해 실내 공간이 어두워지고 결국 낮 시간에 조명을 켜야 하는 아이러니한 상황이 발생한다. 차양을 통해 90% 가까이 일사에너지를 차단해도 조명을 통한 에너지 소비, 조명에서 발생하는 열로 인해 냉방 부하가 추가되는 것이다.

그런 이유에서 외부 전동 블라인드를 쓸 때 사무실 건축에서는 상부 약 1/3은 가시광선을 통과시켜 슬래브 하부나 천장면에 간접광으로 반사를 시키고, 나머지 2/3는 닫히는 시스템을 적용하기도 한다. 거주 공간에서는 창을 두 방향으로 내어 태양이 있는 쪽엔 차양 장치를 설치하고 다른 쪽은 일조를 확보한다. 자연 환기 시 방 하나에서도 독자적으로 효율적인 환기를 가능하게 하는 설계 요소다. 물론 모든 주거 공간(침실과 거실)에 적용하기에는 비용적 한계가 있지만, 설계 단계부터 고려해 볼 만한 부분이다.

다른 방법으로는 디자인 요소로서 미서기 혹은 여닫이 형식의 차양 장치를 꼽을 수 있다. 다만 부속 철물과 연결되는 외피의 점형 열교 등을 해결해야 하고 일반적인 시스템이

사진 35 람다패시브하우스는 거실 창호의 덧문을 닫더라도 다른 방향에 채광을 위한 창을 두었다.

사진 36 서로 다른 방향에 시공된 창호 모습

사진 37 공간의 깊이가 있음에도 자연 채광으로 인해 실내가 밝다.

아니라 비용이 높은 것이 단점이다. 또한 디자인적으로 잘못 풀게 되면 우리나라 건축양식에서는 다소 낯설게 다가오는 단점이 있다. 보통 펜션 등에 설치된 유럽풍의 여닫이 형식 덧문은 장식용으로써 실제 기능은 대부분 없다.

외부 전동 블라인드 시스템은 바람이나 고장 시 보수 공사가 어려워 공동주택처럼 고층 건물일 때는 외부에 강화유리를 추가 설치하면서 통기가 되는 공간에 블라인드를 다는 방법도 있다. 미서기 창호에는 적용이 어려운 시스템이지만, 시스템 창호와의 조합에서는 내부 창을 개방하고 청소 및 보수를 할 수 있는 장점이 있다. 무엇보다도 바람의 영향이나 빗물의 영향을 거의 받지 않는다. 또한 작은 블라인드와 태양광 모듈를 무선 센서로 조합하면 관리 면에서도 효율적이다. 가격이 높은 것이 단점이고 국산으로 제공되는 것이 없어 선택이 어렵지만, 시장성이 큰 공동주택에 적용되기 시작한다면 가격도 정상화될 것으로 보인다. 다만, 시스템 창호에만 조합 가능하다는 것은 단점이다. 미서기나 고정창은 기술적으로 불가능하다.

차양 장치 자체는 현재 공동주택에 사용되는 미서기 혹은 롤 방식 방충망과의 조합도 충분히 가능하다. 한 단계 더 나아가 방충망의 역할을 하면서 일사를 차단하는 시스템이나, 롤 방식 개폐 시스템 등이 출시된다면 공동주택의 냉방 부하를 줄이는 새로운 해결책이 될 것이라 생각한다. 현재 우리에게 무엇보다 시급한 것은 확장형 공동주택에서 사용 가능한 외부형 햇빛 차양 장치다.

패시브하우스 경험자들에 따르면 겨울철이라도 창호를 통해 태양빛이 우리 몸에 직접 닿으면 따뜻하다는 느낌보다 쾌적하지 못한 경우가 많기에 여름이 아니라도 차양 장치를 자주 사용하게 된다고 한다. 겨울철에 맑은 날이 많은 우리나라의 기후를 고려하면 더욱 그렇다.

일반 공동주택이나 단독주택에서 생활하던 사람들이 패시브하우스를 짓는 과정에서 그동안 경험하지 못한 차양 장치를 생략하는 (특히 비용 문제로) 경우가 많은데, 이는 가장 큰 실수 중에 하나다. '살다가 필요하면 준공 후에 하면 되지' 하고 생각할 수도 있지만, 작은 열교라도 줄여야 하는 패시브하우스의 경우 특히, 외단열 미장 공법과 같은 시스템에서는 준공 후 설치가 결코 수월하지 않다. 더불어 미관상으로도 보기 좋지 못하다. 차라리 성능이 부족한 창호를 설치하더라도 차양 장치는 절대 생략해서는 안 된다고 생각한다. 선택이 아니라 필수이며 겨울 단열 계획만을 법적으로 검토하는 것이 아니라 여름 단열 계획에 대해서도 고려해야 할 시기다.

사진 38 람다패시브하우스 남측 미서기 폴딩 덧문

사진 39 람다패시브하우스 동측 미서기 덧문 상세

사진 40 일체형 어닝 천막 차양 장치, Heidelberg

출처: Warema, Germany

사진 41 일체형 어닝 천막 차양 장치

사진 42 여러 미서기 차양 장치, Ingelheim

사진 43 여닫이 차양 장치, Heidelberg

사진 44 미서기 차양 장치, Heidelberg

사진 45 대전시 유성구 덧문 사례

⑥ 자연 환기

지역마다 차이는 물론 있지만, 중유럽은 낮 시간 기온이 30°C를 넘더라도 야간에는 20°C 이하로 내려가는 경우가 일반적이다. 낮동안 데워진 구조체의 열을 식힐 수 있는 것은 기후적인 장점으로, 우리보다 여름철 실내 쾌적성을 확보하기가 훨씬 쉽다. 여름철이면 우리가 흔히 접하는 열대야 현상은 중유럽 기후에서는 매우 드물다. 2018년 여름, 낮 시간의 더위가 기록적으로 오래 지속된 적도 있지만, 밤이 되면 온도가 내려간 덕분에 단열이 부족한 건물들도 야간 시간의 자연 환기를 통해 실내 온도를 내리는 데 큰 문제가 없었다.

순수 목조건물이며 단열 성능이 턱없이 부족한 1936년에 지어진 건물에 13년째 살고 있는 필자의 경우만 보더라도 여름밤에 더워서 잠을 설친 경우는 거의 없다. 물론 지역적인 요소도 영향을 미친다. 2018년보다 2003년은 습기를 동반한 열대야 현상으로 더 더웠다. 그럼에도 이 열대야는 한국보다는 약했고 기간도 2주일을 넘기지 않았다.

하지만 우리나라는 여름이면 열대야 현상이 있고 높은 습기까지 더해져 자연 환기를 통한 냉방 효과를 기대하기 어렵다. 게다가 도심지의 저층 지역은 주로 내단열이라 낮 시간 동안 일사에 의해 건물 외피에 저장된 열에너지가 밤 시간에 복사열로 다시 방사되어 결과적으로 열대야 현상은 더욱 심해진다. 이것은 도심 열섬 현상의 주요 원인이기도 하다.

마찬가지로 미세먼지 문제, 야간이라도 도심 지역에서는 소음 문제가 있어 외부 온도가 내려가더라도 독일 패시브하우스에서 말하는 자연 환기 방법에는 한계가 있다. 또한, 모기나 파리와 같은 곤충 때문에 방충망을 설치하는 것이 필수이므로 창을 열어도 유효 바람 면적은 줄어든다. 물론 PHPP에선 이 유효 면적을 계산에 별도로 넣어 고려할 수 있다. 겨울에는 외부의 낮은 온도가, 한여름에는 외부 공기의 높은 습도가 자연 환기를 어렵게 만든다.

냉방부하를 줄이는 방법

- 여름에는 실내 발열을 최대한 줄인다.
- 주방 가전제품은 가급적이면 한 공간에 배치해 분리한다.
- 외부 차양장치를 반드시 설치해 낮에는 내리고 밤에는 올린다. 겨울은 그 반대다.
- 외부 조건이 허락한다면 자연 환기를 적극 활용한다. 공기조화기가 있기에 환기가 충분하다고 생각하면 안 된다. 공기조화기를 통해 배출가능한 에너지의 양은 극히 제한적이다.
- 실내 수증기 발생 시 바로 외부로 배출한다.
- 기밀 시공을 한다.
- 자동 Bypass가 되는 환기장치를 사용한다.
- 외부 반사광 유입을 최대한 줄인다.
- 천장을 가급적이면 없애고 축열 성능이 좋은 콘크리트를 그대로 사용한다.
- 1층 주방 옆에 2층으로 통하는 계단실이 있다면 고온다습한 공기가 올라가지 않도록 차단하는 것이 좋다.

7. 실내 습도를 관리하는 효율적 방안

① 습기 발생

실내의 쾌적성을 확보하기 위해선 먼저 실내에서 발생하는 수증기의 종류와 그 영향을 이해해야 한다. 유럽도 요즘은 일반 가정에서 가스를 이용해 요리하는 경우가 흔하지만, 우리나라는 대부분 LNG를 연료로 하는 가스레인지로 요리를 하기에 수증기 발생이 기본적으로 더 높다. 독일 기준 DIN Fachdienst CEN/TR 14788에 따르면 100~150g/(h·kW)의 수증기가 발생된다고 한다.[40] 겨울철 단열이 취약한 건물에서 가스레인지를 사용하면 유리창에 없던 결로가 생긴다. 가스레인지 사용 시 수증기가 발생하기 때문이다. 이런 현상은 실내에 가스를 이용한 난방을 하는 경우에도 자주 발생한다. 여기에 취사 시 밥솥에서 나오는 수증기까지. 우리나라 기후와 생활 습관에서 여름철 제습은 그리 쉬운 과제가 아니다. 독일의 패시브하우스에서는 배기 중의 오염 물질만 처리한 후 재순환하는 주방 레인지후드를 주로 사용한다. 반면 우리나라의 생활 습관을 고려할 때 독일의 패시브하우스에서 금기로 여기는 외부로 직접 배기되는 레인지후드가 습한 공기를 바로 배출시키는 기능으로 유용할 수 있다.

독일 프라운호퍼 건축물리 연구소에서는 우리나라 공동주택의 실내 습 부하를 실측해 유럽 기준과 비교한 자료를 내놓았다. 그래프를 보면 유럽 기준의 가장 높은 조건도 우리나라 실내 평균의 수증기압보다 훨씬 낮은 것을 알 수 있다. 에어컨 가동이 없다고 가정하고 실내의 생활 수증기 발생을 고려하면, 실내 상대 습도가 거의 80%에 육박한다. 우리나라의 여름은 그만큼 만만한 상대가 아니다.

40 메탄의 연소식 : $CH_4(g) + 2O_2(g) \rightarrow CO_2(g) + 2H_2O(l)$ + 247.5Wh/mol, H_2O 분자량 18g/mol, 2*18*1,000/247.5 ≒ 146g H_2O/kWh

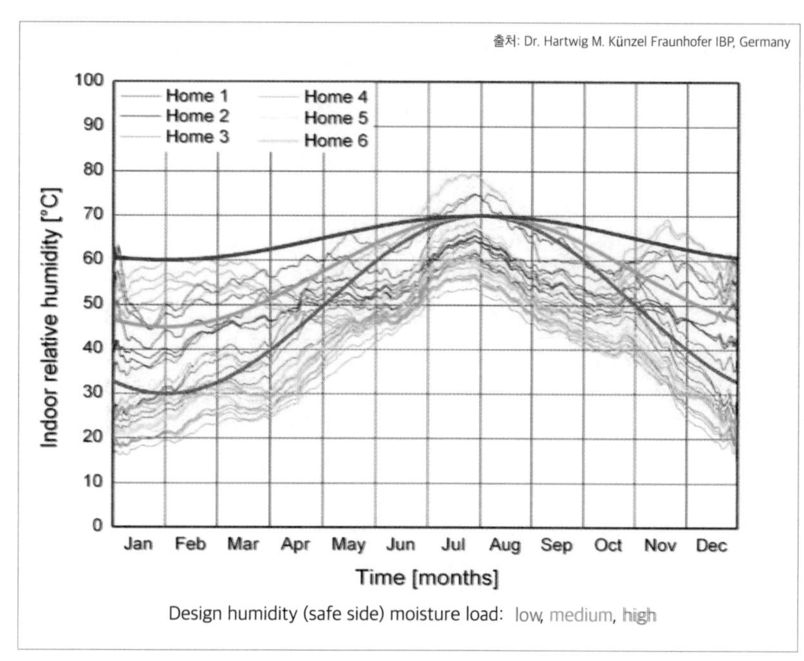

사진 46 서울시 공동주택의 실내 상대 습도 실측 데이터

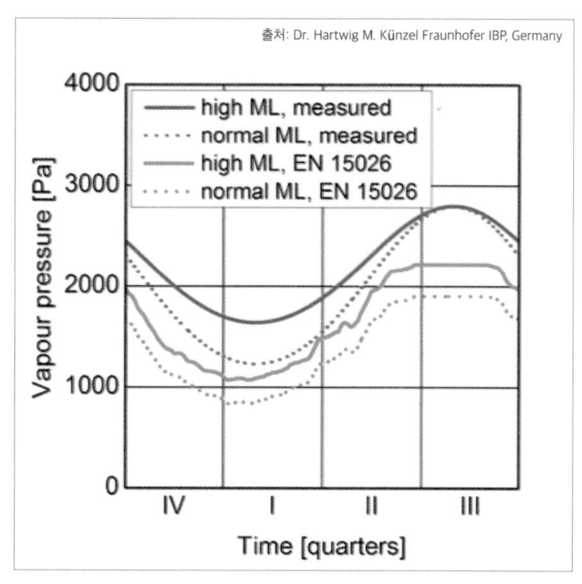

사진 47 EN 15026의 기준(녹색)과 서울의 공동주택에서 실측한 수증기압(파란색) 비교

② 습기 Buffer

여름이 아니라도 외부 조건이 좋아져 환기를 하면 실내의 상대 습도가 30~40%까지 떨어졌다가 바로 50~60%로 올라가는 현상이 자주 있다. 마찬가지로 과거 기밀이나 단열이 좋지 않은 건물에서는 실내가 건조한 경우가 많았지만, 요즘 지어지는 공동주택은 환기 후 잠깐 상대 습도가 내려갔다가 다시 상승하는 일이 빈번하다. 주기적인 환기를 하는 건물임에도 예상보다 빠르게 상대 습도가 다시 증가하는 가장 큰 이유는 요즘 지어지는 건물 마감의 내부 조습 성능 부족에 있다.

PVC 혹은 Acrylic계열이 주를 이루는 벽지의 경우 생산 회사의 제품마다 약간의 차이는 보이지만, 투습 저항 성능을 나타내는 등가공기층[41]의 두께 Sd값이 0.5m 이상 되는 경우가 흔하며 1m 이상[42]이 되는 제품도 많다. 이런 제품은 무엇보다 방습 성능을 일부 포함하고 일반적인 미장 마감과는 달라서 구조체 내부의 조습이 매우 제한적이다. 우리가 잘 알고 있는 석고보드의 투습 성능(12.5㎜의 Sd값은 0.1m)과 비교한다면 최소 5배 이상 높은 것이다.

더불어 불투습 벽지로 인해 구조체로부터 실내 공기가 차단되면 구조체의 조습 성능은 사용할 수 없게 된다. 엄격히 말을 한다면 구조체가 조습 성능에 미치는 영향은 없다. 제일 중요한 역할은 바로 실내 마감 부위의 20mm 정도다. 여기에 사용된 자재의 성능에 따라 실내 조습 성능의 차이가 확연해진다. 그 중요한 표면의 조습 성능을 아쉽게도 활용하지 못하는 것이다.

표 10 벽지의 투습 저항과 등가공기층의 두께

Wallpaper	Main material	Water vapour resistance factor, u [-]	Sd value [m]
A	Natural substance (cornstarch)	1208.67	0.47
B	PVC	810.32	0.36
C	PVC	1275.96	0.60
D	Acrylic	1025.75	0.52
E	PVC	1689.17	0.71
F	Natural substance (porous mineral)	480.99	0.29
G	Natural substance (porous mineral)	570.72	0.34

출처: 문현준, 단국대학교[43]

41 Sd가 1m라는 말은 1m의 공기층 두께라는 의미이다. 여기서 S는 라틴어 spatium에서 온 거리, 간격 등을 말하며, d는 diffusion으로 확산을 의미한다. 단위는 m이다. 석고보드 한 장은 보통 0.25m, 유리나 철은 1,500m 이다.

42 EN ISO 12572 wet cup이 아닌 단순 dry cup 방식에 준한 투습 저항 값으로 추정한다. 실제로 사용된 실크 벽지 4종류를 각각 다른 연구소에 의뢰한 결과를 보면, 가장 낮은 0.58~1.20m로 표의 값보다는 전체적으로 높은 것을 알 수 있다. 하지만 과거 벽지의 Sd값이 PVC 계열이기에 높은 값을 보일 것이라는 추측은 측정을 통해 아니라는 것이 밝혀졌다. wufi와 같은 온습도 시뮬레이션을 할 경우 0.60~1.20m 사이의 값으로 계산하는 것이 더 합당하다고 본다. 물론 시험체의 종류가 다른 것도 원인이 될 수 있다.

43 Evaluation of mould growth risks in buildings with different hygric properties of interior finishing materials and indoor moisture controls

공동주택은 콘크리트로 지어서 실내의 상대 습도가 낮기 때문에 가습기를 사용해야 한다고 잘못 이해하는 경우도 있다. 쉬운 예로 화장실에서 샤워를 하고 나면 바로 타일 표면에 결로수가 생기는데, 타일은 투습이 불가능한 자재이기에 축열 성능은 있지만 유리나 철처럼 조습 성능은 없다.

표 11 실외 온도와 상대 습도에 따른 실내 상대 습도의 변화

구분	단위	실외	실내
온도	℃	0	20
상대 습도	%	80	20.9
수증기압	Pa	489	489

외부 온도가 0°C, 상대 습도가 80%일 때 상대 습도가 아주 높다고 생각하지만 실제 수증기압은 489Pa이며 절대 습도는 단지 3.9g/m³에 부과하다. 20°G이고 80%인 경우는 13.6g/m³이 되기에, 같은 상대 습도라 하더라도 절대 습도에 따라 차이가 있음을 알 수 있다. 실내 온도가 20°C인 공간으로 이런 외기가 들어오고 추가적인 습기 발생이 없다고 가정하면, 실내의 상대 습도는 약 21%에 불과하게 된다. 실내 온도가 20°C 보다 더 올라간다면 상대 습도는 더 내려가게 된다. 왜 기밀한 창이 중요한지를 보여주는 단적인 계산이다.

표면의 공극이 많아 상대적으로 면적이 넓은 자재의 경우 조습 성능은 뛰어나지만, 가격이 높거나 일반적인 미장보다 시공이 까다로운 편이다. 한옥은 내부 마감으로 모세관 현상이 좋은 황토나 석회 미장, 바닥 구들 난방 등을 사용함으로써 부족한 단열로 인해 일시적으로 발생하는 결로의 위험을 많이 줄인다. 우리나라의 생활 습관과 기후 조건을 고려할 때 시멘트 미장이나 석고보드로 표면 수평 작업만 하고 투습이 되는 칠로 마감하는 것이 실내 마감 자재의 조습 성능을 최대한 이용할 수 있는 방법이다.

그렇다면 콘크리트로 구조체를 만들면서도 축열 성능을 적극적으로 활용하지 않고, 대부분 석고보드 위에 실크 벽지(아크릴 혹은 PVC 계열의 벽지)로 마감을 할까? 그 이유는 아주 간단하다. 지금까지의 관행인 것도 있지만 콘크리트 표면의 질과 평활도 그리고 오차가 많이 발생하다 보니, 이를 가리는 방법 중 가장 효과적이고 경제적인 것이 석고보드 마감이기 때문이다.

만일 이런 조합에 외부 투습이 어려운 경질의 압출법 단열재를 사용하게 되면 콘크리트

타설 시에 사용된 물이 외부로 증발하기 어렵게 된다. 그러면 이 물이 내부로만 증발하게 되는데, 석고보드 앞에 투습을 제한하는 벽지가 시공되어 있으면 수분은 그 사이 공간에 갇혀 그 부위의 상대 습도가 증가하게 된다. 때문에 벽지와 석고보드 사이에 곰팡이가 생기게 되는데, 제일 먼저 발생하는 부위는 열교가 있는 걸레받이 부위다. 걸레받이는 비용의 이유로 주로 MDF를 사용하는데, 이 자재는 수분에 아주 취약해 공사 중 혹은 입주 전에 이미 곰팡이가 발생할 위험이 아주 높다.

어떤 이유에서든 석고보드에 MDF 걸레받이를 해야 한다면 석고보드로 막기 전에 반드시 구조체의 제습을 먼저 거쳐 콘크리트의 함수량을 줄인 후 석고보드를 시공하기를 권한다. 단, 제습에 앞서 창호는 먼저 시공되어 있어야 한다. 외기와의 차단은 선행 조건이며 안전을 위해 기계 제습기를 사용해야 한다. 일산화탄소를 발생시키는 열원을 이용한 제습은 안전에도 위험이 있지만, 한계가 있다. 독일은 현장의 화로 등을 법으로 금지하고 있다. 난방은 제습이 아니다. 효과를 높일 뿐이다.

③ 전열교환기

일반 판형의 현열과 습기 회수도 가능한 전열교환기 중 어느 환기장치를 선택해야 하는지 종종 질문 받는다. 쉽게 말해 일반 판형은 폐열회수만을 하며, 전열교환기는 열과 수증기 모두를 회수하는 특징을 가지고 있다. 전열교환기는 판형 방식도 있지만 로터리 방식도 많이 제조되고 있다. 기준 이상의 누기율이나 효율성 저하 문제로 일반 소비자 사이에 인식이 좋지 않은 측면도 있지만, 이는 기기의 완성도에 따른 문제이지 시스템 자체의 문제는 아니다.

표 12 전열교환기의 부분별 온도와 절대 습도

	열회수 (°C)					습기 회수 (g/m³)	
nth	0.84	Eff. Therm.			nlt	0.63	Eff. Enthalpy
T1 °C	30.00	Fresh outside	Stabil	30	X1	22.76	Fresh outside
T2 °C	26.64	Supply			X2	17.63	Supply
T3 °C	26.00	Extract	Vast	30	X3	14.61	Extract
T4 °C	29.36	Exhaust			X4	19.74	Exhaust

nth = (T2-T1)/(T3-T1)　　nlt = (X2-X1)/(X3-X1)

nth*(T3-T1)+T1 = T2　　nlt*(X3-X1)+X1 = X2

이해를 돕기 위해 일반적으로 예측 가능한 여름의 기후 조건을 아래와 같이 가정한다면

- 외기 온도 : 30°C
- 외부 상대 습도 : 75%
- 실내 온도 : 26°C
- 실내 상대 습도 : 60%

열회수율이 84%일 경우 실내 급기 온도는 26.64°C로 26°C인 실내 배기 온도와 거의 비슷하다. 이때 외부 절대 습도는 22.76g/m³이며 실내 배기인 14.61g/m³와 습 교환을 통해 실내로 17.63g/m³이 유입된다. 만일 자연 환기 혹은 습 교환 기능이 없는 현열 환기장치를 통해 외기가 실내로 유입되면 외기의 22.76g/m³이 실내로 그대로 유입되기에 실내 잠열(제습) 부하가 많이 상승하게 된다. 결과적으로 실내가 더 습해지는 것이다.

즉, 습 교환이 가능한 전열환기장치의 경우 겨울뿐만 아니라 여름철에도 그 효과가 높다는 것을 알 수 있다. 겨울이 건조하고 여름이 습한 우리나라 기후에는 전열교환기가 더 효과적이라는 결론이 나온다. 물론 전열교환을 통해 유입되는 공기의 절대 습도가 여름 전체 기간 동안 완전히 쾌적 범위에 들어오는 것은 아니기에 추가적인 제습은 필요하다.

현재 일정 규모 이상의 공동주택에 설치되는 환기장치는 열회수율도 문제가 되지만, 기계 자체의 누기율까지 문제가 되곤 한다. 겨울철에 쾌적 온도 이하의 찬 바람이 실내로 유입되는 경우가 많아 전열이든 현열이든 사용자 입장에서는 거부감이 높아져 결국 기계를 사용하지 않는 경우도 흔하다. 이런 문제를 해결하기 위해 외부 공기를 바닥 난방 구간으로 통과시켜 온도를 높인 후 실내로 공급하는 방식도 시도되고 있다. 하지만 이 시스템의 가장 큰 문제는 바닥에 시공이 되기에 급기관의 매입에 따른 층간 소음재의 삭감이 불가피하게 된다는 것이다. 많은 가능성을 가지고 있는 방법이지만 더 많은 연구가 필요하다.

단열이 부족하고 폐열회수가 낮은 장치는 오히려 실내로 유입되는 공기의 온도(SUP)가 낮아지면서, 결로 조건 근처까지 가는 위험성도 있기에 실험실 수치가 아니라 반드시 열회수 효율 최소 70%를 넘는 것을 사용해야 한다. 성능이 낮은 장비의 결로 위험을 줄이기 위해 프리히터를 설치하면, 전기 사용량이 많이 증가해 누진제의 문제가 있는 한 이 조합은 피하는 것이 좋다. 필요한 온도로만 올려주는 기능이라면 문제가 줄지만, 단순 온·오프의 개념이라면 보통 400W의 프리히터는 전기 먹는 하마가 된다. 이것을 법적으로 의무화하는 것은 문제의 원인을 정확히 파악하지 못한 조치다. 필요한 에너지만 사용하는 시스템이 효과적이다.

공기조화기를 통한 냉방 가능성

제습의 문제를 가진 우리나라 기후에 대비하는 좀 더 설득력 있는 안을 고려할 필요성이 있다. 이제 막 상용화를 시작해 여러 건물에 적용되면서 그 가능성을 인정받은 '데시컨트(desiccant) 제습기(하이브리드형 제습환기장치)'는 냉방 부하가 낮으면서 현열과 잠열 부하의 차이를 줄인(현열비: 0.5~0.7), 패시브하우스에 적합한 조합[44]이라 볼 수 있다. 패시브하우스나 제로에너지하우스에서 실내 온도 제어는 물론 높은 실내 상대 습도까지 쾌적 범위로 제어할 수 있는 해결책이다. 제습 뿐만 아니라 열회수, 탈취, 청정, 냉방의 기능이 동시에 가능하며 용도에 따라 그 기능을 선택적으로 취할 수도 있다.

공기조화기에 설치되어 연동하는 데시컨트 제습장치에는 실리카겔보다 흡습성이 약 4~5배 개선된 고분자 제습 소재(초흡습성고분자 SDP, Super desiccant Polymer)가 적용돼 있다. 기존의 제습기에서 발생하는 폐열의 토출 온도가 40°C 이상인 것에 반해, 약 30°C를 유지하기 때문에 추가적인 냉방 부하도 줄일 수 있다. 더불어 실내로 유입되는 공기(SUP: Supply air 혹은 SA)를 작은 냉각기를 통하게 하면 현열 냉방 부하가 기존 건물에 비해 상당히 낮아지는, 패시브하우스에는 아주 좋은 조합이다. 현재는 기존의 데시컨트 냉방시스템에 전기식 히트 펌프를 추가해 에너지 효율과 냉방 출력을 크게 향상시킨 하이브리드 데시컨트 냉방시스템도 개발이 끝난 상태다.[45]

표 13 데시컨트 제습 성능 비교표

	KIST 데시컨트 제습기	냉각제습기 (LG, 삼성, 위니아)	데시컨트 제습기 (Kankyo 일본)
제습 효율	2.89	1.6~2.0	1.0 이하
토출 온도	30.0℃	40℃ 이상	40℃ 이상
열회수 환기 효율	냉방 : 71.5%(45%) 난방 : 79.1%(70%) (괄호 안 고효율 기준)	기능 없음	기능 없음
항균, 항곰팡이 성능	99.9%	일부 고급 제품 적용	기능 없음
탈취 성능	암모니아 : 99.8% 트리메틸아민 : 99.6% 아세트산 : 94.0%	일부 고급 제품 적용 (필터 교체 필요)	기능 없음
설치 장소 및 방법	다용도실 천장 빌트인 (운전 소음 없음)	실내 이동형 (운전 소음 큼)	실내 이동형

출처: KIST 이대영 박사

44 저에너지주택의 현열비(SHF: Sensible Heat Factor)가 0.5~0.7 이하로 떨어지는 환경에서는 냉각 제습만으로는 온도와 습도를 모두 만족할 수 없다. 현열비가 감소함에 따라 과냉이 발생하여 COP가 30% 이상 감소하거나, 현열비가 장치노점온도(ADP: Apparatus Dew Point)선과 만나는 점이 형성되지 않아 제습이 안되는 경우도 발생하게 된다. (KIST 이대영 박사)

45 월간 설비 2018년 8월호 p.80, '휴미컨, 쾌적한 실내 환경을 위한 고효율 데시컨트 냉방환기시스템', ㈜에코에너다임알디지샘코퍼레이션 이현종, ㈜휴마스터 이대영

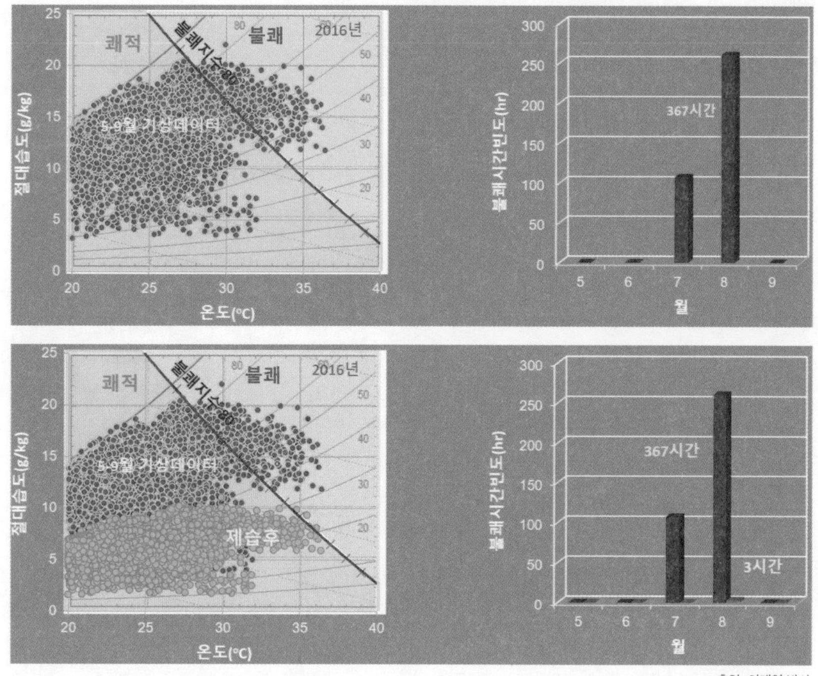

출처: 이대영 박사

사진 48 시스템 사용 전후의 쾌적 범위 변화

토출 온도 30°C에서 더 낮추기 위해 실내에서 배기되는 공기(ETA: Extract air 혹은 RA: return air)와 다시 한 번 열 교환을 거치는 것도 고려해 볼 수 있다. 가능하다면 경우에 따라 실내에 작은 에어컨만으로도 냉방 부하를 충분히 해결할 수 있을 것으로 보인다. 아직은 효율이 좋은 외국산에 비해 동력 팬 소비전력이 높은 것이 단점이기는 하지만, 앞으로 효율 좋은 모터를 개발해 적용한다면 해결 가능할 것이다. 이 시스템의 장점이 잠열을 해결하는 것이기에 습기만 조절 가능하다면 다음은 적용 가능성이 아주 많은 시스템이다.

시스템을 좀 더 확장해, 환기를 통한 제습으로 잠열 부하를 해결하고 지열 혹은 공기열 히트펌트를 지중의 수평 혹은 수직열 교환기와 조합한 복사 냉방으로 현열 부하를 제어할 수도 있다. 상황에 따라 히트펌프와의 연동 없이 지중의 열 교환만으로도 냉방이 형성돼 소위 말하는 패시브 쿨링(passive cooling)도 일정기간 가능해진다. 냉방에너지가 더 필요한 경우에만 히트펌프를 가동하면 결과적으로 전기에너지가 절약된다.

위의 그래프를 살펴보면 시스템 가동 전에는 7, 8월 367시간 동안 쾌적 범위를 벗어났지만, 제습을 하게 되면 단지 3시간만 온도 대비 쾌적 범위를 벗어난다. 습기가 많은 여름철 우리나라 기후에 설득력 있는 고무적인 결과로 판단할 수 있다.

람다패시브하우스 설계 과정

제2장

1. 긴 여정의 시작

연락이 온 것은 2013년 4월. 세종시에 4인 가족이 거주할 단독주택을 짓고 싶다는 간단하면서도 많은 기대를 하는, 어찌 보면 건축가의 입장에서는 상당히 부담스러운 이메일이 도착했다. 우리나라 기후에 적합한 패시브하우스 시스템을 찾던 필자에게 거부할 수 없었던 설계 제안이었다.

건축주 본인은 어느 건축가에 뒤지지 않을 많은 지식과 노하우, 경륜을 가졌다. 그럼에도 자신을 낮추면서까지 가족이 살아가는 터전을 마련하고자 하는 열정을 보여줬다. 그것이 건축가의 집착과 처음부터 잘 맞아떨어진 것 같다. 우리나라의 기후를 고려한 구조를 찾아가는 건축가의 시도와 건강과 내구성을 생각하는 건축주와의 조합이 좋은 시작이었고, 결과적으로 건축주의 놀라울 정도의 집요함과 분석, 도전정신이 좋은 시너지를 만들어 낸 것이다. 아마도 건축주의 높은 관심과, 뛰어난 집중력이 없었다면 람다패시브하우스의 완성도는 떨어졌을 것이다. 또한, 귀한 기초 데이터 확보도 불가능했을 것이며, 데이터를 활용하는 데에도 한계가 있었을 것이다.

람다패시브하우스를 계기로 '건축설계가 50%, 시공이 50%'라 말하던 것에서, 지금은 '설계가 30%, 시공이 50% 그리고 건축주가 20%'라고 말을 바꿨을 정도다. 설계의 중요성이 덜 하다는 것이 아니다. 설계가 충분히 적용되고 실현되기 위해서는 시공에 대한 고집스러울 정도의 장인 정신이 필요하고, 이 중요성을 인식하는 건축주의 마음이 중요하다는 뜻이다. 어느 한 사람의 노력만으로는 좋은 결과를 만들기 어렵다.

순수 과학도 아닌 이 분야에서 이런 기초 데이터를 논하는 것 자체를 이해하기가 어려운 사람들도 있을 것이다. 아무리 작은 것이라도 축적된 데이터를 바탕에 두지 않은 설계·시공·건축물리적 접근은 그저 운에 맡기는 것에 불과하다. 그러나 우리가 찾는 답은 우연히 맞춘 것이 아니라 답을 계획하는 것이다.

국내에서 처음 여러 전문가들과 미팅을 한 적 있다. 오랜만에 만난 건축사 후배가 나에게 "무슨 단독주택 하나를 짓는데 대형 건물을 짓는 것처럼 난리냐?"라고 했다. 시공비나 기타 여건을 고려할 때 전혀 틀린 말은 아니다. 그러나 눈에 보이지 않는 작은 변화를 이끌어내기 위해 각 분야의 전문가 의견을 수렴하고 조합하는 일이 꼭 큰 건물에만 국한된 일은 아니라고 생각한다. 그렇게 설명을 하고 중요성을 언급해도 시공사나 관련 전문가조차도 그동안 익숙해진 관행을 벗어나기는 사실 어렵다. 장점이자 단점의 위험성을 내포하고 있는 것이 바로 우리의 관습이다. 이 관습과 관행은 우리의 판단을 흐리게 하는 힘이 있으며 내 것만이 맞다고 주장하는 오류에 빠뜨리기도 한다.

가장 당황했으면서도 한편으로 놀라웠던 것은 건축주가 작성한 계약서의 특약 내용이었다. 건축가와 건축주가 설계 시 당초 예측한 목표에 부합하는 정도를 준공 후 서로 기입을 하고 사인하는 조항이 있었다. 아직 이 부분은 비어 있다. 준공 후에 사인을 하려는 마음도 있었지만, 패시브하우스를 바라보는 건축가의 입장에서 거주자가 편안하게 지낼 수 있는 만족할 만한 설비 조합을 완성하지 못했다는 판단 때문이다. 건축주가 만족을 하더라도 건축가의 입장에서 '한국형 패시브하우스 모델'로서 아직 미완성이라는 의미다. 물론 개인적인 판단이다. 이 분야에 자긍심을 가지고 일하는 분들에게는 누가 될 수도 있는 말이지만, 아직은 조금 더 해야 할 일이 있다.

다른 말로 이는 지금까지 우리나라에서 계획한 모든 건물에 해당되는 사항이기도 하다. 이 부분은 람다패시브하우스를 본격적으로 소개하면서 다음 장에서 구체적으로 다루게 될 것이다. 큰 비용을 들여 좋은 조합을 찾는 것은 어려운 일이 아니며 누구나 다 할 수 있기에 노하우라고 할 수도 없다. 조합이 자리 잡기 위해서는 경제성이라는 바탕이 있어야 하고 시장에서 제공되는 합당한 시스템이 있어야 한다.

2. 어려움과 한계

필자가 우리나라 건물을 설계할 땐 시공사측에 항상 실시 설계 도서를 전달한다. 부족할 경우 건축 설명서까지 보태어 가급적이면 많은 내용을 담는다. 그래서 도면의 내용도 많아지고 분량도 늘어난다. 문제는 이런 자세한 도면에 패시브하우스라는 에너지적인 면과 건축물리가 조합되는 것이다. 약 십 여년 전에는 이를 소화할 시공사가 그리 많지 않았다. 이전의 다른 프로젝트의 경우에도 공정한 경쟁을 위해 여러 시공사에 건축 도서를 보내면, 처음에는 반기다가도 결국 개인적인 사정으로 어려울 것 같다는 연락을 보내왔다. 나중에 알게 된 것이지만 다른 건물에 비해 시공 원가가 높아 이윤이 크게 남는 것도 아니고 그동안 일반 주택시장에서의 간단한 도면에 익숙해진 시공사들이 도면을 이해하기에 어렵다는 것이었다. 필자가 디테일을 어렵게 혹은 비싸게 풀어낸다는 시공사의 주장도 있었다. 도면을 읽지 못하는 시공사가 생각보다 많다고 해서 나름 고민을 해보니, 그동안 간단한 허가도면만으로 시공을 한 결과가 아닌가도 싶다.

람다패시브하우스의 경우에는 건축주와 여러 번의 미팅과 메일, 문자 메시지를 주고받으면서 이런 문제를 사전에 인지했다. 건축주 스스로가 그 원리를 이해했기에 다른 건축가들처럼 현장을 자주 방문하지 못하는 어려움도 어느 정도 극복할 수 있었다. 또한, 독일에서 같이 일한 적 있는 한국 파트너 박현진 건축가가 자주 방문해주어 부족한 부분을 채울 수 있었다.

제일 어려웠던 부분은 독일에서 구입해 보낸 몇 가지의 건축 자재 중 국내에 처음 적용하는 것도 있었는데, 이를 협의하고 맞추는 과정이었다. 시공을 위해선 물성을 비롯해 성능과 기능 모두 이해해야 한다. 더불어 건축 시공에 돌입하면 공사 일정을 고려해서 미리미리 제때에 협의를 한다는 건 어려운 일이기 때문에, 전체 그림을 그리지 못하면 심각한 난관에 빠질 수도 있다. 필자의 욕심도 있었고 합당한 자재를 적재적소에 적용해 국내 자재 시장에 약간의 자극을 주려한 의도도 있었다. 아쉽게도 람다패시브하우스 이후 필자가 설계한 건물에서는 더 이상 수입 자재를 건축주에게 권하지 않는다. 그럼에도 간혹 독일에서 자재를 구입해 우리나라로 보내는 일이 있는데, 대부분은 건축주가 아닌 시공사가 제품 구입을 문의하는 경우다. 시공해 본 경험이 있는 사람들은 건축주의 요구가 없더라도, 하자의 원인을 줄이고 경우에 따라서는 시공비도 줄일 수 있다고 판단하기 때문이다. 이런 시공사들은 이미 패시브하우스에 대한 마음이 열려 있어 믿어도 된다고 생각한다.

3. 람다패시브하우스 기본 데이터

건축개요

용도 : 단독주택

건축물 이름 : 람다하우스

설계 : Dipl.-Ing. 홍도영, 에이치제이피 건축사사무소(국내 인허가설계/감리)

시공 : ㈜티에스종합건설, 한주패시브건설(시공 컨설팅)

구조 : 안은경

기계/전기 설비 : 수양엔지니어링

에너지 컨설팅 : Dipl.-Ing. 홍도영

설계 기간 : 2013년 3월~2013년 10월

시공 기간 : 2014년 4월~2014년 10월

대지 면적 : 382m²(115.55평)

건축 면적 : 151.3m²(45.76평)

건폐율 : 39.61%

연면적 : 244.97m²(74.10평)

용적율 : 64.13%

에너지유효면적(TFA) : 159.40m²(48.21평)

규모 : 지상 2층

구조 방식 : 철근콘크리트

난방 설비 : 가스보일러

냉방 설비 : 에어컨

주요 내장재 : 시멘트 미장 후 페인트 도장

주요 외장재 : 치장벽돌

외벽 구성 : 중단열(치장벽돌 90mm + 공기층 10mm + 압출법단열재 110mm 2겹 + 철근콘크리트 200mm + 내부 미장 15mm)

외벽 열관류율 : 0.14W/m²·K

지붕 구성 : 역전지붕(자갈층 + 분리층 + 압출법단열재 140mm + 압출법단열재 160mm + 방습시트 2겹 10mm + 철근콘크리트 슬래브 220mm)

지붕 열관류율 : 0.10 W/m²·K

바닥 구성 : 잡석 다짐 + 버림 콘크리트 + 방습시트지 3mm + 압출법단열재 110mm 2겹 + 콘크리트매트기초 300mm + 단열재 80mm + 층간소음재 30mm + 방통층 60mm + 원목마루 22mm 혹은 타일 마감

바닥 열관류율 : 0.10W/m²·K

창문 제조사 : Hebel(Germany)

창틀 열관류율 : 1.10W/m²·K

유리 제조사 : Flachglas(Germany)

유리 구성 : 4 로이코팅 + 18Ar + 4CL + 18Ar + 4 로이코팅, 48mm

유리 간봉 : Swisspacer V

유리 열관류율: 0.50W/m²·K

창호 전체열관류율 : 0.72~0.90W/m²·K

유리 g값 : 0.49(49 %)

현관문 제조사 : Hebel(Germany)

현관문 열관류율 : 0.80W/m²·K

기밀 성능(n50) : 0.60회/h

환기장치 제조사 : Zehnder(ComfoAir 550 VL Luxe Enthalpy), 인에어(국내 대리점)

환기장치 폐열회수효율 : 80%(PHPP)

계산 프로그램 : PHPP Version 9.4, Energy#

사진 49 람다패시브하우스 모형 사진

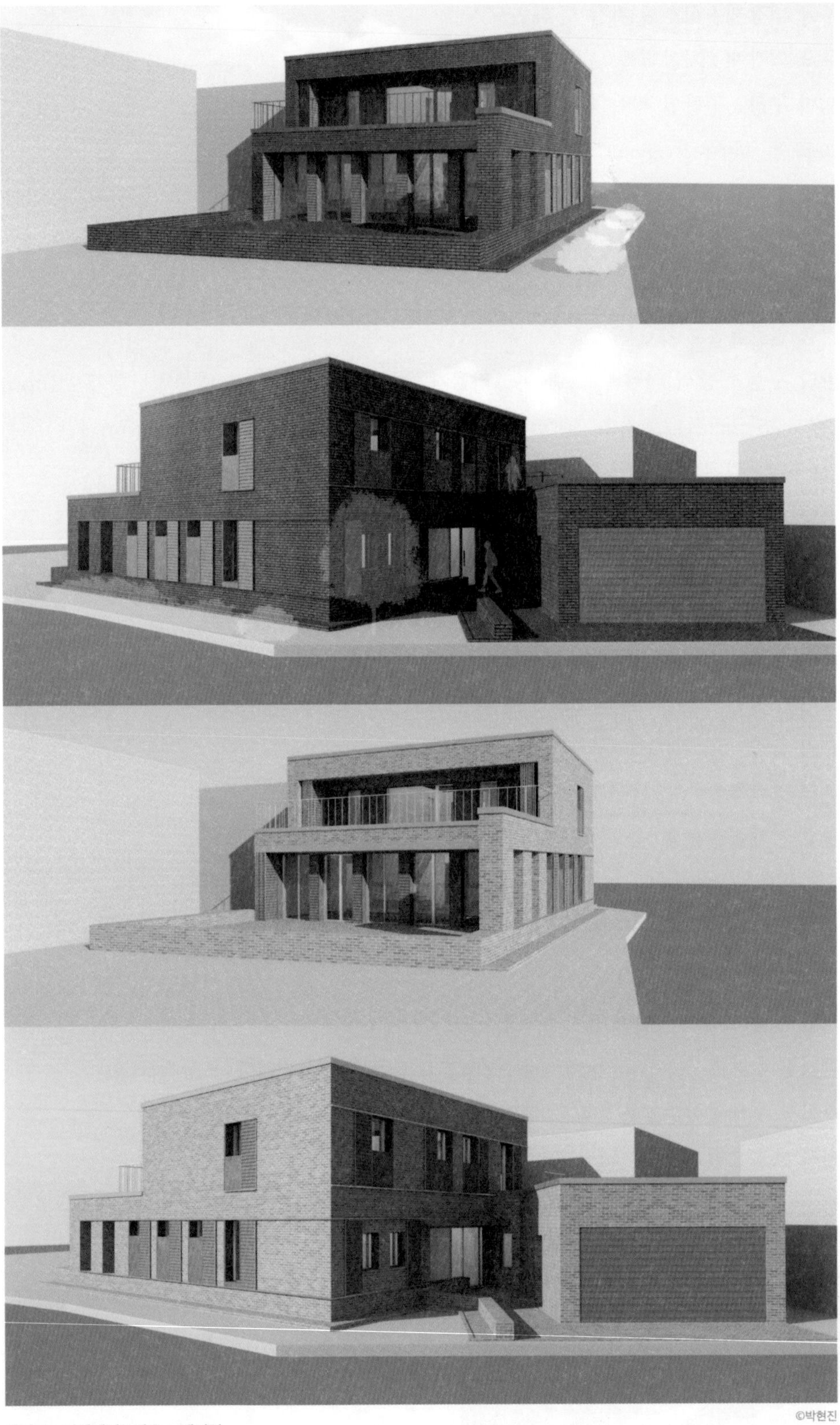

©박현진

사진 50 람다패시브하우스 렌더링

4. 중요 검토 사항

이제 람다패시브하우스를 설계하면서 검토했던 중요 사항에 대해 좀 더 구체적으로 알아보자. 계획 단계에서 고려한 모든 것이 설계에 반영되지는 않는다. 처음은 가능한 모든 것을 논하는 선택의 과정이다. 아쉬워도 버려야 할 것이 있고 여건상 취할 수밖에 없는 협상을 해야 할 때도 있다. 건축가는 전문 지식과 경험을 바탕으로 건축주가 결정할 수 있도록 도와주는 일을 해야 한다. 건축가가 처음부터 건축주의 선택권을 뺏는 것은 가급적이면 배제하고, 타협과 조율의 과정을 거쳐 진행한다. 판단은 건축주의 몫이다. 건축가가 엔지니어의 시각보다 창작하는 관점으로 접근을 한다면, 이것도 필자의 입장에서는 월권행위이다. 건축가, 엔지니어의 관점 모두 검토해야 완성도가 높은 설계가 될 것이다. 본격적으로 집에 대한 이야기가 담긴 2장의 내용을 접하면 무엇을 고민하고 생각하며 진행했는지 간접적이나마 이해할 수 있는 계기가 될 것이다.

① 기본 레이어 구성 계획

정해진 목표는 패시브하우스다. 부위별 대략의 단열 성능을 알기에 사용 가능한 단열재의 두께에 따라 목조, 경량철골, 조적, 철근콘크리트 등 구조를 일차적으로 정하게 된다. 예를 들어 경량목조의 경우, 스터드 사이에 하는 중단열로 할 것이냐, 중단열과 외단열의 혼합으로 할 것이냐에 따라 단열재의 두께와 구성이 천차만별로 달라진다. 동시에 고려되어야 하는 것은 통기층의 유무다. 외부 마감 자재가 통기층이 있는 구조인지, 통기층이 없는 외단열 미장으로 갈 것인지, 아니면 치장 벽돌과 같은 마감으로 갈 것인지를 정해야 한다. 그에 따라 적용 가능한 단열재의 종류가 추려지기 때문이다.

다음 단계로 지붕이든 바닥이든 끝지점부터 차례로 레이어 구성을 시작한다. 지붕이라면 평지붕으로 할 것인지, 경사지붕이라면 목조로 할 것인지 콘크리트로 할 것인지에 따라 적용되는 단열재와 열교를 줄이는 디테일이 달라지게 된다.

일반 목조에서 다락이 없는 경우라면 천장이 일반적으로 시공되는데, 이때 단열재가 지붕이 되는 서까래 부위인지 평천장인지에 따라 단열재와 방습지의 위치가 달라진다.

평지붕

다른 부위는 외단열을 고집하다가도 평지붕에 이르면 갑자기 내단열로 변경하는 경우가 있는데 이는 다음과 같은 이유가 있다.

- 건축가나 시공사의 평지붕 외단열과 방수 그리고 배수에 대한 경험 부족
- 기존의 설계와 시공 방식을 관행상 고집하는 경우
- 비용이 증가한다는 편견
- 시공의 편의성
- 합당한 자재의 부족

위에 언급된 항목 중 마지막 두 가지를 제외하고는 모두 합당한 이유는 아니다. 무엇보다 방수는 주기적인 보수를 통해 그 성능을 유지한다고 할지라도 외단열에서 내단열로 변경되는 연결 부위의 열교는 보통의 고민이 아니고는 해결하기가 어렵다. 그런 디테일을 풀어낼 시간에 차라리 외단열을 고민하는 것이 더 효과적이다. 건축가나 시공사는 본인들의 입장에서 보기에 가장 간단하고 쉽고 많이 해왔던 방식을 선호하는 것이 어쩌면 당연하다. 하지만 건축주의 입장에서 바라본다면 문제 해결 방식에서 조금은 다른 접근이 필요하다. 시공사를 위한 시공인지, 건축주를 위한 시공인지 그것부터 먼저 명확히 해야 할 것이다.

발코니

외벽에 발코니나 처마같은 것을 설치하는 경우, 외벽의 단열재와 열교 없이 외벽의 단열재와 연결이 가능한가?[46] 만약 열교 차단 자재 없이 발코니나 처마를 시공하면서 동시에 열교를 줄이려고 한다면, 지붕과 마찬가지로 돌출된 부위를 모두 단열재로 감싸야 하는 비효율적인 방식이 될 수 있다. 또한, 독립 기초를 만들어 구조체와 분리해야 하기에 부동 침하 등 구조적으로 쉽게 풀어내는 것이 어려워질 수 있다.

바닥 기초

바닥 기초는 지하실의 유무, 건물의 높이에 따라 달라진다. 지하실이 있는 경우, 모든 면적인지 일부만 해당하는지에 따라 단열과 방수하는 방법이 다르다.[47] 우리나라에서는 자가치유가 가능한 콘크리트 사용이 아직 불가능하기에 만일 시공 경험이 부족함에도 지하실을 설치해야 한다면, 1층 면적과 같은 크기의 지하 공간 시공을 권한다. 지하실 공간 모두 난방이 되는 것이 아니고 지하 주차장과 같은 변수까지 있다면, 구조적인 제약과 경제성을 따졌을 때 열교 없는 단열 시공이 불가능한 경우도 흔하다. 이때, 구조적으로 분리는 어렵기에 열교를 억제하는 단열재를 예상 부위에 설치한 후, 열교 프로그램을 통해 내부의 표면 온도를 산출하고 그 열교값을 에너지 요구량 계산 시에 고려하는 차선책을 적용할 수 있다. 적어도 곰팡이 발생 위험은 체크해야 한다는 말이다.

창호 / 차양

부수적으로는 창호와 차양을 꼽을 수가 있다. 비용을 고려한 창호의 재질과 종류, 고려하는 구조에 따라 창호를 설치하는 위치가 달라질 수 있다. 마찬가지로 차양 장치를 어디에, 어떤 것을 설치하느냐에 따라 디테일 접근도 달라진다. 일반 외단열이라면 특히 미서기나 여닫이 형태의 덧문을 고려할 때, 고정 부위와 방법에 따른 디테일이 반드시 별도로 준비되어야 한다. 디자인적인 요소도 고려되어야 하기에 중요한 부분이다.

특히 우리나라는 창호에 방충망을 필수적으로 설치한다. 차양 장치 레일과의 간섭도 있고 창호 크기에 따라 설치되는 방충망의 형태도 달라지기에 창호 프레임의 열교 없는 디테일을 만드는 것이 중유럽 패시브하우스에 비해 그리 쉬운 과제는 아니다. 중유럽의 경우는 외부 차양 장치 레일에 방충망 레일이 포함되어 있거나 여름이라도 대부분의 지역에서 방충망이 필요 없기 때문에 우리나라에 비해 연결 조합이 간단하다.

위에서 간략하게 언급한 내용의 심각성을 인지했다면 이제 설계를 시작해도 좋다. 문제를 인지했다는 것은 설계를 하면서 지속적으로 해결책에 대해 고민한다는 의미이기 때문이다.

② 기초

패시브하우스뿐 아니라 모든 건물에 있어서 기초에 관한 부분이 사실 제일 어렵다. 여러 공정이 복합적으로 얽혀 있어 창호 다음으로 세심한 계획이 필요하다. 단열, 방수, 방습, 기

47 앞의 홈페이지와 동일: EZ Block

밀 그리고 최근 이슈가 되는 라돈 유입 등과 관계된 부분이라 더욱 그렇다.

실내로 유입되는 라돈의 주된 경로는 지중이다. 즉, 기초나 지하실의 벽처럼 지중에 면한 구조체에 틈이 있는 경우, 유입 원인이 되는 지중과 철저히 분리해야 한다. 가장 효과적인 대처 방법은 꼼꼼한 방수 공사다. 특히, 공동주택이나 고층 빌딩, 지하 주차장에 환기 팬을 돌리는 건물 등에는 실내에 양압이 발생하고 중앙 코어를 통해 연돌 현상(굴뚝 현상)이 더욱 강해진다. 따라서 콘크리트 크랙을 억제해야 하며 효과적인 방수 시스템으로 이를 막는 것이 중요하다.

람다패시브하우스처럼 별도의 지하실이 없는 건물은 바닥의 매트 콘크리트만 지중과 분리해주면 유입되는 수증기나 라돈가스의 영향으로부터 자유로울 수 있다. 문제는 방수 공사와 연관을 지어 적합한 시스템을 골라야 하는데, 현재 경제성을 고려한 우리나라 시장성으로는 선택의 여지가 많지 않다는 것이다.

흔히 기초에 지수재를 설치하고 강도 높은 콘크리트를 시공하면 방수 공사가 마무리되었다고 본다. 그러나 차량에서 나오는 열기로 지하 주차장의 상대습도가 낮아져 결로가 발생하지 않는다고 방수가 잘 되었다는 것은 아니다. 여름철에 지하 주차장이 사우나 정도의 온도를 보이는 곳에서는 결로가 발생하지 않는다. 이는 결코 좋은 해결 방법이 아니다. 유감스럽게도 국내 지하 주차장 중 그런 곳이 상당히 많다.

중유럽에서는 지중 공간에 발생이 예상되는 크랙의 폭을 제한하고, 자기 치유가 가능한 콘크리트를 사용하는 방수 시스템을 주로 적용한다. 콘크리트 강도, 철근량, 피복 두께, 골재 크기 그리고 구조체의 최소 두께(일반적으로 최소 25cm) 등을 지켜야 한다. 일반 시트로 된 방수 공사를 하지 않고, 하더라도 취약 부위인 구조체의 연결 부위에만 외부에서 일정한 간격으로 한다는 특징이 있다. 물론 여러 종류의 지수재 시공은 필수적이다.

지하 주차장이라면 보통 타설 후 6개월 정도 크랙 발생을 그대로 두고, 마지막 내부 마감 전에 발생한 크랙을 보수 공사하게 된다. 이에 준해 마감 공사 공정을 짠다. 이는 크랙 발생 기간을 고려하는 이유도 있지만, 겨울철 차량을 통해 주차장으로 유입된 염화칼슘이 콘크리트 사이로 들어가 발생하는 철근 부식 유발을 억제하기 위함이다. 그래서 대부분 투습 성능이 낮은 바닥 코팅제를 시공하는데, 최종 마감인 바닥 코팅이 벗겨지거나 습기로 인해 솟아오르는 것을 막기 위해서라도 콘크리트의 함수량을 충분히 낮출 시간이 필요하다.

시트를 이용한 방수 공사의 경우는 별도의 지수재나 위에서 언급한 방수 콘크리트를 사용할 필요가 없지만, 공정이 늘어난다는 단점이 있다. 우리나라는 일반 단독주택이라도 보통의 매트 콘크리트가 40cm에 육박하는 경우가 많기에 건조 중 곰팡이 발생 여부를 사전에 검토하는 일도 중요하다. 바닥 난방을 위해서 단열재를 설치하고 분리재 위에 바닥 모르타르와 마감 공사를 하게 되면 증발한 수분이 단열재 내부에 갇히게 되고, 발생하는 수분량

FBA 01 일층 거실 / 현관로비 / 주방, 높이 170 mm

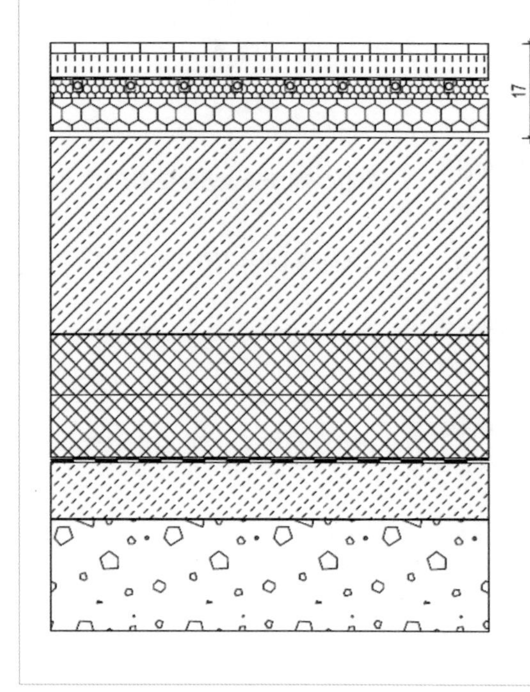

사진 51 매트 기초 바닥 구성 단면

Assembly no.						Interior insulation?
02ud	bottom plate					

Heat transmission resistance [m²K/W]

Orientation of building element	0,17	interior R_{si}:	0,17
Adjacent to	0	exterior R_{se}:	0,00

Area section 1	λ [W/(mK)]	Area section 2 (optional)	λ [W/(mK)]	Area section 3 (optional)	λ [W/(mK)]	Thickness [mm]
원목마루	0,130					22
방통층	1,050					60
층간소음재	0,040					30
단열재	0,040					80
콘크리트 매트기초	2,100					300
압출법 단열재	0,035					110
압출법 단열재	0,035					110
	Percentage of sec. 1		Percentage of sec. 2		Percentage of sec. 3	Total
	100%					71,2 cm

U-value supplement	W/(m²K)	U-value:	0,104 W/(m²K)

표 14 바닥 열관류율 계산, PHPP

표 15 시멘트 모르타르층의 사용 및 마감 시기

밟거나 지나감	2, 3일 후
하중을 받을 수 있음	10일 후[1]
마감을 할 수 있음	28일 후[2]
바닥 난방이 되는 경우 : 신축성이 있거나 섬유질 계열의 마감재, 라미네이트, 강화마루, 원목조각	≤1.8[M.-%] 바닥 시멘트 모르타르[3]
세라믹 계열의 마감재인 경우 : 바닥 난방 유무와 관계 없음	≤ 2.0[M.-%] 바닥 시멘트 모르타르[3]
바닥 난방이 아닌 경우 : 신축성이 있거나 섬유질 계열의 마감재, 라미네이트, 강화마루, 원목조각	≤2.0[M.-%] 바닥 시멘트 모르타르[3]
투습이 되는 섬유질 마감재, 두꺼운 모르타르층에 타일, 자연석, 콘크리트 마감재를 시공하는 경우 : 바닥 난방 유무와 관계 없음	≤3.0[M.-%] 바닥 시멘트 모르타르[3]

1) 시멘트의 강도가 CEM 42.5인 경우 약 7일 소요
2) 대략의 수치. 모르타르의 두께가 50mm 인 경우; 더 두꺼운 경우에는 최소 5일/cm 를 고려해야 함. 함수율 검토
3) 함수율 체크 시 CM 방법(Calcium carbide)

출처: Zement-Merkblatt Betontechnik B 19 8.2010, Beton

에 따라 하자로 이어지기 때문이다. PVC 재질의 장판을 들추면 곰팡이 냄새가 나는 경우를 경험해 본 적 있을 것이다. 투습이 제한적인 장판 아래에 수증기가 정체되어 발생하는 문제다.

보통 최종 마감재를 시공하기 전에 모르타르층을 약 4주 정도 건조하는 것으로 알려져 있지만 바닥 모르타르를 타설한 시기도 수증기 증발에 영향을 미치기에 가급적이면 마감재에 따른 바닥 모르타르층의 함수율을 체크하는 것이 좋다. 이는 가장 기본적인 항목이지만 현장에서 하지 않는 공정이기도 하다. 요즘은 측정 기계가 일반화되어 있기에 마감을 하는 시공자가 별도로 체크를 하지 않는다면 시공 전에 문의하기를 권한다.

람다패시브하우스에서는 모세관 현상으로 올라오는 수분을 차단하는 잡석 다짐 후에 분리층과 버림 콘크리트를 타설했다. 그 위에 아스팔트 방수 시트를 시공하고 함수율이 약 1% 이하인 물에 강한 압출법보온판(XPS) 두 겹을 엇갈리게 깐 후 최종 매트 콘크리트를 타설하는 방법을 선택했다. 압출법보온판이 두꺼운 것이 있다면 가급적이면 한 겹으로 하는 것이 좋다. 그럴 경우의 단열재는 제혀쪽매(tongue and groove joint) 혹은 턱이 있는 모양으

로 열교를 줄인 제품을 사용해야 한다. 단열재의 수축 혹은 공사 중 밀림 현상에 의한 틈을 통해 선형 열교가 발생할 수 있기 때문이다. 두 겹으로 하는 경우는 십자 모양의 연결만 피하면 된다. 그리고 움직이는 것을 줄이기 위해 중간중간 접착을 하면 되는데 일반 테이프를 사용해서 단열재를 서로 연결하는 것은 생략이 가능한 공정이다.

람다패시브하우스는 지중의 라돈과 수증기 유입을 차단하는 방법으로 설계 시공했다. 방수 시트는 외벽의 방수 시트와 나중에 연결해 접착하는 방식이다.

다른 방법으로는 매트 기초 위에 투습을 억제하는 시트를 시공해 방수 겸 방습의 기능을 갖게 하는 것이 있다. 이 경우, 외벽과 만나는 부위에 지수재를 설치할 수는 있지만 외벽 방수 시트와 연결이 불가능하다. 해당 대지에 지하수 문제는 없었지만 방수 시트가 서로 연결되지 않는 단점이 있었고, 또 한 겹의 방습 기능이 있는 방수 시트를 추가적으로 시공하는 것은 경제적 부담이 되는 요소이기도 했다. 방습 기능이 있는 시트는 보통 알루미늄층이 포함되어 등가공기층두께인 Sd값이 매우 높다.

제일 마지막에 바닥 마무리 공사를 하게 되기에 콘크리트의 함수율은 많이 줄어들게 된다. 마지막으로 문제가 될 것이라 우려했던 외벽과 만나는 가장자리의 상대습도를 Wufi라는 온습도 프로그램과 열교프로그램을 통해 측정했다. 다소 위험 수치이기는 했지만, 외벽 하부에 열교 억제 시스템(추가 수평 단열재)이 어차피 적용되기에 추가적인 방습지 시공은 하지 않았다.

그 이유는 아스팔트 시트지를 접착 시공하기 위해서는 콘크리트의 표면을 프라이머로 처리해야 하는데, 이 자재가 가진 물성 중에 휘발성유기화합물(VOCs, Volatile Organic Compounds)[48]이 있어 흔히 말하는 새집증후군의 원인이 되기 때문이다. 현재는 이런 독성이 없는 프라이머가 시판되고 있다고 한다.

다른 또 하나의 방안으로 PE필름과 같은 방습 성능이 높은 자재를 겹쳐 시공하는 방법이다. 100% 접착해서 알루미늄으로 방습 성능을 강화한 시트 자재보다는 그 시공이 까다롭고 품질을 확보하기가 어렵다. 기능상의 문제는 없지만 개인적으로 권장하는 방법은 아니다.

독일에서는 이런 경우에 사용하는 방습시트의 Sd값(등가공기층두께)은 약 1,500m로 이는 유리나 철과 같은 투습이 아예 불가능한 물성치를 보이기에 약 1~2mm 정도의 비교적 얇은 시트로 시공한다. 얇을수록 좋은 이유는 겹쳐 시공하더라도 후속 공사에서 단열재 시공 시 꿀렁거리는 것을 줄일 수 있기 때문이다. 물론 다른 대체 방안으로 시트 시공 후 약 40mm의 기포콘크리트로 수평을 잡고, 각종 설비 배관을 묻을 수 있게 한다면 후속 공사인 단열재를 시공하는 일이 훨씬 효율적이다. 단점은 기포콘크리트는 보양이 필요해 공사

48 증기압이 높아 대기 중으로 쉽게 증발되는 액체 또는 기체상 유기화합물의 총칭이다. 발암성 물질이며 벤젠, 아세틸렌, 휘발유 등을 비롯하여 산업체에서 사용되는 용매 등 다양하다.

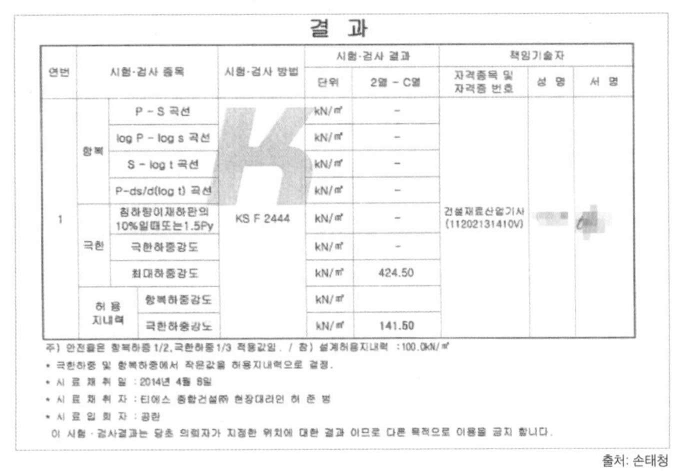

결 과

연번	시험·검사 종목		시험·검사 방법	시험·검사 결과		책임기술자		
				단위	2열 - C열	자격종목 및 자격증 번호	성 명	서 명
1	항복	P - S 곡선	KS F 2444	kN/㎡	-	건설재료산업기사 (11202131410V)		
		log P - log s 곡선		kN/㎡	-			
		S - log t 곡선		kN/㎡	-			
		P-ds/d(log t) 곡선		kN/㎡	-			
	극한	침하량이재하판의 10%일때또는1.5Py		kN/㎡	-			
		극한하중강도		kN/㎡	-			
		최대하중강도		kN/㎡	424.50			
	허 용 지내력	항복하중강도		kN/㎡				
		극한하중강도		kN/㎡	141.50			

주) 안전율은 항복하중 1/2, 극한하중 1/3 적용값임. / 참) 설계허용지내력 : 100.0kN/㎡
* 극한하중 및 항복하중에서 작은값을 허용지내력으로 결정.
* 시 료 채 취 일 : 2014년 4월 8일
* 시 료 채 취 자 : 티에스 종합건설㈜ 현장대리인 허 준 범
* 시 료 입 회 자 : 공란

이 시험·검사결과는 당초 의뢰자가 지정한 위치에 대한 결과 이므로 다른 목적으로 이용을 금지 합니다.

출처: 손태청

사진 52 지내력(평판재하시험) 검사서

를 중지하는 기간이 길어지면 공정 간 조율이 필요하다는 것이다. 이런 단점을 해결한 펄라이트와 같은 자재를 시멘트 풀과 섞어서 수평을 잡는 방법도 있지만, 아직 국내에서는 공급되지 않고 있다.

한편, 구조 계산을 하게 되면 해당 대지에 요구되는 허용 지내력 수치를 알 수 있다. 기초가 놓이는 지반이 암이기에 지내력 확보에는 문제가 없을 것으로 생각해서 보통 지내력 테스트를 생략하는 경우가 흔하지만, 원래는 하는 것이 정석이다. 1kN/m²은 100kg/m²이기에 측정된 허용 지내력이 141kN/m²이므로 총 14.1톤이 된다. 설계 허용 최소지내력은 100kN/m²이다.

③ 벽체

외피는 제일 먼저 결정되었다. 내부는 철근콘크리트 구조고 마감은 치장 벽돌이다. 구조를 조적으로 풀게 되면 사실 건축가 입장에서 철근콘크리트조보다는 제약이 따른다. 공정상 조적팀이 추가로 들어와야 한다는 단점도 있어 가급적이면 하나의 골조 타입으로 가는 것이 좋다고 판단했다.

필자는 우리나라에서 치장 벽돌 작업을 해 본 경험이 없었다. 대신 우리나라 기후를 고려하고 계속해서 문제가 되어 온 전형적인 창호 부위의 열교와 방수 문제에 대한 해결책을 제시하고 싶었다. 또한, 콘크리트가 친환경적이지 못하고 건강과 실내 조습에도 좋지 않다는 잘못된 정보를 바로잡고 싶은 마음이 있었다.

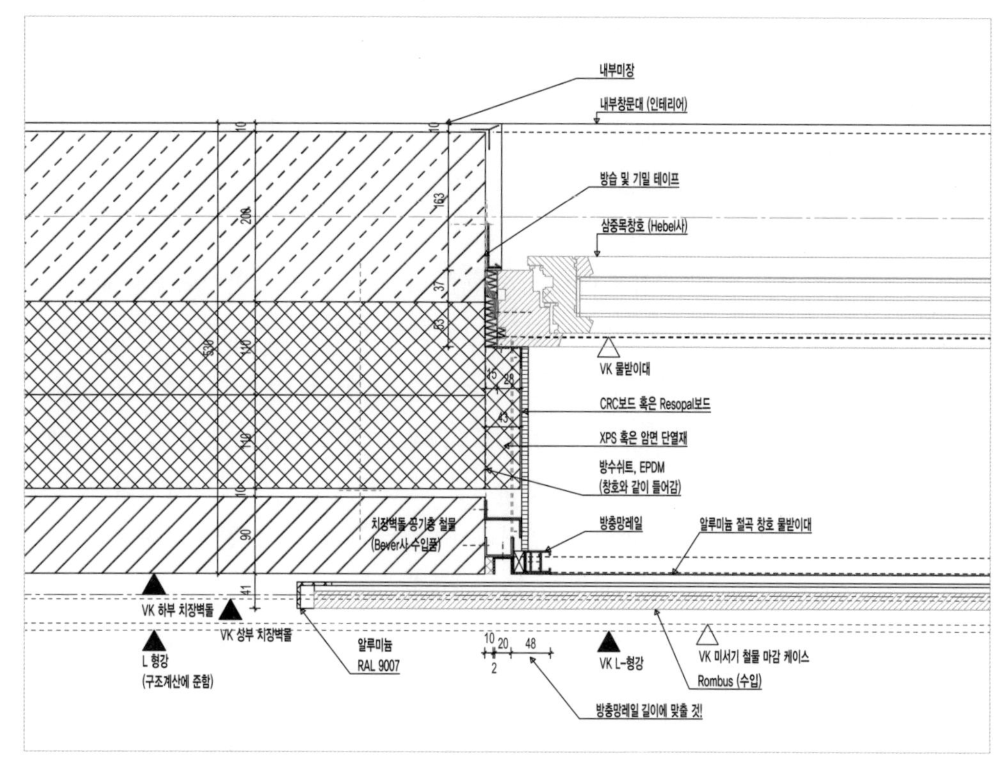

사진 53 창호 연결 부위 디테일 단면

Assembly no. 01ud | Building assembly description OW 01 | Interior insulation?

Heat transmission resistance [m²K/W]
Orientation of building element 0,13 | interior R_{si} 0,13
Adjacent to 0,13 | exterior R_{se} 0,13

Area section 1	λ [W/(mK)]	Area section 2 (optional)	λ [W/(mK)]	Area section 3 (optional)	λ [W/(mK)]	Thickness [mm]
내부미장	1,000					15
철근콘크리트	2,100					200
압출법 단열재	0,033					110
압출법 단열재	0,033					110
공기층						10
치장벽돌						90
Percentage of sec. 1 100%		Percentage of sec. 2		Percentage of sec. 3		Total 53,5 cm

U-value supplement W/(m²K) | U-value: 0,142 W/(m²K)

표 16 외벽 열관류율 계산, PHPP

마지막 이유로 후쿠시마 원전 사태 이후 오염된 물질이 섞인 시멘트가 국내에 유통된다는, 확인되지 않은 정보를 비롯해 실내 라돈 수치에 대한 사회적 이슈 등을 아우르는 정확한 측정 데이터를 확보하고 싶었다. 어찌 보면 최악의 조건을 준비한 것이다.

그리고 일반적으로 시공되는 내부 마감 레이어인 공기층 - 석고보드 - 벽지 구성이 철근콘크리트가 가진 장점을 살리지 못하는 잘못된 선택이라는 반대 의견을 제시하고 이에 대한 실제 생활에서의 경험을 건축주로부터 듣고 싶었다(5장 기타 모니터링 참조).

국내에서 현재 문제시되고, 제도적 보완이 필요한 것은 바로 압출법보온판의 경시 변화다. 보통은 생산된 단열재의 평균값을 실험실에서 측정해서 열전도율을 정하지만, 시간이 지나면서 경시 변화로 인해 열전도율이 비드법 단열재의 열전도율과 비슷해진다는 연구자료가 여러 논문[14]을 통해 보고되고 있다.

많은 토론의 단초가 된 이 실험에 따르면, 압출법 1호의 경우 초기 열전도율은 50~60일이 경과한 후 KS 기준인 0.028W/m·K을 넘으며 벽체 쪽은 약 1년(335일)이 경과한 후 0.0344W/m·K로 기준 값의 0.007을 초과한 값을 보인다. 특호의 경우는 약 5개월(150일)이 지나면서 기준치 이하의 값을, 약 1년 후에는 0.0298W/m·K까지 성능이 저하되는 것으로 나타난다[14]. 1호에 비해 저하되는 속도는 덜하지만, 그래프의 하향 곡선은 동일하다. 물론 이 수치를 모든 압출법보온판에 대입해서 일반화하기에는 무리가 있지만 확실한 것은 초기 값을 그대로 적용하는 것은 분명 문제가 있다는 것이다.

이런 이유에서 람다패시브하우스는 합당한 열전도율을 적용할 때 독일의 기준을 응용했다. DIN 4108-4에서는 열전도율은 시료의 평균값에 안전율을 고려하는데 등급 1에서는 1.2, 등급 2에서는 1.05의 보정값을 곱한 수치를 실제 사용 열전도율로 정한다. 물론 등급 2가 실제와 비슷한 값을 보인다고는 하지만, 유럽연합의 규정과 일치하지 않기에 시간이 지나면서 보이는 열전도율의 변화를 고려해 보편적으로 1.2를 사용한다고 보면 된다.

KS 규격을 0.028 W/m·K로 보고 여기에 1.2를 곱하면 0.0336이 나온다. 소수점 4번째 자리는 단열 성능에서는 별 의미가 없기에 생략하고, 0.033W/m·K을 람다하우스에 적용되는 압출법보온판의 기준 열전도율로 보고 모든 에너지 계산에 일괄적으로 적용했다. 바

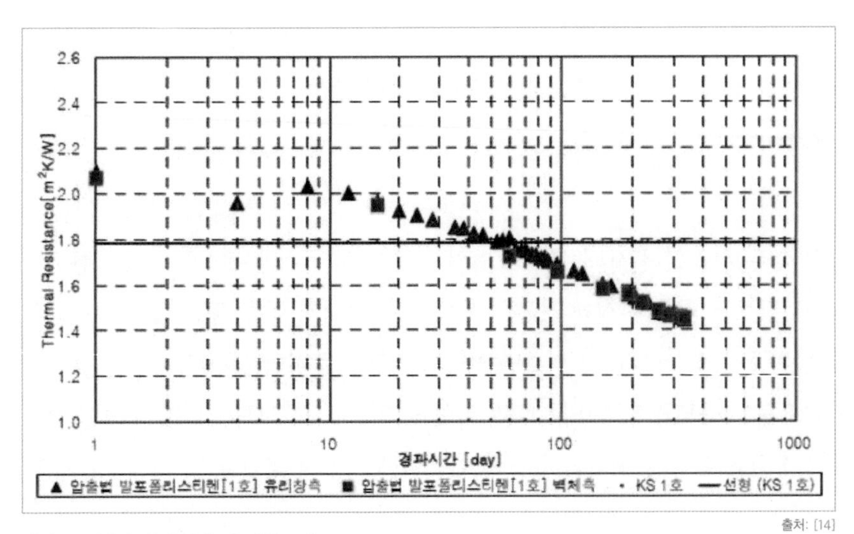

출처: [14]

사진 54 압출법 1호의 열전도율 변화 그래프

닥은 0.035W/m·K로 보았는데 지중이라 수분이 있을 것을 감안해 약간의 안전율이 필요했다.

보정이 안 된 열전도율값을 국내에서 사용하는 것이 법적으로 잘못된 접근은 아니다. 하지만 초기의 좋은 값을 사용할 경우 에너지 요구량 계산에서 원하는 결과는 쉽게 얻을지언정 실제와는 거리가 있기에 보정된 값을 사용하는 것이 더 합리적인 접근 방식이라 본다.

실내 마감으로 주로 석고보드를 사용하는 이유는 간단하다. 골조를 대충하더라도 내부에 공간을 두고 석고보드를 붙이면 내부 마감면이 깔끔하게 나오기 때문이다. 물론 이런 현상이 나타난 데에는 국내 철근콘크리트의 시공비가 터무니 없이 저가인 것이 원인이 될 수 있다. 람다패시브하우스는 미장으로 마감했다. 내부콘크리트면의 평활도가 어느 정도 확보되어야 했다.

④ 지붕

람다패시브하우스는 처음 기본 설계 단계에서 경사 지붕을 고려했지만, 공간프로그램이 구체화되면서 평지붕으로 변경했다. 평지붕에서 가장 문제가 되는 것은 방습과 방수, 단열을 연결하는 문제다. 외단열과 외부 방수 그리고 배수를 하나로 묶는 시스템이 필요했다. 평지붕은 크게 온지붕(웜루프, Warm roof)과 찬지붕(콜드루프, Cold roof)으로 나뉘는데, 구분하는 기준은 다음과 같다.

단열재 위에 방수 시트가 있으면 온지붕이라 부른다. 이때 빨간색으로 표시한 철근콘크리트 위의 시트는 동일한 재질이라도 방습 성능이 강화되어 투습을 제한하고 공사 중에 빗물이 유입되는 것을 막는다. 단열재 위의 파란색의 두 겹은 방수 기능이다. 이때 첫 번째 방수 시트는 투습이 제한적인 단열재와 조합 시 수증기 압력을 상쇄하는 기능이 필요하다. 독일어권에서 자주 하는 공법이다.

콘크리트 슬래브 상부에 방수층이 있으면 찬지붕이라고 부른다. 보통 '역전지붕'이라 하며 방수층은 방근 성능을 가지면서 콘크리트 슬래브 위에 보통 두 겹으로 시공된다. 단열재 위에는 투습과 방수의 성능을 가진 분리층을 둔다. 어차피 방수 시트 한 겹은 공사 중에 빗물 유입을 막고자 미리 시공하는 공정이다.

단열재 위에 방수를 하는 온지붕 시스템은 국내에 암면이나 미네랄울로 된 평지붕 단열재가 생산되지 않기에 경질의 EPS(비드법 보온판)나 PUR, PIR(폴리우레탄)을 사용할 수 있다. 다만 이런 경질의 단열재는 투습이 제한적이라 두 겹으로 시공하는 아스팔트 시트 방수에서 첫 번째 방수층은 수증기압을 상쇄해주는[49] 기능이 반드시 필요하다. 이런 기능을 가진

49 수증기압 상쇄층이 없는 경우에는 단열재 사이 공간의 수증기가 지붕의 전체 면적으로 퍼지지 못하고 일부분에 집중이 된다. 더불어 일사로 인해 온도가 상승하면 지붕에 두꺼비집처럼 방수 시트가 볼록 볼록 올라오는 경우가 있다. 단열재가 젖은 상태에서 시공이 되면 이런 위험은 더 커진다.

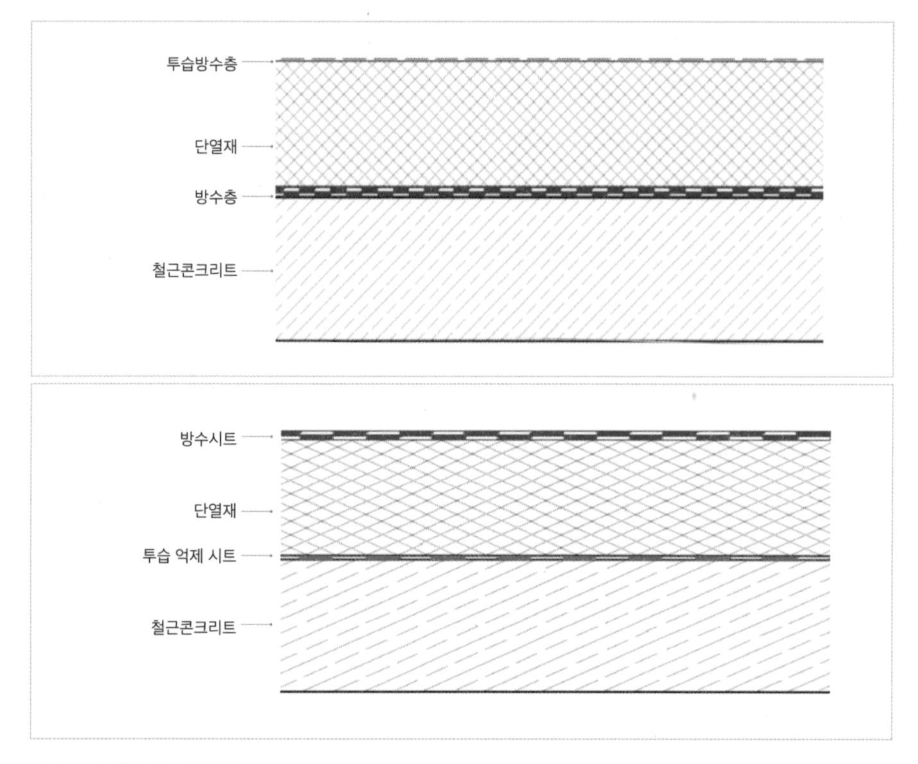

사진 55 온지붕 기능 개념(위)
사진 56 찬 지붕(역전지붕) 기능 개념

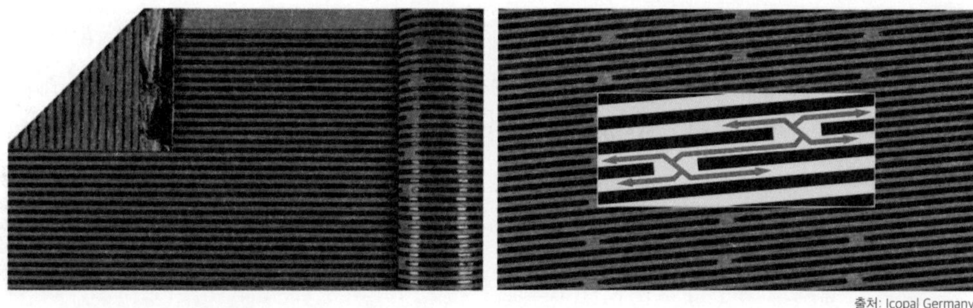

출처: Icopal Germany

사진 57 수증기압 상쇄용 방수 시트

방수 자재가 없기에 시공사가 별도의 시공 방법으로 하지 않는 이상 적용이 제한적인 시스템이다. 합성고분자 시트의 경우는 보통 한 겹으로 시공되고, 별도의 패스너로 고정하는 전면적 접착이 아니기에 수증기압 상쇄층은 필요 없다.

위 제품은 시트 전체가 접착되는 것이 아니라 바코드 모양의 접착줄이 있어 그 사이 공간으로 수증기 이동이 자유롭고, 틈으로 수증기 분산이 가능하다. 이런 온지붕용 시스템이 아직 생산되지 않는 국내 시장에서는 대안으로 찬지붕인 슬래브 위에 방수층과 단열재를 시공하는 소위 역전지붕(Inversion roof)이나 합성고분자 시트를 이용한 온지붕 방수가 가능하다.

역전지붕(찬지붕)은 단열재가 우수에 노출되기에 비드법보온판이나 폴리우레탄 계열의 단열재는 합당하지 않고, 쉽게 구할 수 있는 압출법보온판과의 조합이 유일한 해결책이다. 슬래브 상부의 경사는 구배 모르타르나 골조 자체를 통해 만들 수 있고, 그 위에 두 겹의 방수 시트는 토치를 이용해 전면 부착한다. 이때 사용되는 방수 시트는 옥상 녹화인 경우, 방근층 성능이 필요한데 당시 국내에 판매되던 방수 시트 중 방근 성능에 관한 데이터가 있는 제품이 없었기에 엄격한 의미에서는 모험을 한 것이다. 물론 그런 이유에서 옥상녹화를 하지 않기도 했다. 이렇게 방수층이 형성되면 압출법보온판을 틈 없이 깔고, 그 위에 역전지붕에서 매우 중요한 분리층을 시공해야 한다. 빗물이 일차적으로 배수되는 전용 투습층을 처음으로 시공하는 것이기에 관련 자재는 수입하는 것으로 협의를 했다. 현재는 전용 자재는 아니지만, 물성이 비슷한 투습 방수지를 대용으로 사용한다.

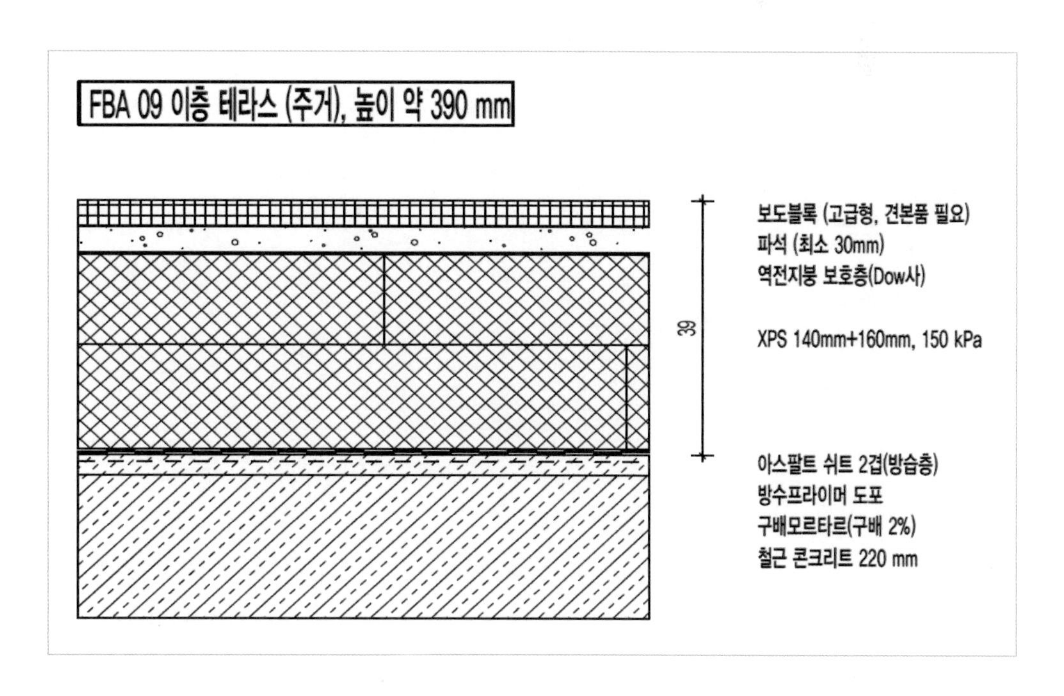

사진 58 2층 테라스 구성 단면

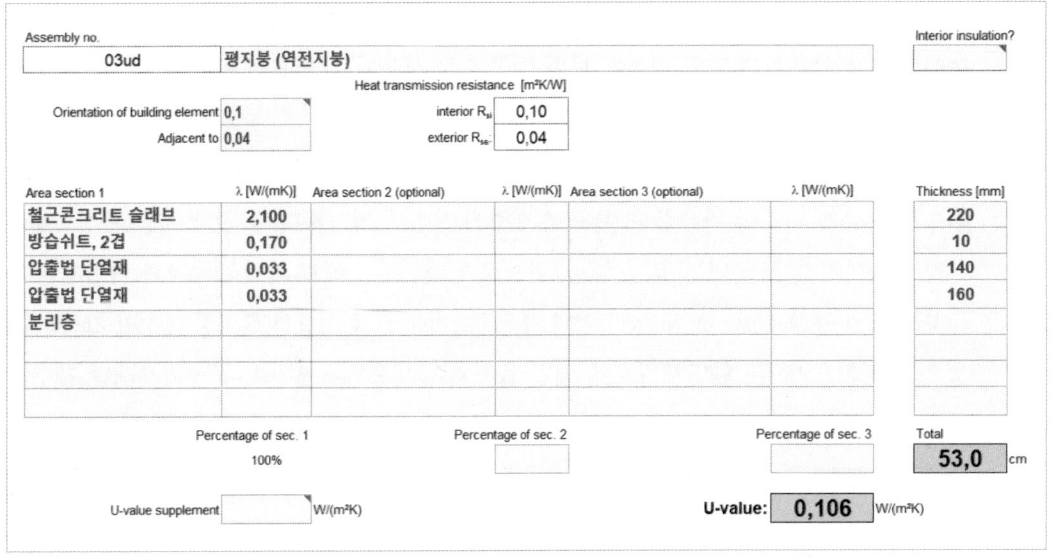

Assembly no. 03ud 평지붕 (역전지붕)

Interior insulation?

Heat transmission resistance [m²K/W]

Orientation of building element	0,1	interior R_{si}	0,10
Adjacent to	0,04	exterior R_{se}	0,04

Area section 1	λ [W/(mK)]	Area section 2 (optional)	λ [W/(mK)]	Area section 3 (optional)	λ [W/(mK)]	Thickness [mm]
철근콘크리트 슬래브	2,100					220
방습쉬트, 2겹	0,170					10
압출법 단열재	0,033					140
압출법 단열재	0,033					160
분리층						

Percentage of sec. 1	Percentage of sec. 2	Percentage of sec. 3	Total
100%			53,0 cm

U-value supplement W/(m²K) | U-value: 0,106 W/(m²K)

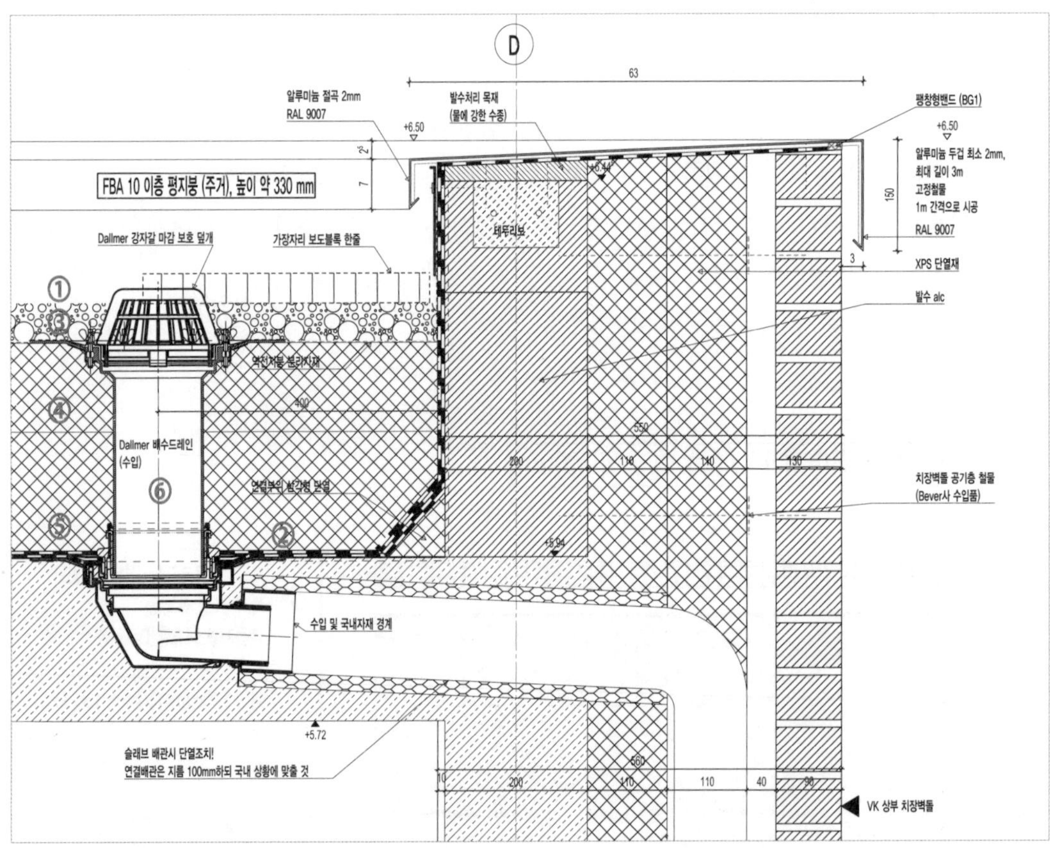

표 17 지붕 열관류율 계산, PHPP(위)

사진 59 역전지붕 루프드레인 연결 부위 단면

역전지붕의 기능을 옆의 도면으로 설명을 하자면 다음과 같다. 1차 배수는 가장 상부의 마감층(①)에서 이루어진다. 여기에 단열재와 분리층에서(③) 2차로 주 배수가 이루어지고, 이 분리층을 통과한 소량의 빗물은 단열재 하부로 이동해 드레인으로 바로 연결되어 3차로(⑤) 배출된다. 즉 온지붕에 비해 배수층이 한 층 늘어 총 세 군데가 된다. 단열재에 물이 들어가면 단열성능이 없어진다고 반대하는 현장의 반응도 있다. 들어가는 물의 양도 소량이지만 압출법보온판은 기본적으로 함수량이 1% 미만이라 무시할 정도다.

물이 단열재를 통과하여 배수되기 때문에 약간의 물이 단열재 하부(②)에 남아있게 된다. 단열 성능 계산 시 과거에는 단열재 층에 어느 정도 물이 있는 것을 고려해서 단열값을 보정하는 것이 일반적이었지만, 최근에는 분리 자재 성능이(③) 개선되어 항상 보정하지는 않는다.

역전지붕 상부층은 강자갈 혹은 쇄석(보통 지름 16~32mm, 최소 50mm 높이)과 보도블록으로 마감해 단열재를 최종 보호한다(③). 옥상 사용 여부와 용도에 따라 보도블록, 자갈, 파석, 옥상정원 등 최종 마감재를 다르게 할 수 있고 주차장 건물 등에는 신축 줄눈을 고려한 누름콘크리트 시공도 한다. 일반적으로 주차장이 아니라면 누름콘크리트는 사용하지 않는다. 국내 적용에서 가장 어려운 것이 옥상은 반드시 누름콘크리트를 시공하고 배수를 가장자리로 빼서 하는 것인데, 이는 습관에 기인한 하자 발생률이 높은 방법으로 배수나 내구성 면에서는 피할 것을 권한다. 국내에서는 지름이 큰 강자갈은 이제 구하기가 어렵다. 대체 가능한 자재로는 지름이 큰 거친 쇄석을 사용해도 문제는 없다.

역전 방수 단열재는 수분과 습기에 강한 압출법보온판을 사용한다. 두께와 시공 방식은 건축물의 단열 성능과 옥상 활용 여부에 따라 결정하면 된다. 역전지붕의 경우, 가급적 단열재는 한 겹으로 하는 것이 좋다. 그렇지 않으면 단열재 사이에 얇은 수막이 결빙되면 일종의 방습층이 될 위험이 있기 때문이다. 또한 단열재가 한 겹인 경우에는 반드시 접합 면이 요철 구조가 되도록 시공하여야 한다(④). 당시에는 두꺼운 압출법보온판을 구할 수 없어 설계 시 두 겹으로 하되, 같은 두께가 아닌 상부에는 조금 더 얇은 단열재를 고려했다. 엄격한 의미로는 상부의 단열재가 더 두꺼운 것이 이론적으로는 맞다. 하지만 이 정도의 두께에서는 결빙이 발생하지 않는다. 보통은 ③번 레이어에서 대부분의 물이 배수된다. 그리 크게 걱정할 사항은 아니다.

구조적 계산으로 0%의 경사를 고려했다면, 경사에 준한 방수 시트 등급이 높다면 꼭 구배를 둘 필요가 없는 지붕형식이기도 하다. 이럴 경우는 배수구의 위치를 잘 나누어 계획해야 한다. 하지만 방수 시트의 방근 성능과 기타 성능 테스트 값을 모두 확인할 수가 없었기에 경사를 두는 쪽으로 설계 방향을 잡았다. 물이 낮은 곳으로 흐를 수 있도록 무근 콘크리트로 2% 경사를 준 뒤 프라이머를 발라 표면을 매끄럽게 정리하고 아스팔트 시트를 두 겹 시공했다. 물론 무근으로 경사를 두는 것이 쉬운 것은 아니다. 슬래브 자체에 경사를 줄 수

사진 60 역전지붕 루프드레인에 사용되는 어댑터

출처: Dallmer, germany

있다면 그것이 더 좋다. 해당 층이 1차 방수·방습층이 된다. 이 방수층에 물을 담아서 2~3일간 관찰해 누수를 반드시 확인해야 한다⑤. 참고로, 담수 공정은 독일에서 생략되는 과정이다. 이유는 위의 시공이 일반적인 방식이고 이에 대한 노하우와 부수 기자재가 워낙 광범위하기 때문이다.

지붕의 배수를 위해서는 항상 두 개 이상의 루프드레인이 필요하다. 막힘에 대비하기 위함이다. 보통 하나는 주 배수 역할을 하고 다른 하나는 응급 배수구로써 기존 배관에 연결하지 않고 바로 해당 대지로 배수를 한다. 대지에 묻혀 있는 관은 도로의 중앙 배관으로 연결되지만, 중앙 배관이 역류하거나 제 기능을 발휘하지 못할 것에 대비하는 것이다. 배수에 사용한 루프드레인은 아스팔트 시트층이 붙어 있어 방수층을 끊지 않고 시공이 가능하도록 편의성과 신뢰도를 높인 자재다⑥.

이 자재는 온지붕용으로도 사용할 수 있는데, 역전지붕의 경우에는 최하단 방수층과 최상부 마감재 층을 연결하며 하단 방수층에서 물을 한 번 더 빼주는 어댑터가 추가된다. 더불어 단열 성능이 강화된 드레인을 사용해야 하는데, 그렇지 않으면 점형 혹은 선형 열교가 발생하여 부분적으로 온도 저하, 결로, 곰팡이 발생 위험이 생긴다.[15]

필자가 독일에서 역전지붕을 설계할 때엔 시방서에 시스템만 적으면 그것으로 보통 일이 마무리된다. 세부적으로 어떤 제품을 사용하라던가 제품번호를 기입하는 일은 없다. 물론 기본 시방서를 그대로 적용하는 경우에는 회사명과 제품명이 포함되기는 한다. 람다패시브하우스의 경우 적용된 배수 시스템이 최종 소비자에게 직접 판매되는 것이 아닌 데다 시공 시 예상치 못한 일의 발생에 대비해 자재 선정에서부터 제품을 생산하는 회사 기술팀과의 협의가 예외적으로 여러 차례 있었다. 건축가의 부탁을 들어주고 협의해준 독일 Dallmer社에 고마운 일이다.

이런 종류의 자재는 우리나라 현장에서는 처음 적용돼 마치 퍼즐을 맞추는 것과 같았다. 이 자재들을 모두 한자리에 모아두고 그 연결을 공정에 맞춰 미리 고민한 건축주가 없었다면 아무리 열심히 작성한 설계라 할지라도 불가능했을 것이다. 그런 이유에서 필자도 가급적이면 이런 수입 자재를 피하는 편이다. 국내 자재로 대체가 어렵거나 시공의 예측이 불안

FBA 09 Dachterrasse in Verbindung mit der Rinne !

Produkt-Informationen

Artikel-Nr.: 642073 GTIN/EAN: 4001636642073 Bezeichnung: Dachablauf 64 DallBit, DN 70/DN 100

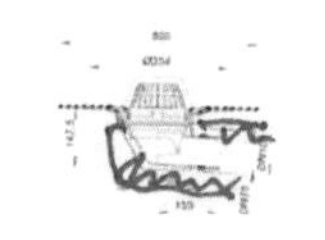

Dämmung ?

DALLMER Dachablauf 64 DallBit
nach DIN EN 1253.
Ablaufelement wärmegedämmt mit
werkseitig aufgeschweißter Bitumen-
schweißbahn-Manschette d=500 mm x 5 mm.
Lieferung mit Laubfangkorb, DN 100 Red.-
Stück und Bauschutzrost.
Ablaufstutzen: DN 70 / DN 100 seitlich,
Ablaufleistung: DN 70 10,00 l/s
DN 100 6,00 l/s
Material: Polypropylen, UV-stabilisiert,

Vertrieb Rabattgruppe: 10

Logistik VPE: 1 Länge/Breite/Höhe: 385/385/180 mm Gewicht p. Stck: 2,38 kg Volumen p. Stck: 26,68 dm³

Artikel-Nr.: 495938 GTIN/EAN: 4001636495938 Bezeichnung: Einlaufelement Umkehrdach

DALLMER Einlaufelement Umkehrdach
passend zu den Dachabläufen 62 und 64 in Kombination
mit Aufstockelement 630 Schraubflansch. Material:
Polypropylen, UV-stabilisiert.

Vertrieb Rabattgruppe: 10

Logistik VPE: 1 Länge/Breite/Höhe: 170/170/60 mm Gewicht p. Stck: 0,082 kg Volumen p. Stck: 1,32 dm³

Artikel-Nr.: 621580 GTIN/EAN: 4001636621580 Bezeichnung: Aufstockelement 630

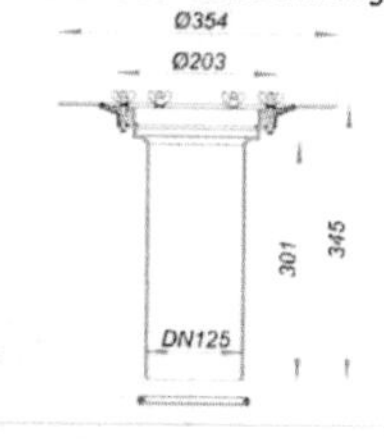

DALLMER Aufstockelement 630
passend zu den Dachabläufen 62 und 64,
für Wärmedämmungen von 50 bis 250 mm,
Gehäuse mit Edelstahl-Flanschring zur
Befestigung von polymeren Dach-
dichtungsbahnen, Lieferung mit
Rückstaudichtung und Bauschutzrost,
verlängerbar durch Kunststoffrohr DN 125
Material: Polypropylen, UV-stabilisiert,

Vertrieb Rabattgruppe: 10

Logistik VPE: 1 Länge/Breite/Höhe: 385/385/385 mm Gewicht p. Stck: 0,5 kg Volumen p. Stck: 57,07 dm³

Artikel-Nr.: 500311 GTIN/EAN: 4001636500311 Bezeichnung: Terrassen-Aufsatz SEN 15, Rost verschraubt, 150 x 150

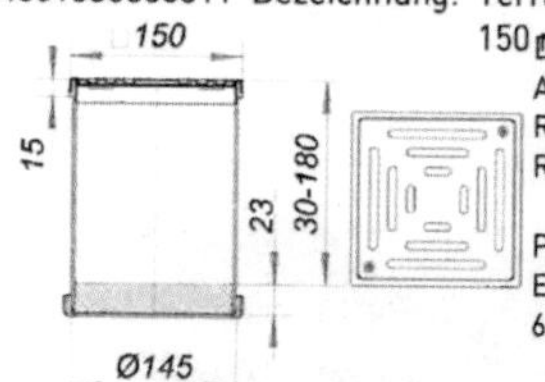

DALLMER Terrassen-Aufsatz SEN 15
Aufsatzverlängerung: Polypropylen
Rahmen: Edelstahl 1.4301, 150 x 150 mm.
Rost: Edelstahl, verschraubt,
Belastungsklasse K 3
Passend zu den Dachabläufen 62,64,65 und
ECCO sowie zu den Aufstockelementen
630 und 63

사진 61 루프드레인 협의 내용

한 경우, 직구가 아니라 생산 회사 측과의 협의를 통해 시공성이 좋은 제품을 선정해 수입하는 과정을 거쳤다.

기능 면에서는 역전지붕에 적용할 만한 국산 제품이 있었지만, 별도의 추가적인 열교 억제를 위한 방안이 마련되어야 했다. 원리를 이해한다면 이런 배수구를 만드는 것이 그리 어렵지는 않다. 현장에서 제작해도 문제는 없다.

평지붕 파라펫 마감 사례

파라펫의 알루미늄 두겁은 여러 번 알루미늄을 절곡한 것을 사용하되 절곡면의 길이에 따라 그 두께가 달라져야 한다. 너무 얇으면 열적 팽창으로 인해 선이 고르게 나오지 않고 여름철에 휘어질 수 있다. 이런 이유로 독일의 경우는 최대 3m까지 생산한다.[50] 연결 부위에 시공되는 고정 자재는 여러 시스템이 있지만 아래 제품이 가장 일반적이다.

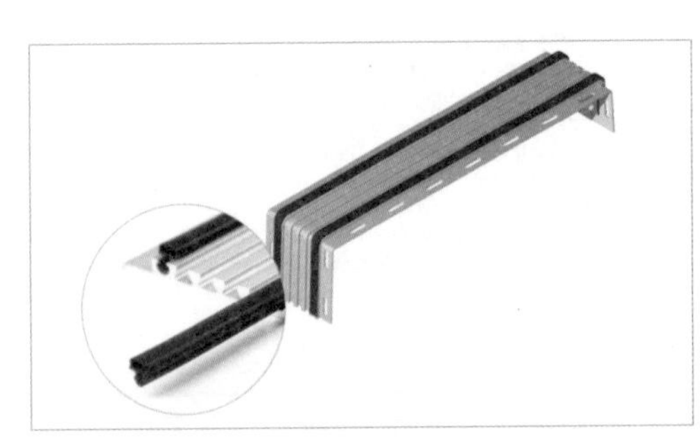

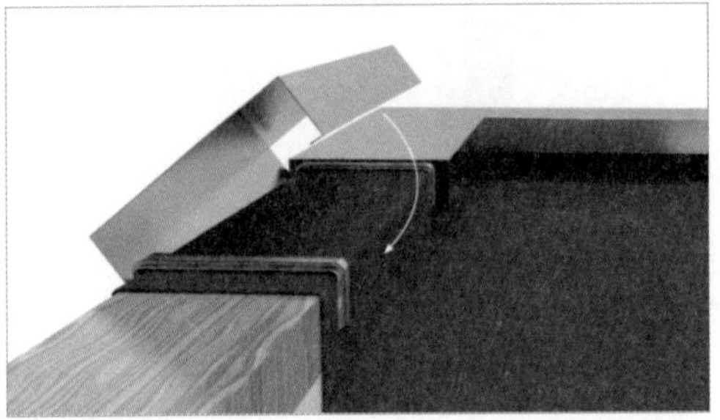

출처: EMDATEC GmbH, Germany

사진 62 평지붕에 시공하는 알루미늄 두겁과 하부 고정 자재

사진 63
파라펫 상부에 방수 시트가 시공된 경우

50 운송을 고려한 이유도 있지만 자재의 열적인 수축·팽창을 고려한 측면도 있다.

이러한 절곡 알루미늄 두겁을 받아주면서 하부 고정재가 되는 제품은 방수 성능이 중요하다. 만일 파라펫 상부에 방수 시트가 없다면 이 고정 자재는 빗물이 흘러 들어가지 않고 밖으로 빠져나가는 고무가 있어야 하지만(사진 62) 방수 시트가 별도로 있는 구조에서는 꼭 필요한 조건은 아니다.

국내에는 아직 공산품화 된 제품이 없다. 알루미늄 사출 시스템으로 그 사이에 강한 고무를 끼우고 필요에 따라 각도를 접으면 되니, 잡철을 취급하는 곳이라면 어디든 생산이 가능할 것이다. 모서리 부분은 두겁 두 개를 용접해 만들어야 하기에 처음 하는 건축가에게는 쉽지 않겠지만, 연관 관계를 이해하면 그리 어려운 것은 아니다. 물론 고무를 끼우지 않는 방식의 연결도 가능하다. 두겁 하부에 방수 시트가 약간의 경사를 두고 시공되면, 알루미늄 두겁 사이로 빗물이 유입되더라도 하부로 흐를 수 있기에 문제 되지 않는다.

방수에 있어 파라펫 부위는 건물에서 가장 예민한 부분일 수도 있는데 국내에서는 그간 소홀히 다룬 측면이 있다. 일반적으로는 실리콘으로 연결 부위의 틈을 충진하거나 하부에 방수 시트로 시공을 하는 수준이다. 이 시스템은 평지붕에서 꼭 필요한 시공이지만, 그동안 하지 않던 방식이라 추진하려면 일단 몇 번의 반대는 감수해야 할 것이다. 가장 문제가 되는 방식은 알루미늄이나 징크 등의 두겁을 만들고 구멍을 내서 추락 방지 난간을 세운 후, 그 사이 공간을 실리콘 등으로 메우는 방식이다. 처음엔 깔끔해 보이지만 미세한 틈으로 빗물이 유입되는 하자가 발생할 위험이 높다. 가능하다면 추락 방지 난간은 파라펫 내부 측면에 설치하는 것이 여러 면에서 안전하다.

사진 64 평지붕 파라펫에 설치된 알루미늄 두겁

왜 줄을 맞춰 보도블록을 올려놓았을까?

도면에도 표시가 되어 있지만, 알루미늄 두겁 뒤로 보도블록이 한 줄로 깔린 것이 보일 것이다(사진 64). 왜 보도블록을 올려놓았을까? 평지붕이 외단열로 시공되는 경우, 단열재가 바람으로 인해 들어 올려지는 것을 막아야 한다. 이를 위해서 보통 3가지 방법이 주로 사용된다.

1. 단열재를 접착제로 고정
2. 전용 나사로 고정
3. 자갈이나 보도블록 등을 이용

아스팔트 시트 방수에서 단열재를 누르기 위해 가장 많이 사용하는 방법은 자갈을 까는 것이다. 바람이 강한 지역에서는 역전지붕에서 배수에 방해되지 않는 방향으로 단열재를 추가로 접착하기도 한다. 단열재 위에 시공되는 50mm 정도의 자갈층만으로는 바람의 세기를 감당하지 못하기 때문에 단열재가 들리는 것을 막기 위함이다. 물론 자갈층의 두께를 더 두껍게 할 수도 있지만, 건물의 하중을 불필요하게 늘릴 필요는 없다. 바람의 영향을 가장 많이 받는 곳이 평지붕에서 파라펫 주위이기에 구하기 쉬운 보도블록으로 그 부분을 한 번 더 보강한 것이다.

독일의 경우는 지역별로 바람 세기와 건물 높이를 고려해 단열재와 방수층을 보호하기 위한 하중을 재료와 시스템별로 정리해 놓은 것이 있다. 각 방수 시스템 회사의 시방서에 그대로 연결이 되기에 설계하는 사람도 쉽게 접근할 수 있다. 필자가 국내에서 설계할 때 어려웠던 점은 뭔가를 하기는 해야 하는데 합당한 기준 자료가 없다는 것이었다.

5. 열교

일반 치장 벽돌 마감은 외단열 미장 공법에 비해 열교면에서 해결해야 할 부분이 더 많은 것이 단점이다. 다만 람다패시브하우스에서는 벽돌이 창호 연결 부위 안으로 감싸 들어가는 구조를 택하지 않았기에 쉽게 해결이 가능했다(2.4 벽체 부분 참고). 알고 보면 목조보다도 더 쉬운 조합이다. 벽돌을 창틀까지 시공해 단열재끼리 연결되지 않는 시공 방법의 위험성을 다음의 실제 사례를 통해 검토해 보자.

[검토 조건 01] 실내 20°C, 실외 -5°C, Rsi(내부표면열저항) = 0.25(천장, 커튼 혹은 구석 부위로 계산), 독일 곰팡이 판단 기준 온도

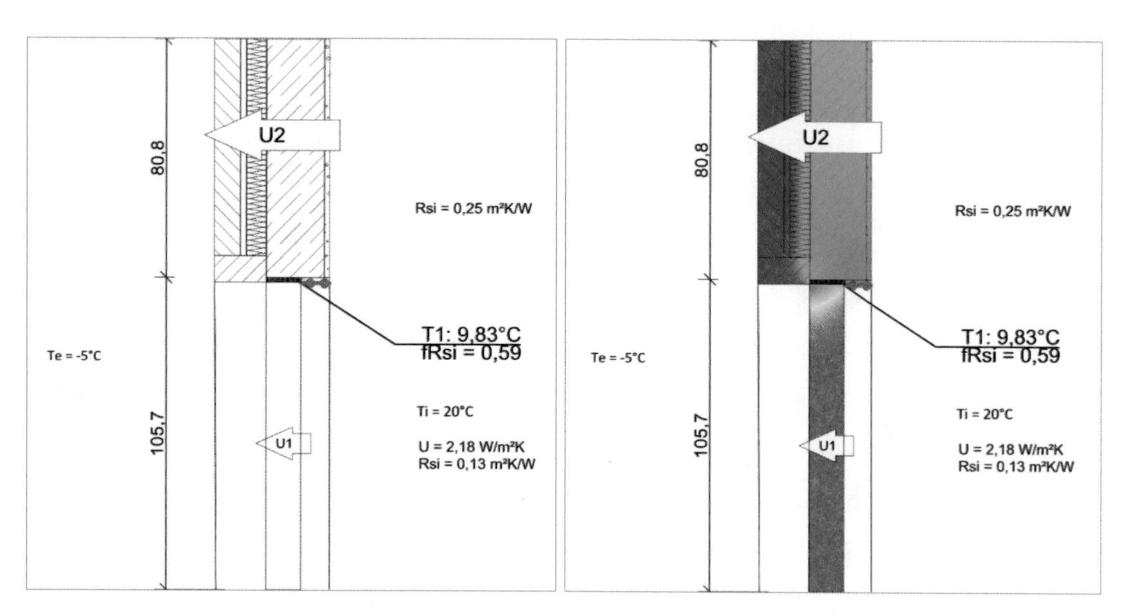

사진 65 조건 1. 치장 벽돌과 창호 프레임이 연결된 경우

사진 66 조건 1. 치장 벽돌과 창호 프레임이 연결된 경우의 온도 변화

창호 측면과 상부 인방의 치장 벽돌 접촉 부위에서의 실내측 표면 온도가 9.83°C로 나왔다. 곰팡이 발생이 예상되는 상대 습도가 80%일 때의 온도인 12.60°C 이하의 수치다. 결로 발생 온도인 9.30°C 보다는 살짝 넘지만 실내 상대 습도에 따라 결로 발생의 위험도 마찬가지로 높다. 창호 내부 연결 부위에 곰팡이가 발생하는 조건이다.

[검토 조건 02] 실내 25°C, 실외 -15°C, Rsi(내부표면열저항) = 0.25(천장, 커튼 혹은 구석 부위로 계산), 국내 결로 방지 판단 기준 온도

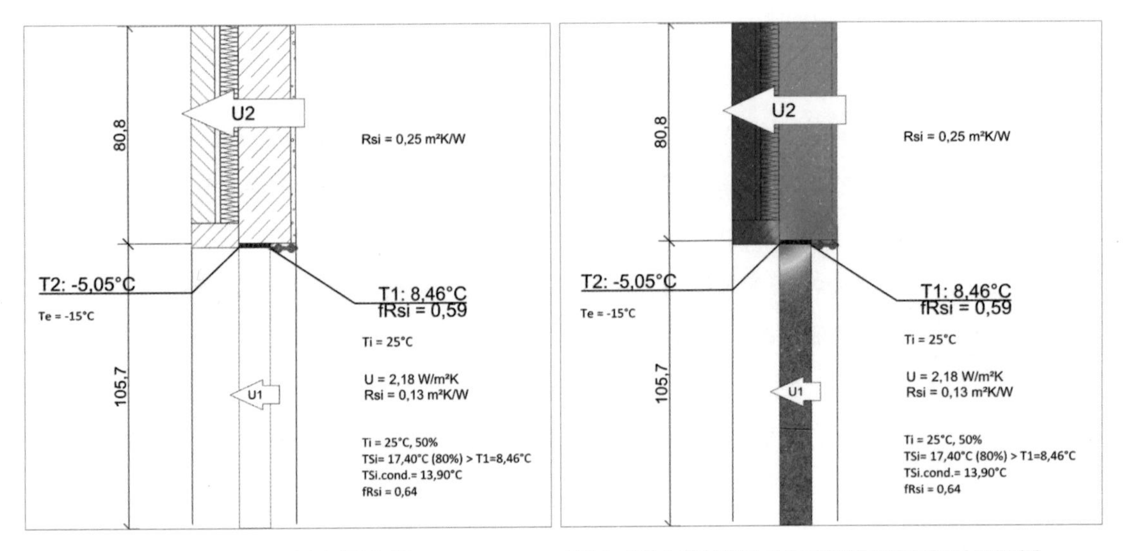

사진 67 조건 2. 치장 벽돌과 창호 프레임이 연결된 경우

사진 68 조건 2. 치장 벽돌과 창호 프레임이 연결된 경우의 온도 변화

국내 기준(외부 -15°C, 내부 25°C)을 조건으로 검토한다면, 외벽 창호 설치 시 측면과 상부 인방 연결 부위의 실내 측 표면 온도가 8.46°C(T1)로 나왔다. 실내 온도 25°C 조건에서 표면의 상대 습도가 80%인 곰팡이 발생이 예상되는 온도는 17.40°C이다. 결로 발생 온도인 13.90°C 이하가 되기 때문에 결로 및 곰팡이 발생 위험이 마찬가지로 높다. 이러한 결과의 가장 큰 원인은 창호 프레임 앞의 벽돌 시공이다. 만일 창호 프레임과 구조체 사이에 추가 단열재를 시공하지 않고 일반 모르타르에 실리콘만 충진한 경우에는 문제가 더욱 심각하다. 실리콘은 좋은 자재이지만 시간이라는 변수를 고려하면 판단은 간단하지 않다. 미세한 크랙을 미리 예상하고 대비한 시공이라면 물론 문제가 될 것은 없다.

결로는 수시로 발생하지만 발견 즉시 눈으로 식별이 가능해 대처하기가 용이한 편이다.

다만 곰팡이는 일정한 발아 시간이 필요해 겨울에도 국지적으로 발생할 위험이 높다. 이런 취약점을 개선할 방법에는 무엇이 있을까?

[검토 조건 03(개선 방안)] 실내 25°C, 실외 -15°C, Rsi(내부표면열저항) = 0.25(천장, 커튼 혹은 구석 부위로 계산), 국내 결로 방지 판단 기준 온도, 표면 온도 상승을 위한 설계 예시

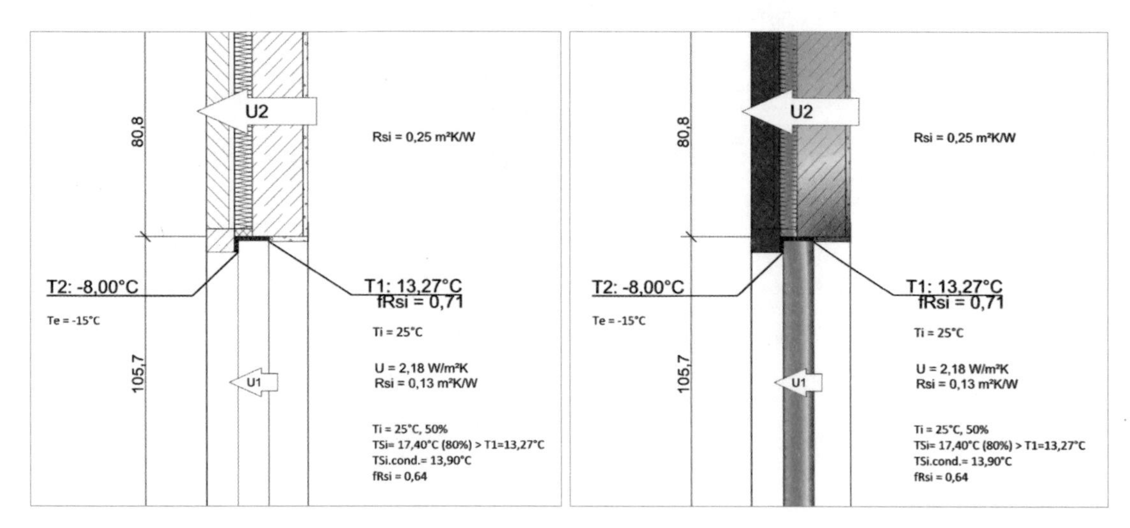

사진 69 조건 3. 치장 벽돌과 창호 프레임이 분리된 경우

사진 70 조건 3, 치장 벽돌과 창호 프레임이 분리된 경우의 온도 변화

외부 치장 벽돌 연결 부위를 개선한 예시이다. 이 방법을 통해 표면 온도를 13.27°C까지 올릴 수 있지만, 그래도 다소 우려되는 지점이 있다. 바로 창호의 열관류율값이다. 이 사례에서는 당시 법적으로 문제가 없는 열관류율 Uw = 2.18W/m²·K의 창호를 사용했지만, 결로 방지법의 실내외 기준을 적용하면 결로와 곰팡이가 발생하는 결과로 나온다. 이 기준을 만족하기 위해서는 창호의 열관류율을 Uw = 1.75W/m²·K로 올려야 한다. 이때 실내 표면 온도는 13.96°C가 되고 비로소 결로 발생 위험 온도에서 벗어난다.

만일, 같은 벽돌을 이용해 창틀 앞까지 조적을 하고 싶다면, 먼저 폴리우레탄 같은 성능 좋은 단열재로 틈 없이 최소 30mm 이상 보강한다. 열교 계산에 따라 외벽 골조와 치장 벽돌 사이의 두께가 달라지기는 하지만 열교 방지 단열재를 설치해 단열재가 서로 끊기지 않게 설계한다.

다음의 사례는 패시브하우스는 아니었기 때문에 패시브하우스 수준으로 단열재를 보강

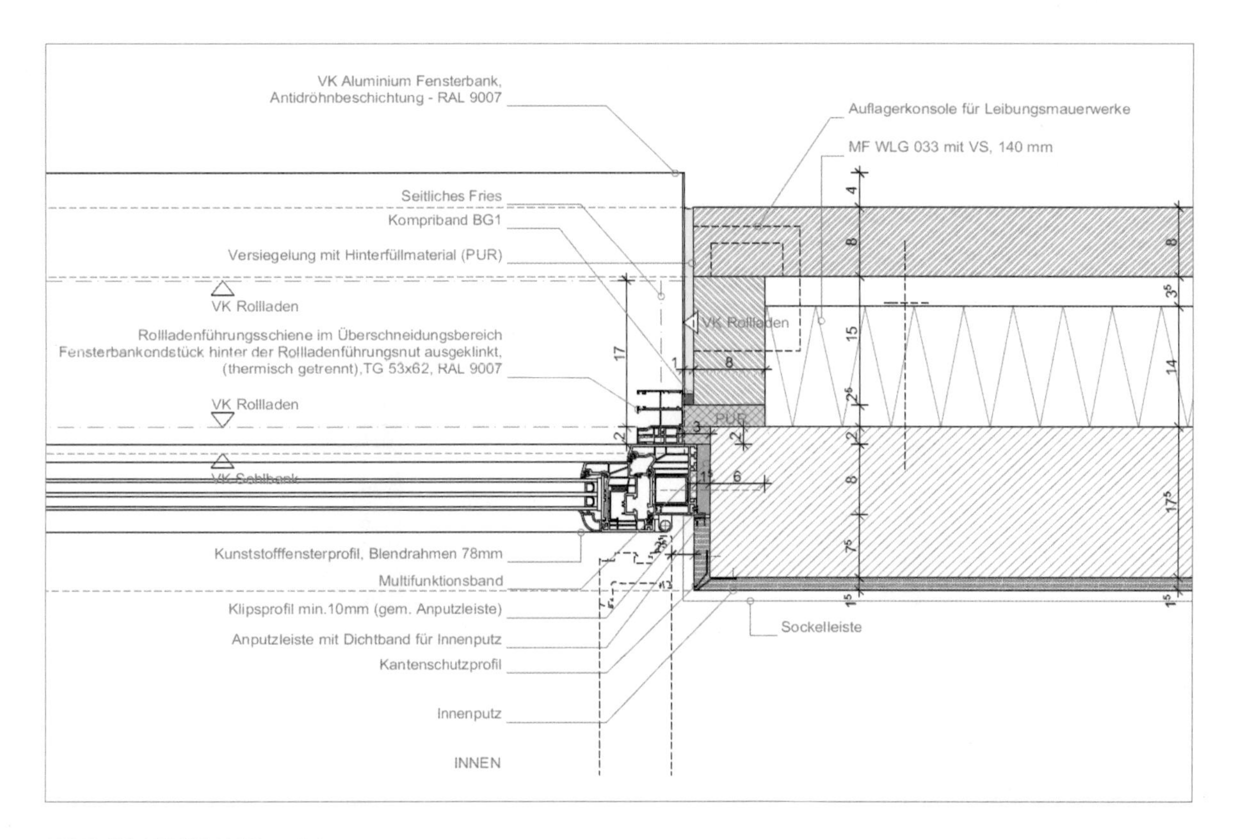

사진 71 창호 연결 부위 디테일, Ingelheim

하지 않고 창호와 벽체가 만나는 부위의 법적 최소 표면 온도인 12.6°C를 기준[51]으로 했다. 단열 성능이 있는 차양 장치의 레일과 팽창형 밴드의 시공 가능성을 검토했을 때 단열재는 최소 25mm 이상 필요했다. 위의 창호 연결 도면에 표기된 차양장치의 레일은 단열성능이 있다.

람다패시브하우스의 2층 테라스 부분은 평지붕이 처마처럼 돌출되어 있다. 돌출 깊이가 2m 이상이라 옥상 파라펫 부분에 열교 차단 시스템을 적용할 필요는 없지만[52], 치장 벽돌 마감과 여러 공정이 연결되는 부분의 문제점을 해결하기 위해서 열교 차단 시스템을 적용했다. 이 시스템은 철근콘크리트의 슬래브와 치장 벽돌 지지 및 외부 차양 고정 프레임 기능의 철골 구조를 끊어주는 역할을 한다. 추후 이 철골 구조 위에 외부 마감재인 치장 벽돌이 조적되고 철골 하부에는 폴딩 미서기 덧문이 시공된다.

51 독일의 단열 기준을 바탕으로 한 모든 건물에서 지켜져야 하는 최소 온도이다. '곰팡이 발생 검토 온도'라고도 한다.

52 열교의 영향을 받는 구간은 약 1m. 열교 차단 단열재를 1m만 시공해도 문제는 없다.

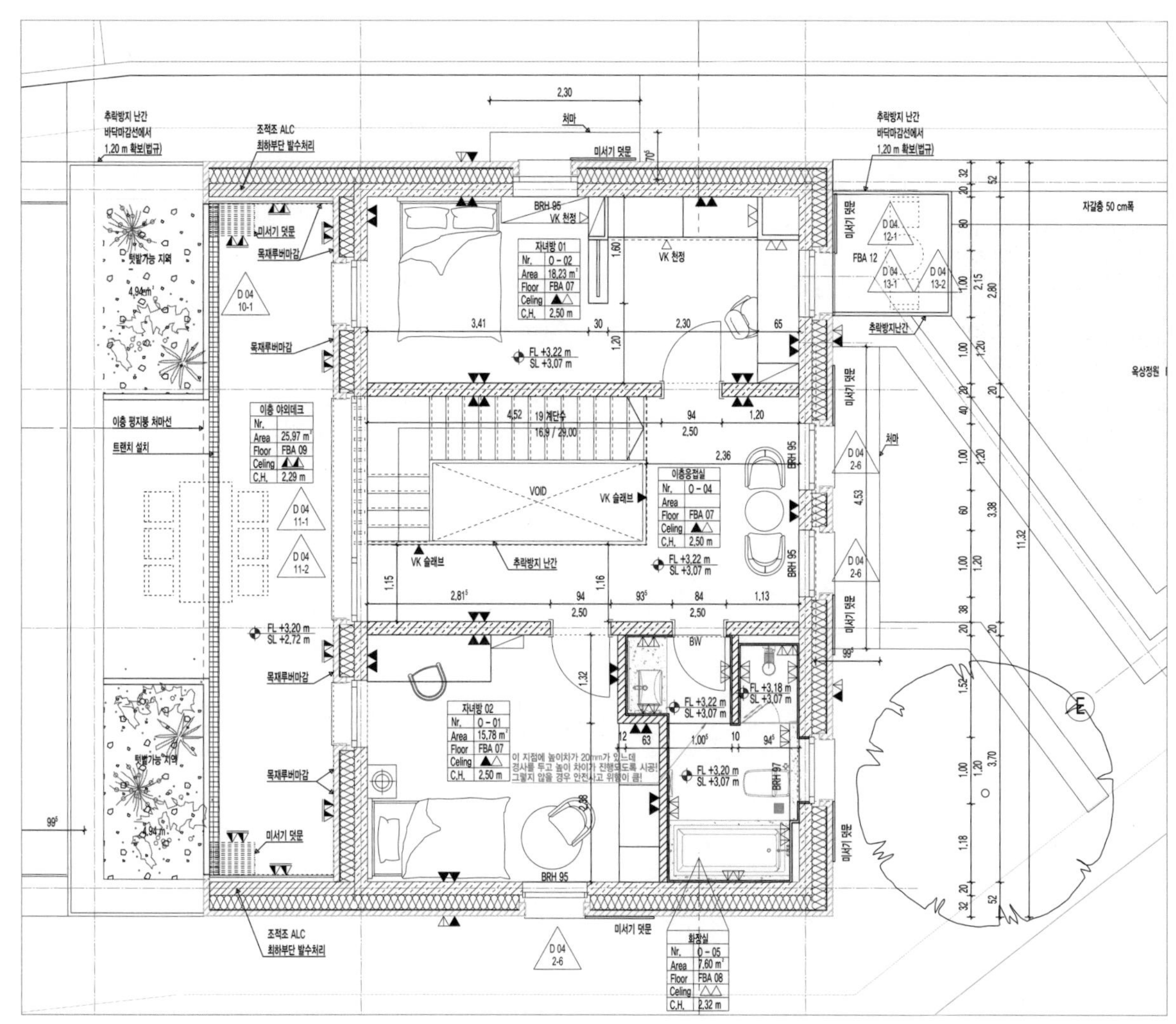

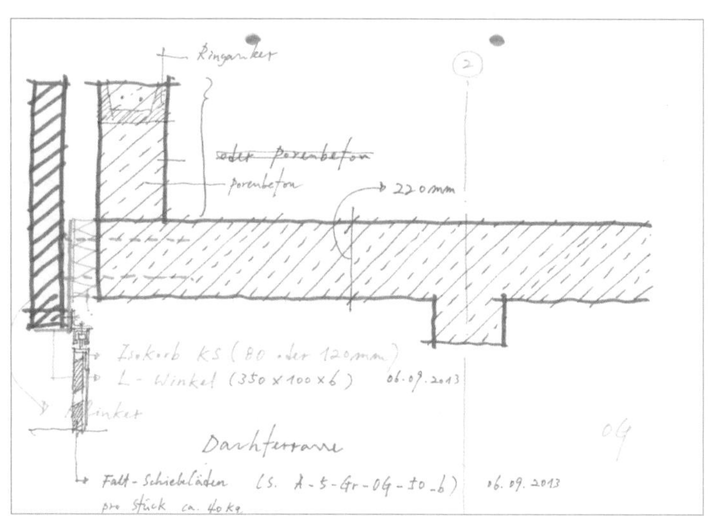

사진 72 돌출 테라스가 있는 람다패시브하우스 2층 평면도(위)

사진 73 2층 데크 돌출 처마 협의용 스케치

이 디테일에서 살펴볼 것은 파라펫의 연결 부위다. 열전도율이 낮은 ALC 블록을 조적해 평지붕 방향으로(오른쪽) 추가 단열재를 보강할 필요가 없다. 결과적으로 단열재 위에 방수 시트를 시공하는 것에 비해 훨씬 수월해진다. 이런 디테일에서는 조적을 구조적으로 잡아 주는 보 혹은 철근콘크리트 기둥이 필요하다. 이 부분에 대한 구조 계산을 별도로 하지 않고 단순히 조적으로만 끝내지 않도록 주의해야 한다.

람다패시브하우스를 지을 당시만 하더라도 U자형의 ALC 블록이 일반적이지 않을 때라 현장에서 일일이 일반 블록을 재단해 U자형 블록으로 개조하는 작업을 했다. 비용이 증가

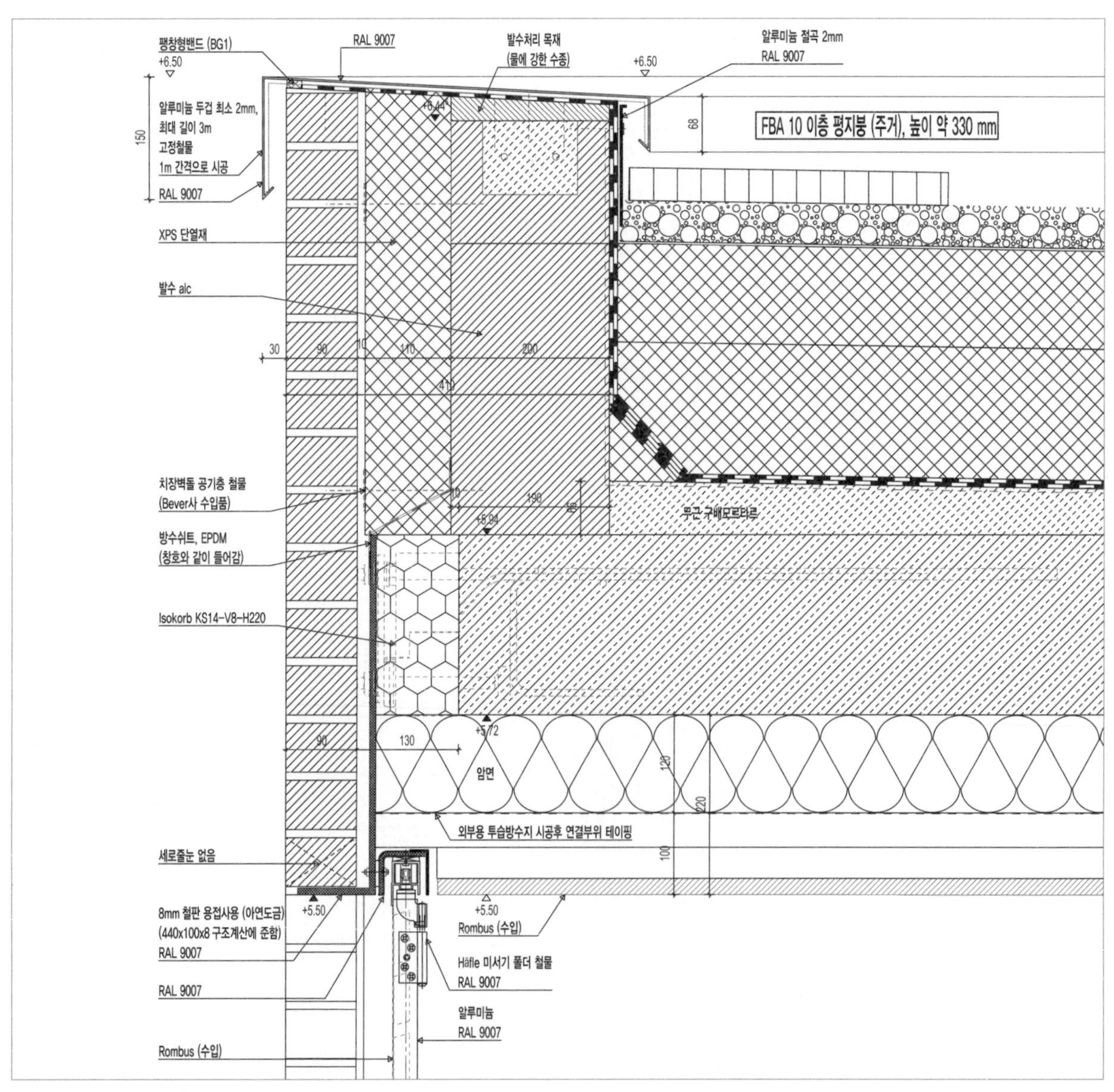

사진 74 2층 데크 돌출 처마 열교 분리 최종 디테일

되지만 피할 수 없는 과정이다. 불가피하다면 철근콘크리트로 역전보를 만들고 앞뒤로 단열재를 시공해야 한다. 지금은 U형 자재가 생산된다고 한다.

사진 74에서 보는 바와 같이 외벽과 슬래브 하부 각각의 단열재가 일반적인 패시브하우스의 단열재 두께와 확연한 차이가 있음을 알 수 있다. 두 단열재를 열교 차단 단열재로 연결했기 때문에 단열재를 두껍게 할 필요는 없었다.

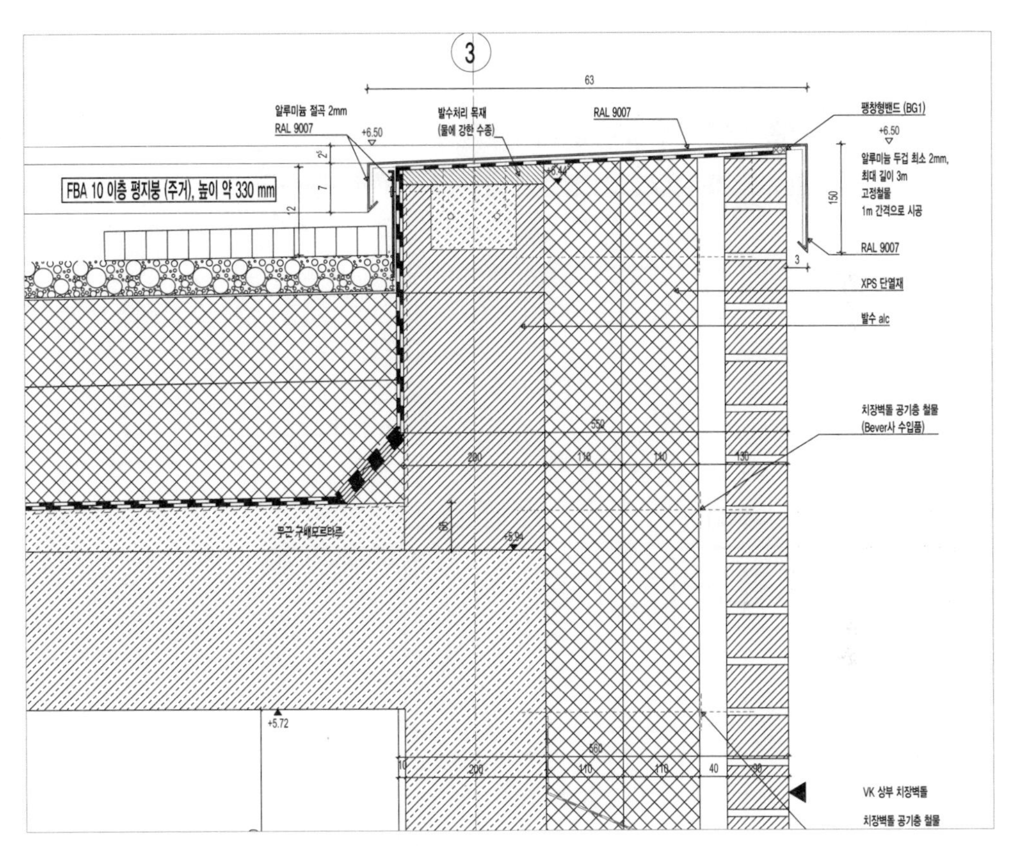

사진 75 파라펫 열교 분리 최종 디테일

©손태청
사진 76 열교 분리에 이용한 U자형 ALC 블록

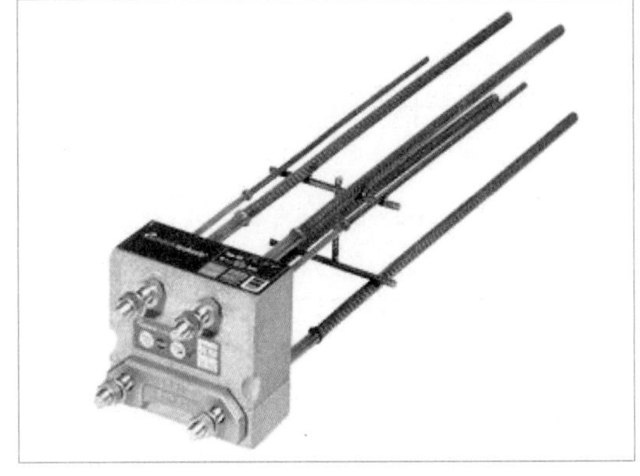
사진 77 2층 데크 돌출 처마 열교 분리 자재, Isokorb TYP KS, Schöck社

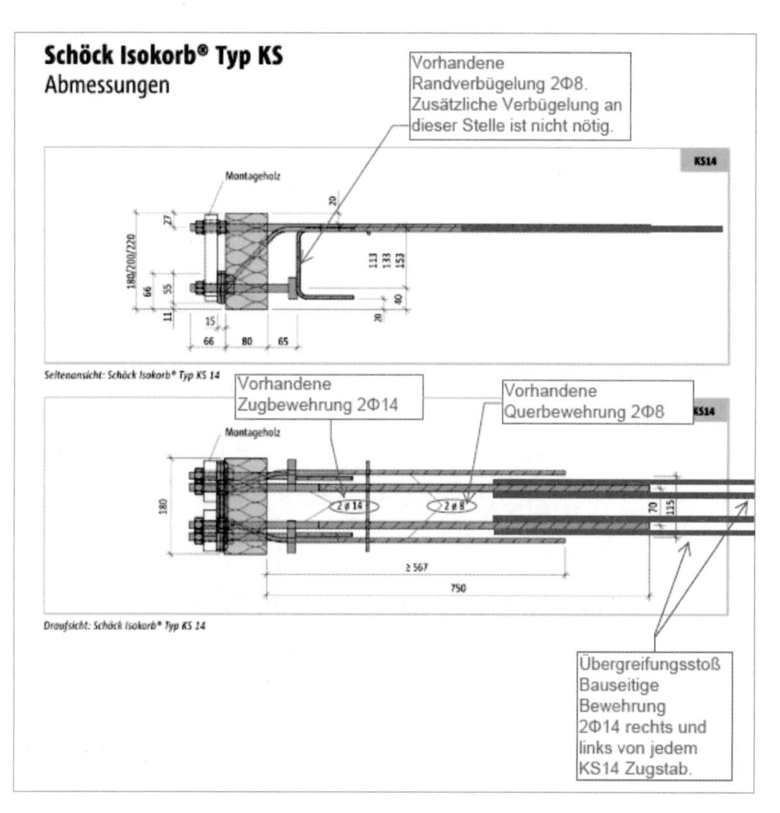

사진 78

연결 배근에 관한 정보

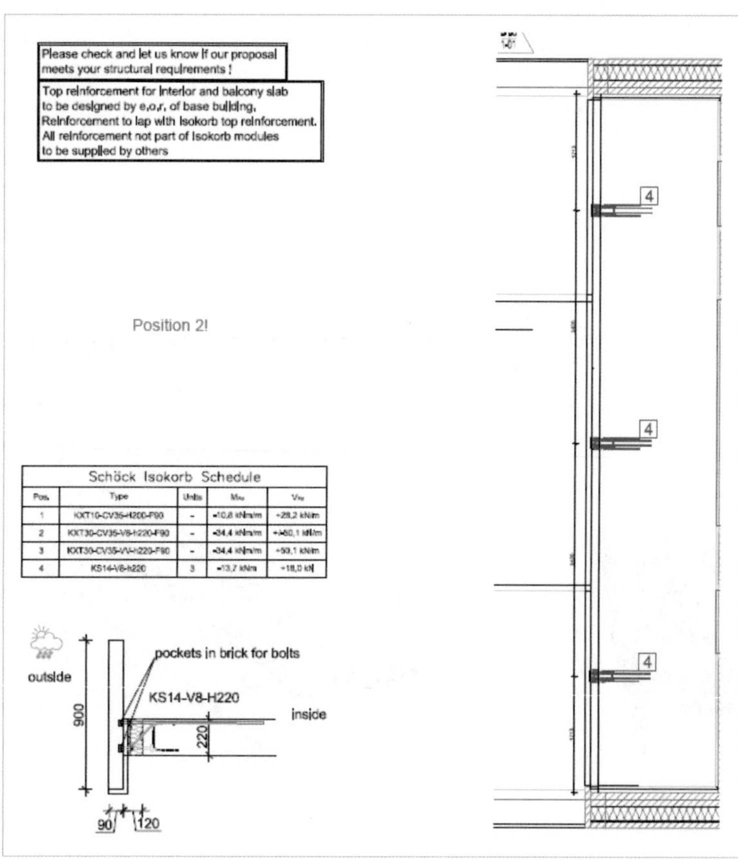

Schöck Isokorb Schedule				
Pos.	Type	Units	M_{Ed}	V_{Ed}
1	KXT10-CV35-H200-F90	-	-10,8 kNm/m	+28,2 kN/m
2	KXT30-CV35-V8-h220-F90	-	-34,4 kNm/m	+60,1 kN/m
3	KXT30-CV35-VV-h220-F90	-	-34,4 kNm/m	+50,1 kN/m
4	KS14-V8-h220	3	-13,7 kNm	+18,0 kN

사진 79

설치 위치 및 하중 그리고

연결 부위에 관한 정보 협의

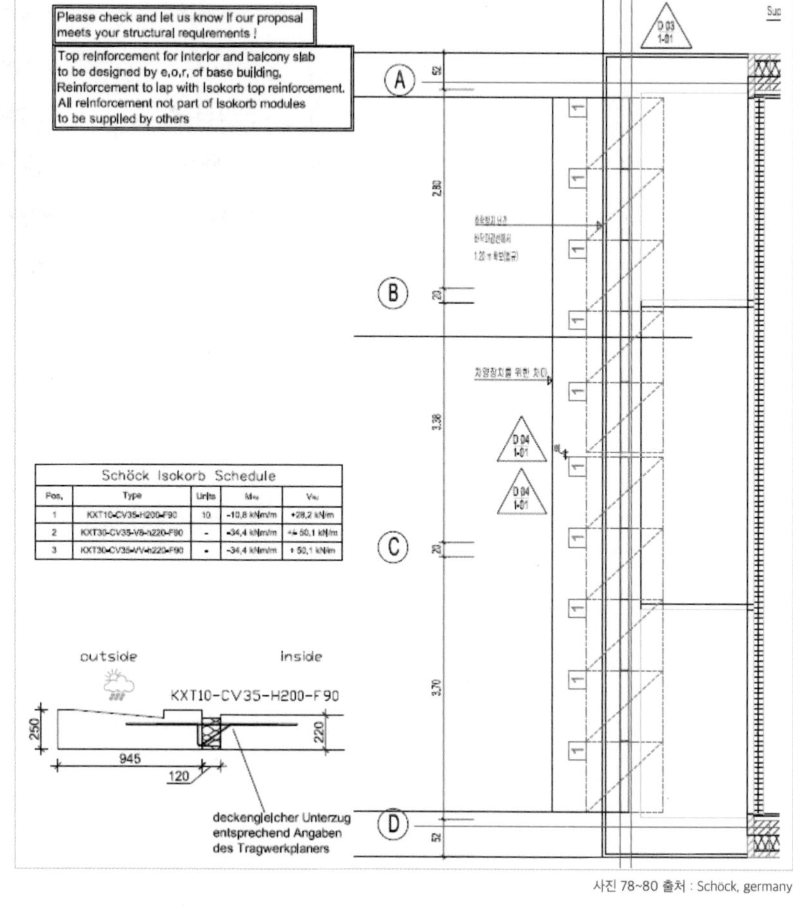

Schöck Isokorb Schedule

Pos.	Type	Units	M	V
1	KXT10-CV35-H200-F90	10	-10,8 kNm/m	+28,2 kN/m
2	KXT30-CV35-V8-h220-F90	-	-34,4 kNm/m	+- 50,1 kN/m
3	KXT30-CV35-VV-h220-F90	-	-34,4 kNm/m	+ 50,1 kN/m

사진 80
람다패시브하우스 처마 열교 분리 자재 설계 협의, Isokorb TYP KXT, Schöck

사진 81
1층 처마 열교 분리 최종 디테일

사진 78~80 출처 : Schöck, germany

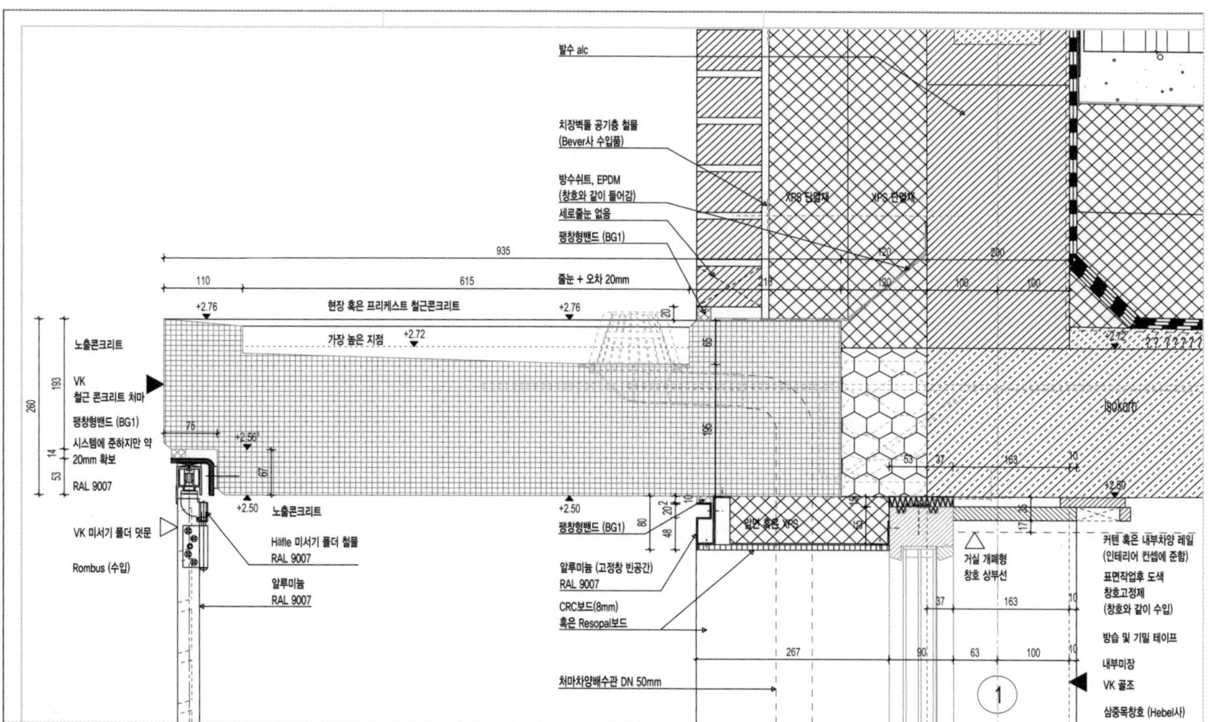

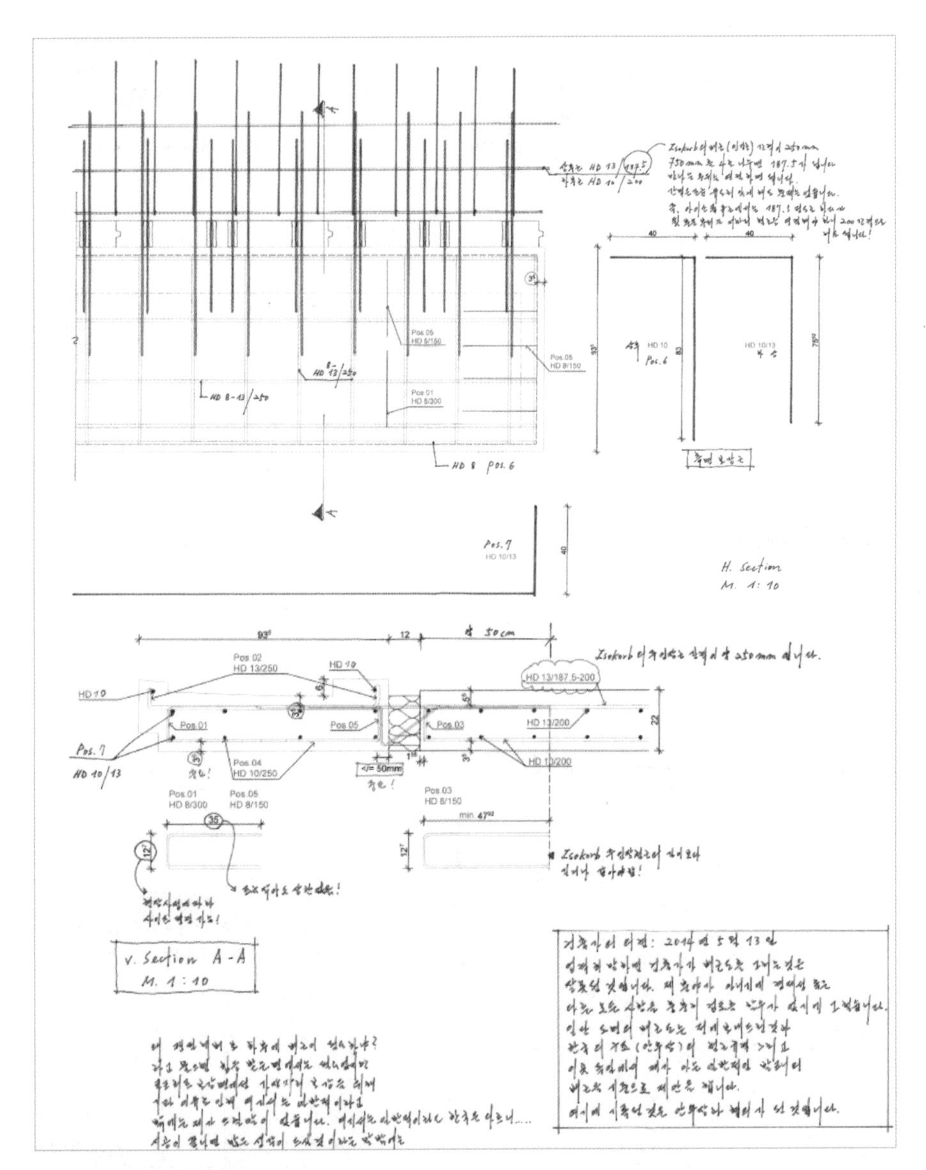

사진 82 1층 처마 배근 개념도

단독주택과 같은 건물에서는 콘크리트 타설 도면 작성이 드물다. 타설도 작성은 구조의 열교 문제를 정확히 찾아내고 문제 해결의 시간을 벌 수 있다는 장점이 있다. 구조 사무실과 협의를 하는 과정 중 건물에 대해 정확히 이해하고 있는지 또한 확인할 수 있다. 종종 구조 사무실에서 건축가의 의도를 오해하는 경우가 있기 때문이다. 요즘은 컴퓨터 프로그램으로 구조를 계산하지만, 단지 건축 허가용으로 그치는 경우가 흔하다. 시간이 조금 더 걸리더라도 이런 추가적인 확인 과정을 거치는 것이 예기치 못한 시공 실수를 막을 수 있다.

열교 자재와 연결되는 배근 간격과 규격 등이 여기에 속한다. 이는 원래 건축가의 작업 영역이 아니다. 구조 측에서 해야 할 작업이다. 건축가는 구조사무실에서 작업한 도면을 건

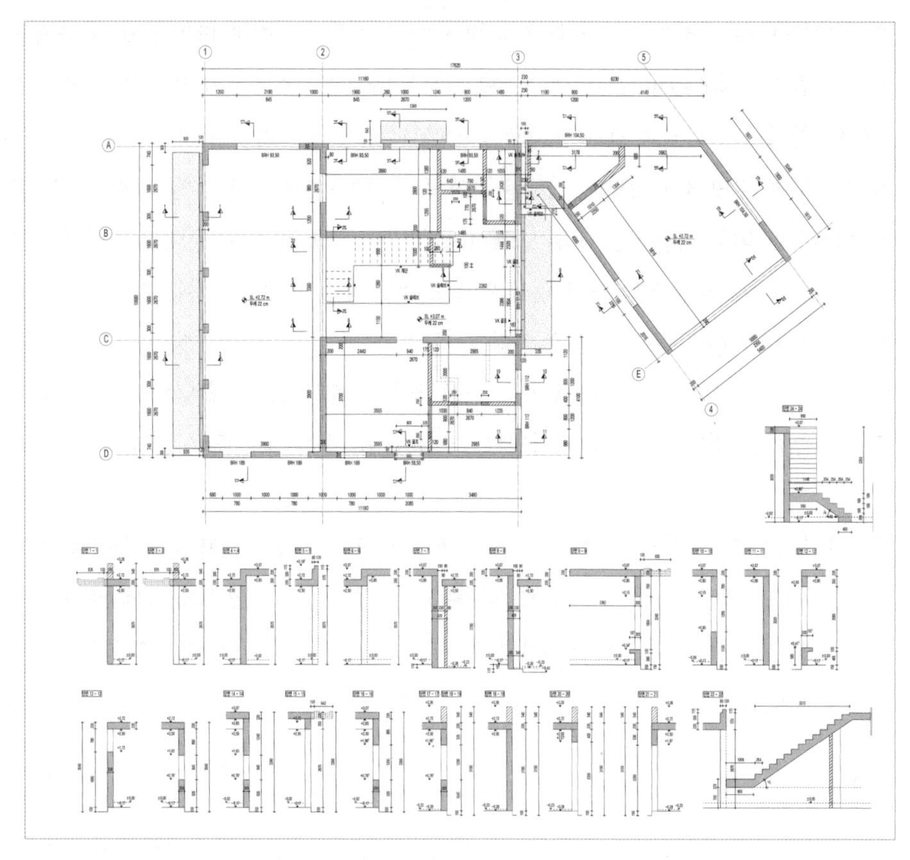

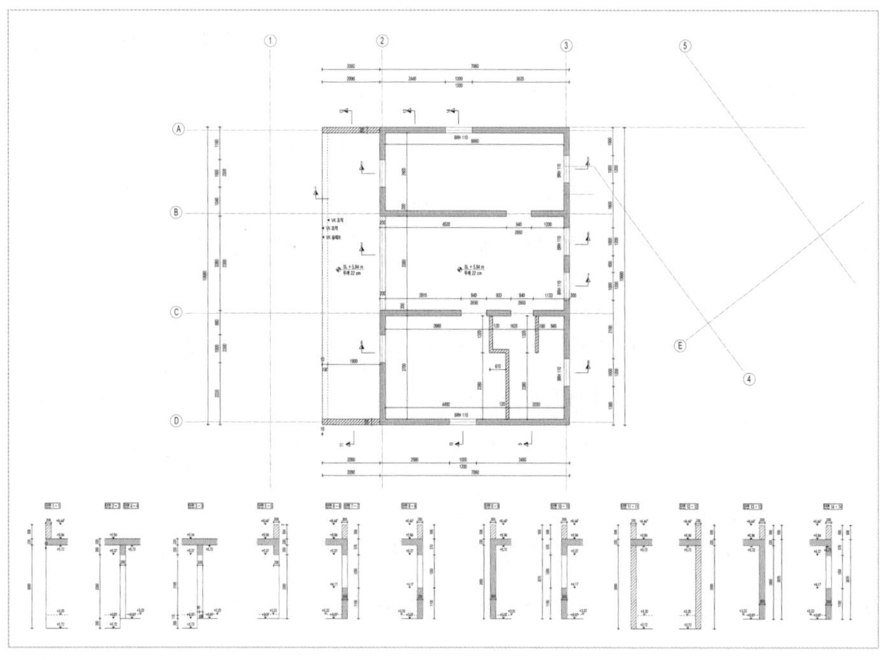

사진 83 1층 콘크리트 타설 구조 도면(위)

사진 84 2층 콘크리트 타설 구조 도면

축 도면과 비교해 수정하고 최종 확인한다. 단독주택에서 이런 타설 도면을 그리는 구조사무실이 거의 없다. 람다패시브하우스의 경우는 필자가 열교 분리 자재 배근도를 그렸지만 엄격한 의미에서 이로 인해 구조사무실이 검토할 수 있는 기회가 사라진 것이다. 업무를 명확히 분담해 도면의 완성도를 높이는 것이 좋다. 열교에 신경써야 하는 이유가 겨울철 기후 때문만은 아니다. 여름에는 외부 열에너지가 열교 부위를 통해 실내로 유입되기에 추가적인 냉방 부하가 발생한다. 만일 열교가 많고 이를 냉방 부하 계산에 고려하지 않으면 실제 에너지 소비와 큰 차이를 보일 수 있다.

문제는 이 물리적인 사실을 하자 실사에서 잘못 판단하는 경우다. 즉, 표면 결로 혹은 곰팡이 발생 위험이 없다는 것을 증명하기 위해 여름철 기후를 토대로 열교 부위를 판단하는 것이다. 이런 경우 열교로 인해 내부 표면 온도가 상당히 높기 때문에 구조체가 정상적인 경우라면 곰팡이나 결로[53]가 발생하지 않는다. 그것을 증거로 법정에 제출하는 경우가 흔하다. 아마도 그런 보고서를 작성하는 사람도 주변 조건이 처음부터 잘못된 것인지 몰랐을 것이다. 만일 알고서도 그랬다면 범법 행위다. 이런 경우에는 구조체 표면의 함수량을 추가적으로 검토하는 것이 합당한 접근 방법이다.

53 표면의 온도와 상대 습도를 같이 봐야 한다. 단순히 온도만 검토하는 열교 계산은 화려한 색상으로 설득력있는 자료로 보이지만, 서로의 관계를 잘못 이해한 큰 실수이다.

6. 기밀 계획

경량목구조는 일반적으로 실내 측 방습층이 기밀층이 된다. 창호와 구조체가 만나는 부위는 경량이나 중량에 상관 없이 창호 자체가 기밀층이 된다. 기밀층을 관통하는 각종 설비 배관과 전선 배관도 기밀 계획이 필요하다. 요즘은 각 시스템 별로 합당한 기밀층 자재가 제공되고 있지만, 설계 단계부터 시공에 대한 업무 분담과 투입 비용을 미리 고려하는 것이 중요하다.

람다패시브하우스의 경우는 철근콘크리트조이기에 창호 부위와 구조체를 관통하는 곳을 제외하고는 기밀에 대해 별다른 신경을 쓸 필요 없이 간단하게 기밀층을 형성할 수 있었다.

표 18 내외부 창호 기밀층 형성에 합당한 테이프(예 : ProClima)

자재명		Sd(m)	최저 작업온도(°C)	온도변화(°C)	미장 가능성	내부용	외부용
Contega EXO		0.05	-10C	-40~90	O		O
Contega IQ		0.25~10	-10C	-40~90	O	O	O
Contega SL		2.3	-10C	-40~90	O	O	
Contega FC		2.3	-10C	-40~90	O	O	

출처: 프로클리마 코리아

출처: 프로클리마 코리아

사진 85 창호 기밀 개념도
사진 86 창호 연결 부위 기밀층 시공 사례(철근콘크리트)

창호 모서리 연결 부위를 틈 없이 깔끔하게 시공하기가 어렵다. 기밀 테스트에서 좋은 값이 나오더라도 큰 비가 온 다음 이런 틈으로 빗물이 들어오는 경우가 간혹 있다. 약간의 빗물이 들어오는 것은 시공팀도 어쩔 수 없을 때가 있다. 외부에 투습, 방수, 방풍테이프가 설치되기는 하지만, 한 번에 깨끗하게 모든 걸 잡긴 어렵다. 물론 물이 샌다면 보강해야 한다. 기밀테이프와 접착제만으로는 부족한 골조의 품질을 대신할 수 없다.

출처 : 프로클리마 코리아

사진 87 설비 기밀 자재

겨울철 바람이 부는 날, 콘센트 가까이에 손을 대면 얼마나 많은 찬 공기가 들어오는지, 실내의 공기가 나가는지 알 수 있다[54]. 이런 이유에서 탑층 슬래브에 배관이 매설된 후 전등기구 배관을 중심으로 결로로 인한 낙수 현상이 제법 생기곤 한다. 콘센트에서 유입되는 바람이 심하다면 유아 보호용 캡으로 막는 것도 방법이다. 애초에 전기 코드를 꽂아두는 것도 좋다. 다만 약간의 전력 소모를 감수해야 한다.

54 결로가 발생하게 되면 그 위치에서 공기가 빠져나간다는 의미이다.

©손태청

사진 88 외부 배관 기밀, 람다패시브하우스

출처: 프로클리마 코리아

사진 89 가변형 뿜칠 방습 기밀자재

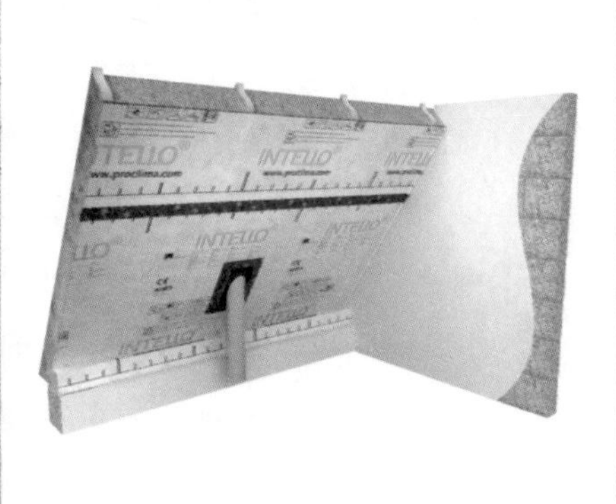

출처: 프로클리마 코리아

사진 90 조적조 미장과 방습지 연결 자재

그래도 요즘은 단열처리가 된 배관이 나와서 작업이 전보다 많이 간단해졌다. 배관 사이즈에 맞는 기밀 제품도 비싸지 않은 가격에 구입 가능하다.

최근 출시된 습식의 가변형 방습 자재로 조적벽에서도 미장층 없는 기밀 시공도 가능해졌다. 시공 시에는 파란색이지만 굳으면 검은색으로 변한다(하얀색도 가능). 이 제품의 가장 큰 장점은 여러 개의 구조체가 복잡하게 서로 얽힌 부분의 방습층 설치다. 분사하는 방식이라 아주 간단하고 무엇보다 가변형이기에 좋은 대안으로 떠오르고 있다. 또한 환경 위해 요소가 없어 실내에 사용해도 무방하다. 공동주택의 외벽 이어치기 부분과 벽체를 관통하는 각종 배관 사이의 기밀 겸 방수층으로도 손색 없어 보인다.

앞의 사진은 조적조 벽의 미장과 목구조 경사지붕의 한쪽을 테이프로 연결하는 시공 방식을 보여준다. 테이프 시공 후 그 위에 바로 미장한다. 이럴 경우 골조 위 테이프 접착 면적이 약 70% 이상 되는 것이 중요하다. 그렇지 않으면 미세한 크랙이나 표면 박리가 발생한다. 내구성을 위해서는 접착제를 아끼면 안된다.

이런 기밀 자재를 꼭 적용해야 하는가?

기밀 자재는 패시브하우스에만 적용되는 것으로 이해하면 안 된다. 경량목구조는 내부에 기밀층 겸 방습층 자재 사용이 많이 알려졌지만, 창호 주변의 기밀은 아직도 폴리우레탄 폼을 빈 틈에 쏜 후 나머지는 실리콘 등으로 막는 형식으로 진행되는 경우가 많다. 폴리우레탄은 기밀 자재가 아니라 단열 보충 자재다. 또한, 실리콘은 수명의 한계가 있어 창호 전용 기밀 테이프 혹은 팽창형 밴드 적용을 적극 권한다.

현실적으로 적은 예산으로 전용 기밀테이프까지 시공하는 것에는 어려움이 있다. 하지만 이는 선택 시공이 아니라 사실 필수적으로 해야 하는 공정이라는 인식이 필요하다. 물론 이런 자재를 시공하지 않고도 지금까지 곰팡이 문제를 비롯해 별다른 하자가 없는 건물도 많다. 현장에서 강하게 제기되는 반론의 근거다. 그러나 이런 자재를 적용하지 않아서 누수, 결로, 곰팡이 등의 하자를 경험한 후 시간을 거꾸로 돌리고 싶은 사람이 많은 것도 사실이다. 우연에 맡길 것인지 위험을 최대한 줄이는 방향으로 갈 것인지를 건축가가 정하는 것은 아니지만, 적어도 건축주에게 객관적인 관련 정보를 제공함으로써 합당한 결정을 내릴 수 있는 선택권은 있어야 할 것이다.

참고로 독일의 경우에는 건축주에게 선택권이 없다. 이것은 반드시 시공사(창호 업체)에서 해야 하는 필수 공정이기 때문이다. 만약 건축주가 원하지 않는다는 의사를 밝힌다면 서면으로 기록을 남겨야 시공사는 하자로 인한 책임에서 자유로워진다.

7. 창호 및 차양

국내 패시브하우스에 목창호가 적용된 사례로는 람다패시브하우스가 두번째 시도가 아닌가 싶다. 최초는 대전의 경량목구조 단독주택에 적용된 사례로 알고 있다. 물론 패시브하우스용 목창호 기준이다. 목창호는 일반 PVC 혹은 단열봉이 들어간 알루미늄 창호에 비해 단열과 관리적인 면에서 까다로운 면이 많다.

독일어권에서는 목창호 프레임의 단열 성능을 높이기 위해 단열재를 많이 조합하지만, 우리나라의 기후와 내구성을 고려할 때 본드가 사용된 조합 프레임은 처음부터 제외시켜야 했다. 어떤 수종의 나무인지도 고려해야 한다. 독일산 참나무는 내구성은 좋지만 단열 성능이 떨어지는 편이다. 소나무는 외기에 직접적으로 노출되면 창호가 큰 경우 나무가 변형될 위험이 있다. 람다패시브하우스 목창호로는 인도네시아산 참나무과이면서 단열 성능이 일반 참나무에 비해 더 좋은 메란티(Meranti)를 사용했다. 철물이나 기타 부속 자재도 습기에 강한 것을 찾으려고 애썼다.

목조라 할지라도 외부 혹은 내부에서 볼 때 나무의 결을 확인할 수는 없다. 아주 가까이서 볼 때 나뭇결이 살짝 보이는 정도이다. 그 이유는 프레임을 완전히 덮는 보호칠을 해야만 내구성이 높아지기 때문이다. 아쉽지만 외부에 노출되는 자재는 내구성이 1순위다.

사용된 프레임은 독일어권에서는 IV 90[55]으로 알려진 시스템이다. 평균 열관류율은 1.16W/m²·K이며 유리간봉은 당시 가장 좋은 단열 간봉인 Swisspacer V를 채택했다(현재는 이보다 성능이 더 좋은 단열 간봉이 많이 생산되고 있다). 유리는 4e/18Ar/4/18Ar/e4로 단열 성능은 0.50W/m²·K이며 전체 에너지투사율인 g값은 0.49 즉 49%이다. 물론 로이코팅[56]이 되어 있고 아르곤(Argon) 가스를 충진했다.

55 자재상에서 판매하는 일반적인 모델 이름이다. 90은 프레임의 깊이를 말한다.

56 요즘은 로이코팅 기술도 발전해 라이터의 불빛으로 단순 확인하는 것이 불가능해졌다. 전에는 옅게 파란색이 보였기에 확인이 쉬웠지만, 요즘은 기계로 측정해야 좀 더 정확하게 코팅 여부를 알 수 있다.

로이코팅(Low-E)이란?

유리 사이에 주입하는 가스는 아르곤과 크립톤이 있다. 크립톤 가스는 러시아산이고 고가라 보통은 아르곤을 주입한다. 유리 사이의 간격을 넓힐수록, 가스의 함량을 높일수록 단열 성능이 무조건 증가하는 것은 아니다. 예를 들어 공기층은 약 16mm 정도, 아르곤 가스는 14mm, 크립톤 가스는 약 10mm 정도가 최적의 유리 사이 간격이라고 할 수 있다.

에너지 관련 코팅은 이렇게 기억하면 된다. 열이 빠져나가는 것을 막을 단열이 목적이라면 내부 측에 코팅을 하고 일사 에너지의 실내 유입을 줄이고자 한다면 외부에 코팅한다. 이때 외부측 코팅은 일사 차단과 단열이라는 두 기능을 동시에 만족하기도 한다.

유리의 열에너지 전달

일반 열 전달과 마찬가지로 유리를 통한 열에너지의 전달 역시 전도(conduction), 대류(convection), 복사(radiation) 세 가지 방식으로 나뉜다. 그중 전도와 대류로 약 33%, 복사로 인한 전달이 약 67%이다. 일사 차단과 단열은 바로 이 복사를 통한 손실 혹은 전달을 최대한으로 줄이려고 하는 것이다(약 7%).

유리의 열 전달 경로를 알면 다른 응용이 가능하다. 여름철 낮에는 외부에 차양 장치를 하고 밤 기온이 낮을 때는 차양을 개방한다. 또한 내부 조명을 끌 때 커튼을 걷는다거나 겨울철 낮에는 차양을 개방하고 밤에는 차양을 닫으면 결로의 위험도 줄어든다. 복사로 인한 열 손실을 줄여 내부의 유리 표면온도를 높이는 원리가 적용된 사례들이다.

표 19 가스의 주입량과 방사율이 비례한 이중창의 단열 성능 비교

방사율 2%, 가스 종류 : 아르곤

	가스량				
유리 간격	80%	85%	**90%**	95%	공기
10	1.5W/m^{2}K	1.4W/m^{2}K	**1.4W/m^{2}K**	1.4W/m^{2}K	1.8W/m^{2}K
12	1.3W/m^{2}K	1.3W/m^{2}K	**1.2W/m^{2}K**	1.2W/m^{2}K	1.6W/m^{2}K
14	1.2W/m^{2}K	1.1W/m^{2}K	**1.1W/m^{2}K**	1.1W/m^{2}K	1.4W/m^{2}K
15	1.1W/m^{2}K	1.1W/m^{2}K	**1.1W/m^{2}K**	1.1W/m^{2}K	1.4W/m^{2}K
16	**1.1W/m^{2}K**	**1.1W/m^{2}K**	**1.1W/m^{2}K**	**1.1W/m^{2}K**	**1.3W/m^{2}K**
20	1.2W/m^{2}K	1.1W/m^{2}K	**1.1W/m^{2}K**	1.1W/m^{2}K	1.4W/m^{2}K

방사율 3%, 가스 종류 : 아르곤

	가스량				
유리 간격	80%	85%	**90%**	95%	공기
10	1.5W/m^{2}K	1.5W/m^{2}K	**1.5W/m^{2}K**	1.4W/m^{2}K	1.8W/m^{2}K
12	1.3W/m^{2}K	1.3W/m^{2}K	**1.3W/m^{2}K**	1.3W/m^{2}K	1.6W/m^{2}K
14	1.3W/m^{2}K	1.2W/m^{2}K	**1.2W/m^{2}K**	1.1W/m^{2}K	1.5W/m^{2}K
15	1.2W/m^{2}K	1.1W/m^{2}K	**1.1W/m^{2}K**	1.1W/m^{2}K	1.4W/m^{2}K
16	**1.2W/m^{2}K**	**1.1W/m^{2}K**	**1.1W/m^{2}K**	**1.1W/m^{2}K**	**1.4W/m^{2}K**
20	1.2W/m^{2}K	1.2W/m^{2}K	**1.2W/m^{2}K**	1.1W/m^{2}K	1.4W/m^{2}K

출처: glastroesch, SANCO, germany

람다패시브하우스 건축 당시만 하더라도 열관류율이 0.50W/m²·K인 유리는 생산된 지 얼마 되지 않은 때였다. 게다가 창호의 비율에 따라 온도차로 인한 파손의 위험도 자주 있던 터라, 생산 경험이 많고 이름 있는 업체가 아니었다면 이미 충분히 검증된 0.60W/m²·K의 유리를 사용했을 것이다. 그런 이유에서 유리의 폭과 길이비가 좋지 못한 창호는 의도적으로 피해 파손의 위험을 줄이려고 했다. 다만 걱정인 건 나중에라도 유리에 손상이 있을 경우 이를 교체하는 문제이다. 성능이 비슷한 유리를 구하는 것은 큰 문제가 아니지만, 유리를 잡아주는 나무는 외부에서 보이지 않게 특수 공구를 이용해 시공된 것이라 이에 대한 우려는 아직도 있다.

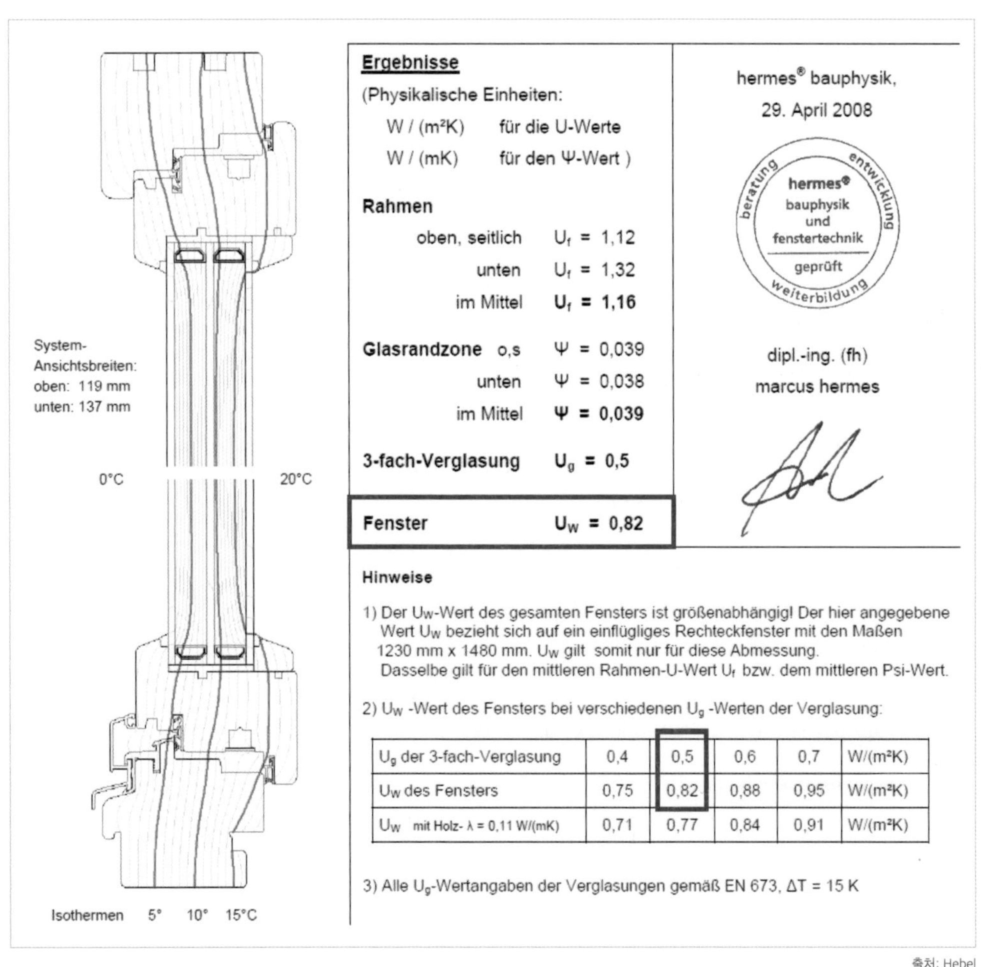
System-Ansichtsbreiten:
oben: 119 mm
unten: 137 mm

0°C 20°C

Isothermen 5° 10° 15°C

Ergebnisse
(Physikalische Einheiten:
W / (m²K) für die U-Werte
W / (mK) für den Ψ-Wert)

Rahmen
oben, seitlich U_f = 1,12
unten U_f = 1,32
im Mittel **U_f = 1,16**

Glasrandzone o,s Ψ = 0,039
unten Ψ = 0,038
im Mittel **Ψ = 0,039**

3-fach-Verglasung U_g = 0,5

Fenster U_W = 0,82

hermes® bauphysik,
29. April 2008

beratung entwicklung
hermes®
bauphysik
und
fenstertechnik
geprüft
weiterbildung

dipl.-ing. (fh)
marcus hermes

Hinweise

1) Der U_W-Wert des gesamten Fensters ist größenabhängig! Der hier angegebene Wert U_W bezieht sich auf ein einflügliges Rechteckfenster mit den Maßen 1230 mm x 1480 mm. U_W gilt somit nur für diese Abmessung. Dasselbe gilt für den mittleren Rahmen-U-Wert U_f bzw. dem mittleren Psi-Wert.

2) U_W -Wert des Fensters bei verschiedenen U_g -Werten der Verglasung:

U_g der 3-fach-Verglasung	0,4	0,5	0,6	0,7	W/(m²K)
U_W des Fensters	0,75	0,82	0,88	0,95	W/(m²K)
U_W mit Holz- λ = 0,11 W/(mK)	0,71	0,77	0,84	0,91	W/(m²K)

3) Alle U_g-Wertangaben der Verglasungen gemäß EN 673, ΔT = 15 K

출처: Hebel

사진 91 기본 창호 열관류 계산 예

앞의 시험서에서 사용된 간봉은 Swisspacer V가 아니라 일반 Swisspacer이다. 전체 1.23 x 1.48m의 창호 크기(기본 창호 테스트 크기[57])에서 0.82W/m²·K로 나오지만 실제 제작에 적용된 간봉을 대입하면 0.76W/m²·K 값을 획득한다. 이는 독일 PHI의 권고 기준을 만족하는 수치다. 창호를 설치할 때 발생하는 열교를 고려하지 않은 창호의 열관류율로는 0.80W/m²·K을 권한다. 창호의 설치 열교를 고려하면 0.85W/m²·K이다. 이는 공식에 근거한 계산값으로, 국내처럼 1:1로 모형을 만들어 테스트하는 경우는 거의 없다. 따라서 창호의 크기가 여러 종류라 할지라도 그 열관류율 값을 바로 계산할 수 있다. 국내에서는 시험체의 크기를 일정 범위 이상 벗어나는 경우, 시험체를 다시 만들어 테스트해야 한다. 일선 현장과는 다소 동떨어진 접근 방법이다.

Swisspacer V를 사용하고 외부와 내부의 기준 온도를 적용해서 내부 간봉 표면의 온도와 결로 여부를 검토했다. 노점 온도는 9.2°C이고 간봉의 표면 온도는 13.3°C로써 결로의 위험은 없다.

아래의 계산식에 따르면 외기 온도가 -20°C가 되어야 결로가 발생한다.

같은 유리와 창틀이라도 간봉의 성능에 따라 가장자리의 표면온도가 달라지기에 주거용 건물에서는 가능하다면 성능 좋은 간봉 사용을 권한다.

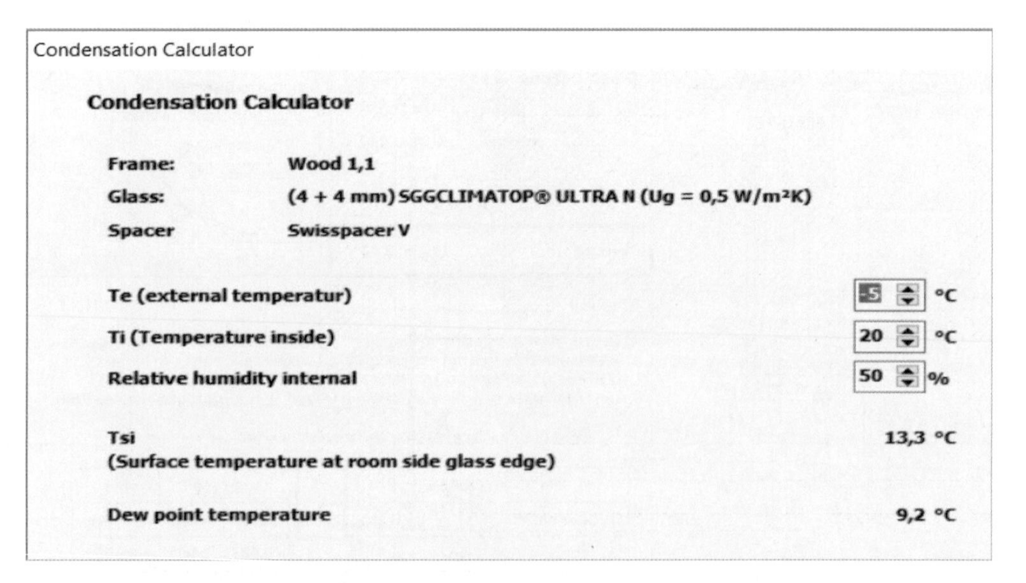

사진 92 실제 적용된 단열 간봉의 표면 결로 검토

57 PHI 기준: 문은 1.10m×2.20m, 천창은 1.14m×1.40m. 독일 창호연구소인 IFT의 경우, 창문을 제외하고는 기준 사이즈가 조금씩 다르다.

이해를 돕기 위한 간단한 계산:

창문 크기 : 1.23 x 1.48m

창문 프레임(PVC) : Uf = 1.20W/m²·K

유리의 열관류율 : Ug = 0.60W/m²·K(우리나라에서 구하기 힘든 단열 성능)

유리 순서: 4-12-4-12-4(유리의 두께가 늘어나면 열교는 조금 더 상승)

간봉(위의 창호 조건일 경우 간봉 종류에 따른 계산):

- 알루미늄 : Psi-value = 0.075W/m·K
- 스테인레스 : Psi-value = 0.048W/m·K
- Swisspacer : Psi-value = 0.042W/m·K
- Swisspacer V : Psi-value = 0.032W/m·K

표 20 여러 간봉 종류에 따른 노점 온도와 표면 온도

간봉	Uw(W/m²·K)	유리 가장자리 표면온도(℃)	노점온도(℃)	적합여부 (Yes/No)
(1) 알루미늄	0.97	7.40	13.80	No
(2) 스테인리스	0.90	11.40	13.80	No
(3) Swissspacer	0.89	12.20	13.80	No
(4) Swissspacer V	0.86	13.80	13.80	Yes

이 계산을 그대로 받아들이면 잘못된 결과를 도출할 수도 있다. 항상 연관된 다른 요소를 같이 고려해야 한다. 특히 내부에 바닥 난방이 있고 창틀로 인해 내부의 열이 간봉 부위로 충분히 전달되지 못하는 내부 표면 열 저항이 있으면 결로가 발생할 위험이 상당히 높다. 실내 내부 저항으로는 커튼, 내부 창대석, 사진 93과 같이 유난히 길게 나온 프레임 등이 있다. 공동주택에서 1등급의 창호를 설치했더라도 창호를 잘못 조합한다면 결로 유발 가능성은 있다.

사진 93에서 보이듯 하부 창문이 외부 측에 있어 실내의 열이 충분히 전달되지 못하는 구조적인 문제가 있다. 이런 경우는 우측의 창호 개념이 오히려 더 합리적이다.

열 전달을 막는 요소가 있어도 패시브하우스 창호 성능에는 큰 영향을 주지 않지만, 람다패시브하우스의 경우 현관과 안방에 턱 있는 창호가 있어 별도의 안전 장치가 필요했다. 겨울철 단 며칠이라도 결로수가 생기는 것은 시각적인 문제이기도 해서 해결책으로

열선을 제안했다. 물론 안전을 고려해 일정 온도 이상 올라가지 않는 방식이다.

사실 공기조화기가 정상적으로만 돌아간다면 결로가 발생하는 일은 극히 드물다. 이 방식을 제시한 데는 다른 이유가 있다. 흔히 내단열 방식에서 붙박이장이 있는 부위나 드레스룸이 있는 공동주택에서 곰팡이나 결로가 자주 발생돼 이 문제를 해결해보려고 한 것과 연관이 있다. 실내외 온도와 상대 습도에 따라 자동으로 열선이 작동되는 고급 사양의 시스템도 있지만, 보통은 외기가 일정 온도 이하로 내려가면 작동하는 센서도 대안으로서는 좋다. 그런 경우 겨울철 전기료는 아무리 많아도 몇 만원을 넘지 않는다. 곰팡이로 인한 재시공이나 보수를 생각한다면 투자 가능한 방법일 것이다. 이 방법이라면 문제가 되는 붙박이장 뒤 결로나 곰팡이 문제를 쉽게 해결할 수 있다고 본다.

창호의 고정 위치

패시브하우스가 아닌 건물에서도 가장 어렵고 여러 공정이 복잡하게 연결된 부분이 창호 시공이다. 창호는 일사 에너지를 최대한 활용하기 위해서 가급적이면 단열면에 설치해야 한다. 하지만 일반적인 철물로 간단하게 고정하기 어렵다. 후속 공정인 단열재 설치 공사

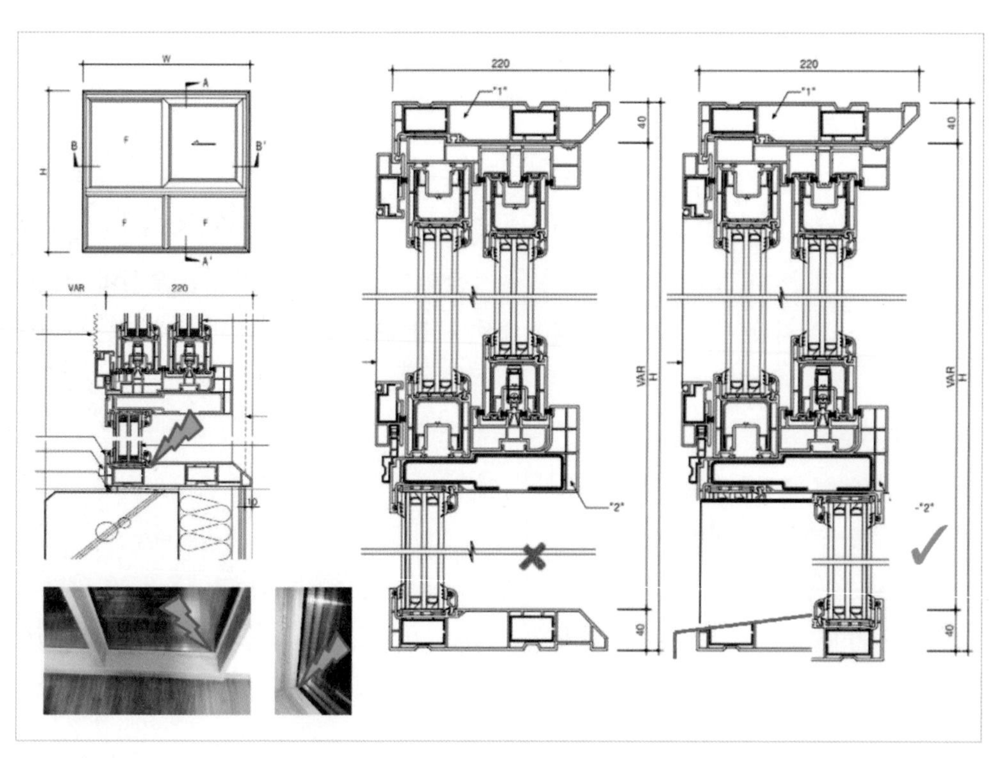

사진 93 창호의 구조상 결로 위험이 높은 경우

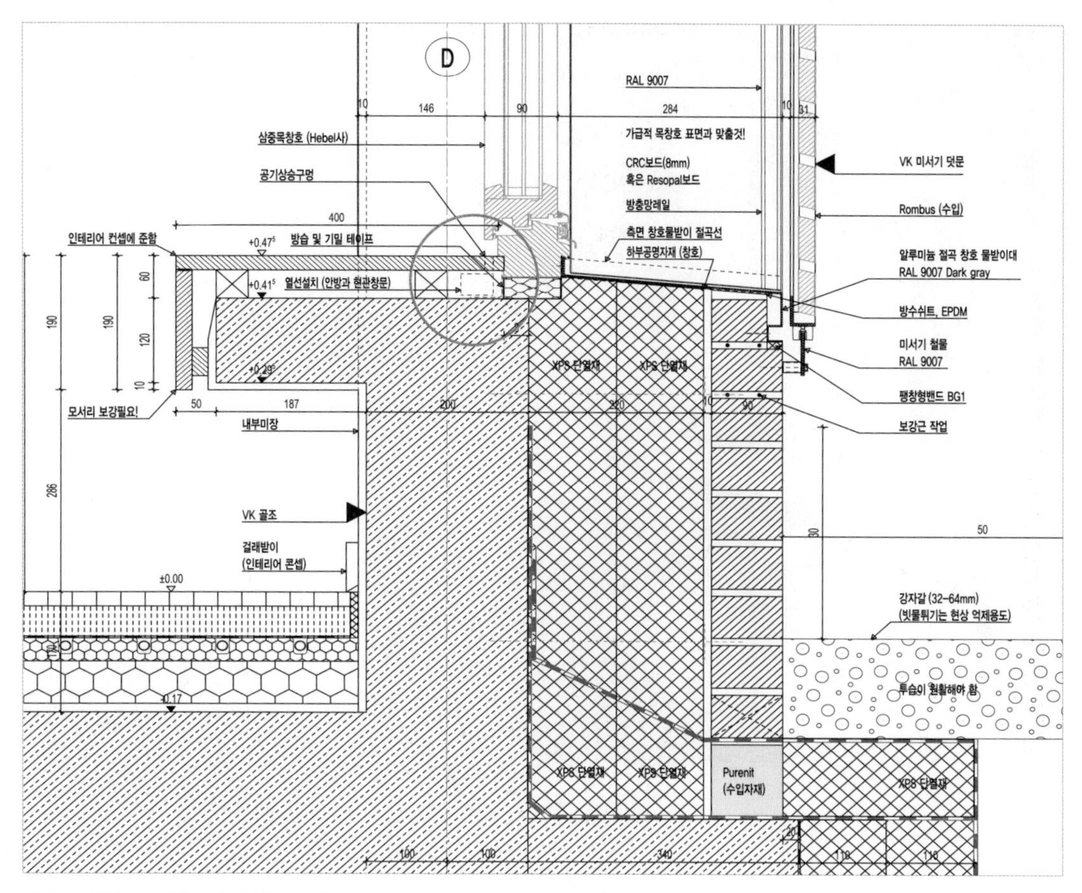

사진 94 창턱으로 인한 표면 열저항의 증가

시 철물 부분에 단열재를 일일이 잘라 붙이지 않으면 오히려 단열 성능을 저하시킬 수 있기 때문이다.

독일 PHI에서도 단열재면 창호 설치가 열교 면에서나 패시브에너지 이용 면에서 우수해 적극 권장하는 편이다. 하지만 이를 유일한 해결책으로 보기에는 간섭되는 공정들이나 다른 부수 요소가 너무 많아, 지역에 따른 창호 크기와 구조에 따른 다각적인 검토가 필요하다.

디테일 작업 시 패시브하우스라도 골조의 오차가 그리 크지 않다면 창호 물받이를 고정하는 졸방크(Sohlbank, 창호물받이 받침)[58]선을 골조 면에 맞추거나 골조의 오차가 있다면 창호 프레임을 골조 면에 맞춰 시공하는 것을 권한다. 일사 에너지 활용이 줄더라도 시공 편의성이나 내구성 확보에 더 유리하기 때문이다.

창호 프레임이 골조면에 맞게 시공되면 일반적인 전용 나사로 프레임이 쉽게 고정되지

58 알루미늄이나 PVC 창호 하부에 창호 물받이대를 설치하기 위해 부착하는 구조재. 주로 PVC 재질로 되어 있으며 여러 개의 공기 챔버을 가진 구조다.

사진 95 현관 부위 창턱

사진 96 안방 창문턱

사진 97 창호 시공 사진, Ingelheim

사진 98 패시브하우스 창호 고정이 잘못된 사례, Frankfurt

사진 99 패시브하우스 창호 고정 잘된 사례, Ingelheim

만, 골조면을 많이 벗어나면 점형 열교가 추가로 발생할 수 있다.

사진 98에서는 그외에도 합당하지 않은 시공 방식이 보인다. 철물 고정용 나사가 창호 프레임의 단열재 부분에 고정되어 있는데 이는 구조적·열교적으로 문제가 있다. 이런 경우 작은 철물을 적용해 철물이 프레임 바깥으로 튀어나오는 것을 피했어야 한다. 더불어 사진 속 철물은 일반적인 현장에서는 창호 전용으로 많이 사용하지만 패시브하우스와 같이 열교를 최대한 줄여야 하는 현장에서는 가급적이면 피해야 하는 철물이다. 크기도 합당하지 않다.

사진 99의 사례는 교과서적인 시공은 아니지만 길이가 맞는 철물을 시공했다. 이런 점형 열교는 물론 3차원의 열교까지 시뮬레이션이 가능한 프로그램으로 열교 계산이 가능하다. 하지만 모두가 이런 고가의 프로그램을 가지고 있는 것이 아닐 뿐더러 2차원 시뮬레이션으로도 충분히 그 위험성을 판단할 수 있다.

요즘은 이런 문제를 줄이기 위해 창호 프레임을 따라 단열 성능을 보강한 프레임을 추가로 접합하기도 한다. 프레임에 창틀을 고정하고 그 단열 프레임을 골조에 고정하는 방식이다. 단열재면에 창호를 시공하는 경우 자주 사용되는 방식이지만, 비용이 높아 일반적으로 적용하기에는 한계가 있다. 외부 기밀 테이프 시공이 매우 복잡하고 물량이 늘어난다는 것도 단점이다.

람다패시브하우스처럼 프레임 측면에 고정 철물을 시공하고 내부 골조에 고정하는 방법이나 나사를 이용해 직접 고정하는 방식은 별도의 열교 계산이 필요 없다. 내부에 고정되기 때문에 단열층 훼손이 없기 때문이다. 독일에서는 최근 발표된 DIN 4108 부록 2를 통해 이런 점형 열교를 고려한 보정값을 반영해, 두 번 계산할 필요가 없어졌다. 일선에서 일하는 우리의 입장에서 일을 덜어주는 좋은 방향이다.

사진 100 창틀에 단열 프레임을 추가 시공한 경우

사진 101 창호 고정 철물이 미리 프레임에 고정되어 있는 경우

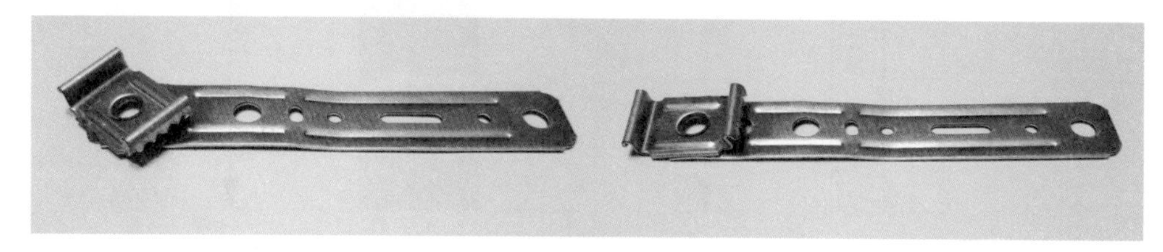

사진 102 창호 고정 철물 확대 모습(창틀에 끼운 후 돌려서 내부 벽면에 고정하는 방식)

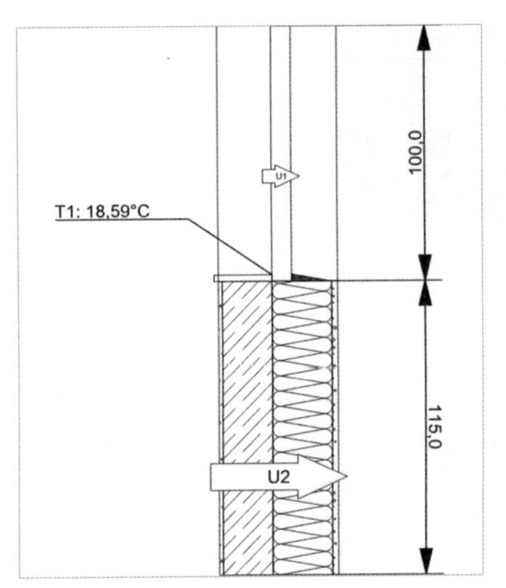

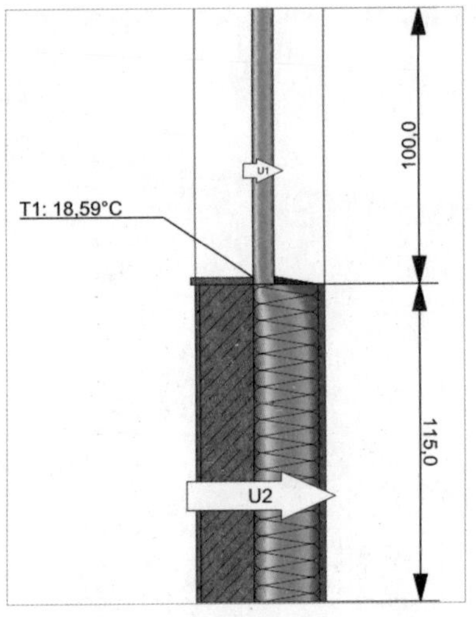

사진 103
창호 하부 연결 부위 고정 철물이 없는 경우

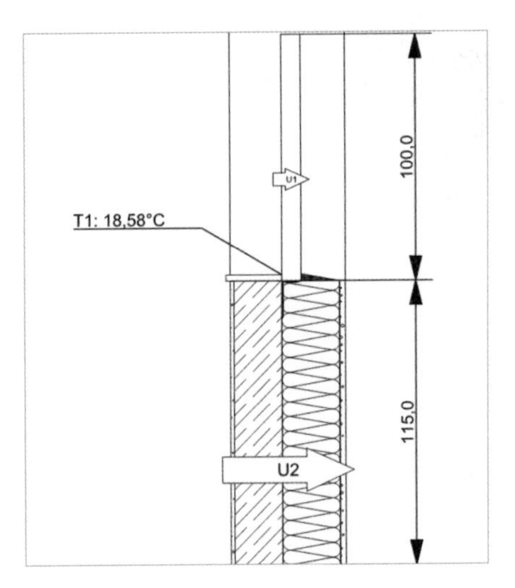

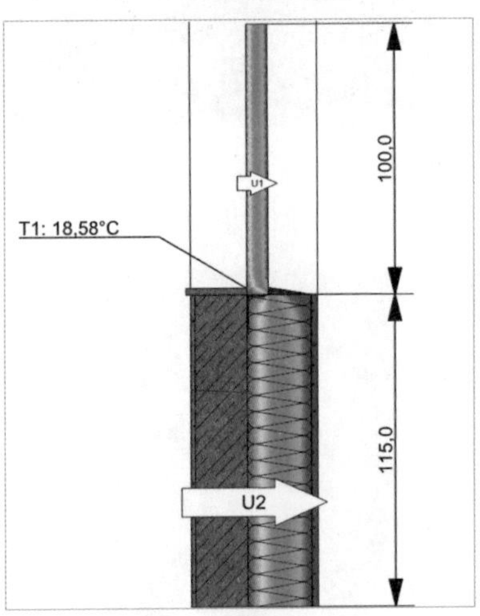

사진 104
창호 하부 연결 부위 고정 철물이 있는 경우

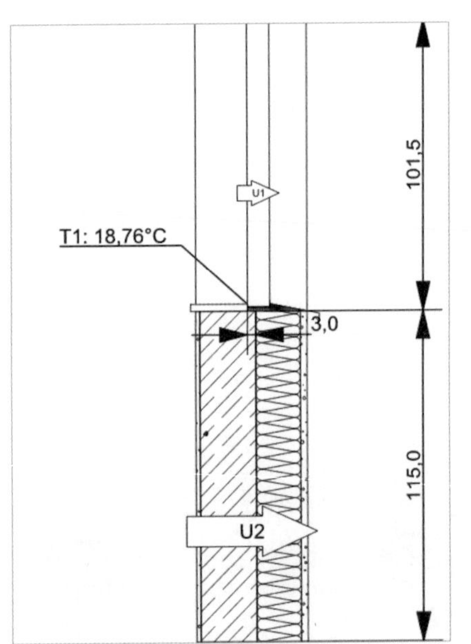

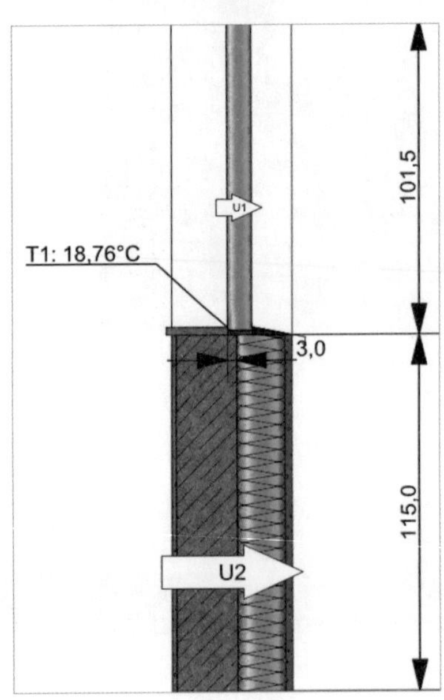

사진 105
창호를 골조에서 약 30mm 돌출해서
시공하는 경우

3차원적인 열교를 2차원 해석이 가능한 프로그램으로 간단하게 계산하면 다음과 같다. 이때의 열교값은 Ψ(Psi) = 0.011W/(m·K)이므로 열교가 거의 없다고 볼 수 있다.

반대로 1m의 고정 철물이 있다고 가정한다면 이때 선형 열교는 Ψ = 0.053W/(m·K)이 된다. 이는 선형 열교이기에 실제 철물의 길이로 환산해 점형 열교로 바꾼다면 다음과 같은 가정이 가능하다.

01 고정 철물이 없는 경우(88%) Ψ = 0.011W/(m·K)	02 고정 철물이 있는 경우(12%) Ψ = 0.053W/(m·K)
이 두 가지를 종합하면 다음과 같다. Ψ = 0.053W/(m·K) x 0.12 + 0.011W/(m·K) x 0.88 = 0.016W/(m·K)	

즉, 외부로 돌출해서 단열재면에 창호를 고정한다고 보면, 열교값은 약 0.016W/(m·K)이 된다. 별도의 외부 고정 철물 없이 창호 프레임을 30mm 돌출한 경우와 이 값을 비교해 봤다. 열교값이 0.018W/(m·K)으로 약간 높기는 하지만, 무시할 정도의 수치다. 반면 내부의 표면 온도가 약간 상승한 것을 알 수 있다(사진 103, 104, 105).

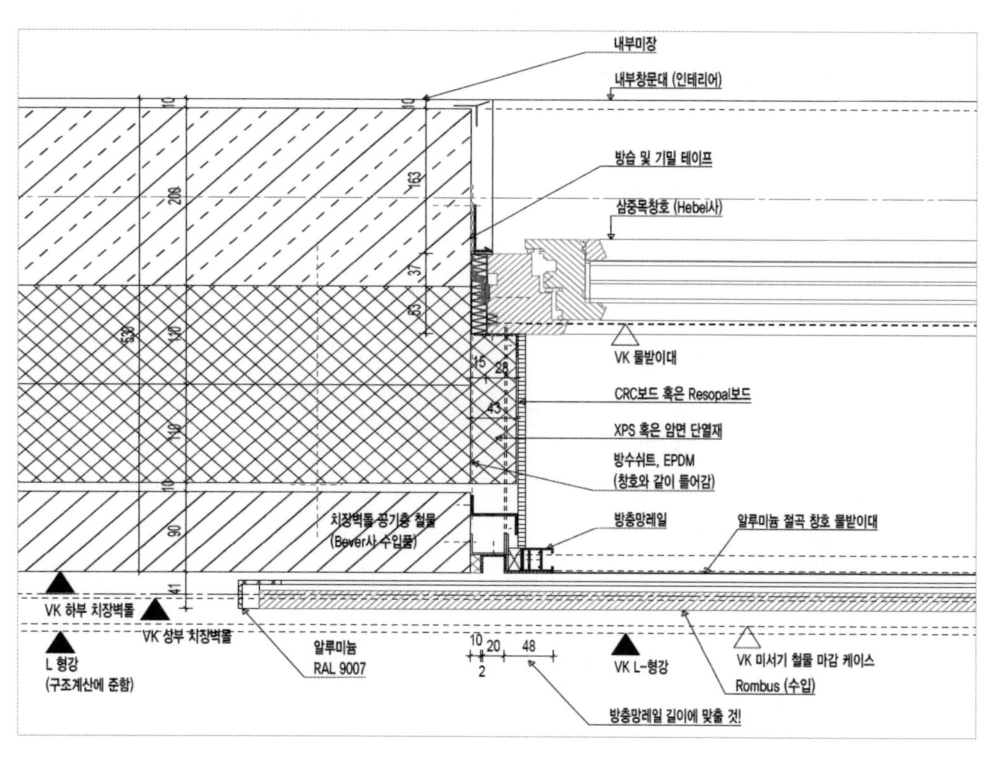

사진 106 창호 연결 최종 수평 디테일

하지만 현장의 상황과 시공성을 고려한다면 건축가 입장에서는 당연히 골조 위에 창호를 올리고 추가 고정 철물을 최대한 줄이는 접근 방법이 맞다고 본다. 다만 람다패시브하우스에서는 시공팀이 힘들었을 것이다. 원래 20~30mm만 돌출 시공하려 했으나 창호 크기와 설치 위치, 전체 유리의 에너지 투사율(g)을 고려한 결과 조금 더 돌출할 수 밖에 없는 상황이었기 때문이다. 설계하는 입장에서는 시공 변수를 고려해 조금이라도 안전한 쪽을 선택할 수 밖에 없었다. 만일 PHPP와 Energy#과의 비교에서 최종 결과물(3장 PHPP 검토 결과 참고)이 기대치로 들어오는 것을 알았더라면, 30mm의 돌출 없이 골조와 같은 면에 시공했을 것이다.

창호에서 가장 단열 성능이 취약한 부위는 창틀과 유리를 잡아주는 간봉이며, 이 부위의 표면 온도가 가장 낮다. 그런 이유에서 실내의 상대 습도가 비주거건물에 비해 높은 주거용 건물에는 알루미늄 프레임을 피하고 반드시 단열 간봉을 사용하되 시험성적서를 검토해야 한다. 또한 단열 간봉이라고 해서 안심할 것이 아니라 각 프레임의 재질에 따른 간봉 깊이도 함께 고려해야 한다. 유리를 너무 작게 제작하면 간봉이 프레임 밖으로 나오게 되고,

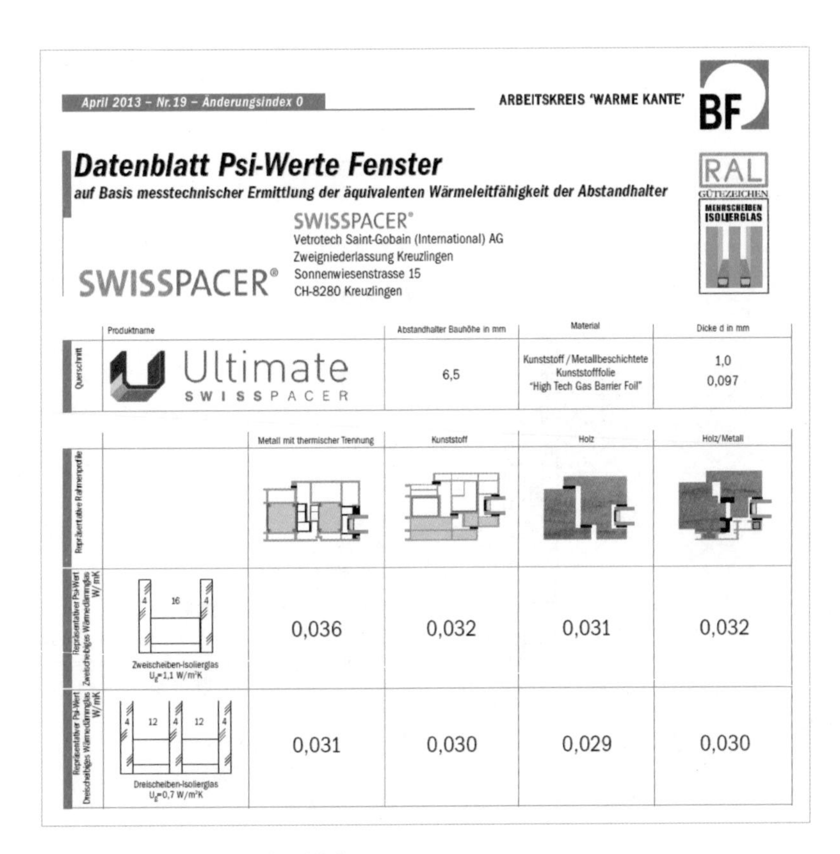

April 2013 – Nr. 19 – Änderungsindex 0

ARBEITSKREIS 'WARME KANTE' BF

RAL GÜTEZEICHEN MEHRSCHEIBEN ISOLIERGLAS

Datenblatt Psi-Werte Fenster

auf Basis messtechnischer Ermittlung der äquivalenten Wärmeleitfähigkeit der Abstandhalter

SWISSPACER®
SWISSPACER®
Vetrotech Saint-Gobain (International) AG
Zweigniederlassung Kreuzlingen
Sonnenwiesenstrasse 15
CH-8280 Kreuzlingen

	Produktname	Abstandhalter Bauhöhe in mm	Material	Dicke d in mm
Querschnitt	Ultimate SWISSPACER	6,5	Kunststoff / Metallbeschichtete Kunststofffolie "High Tech Gas Barrier Foil"	1,0 0,097

		Metall mit thermischer Trennung	Kunststoff	Holz	Holz/Metall
Repräsentative Rahmenprofile					
Repräsentativer Psi-Wert Zweischeibiges Wärmedämmglas W/mK	4 16 4 Zweischeiben-Isolierglas U_g=1,1 W/m²K	0,036	0,032	0,031	0,032
Repräsentativer Psi-Wert Dreischeibiges Wärmedämmglas W/mK	4 12 4 12 4 Dreischeiben-Isolierglas U_g=0,7 W/m²K	0,031	0,030	0,029	0,030

사진 107 Swisspacer Ultimate 간봉 시험서

사진 108 패시브하우스 창호에 사용된 알루미늄 간봉, 잘못된 사례.

이를 고정하기 위해 프레임과 유리 사이에 실리콘 같은 것으로 메우는 경우가 매우 흔하다. 이는 고가의 공동주택 건물에도 자주 발생하는 일이다. 창호의 재질에 따른 유리와 프레임의 깊이를 기준으로 정해 놓는다면 하자 문제를 오히려 더 줄일 수 있을 것이다.

독일에서는 재료에 따른 표준 프레임과 유리 조합을 실험하고 그 결과를 표로 정리한 시험성적서가(사진 107) 있다. 모든 간봉이 같은 조건에서 검토가 되어 서로 비교하기가 상당히 편하다. 이런 수치 정리는 간봉 선택에 도움을 주고 에너지 계산을 할 때 적용 가능한 인증 데이터가 되기도 한다. 기초 자료가 투명성과 신뢰의 기반이 되는 것이다.

창틀은 최소 30mm 단열재로 덮어 부족한 단열 성능을 강화하면 된다고 생각하지만, 그리 단순한 문제는 아니다. 외부 장치와의 간섭이 있을 수 있기 때문이다. 람다패시브하우스에서는 기존의 건물과 다르게 외부 전동 블라인드를 적용한 주방 부위를 제외하고는 모두 미서기 방식의 덧문을 달아 차양 장치의 레일과 간섭되지 않는다. 열교면에서 좋은 해결책이다. 하지만 디자인적으로는 호불호가 확실하게 갈리는 부분이다.

하지만 국내에서는 방충망의 설치가 필수인데 만일 방충망을 미서기 방식으로 설치하지 않는다면 별도의 레일이 필요하다. 이런 부수적인 요소를 고려하다 보면 창틀 앞에 열교 없이 단열재를 시공한다는 것은 거의 불가능하다.

외단열 미장 공법(EIFS)의 구조에서도 이런 문제를 해결하기 위해 많은 고민을 했다. 사

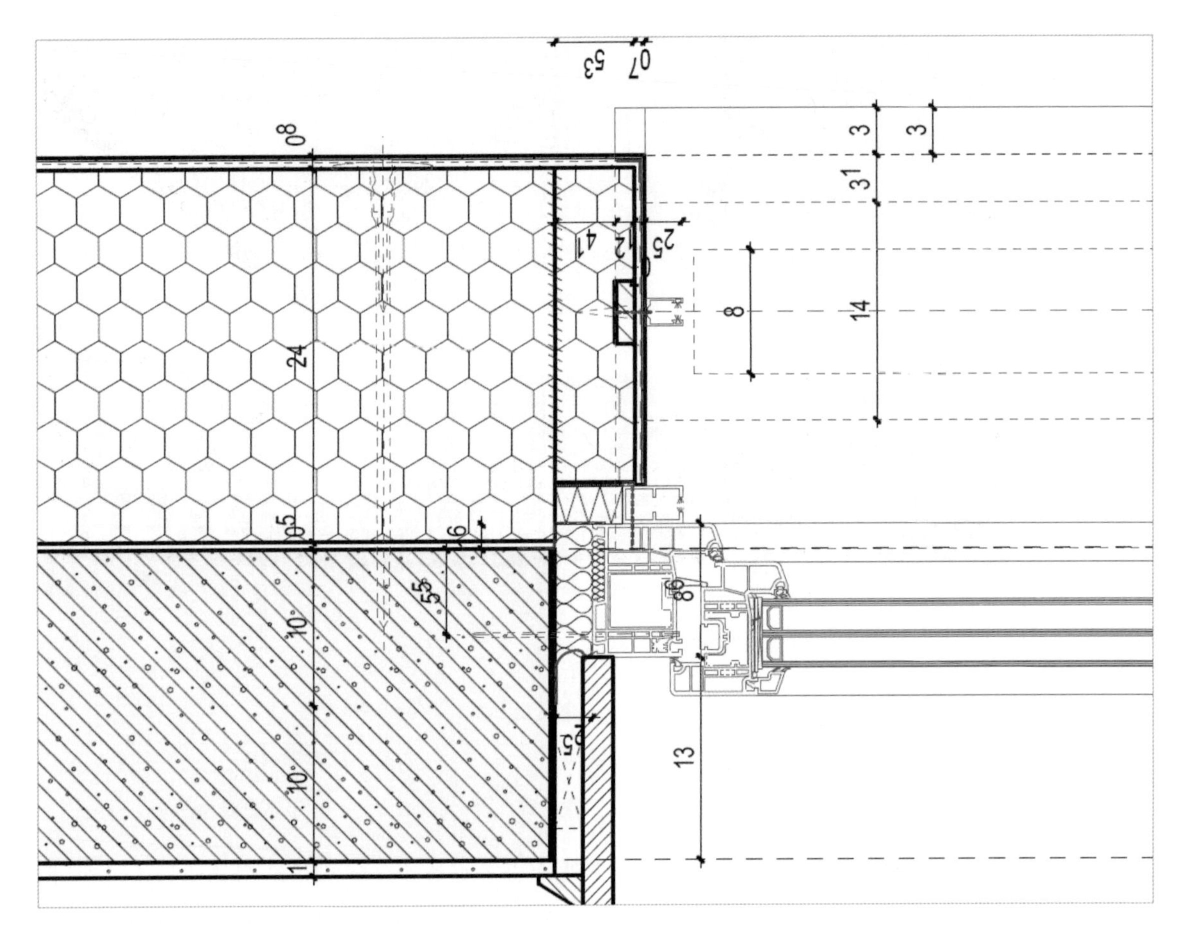

사진 109 외단열 미장 공법 창호 연결 부위 디테일

진 109의 디테일에서 보이듯 방충망 레일과 차양 장치 레일 두 개가 따로 설치되는 단점이 있어, 공정을 고려하면 그리 합리적인 방법은 아니다. 개인적으로는 외단열 미장 공법에서 외부 전동 블라인드와 방충망 레일을 고려하는 디테일은 모든 요소를 만족할 정도로 완성시키기에 한계가 있다고 본다. 그런 이유에서 독일에서는 차양 장치를 외부에 보이게끔 노출 시공하기도 한다. 아주 간단해지기 때문이다.

람다패시브하우스에서 창틀의 단열 추가는 그리 큰 문제가 아니었지만, 방충망 레일 문제를 해결해야 했다. 여러가지 방안을 검토하다가 외부 측으로 밀어서 독립적인 구조로 풀었다. 창틀 바로 앞에 있으면 사용에 큰 불편함은 없지만, 외벽 자체가 두꺼운 패시브하우스에서는 약간 제약이 있을 수 있기 때문이다. 하지만 방충망을 주로 사용하는 계절이 여름이고, 여름에는 햇빛이 실내로 덜 유입되는 것이 좋으며 매번 작동하지 않는다고 판단해 이 방향으로 결론지었다.

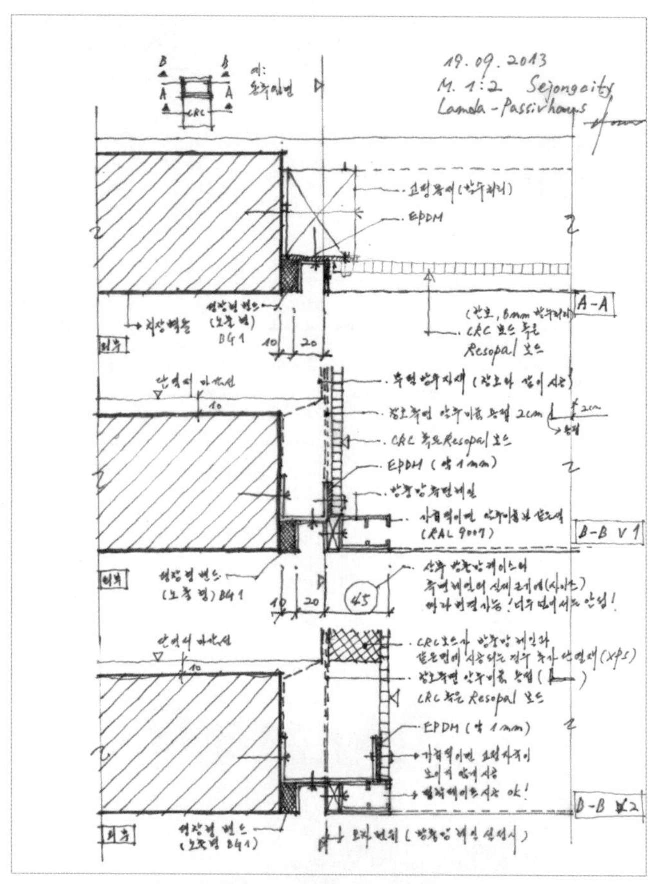

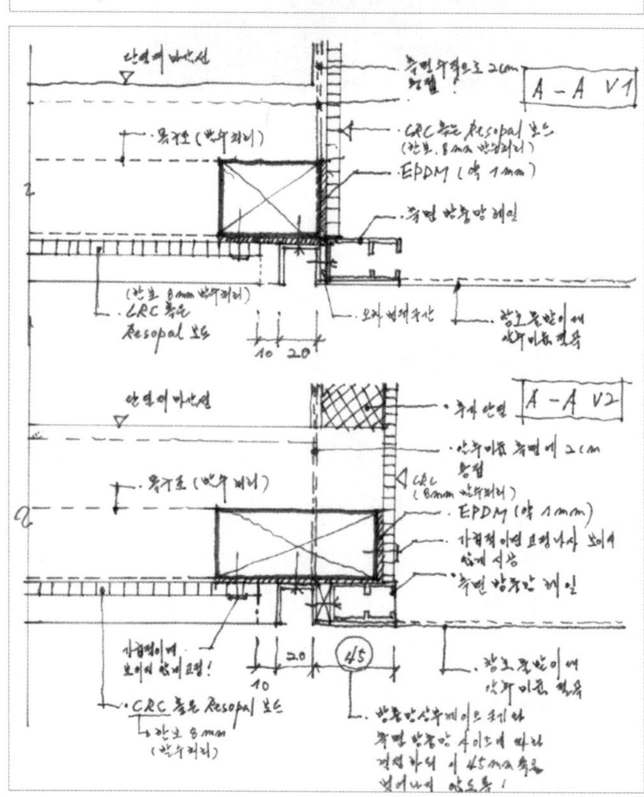

사진 110
방충망 레일 연결 디테일 스케치

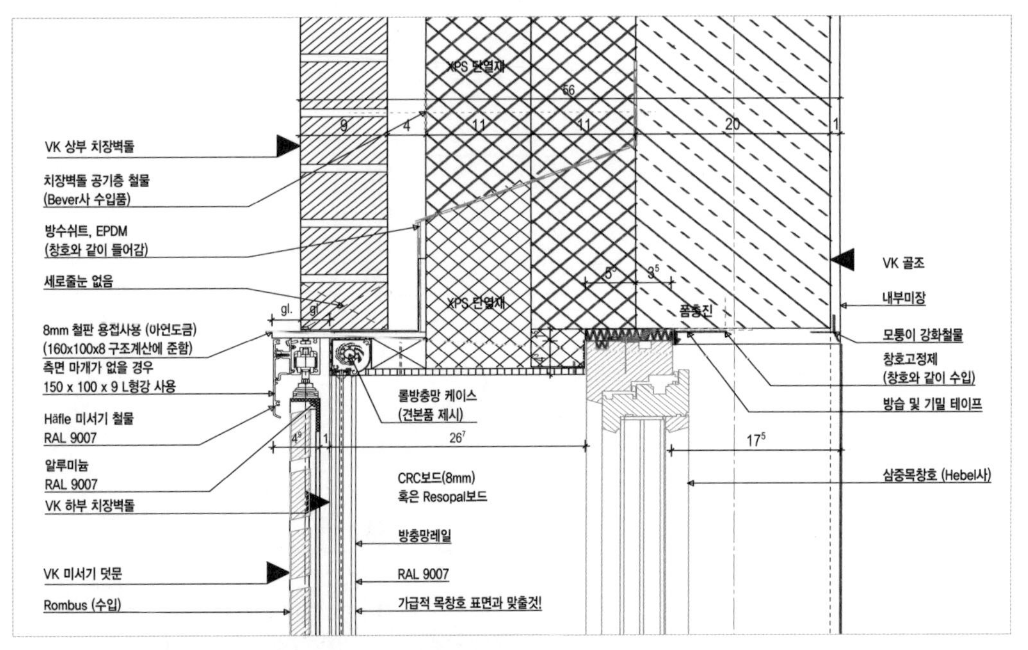

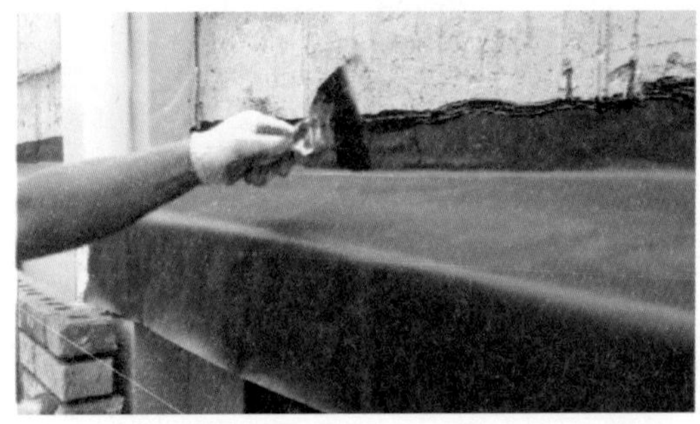

사진 111
창호 인방 최종 단면 디테일과 시공 장면

창호 시공과 치장 벽돌 마감

치장 벽돌 마감이라고 하면 흔히들 벽돌 자체가 방수층이라고 생각한다. 외부 기후를 막아주는 기능층이지만, 틈이 있는 마감이라면 바람이 불 때, 외피로 빗물이 유입될 수 있다. 창호 부위에 물이 생기는 원인 중 하나는(결로가 아니라면) 대부분 치장 벽돌이나 줄눈 사이로 빗물이 유입되는 경우, 창호 하부에서 빗물 처리가 되지 않아 아래층 창문에 물이 떨어지는 경우, 옥상 파라펫의 방수가 제대로 형성되지 않은 경우 등이다.

물론 건축물리 분야에서는 치장 벽돌을 잡아주는 긴결 철물[59]을 타고 빗물이 유입되는 것

59 물을 끊는 추가 보조 자재 혹은 긴결 철물의 시공 경사를 내부가 아닌 외부로 준다.

은 물론 '역(逆) 결로'까지 고려한다. 문제를 해결하는 방법은 간단하지만, 우리나라에서 창호 인방 상부에 추가 방수를 하는 경우는 극히 드물며 그 필요성을 인지하는 사람도 많지 않다.

상부 인방에 방수 시트로 부틸이나 EPDM, 얇은(자착식) 방수시트라도 설치하면 위에서 언급한 문제들이 발생하더라도 창호 안으로 빗물이 유입되는 것은 막을 수 있다.

치장 벽돌의 발수 처리

대부분 이런 문제가 예상되면 치장 벽돌을 발수 처리하려고만 하는데, 이는 바른 접근이 아니다. 발수 처리는 일정한 주기로 다시 해줘야 하고 벽돌 변색의 원인이 되기도 한다. 또한, 부피 변화(체적 변화)로 부서져 나가는 일이 발생하는데, 이를 동결 융해 작용의 반복에 의한 '구체 균열(Pop out) 현상'이라고 한다. 일반적으로는 표면에 집중되기 때문에 표면층 박리(Scaling) 현상으로도 볼 수 있다. 발수제를 사용할 때는 다음과 같은 몇 가지 전제 조건이 따른다.

1. 흡수율로 인한 하자가 발생했을 경우
2. 벽돌의 표면이 매끈한 경우
3. 내단열이 없는 경우(실내로의 투습과 확산이 원활한 경우)
4. 중공층의 통기가 잘되는 경우(통기층의 환기)
5. 백화현상이 없는 경우

발수제는 말 그대로 모세관 현상을 억제하는, 빗물이 액체의 형태로 벽돌 안으로 유입되는 것을 제한하는 시스템을 말한다. 그런 이유에서 벽돌로 유입된 액체 형태의 물은 단지 확산(Diffusion)의 형태로만 다시 외부로 증발할 수 있는데, 발수제가 투습이 좋더라도 투습 저항이 발수제 시공 전보다 높아지는 것은 사실이고 모세관 현상을 통한 증발 기능이 현저히 줄어든다고 볼 수 있다. 따라서 벽돌의 자체 틈과 줄눈 사이로 들어온 빗물이 모두 증발하기에는 한계가 있다. 이런 제한적인 조건을 고려한다면 통기층의 역할이 더욱 중요하다. 유입 시에는 보통 물의 형태인 액체이지만 나갈 때는 대부분 수증기의 형태이기 때문이다. 요즘은 치장 벽돌과 단열재 사이에 통기층을 두지 않고 시공하는 것도 (건축물리적 관점에서는) 가능하지만, 만일 치장 벽돌이 낮은 소성온도에서 생산되었다면 전처럼 통기층을 약 40mm 정도 확보하는 것이 하자를 줄이는 방법이다.

치장 벽돌의 소성 온도

줄눈은 벽돌의 흡수율을 고려해 선택해야 한다. 소성 온도가 비교적 낮아 흡수율이 높은 벽돌은 줄눈 시공 시 모르타르의 물을 빨리 흡수한다. 이는 줄눈 강도를 저하하고 줄눈이 온전히 경화되지 못하는 원인이 된다. 심하면 백화현상으로까지 이어진다. 만일 소성 온도가 높은 벽돌이라면 흡수율이 낮아 줄눈 모르타르의 수분을 흡수하지 않고 줄눈의 건조가 상대적으로 늦어지게 된다. 그러면 가장자리에 물이 생기면서 벽돌과 줄눈 사이에 미세한 틈이 벌어지고, 이 틈으로 나중에 빗물이 유입된다. 따라서 이를 상쇄하기 위해 줄눈에 사용하는 모래의 크기가 달라지기도 한다. 즉, 사용하는 벽돌의 흡수율에 따라 줄눈의 물성치가 정해져야 한다.

유입된 빗물은 발수제 뒷면에 정체해 몇 년 동안은 눈에 보이지 않다가 어느 해 겨울 갑작스럽게 얼어서 터지기도 한다(박리 현상). 드릴로 벽돌에 구멍을 뚫었는데 그 구멍에서 물이 나온다면 이런 경우에 해당된다.

발수제는 벽돌에 위험 요소이기도 하지만 동시에 줄눈을 통한 빗물 유입을 막는 대안이기도 하다. 치장 벽돌의 줄눈 길이는 m^2당 30m 이상이다. 그 줄눈이 모두 깔끔하게 틈 없이 시공되는 것은 거의 불가능에 가깝다. 그러면 빗물이 유입되면서 점점 벽돌의 함수량이 증가하게 될 것이고, 수증기는 들어간 곳으로 다시 나오지 못한 채 몇 년 후 다시 발수제를 칠하는 일이 벌어진다. 결국 발수제 처리는 차선책인 한편 임시 방편이라고 할 수 있다.

더불어 디자인에 신경 쓴 요철 있는 조적벽이라면 발수 처리로 원하는 성능을 기대하기 더욱 어렵다. 내구성을 고려한다면 흡수율 낮은 벽돌을 사용하는 것이 좋지만, 소성 온도를 낮춘 벽돌을 쓰게 된다면 인방 부위에 추가 방수층을 계획해야 한다. 상부 인방에 있는 단열재를 경사지게 시공하는 것, 방수 시트를 꼼꼼히 접착해서 고정 시공하는 것은 모두 추가 비용 상승 요인이지만 타협의 대상은 아니다.

치장 벽돌에서 인방 방수는 필수

독일에서는 이런 통기층 혹은 중공층이 있는 구조에서 반드시 인방 부위의 방수 디테일을 적용한다. 선택 사항이 아니다. 국내에서는 하자 발생 시 이 원인에 대한 분석이 충분히 이루어지지 않고 임시방편(대부분 실리콘)으로 처리하는 경향이 있다. 이런 하자 원인에 대해 건축가협회 등이 참여한 공식적인 전문 시방서가 마련되어야 할 것이다. 독일의 경우 이런 문제로 법정까지 갈 필요도 없다. 명백한 설계 실수이자 시공사가 놓친 부분이기에 둘 다 책임을 면하지 못한다. 이 경우에는 보험을 통해 건축가가 전면적으로 보수해야 한다. 독일

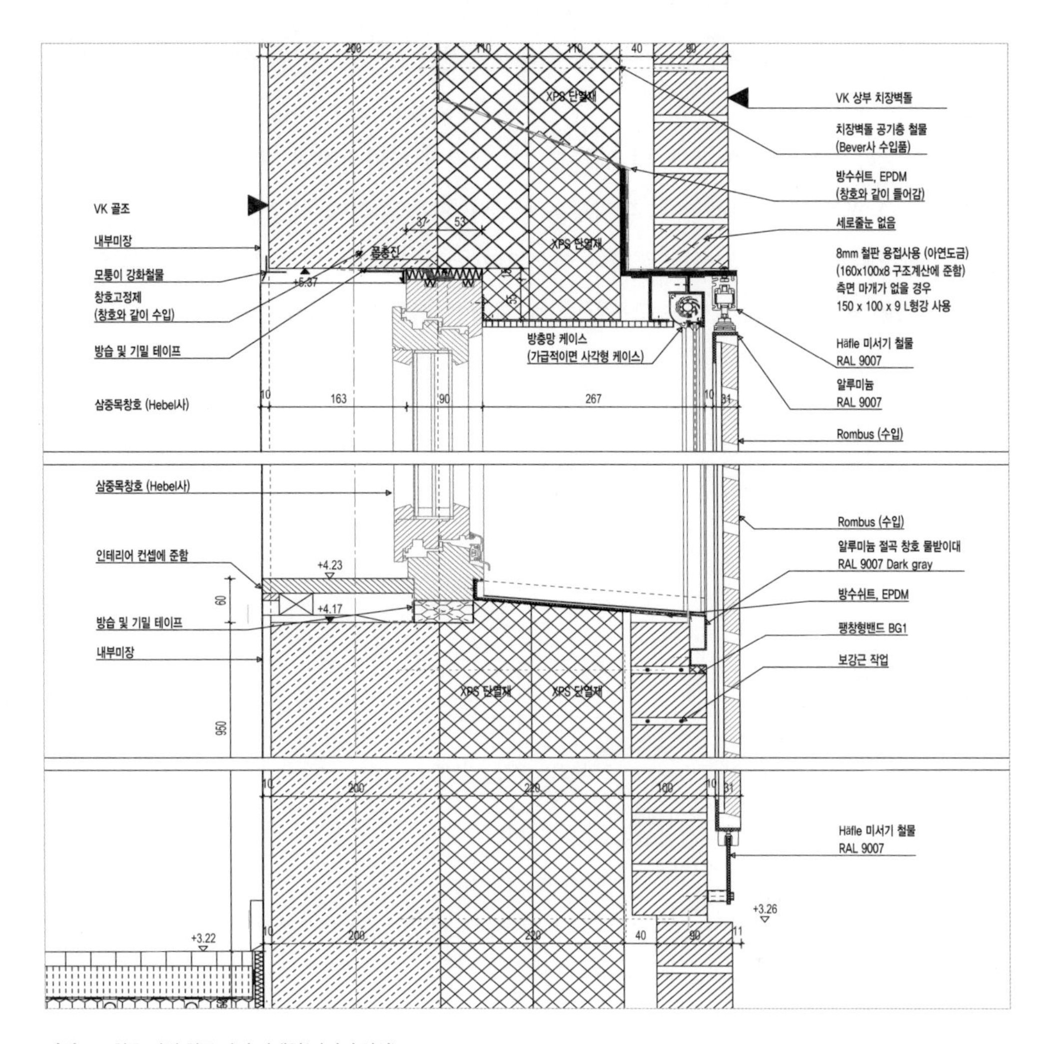

사진 112 창호 연결 최종 단면 디테일(미서기 차양)

건축가들은 이런 하자에 대한 결과를 잘 알고 있기 때문에 반드시 기준에 따른 설계를 지향한다.

미서기를 비롯한 폴딩 덧문의 차양 장치는 람다패시브하우스에서 많은 비용이 들어간 공정이다. 합당한 철물을 구하기 어려웠던 것이 첫 번째 이유이며 이런 시공 방식이 일반적이지 않아 시간이 많이 소요되는 시행착오가 있었던 것이 두 번째 이유이다. 마지막으로 완성된 제품을 건축가나 건축주가 원하는 방향으로 작업하는 시공사의 경험이 부족했기 때문이다. 원래 시안보다 나무를 잡아주는 틀이 두꺼워진 면이 있지만 훌륭하게 마무리되었다고 본다.

건축가로서 가장 우려한 것은 열교나 기능이 아니라 디자인적인 판단이었다. 흔히 산속의 펜션이나 경치 좋은 곳을 가면 유럽풍의 여닫이 덧문을 본떠 시공한 경우가 간혹 있다. 보통은 장식용으로 작동되지 않는 것이 대부분이다. 이 미서기 덧문이 우리나라의 일반적인 건축 환경에서 어떻게 보일까 궁금했다. 이 판단은 건축가가 아닌 건축주의 몫으로 남겨두기로 했다.

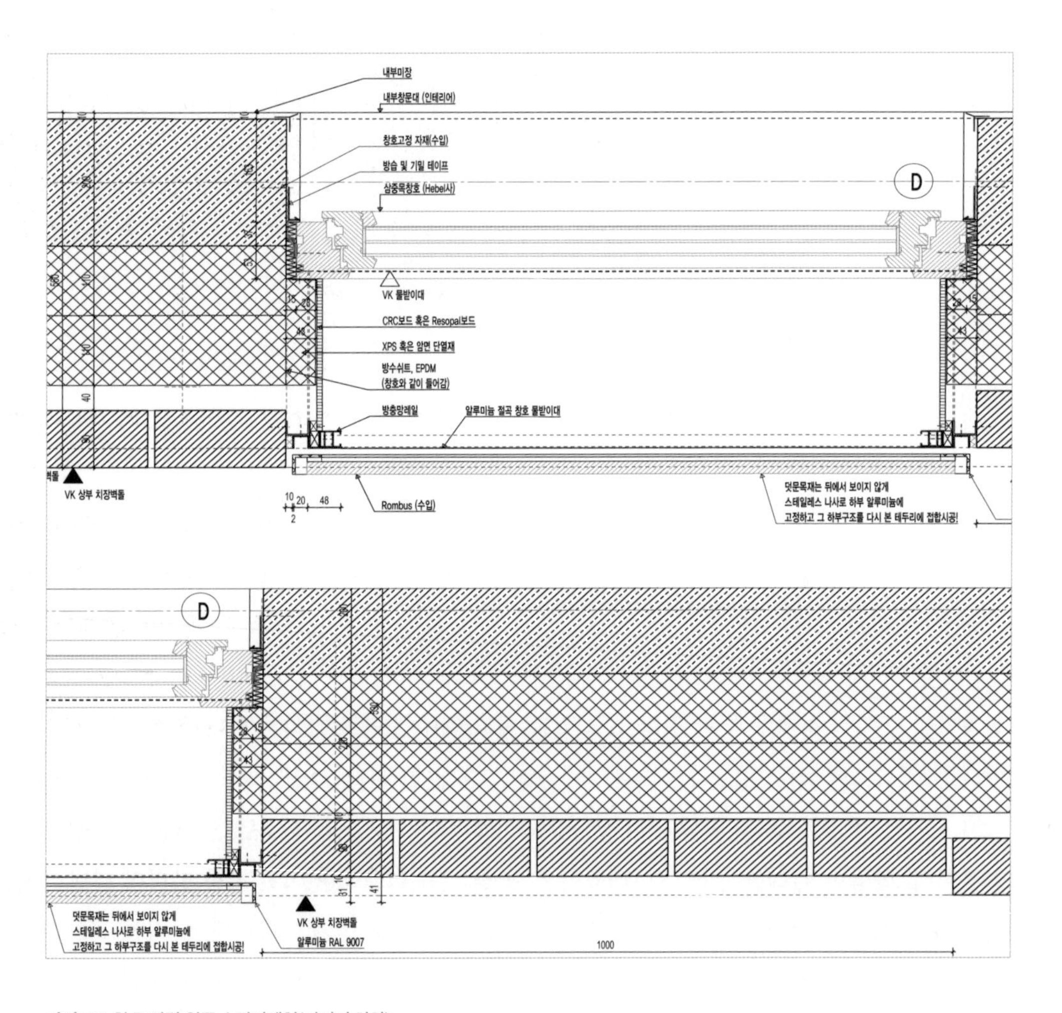

사진 113 창호 연결 최종 수평디테일(미서기 차양)

사진 114
미서기 차양(프레임이 의도와 다르게 두껍다)(위)

사진 115
프레임이 얇은 미서기 차양

차양은 햇빛을 차단하는 것 외에 내부에서 외부를 어느 정도 볼 수 있게 하면서 외부에서는 내부가 보이지 않는 프라이버시 측면도 중요하다. 더불어 실내가 너무 어두워 인공조명을 사용할 일이 생기지 않도록 적당량의 간접광이 실내로 유입되어야 한다. 그런 이유에서 모든 차양의 목재 루버는 위아래 면을 45° 경사 가공한 낙엽송으로 시공했다. 또한, 이런 시공방식은 빗물이 들이치더라도 바로 외부로 흘러 경사 가공을 하지 않은 일반 루버 고정방식보다 수명이 길다.

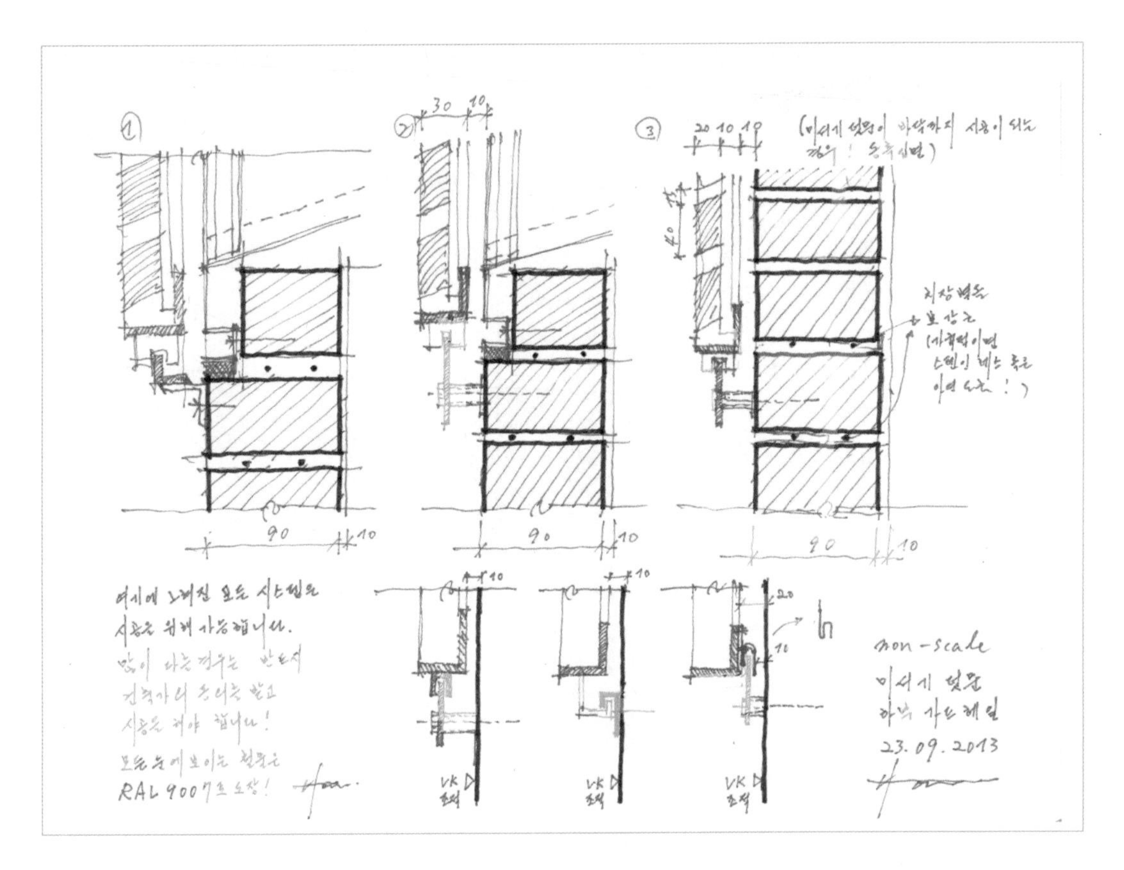

사진 116 미서기 차양 연결 부위 스케치

1층과 2층의 테라스는 배리어프리(무장애) 개념의 단차 없는 구조가 가장 합당하지만, 창호 하부 연결 부위는 단열과 기밀면에서 취약하기 때문에 면밀한 검토가 필요하다. 특히 창호가 큰 경우 기밀 테스트 시 실내를 음압으로 측정하면 미량이지만 외기가 들어오는 것을 알 수 있다. 이를 최소화하기 위해 큰 노력을 기울이지만 아직은 기술적인 한계가 있는 것이 사실이다. 그렇다고 일반적인 창호처럼 하부 틀이 있는 형태로 시공하게 되면 사용이 불편해져 얼마 지나지 않아 후회하기 일쑤다. 노약자나 어린이가 있는 집이라면 하부 틀 없는 배리어프리 구조로 시공할 것을 권한다.

창호 자체도 목창호라서 물이 계속 닿으면 손상 우려가 증가하기도 하지만, 창호 재질과 상관없이 배리어프리 구조에서는 일시적으로 빗물이 배수되지 않아서 역류가 발생하기도 한다. 따라서 가급적이면 창틀 앞에 트렌치를 별도로 만들고 외부 공간의 구배가 부족하다면 배수 배관을 배수구와 연결해야 한다. 이런 트렌치는 빗물이 튀는 것을 막는 방안으로도 효율적이다.

람다패시브하우스의 경우 도면과는 달리 일반 트렌치가 시공되어 기능 면에서는 차이가 거의 없지만, 디자인 의도와는 다소 달라 조금 아쉬웠다. 빗물이 튀는 것을 효과적으로 막기 위해서는 아래의 사진처럼 배수구의 구멍이 더 많은 것이 좋다. 이때 외부의 구배는 건물 쪽이 아니라 바깥으로 향해야 한다. 독일은 마감 자재와 하부 구조에 따라 구배의 정도가 차이가 있다. 처마가 없어 들이치는 빗물이 있는 경우나 눈이 와서 장시간 쌓이면서 창호에 영향을 미치는 우려가 있는 경우에는 2% 정도를 주는 것이 유리하다. 하지만 탁자나 의자 등을 둔다면 하부 구배로 인해 수평이 맞지 않을 수 있어 계획 단계부터 건축주와 협의하는 게 좋다.

사진 117 거실 테라스의 폴딩 덧문과 창호 앞의 배수 시설

사진 118 빗물 튀김 방지가 효과적인 배수 시설

사진 119 2층 테라스의 폴딩 덧문과 하부의 배수시설
사진 120 현관 입구에 설치된 합당하지 않은 배수용 발판

이런 배수 시스템은(사진 120) 건물 안으로 들어가기 전 신발에 묻은 흙을 털 수도 있어 자주 적용되지만, 하이힐의 뒷굽이 빠지거나 지팡이를 사용하는 노약자에게는 위험 요소다. 간격을 충분히 고려해 맞는 시스템을 선택해야 한다. 안전사고로 이어지거나 변상을 해야 하는 요소도 엄격한 의미에서는 하자다.

창호의 고정은 창호의 재질 및 표면의 색(열적 팽창)과 모양(무게, 개폐 방법)에 따라 달라진다. 국내 패시브하우스에서는 PVC 창호를 가장 많이 사용하기에 그에 관한 독일의 기준을 일부 소개한다. 일반적인 고정 간격은 700mm이며 가장자리는 150mm 이내에 고정해야 한다. 중간에 창호를 나누는 보조 프레임이 있어도 150mm를 넘어서 고정하면 안 된다.

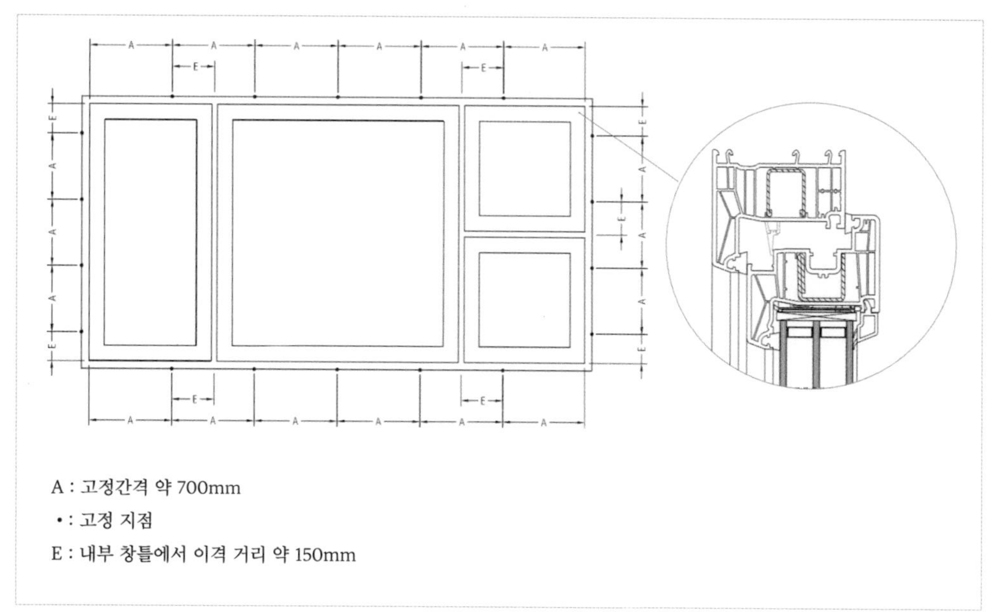

사진 121 창호 고정 방법, PVC 창호 예

출처: SYNEGO® Rehau, germany

사진 122 창호 고정 방법, PVC 창호 시공 사례

사진 123 PVC 창호의 고정 간격이 잘못된 사례

창호를 고정하는 방법에는 여러 가지가 있다. 가장 효율적인 방법은 사진 124의 1번과 4번 방식이며 1번은 창호가 골조면에 맞게 시공되어야만 고정이 용이하다. 현장에 적용된 창호 고정용 나사는 골조에 따라 다르게 고정한다. 조적인 경우 골조 경계면에서 안쪽으로 약 60mm, 철근콘크리트인 경우 50mm 이상을 이격해 시공해야 나사 고정 시 골조가 떨어져 나가는 일이 없다. 이 간격은 건축가가 정하는 것이 아니라 해당 나사를 생산하는 회사에서 결정한다. 골조와 방범 성능을 고려해 자재 성능서에 간격을 표기하므로 모든 현장에서는 이를 준수해야 한다. 람다패시브하우스에서는 4번 방식이 선택되었다. 독일에서 가장 일반적인 철물이고 각 창호 회사의 프레임과도 호환되기에 문제 없는 방법이라고 판단했다. 국내의 경우 1번과 3번 외에는 선택의 폭이 넓지 않다.

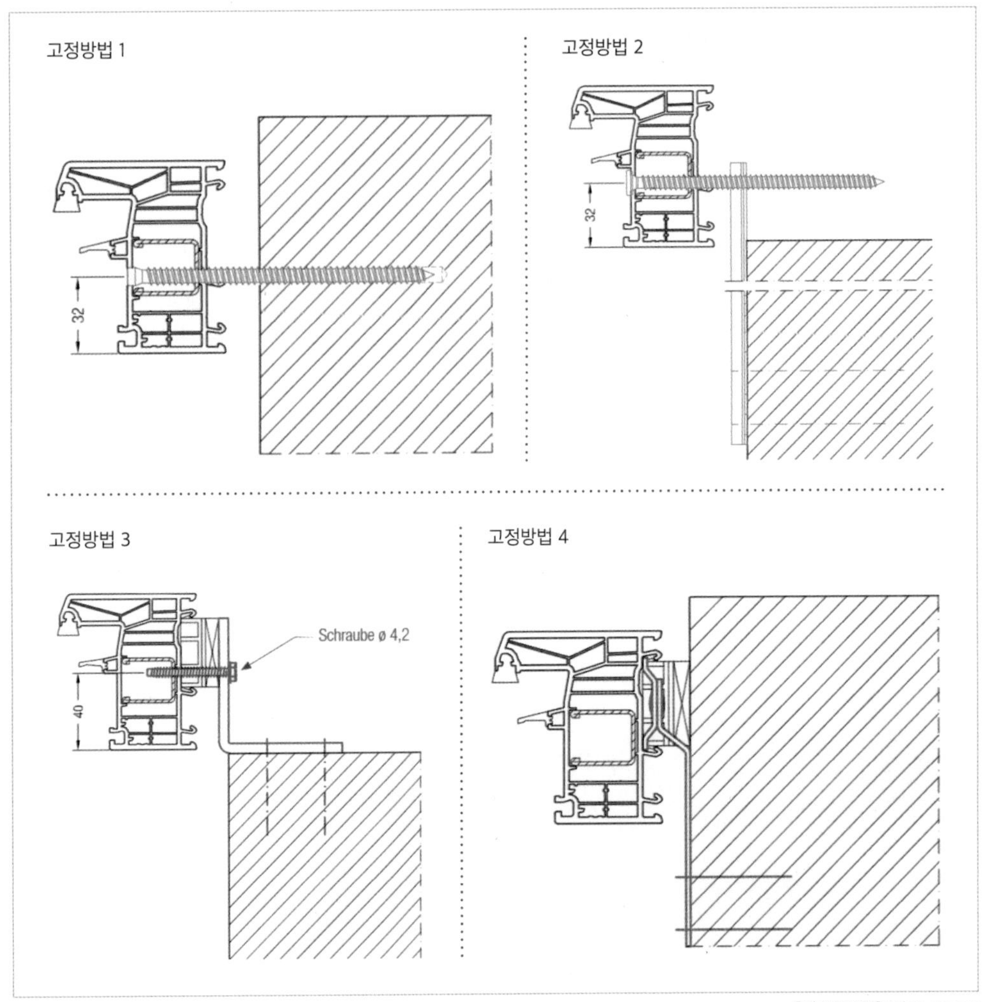

출처: SYNEGO® Rehau, germany

사진 124 창호 고정 방법

람다패시브하우스는 창호와 부수 기자재를 같이 수입해 철물을 별도로 구입할 필요가 없었다. 2번 방식은 무거운 패시브하우스 창호에도 자주 사용되는 방법이지만 외단열 미장 공법에서 단열재로 그사이 공간을 틈 없이 시공하는 것이 만만치 않다. 시공성이 떨어져 제한적인 구조에만 가능한 고정 방법이다. 1번 방식이 시공성은 좋지만 이에 맞는 창호 디테일을 미리 고려해야 시공 현장에서 발생할 수 있는 문제들을 막을 수 있다. 다만, 창틀 고정 후 프레임 중간에 나사 머리가 보이는 것이 작은 단점이지만, 프레임 색에 맞춘 나사용 캡도 별도로 구할 수 있다.

AMO® III-SCHRAUBE ∅ 11,5 mm

55.2

Leistungsdaten			
Dübeltyp			Ø 11,5
Feuerwiderstandsdauer Betonfestigkeitsklasse mindestens C20/25 und höchstens C50/60	Quer- bzw. Schrägzug bis 30°	F30 [kN]	0,50
		F60 [kN]	0,50
		F90 [kN]	0,50
		F120 [kN]	0,50

Kennwerte				
Allgemein	minimaler Randabstand	Beton	c_{min} [mm]	50
		Kalksandstein, Vollziegel, Hochlochziegel (mind. 2 Wandungen), Bims, Leichtbeton, Porenbeton		60
	minimale Einschraubtiefe	Beton	$h_{nom} \geq$ [mm]	30
		Kalksandstein, Vollziegel		50
		Hochlochziegel (mind. 2 Wandungen), Bims, Leichtbeton, Porenbeton		60
	Bohrer-nenndurchmesser	Beton	d_0 [mm]	10,0
		Kalksandstein, Vollziegel, Hochlochziegel (mind. 2 Wandungen), Bims, Leichtbeton		10,0
		Porenbeton		Kein Vorbohren notwendig
	Bohrlochtiefe		h_1 [mm]	Einschraubtiefe + 10 mm + eventuell vorhandene Putzschicht

AMO® III-SCHRAUBE ∅ 11,5 mm

55.2

mit AW®40
Kopf-Ø 11,5 mm

Stahl, gelb verzinkt

Stahl verzinkt, blau passiviert

출처: Würth, germany

사진 125 창호 고정 나사의 데이터

창호는 골조의 개구부 사이에 시공되기에 내부로는 기밀과 방습 성능을 요구하고 외부에는 투습, 방수, 방음 성능의 테이프나 팽창형 밴드 등의 자재를 시공해야 한다. 백업제로 시공하고 실리콘 계열로 마감하는 것이 문제가 없지만, 목조주택이 아니라면 테이프로 앞뒤 시공하는 것이 내구성을 높일 수 있다.

팽창형 밴드는 자외선(UV)에 강하고 빗물 유입이 불가능한 물성이 절대적이다. 지금은 자외선에 강한 제품이 많이 생산되고 있지만, 초창기에는 1년이 지나면 표면이 푸석해지는 하자가 종종 있었다.

시험성적서에 '자외선에 강하다'라는 표현, 예를 들어 독일식인 'BG1'[60]가 적혀 있어도 직접적인 자외선 노출은 피하는 것이 좋다. 국내 패시브하우스 현장에 창호 프레임 폭에 맞는 팽창형 밴드도 제법 적용되고 있지만, 시공 속도와 시공 시 외기 온도에 따라 부풀어 오르는 속도가 다르기에 숙련된 기술이 필요하다. 특히 3중 유리의 패시브하우스 창호는 그 무게가 있어 큰 사이즈는 시공 속도가 느린 편이다. 특히 국내 유리는 독일(4mm)보다 두꺼운 기본 5mm이기에 무게 차이도 크다.

독일 PHI의 최근 연구발표[16]에 따르면, 여러 생산 회사가 내놓은 창호용 팽창형 밴드의 기밀 성능이 상당히 차이를 보인다고 한다. n50 = 0.6 1/h을 기준으로, 가장 좋지 못한 밴드는 미터당 1.7m³/h을 보인다. 길이 96m를 가정하면 전체 누기량은 163m³/h, 전체 기밀 테스트 값의 49%로 상당히 큰 부분을 차지한다. 반면 어떤 제품은 0.044m³/(hm)로 누기량 4.20m³/h, 전체 기밀 테스트 값은 단지 1.3%를 보인다. PHI는 현장의 상황과 시공 실수 등을 고려해 0.025m³/(hm)를 권한다. 좋은 자재를 찾았다고 생각했지만 패시브하우스 적용에 있어서는 좀 더 많은 데이터를 찾아볼 필요가 있다. 패시브하우스 적용에도 문제가 없는지 확인해야 한다.

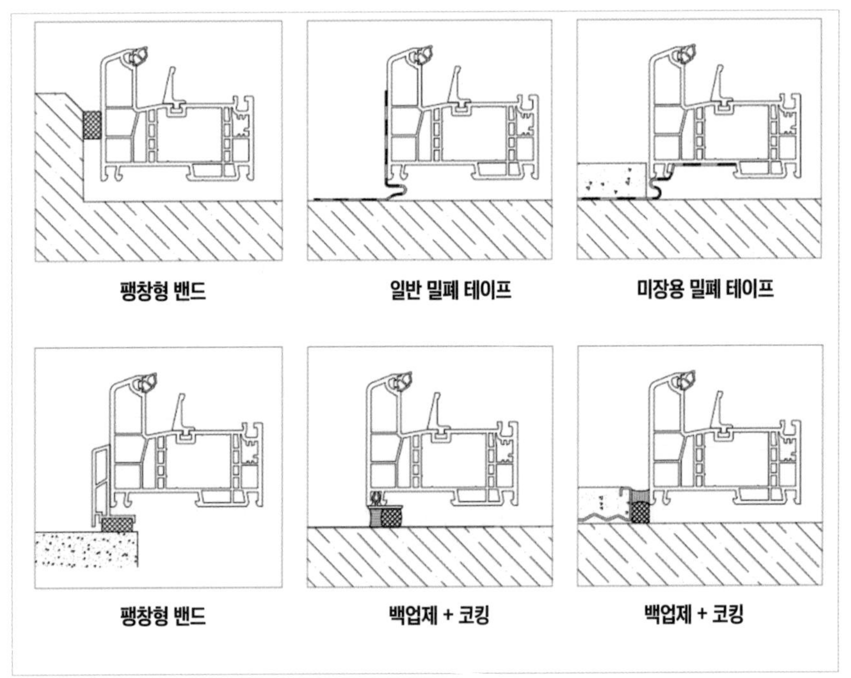

출처: GENEO® Rehau, germany

사진 126 창호 외부 연결 방법, 백업제 및 코킹 그리고 투습 방수테이프 연결

60 BG는 Beanspruchungsgruppe의 약자로 의역을 하자면 노출환경 그룹이라고 이해할 수 있다.

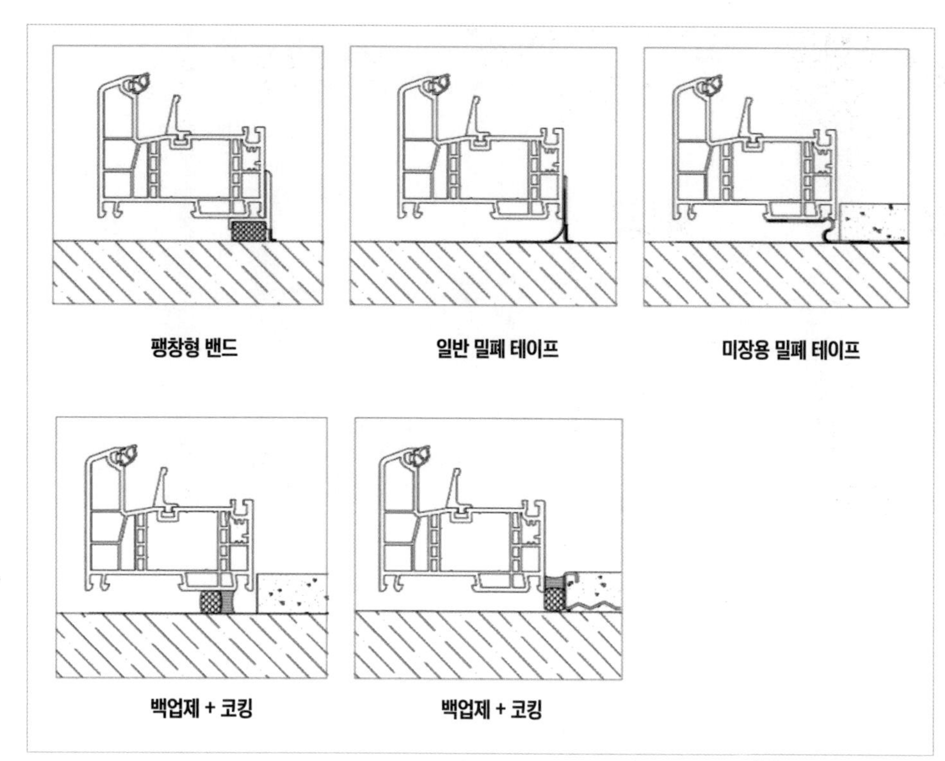

출처: GENEO® Rehau, germany

사진 127 창호 내부 연결 방법

나사를 이용해 창호를 고정할 경우 반드시 드릴로 창틀에 미리 구멍을 내야 하는데, 이 과정에서 팽창형 밴드가 많이 손상되기에 작업 시 세심한 주의가 필요하다. 팽창형 밴드 뒷면에 딱딱하지만 얇은 판재를 댄 상태에서 창호 고정용 나사 구멍을 뚫으면 손상 위험이 훨씬 줄어든다. 팽창형 밴드는 시공이 간편하지만 가격이 만만치 않아 용도에 맞지 않은 규격의 제품을 구분 없이 사용하는 경우가 종종 있다. 팽창형 밴드가 많이 부푼다고 해도(약 40mm) 방수와 방음 성능을 만족시키기 위해서는 제품에 표시된 유효 폭을 확인해야 한다. 계절별로도 부푸는 속도가 달라 일반 시공사들이 다루기에는 까다로울 수 있다. 여름철에 빨리 부풀어 시공 속도에 문제가 있다면 아이스박스에 보관했다가 시공하는 것도 방법이다.

예를 들어 '20/7-12'라는 표현은 밴드의 깊이가 20mm이고 시공 전 7mm의 상태에서 최대 틈 12mm까지 방음, 방수 그리고 기밀 성능을 만족한다는 의미다. 다음의 사진처럼 골조의 오차가 너무 커서 팽창형 밴드를 겹쳐 시공하거나 유효 폭에 맞지 않는 밴드를 쓰면

사진 128 드릴 작업 시 팽창형밴드를 받쳐주는 방법

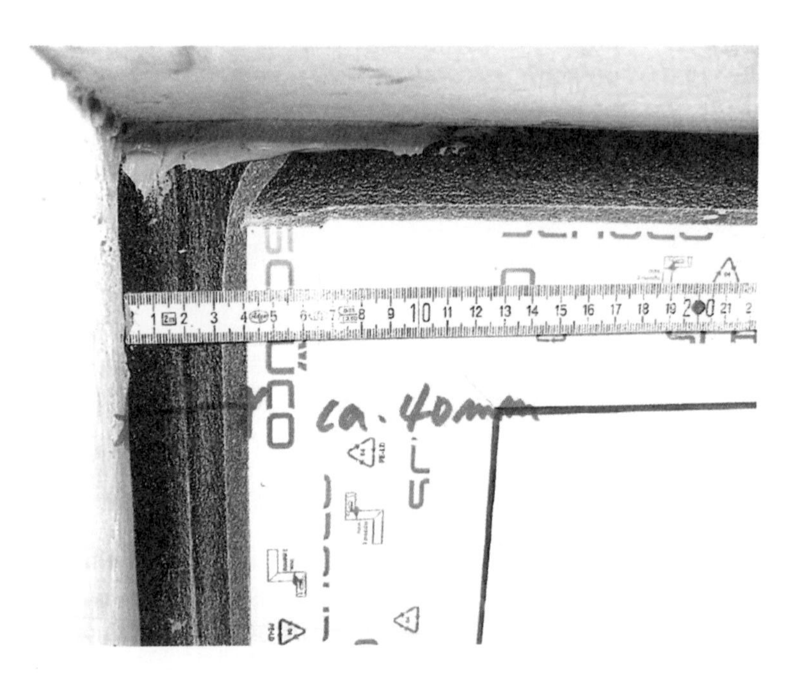

사진 129 팽창형 밴드 두 개를 접착한 잘못된 시공 방법

표준 기능이 저하 된다. 이런 경우라면 일반적인 테이프로 시공하는 것이 가장 효율적이고 성능 면에서 문제가 없다. 필자는 목조가 아니라면 팽창형 밴드보다 기밀 테이프 시공을 우선으로 본다.

사진 130 창호 연결 부위

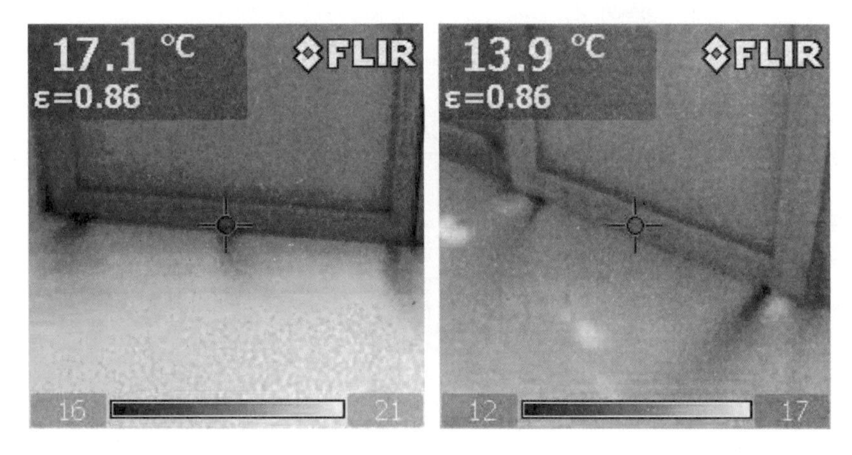

사진 131 열화상 카메라 촬영

사진 130과 같이 창호 연결 부위가 겉으로 보기에는 전혀 문제가 없다. 하지만 열화상 카메라로 촬영하면 열교나 기밀층이 훼손된 부분이 드러난다. 그 차이를 좀 더 명확히 알 수 있는 방법으로는 실내 감압 방식으로 기밀 테스트를 진행하면 된다. 난방을 하는 겨울철에는 그 차이가 더 드러난다.

사진 132 테이프를 잘못 시공한 사례

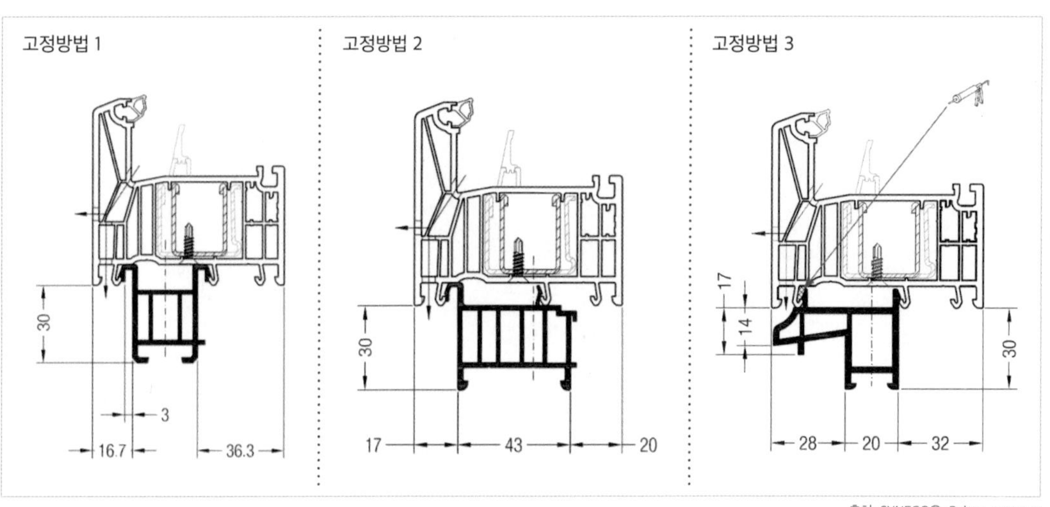

출처: SYNEGO® Rehau, germany

사진 133 창호 물받이 대를 고정하기 위한 하부 구조재 (Sohlbank)[60]

고정 철물도 문제일 수 있지만 기밀하게 시공되지 않은 기밀 테이프의 문제가 제일 크다. 기밀 테이프가 잘 붙지 않은 것은 콘크리트 바닥을 프라이머로 먼저 처리하지 않았기 때문이다. 물론 시험성적서에는 콘크리트 면의 먼지만 청소하면 접착에 문제가 없다고 명시되어 있다. 하지만 기밀 작업 후 실내에서 진행되는 다음 공정은 바로 미장이다. 물을 많이 사용하는 공정으로 수분에 노출된 접착테이프는 그 기능을 상실한다. 이런 종류의 기밀 테이프는 보통 프리캐스트 콘크리트처럼 표면이 깨끗하고 평활도가 좋은 곳에 사용해야 한다.

람다패시브하우스는 목창호이기에 창호 물받이대를 설치하기 위한 별도의 부자재가 (Sohlbank)[61] 필요하지 않았지만, 알루미늄이나 PVC 계열의 창호는 하부에 가급적이면 열교 억제용으로 공기 챔버가 5개 정도 되는 것(고정 방법 2)을 사용하는 게 좋다. 일반 건물이라면 고정 방법 1번의 시공 가능하다. 고정방법 3은 보통 중공층이 있는 치장 벽돌 같은 구조에서 사용된다.

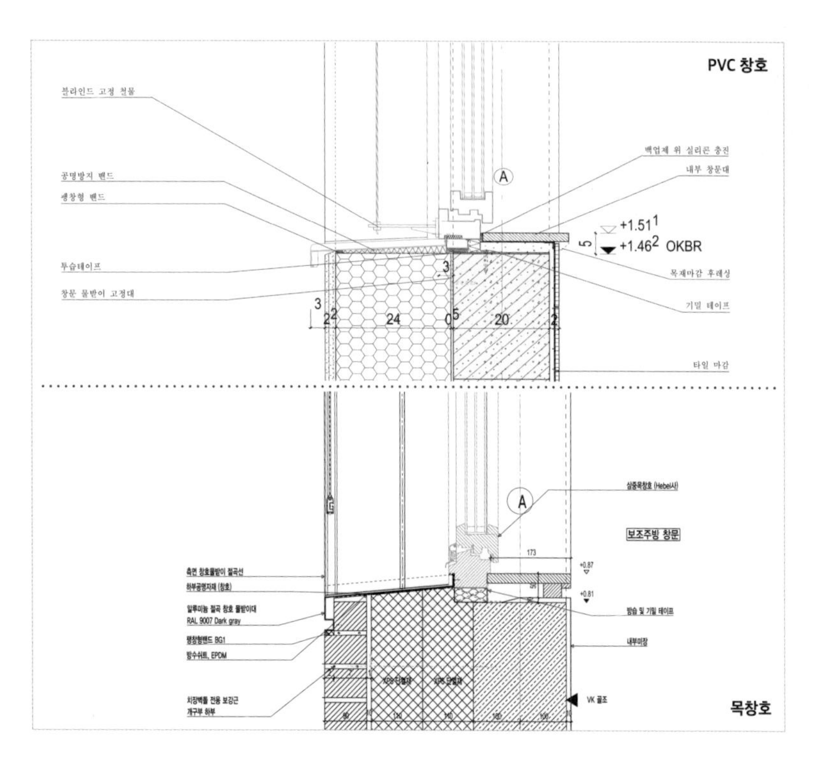

사진 134 PVC와 목창호의 창호 물받이대 연결 디테일

61 Sohlbank(졸방크)는 독일어로 아직 한국에서는 합당한 용어가 없어 일부 창호 업체들 사이에서만 통용되는 말이다. 직역을 하자면 창호 하부이자 골조 상부의 마감 부위를 뜻한다. 보통 알루미늄 절곡 물받이대를 사용하고 이를 창호 하부의 작은 프레임에 나사로 고정 시공하기에 이 작은 프레임을 Sohlbank라고 확대해서 부른다.

이런 추가 자재 없이 창틀 하부에 물받이대를 밀어넣고 실리콘으로 그 빈 공간을 메우는 방식이 자주 보이는데, 그리 합당한 방식은 아니다. 실리콘이 망가지면 빗물이 그 틈을 타고 내부로 들어가기 때문이다. 특히 측면은 그대로 노출되어 있어 빗물 유입이 더 쉽다. 앞에서 볼 때는 잘 보이지 않지만 뒤에서 보면 구멍이 나 있는 것을 알 수 있다(사진 135).

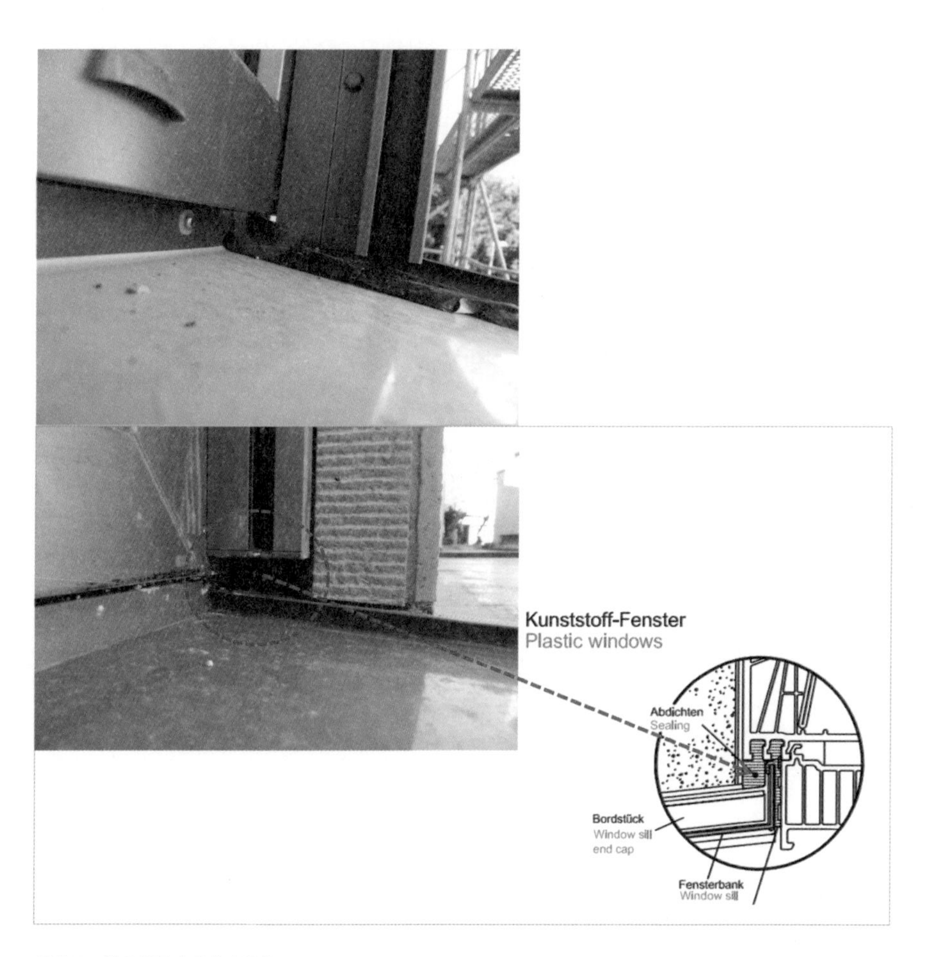

사진 135 창호 물받이대 측면의 홈

이에 창호 물받이대 하부로 추가 방수공사(사진 136)를 하기도 한다. 이런 경우 실리콘 계열로 구멍만 막아줘도 2차 하자는 막을 수 있다. 그리 간단한 공사는 아니다. 독일에서는 '두 번째 물이 흘러가는 층'이라고 부르는데, 이런 방수 공사를 했다면 창호 물받이 양쪽 마구리가 물이 유입되는 성능이 낮은 것이라도 괜찮다.

출처: 권희범 빌더, 모던코트 심재섭

사진 136 창호 물받이대의 하부와 측면에 추가적인 방수 시공 과정

마지막으로 알루미늄 창호 물받이대의 하부 구조에 대해서 살펴보자. 우선 창호 길이와 돌출 깊이에 따라 하부에 추가 고정 장치가 필요하다. 사람이 밟을 수 있는 곳이라면 구조 계산까지 염두에 두어야 한다. 또한, 미끄럼 방지 표면도 고려해야 한다.

이런 보강 철물은 골조에 시공하기 때문에 점형 열교가 된다. 열적으로 분리되고 깊이 조정이 가능한 자재를 활용하면 좋겠지만, 아직 국내에서는 생산되지 않는다. 현장에서 비슷하게 직접 만들거나 수입해야 한다. 창호 물받이대 시공도 일반화되지 못한 상황에 부수 자재까지 바라는 것은 무리가 있지만, 수요만 있으면 국내 생산도 충분히 가능할 것으로 보인다. 극히 일부에게만 알려진 시공 방식이라도 기능상 장점이 많기 때문이다.

다음 사진을 보면 물받이대 하부에 검은색으로 테이프 같은 것이 붙어있는 것을 볼 수 있다. 이 테이프는 공명 현상을 줄이는 기능을 한다. 알루미늄판이 보통 1.5~2mm 정도 두께인데 비를 맞을 때 울리는 소리를 줄이기 위해 아스팔트 계열의 시트를 붙인 것이다.

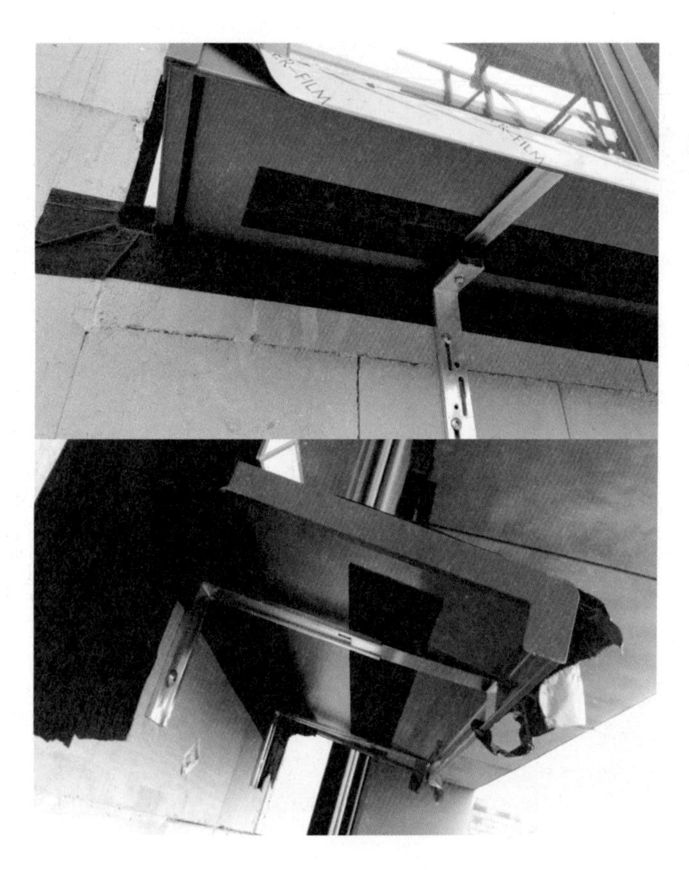

사진 137 창호 물받이대 고정 철물과 공명 현상 방지띠(하부 검은색)

패시브하우스 창호 시공의 어려움

패시브하우스 창호 시공은 그리 간단하지 않다. 우리에게 익숙하지 않은 공정이 너무나 많기 때문이다. 그런 이유에서 창호의 가격만큼 시공비도 높다. 만일 건축주가 일반 창호 시공비와 비슷한 가격에 해달라고 요청한다면 시공사는 절대 그 가격에 맞출 수 없다. 받아들인다면 시공사가 손해를 보거나 몇 개의 공정을 빼고 한다는 의미다. 그럼에도 불구하고 같은 비용에 시공해준다는 시공사는 창호 가격에 이미 그 값을 포함한 것일 수도 있다.

건축가는 창호 시공에서도 창호만 보는 것이 아니라 고정 자재, 기밀 테이프, 창호 물받이대와 같은 기타 부수 자재를 같이 챙겨야 한다. 그렇지 않으면 아무리 좋은 창호라도 최대 기능을 발휘하지 못한다. 다음 사진은 창호 물받이 연결 부위의 여러 가지 시공 사진이다. 참고로 마지막 사진은 외피 마감과 창호 물받이 마구리가 맞지 않은, 잘못된 예이다.

사진 138 창호 물받이대의 여러 시공 방법

독일의 경우 창호 연결 디테일을 자세하게 그리기도 하지만, '2013년에 발간된 창호 및 현관문 고정에 관한 가이드라인'에 준한 시공을 하라고 시방서에 명시하기만 해도 된다. 그 가이드라인에 재료부터 구조까지 웬만한 중요 사항은 거의 다 포함되어 있기 때문이다. 시공 견적도 그에 준해 내고, 도면에 표기하지 않았어도 가이드라인에 준해 시공해야 한다. 피해 갈 방법은 없다. '다른 현장도 그렇게까지는 안 하는데' 같은 변명은 통하지 않는다.

람다패시브하우스의 창호 시공에 대해서는 그리 큰 걱정을 하지 않았다. 창호 시공팀이 패시브하우스 창호 시공 교육을 받은 사람이었고, 이 분야에서는 경험과 노하우가 많았기 때문이다. 국내에서 이 사람이 못하면 다른 사람도 못한다는 게 개인적인 생각이었기에 안심할 수 있었다. 현재는 교육이 많이 생기고 관심을 가지는 시공자도 많아져 패시브하우스 창호 시공 교육을 받은 시공팀이 늘어난 것으로 알고 있다.

많은 시공팀들이 있듯 각 시공팀의 시공 품질은 천차만별이다. 또 직접 시공 현장을 경험하면 어디에 어떤 차이가 있는지 알 수 있다. 말이 필요 없다. 하지만 이런 시공팀 중 옥석을 가리는 것은 어렵다. 아직 시공법이 일반화되지 못했다는 반증이기도 하다.

8. 습 환경

가급적이면 단순하고 간단하게 내부를 마감하는 것이 일차적인 목표였고, 최대한 조습 성능을 높인다는 것이 이차 목표였다. 외벽 내부를 철근콘크리트로 하고 내부 마감을 단순하게, 예를 들어 시멘트 미장에 투습용 칠을 하면 다음과 같은 장점이 있다.

- 실내 공기에 면한 중량의 구조체로 인해 축열성이 증가한다. 겨울에는 난방에 약간 도움을 주는 정도지만 여름에는 큰 효과를 발휘한다. 중공층의 석고보드는 이 축열성을 차단한다(하지만 축열성 하나로 모든 문제를 해결할 수는 없다).
- 내부에 미장을 하면 조습 성능이 증가한다. 두께는 약 15~20mm 정도가 좋다. 초기 2년 정도는 실내 상대 습도(약 55~60%)가 높아지는 단점이 있지만, 겨울철에도 평균 50%의 상대 습도를 유지해 매우 건조한 우리나라의 겨울 날씨에도 가습기의 추가 사용이 불필요하다(5장 겨울보고서 참조).
- PVC 계열의 비닐 벽지가 아니기 때문에 콘크리트의 수분이 실내로 증발할 수 있다. 결과적으로 높은 함수량으로 인한 곰팡이 발생을 억제할 수 있다. 기존의 치장 벽돌 마감은 주로 투습이 제한적인 단열재를 쓰기 때문에 내부에도 투습이 제한되는 자재를 사용하면 가구나 붙박이장 부위에 곰팡이가 발생할 확률이 높아진다.

치장 벽돌 마감과 내부 실크 벽지 조합의 문제

2013년, 경기도에 소재한 단독 빌라에서 발생한 곰팡이 문제에 관해 건축주의 법정 소송을 도와준 적 있다. 국내 대형 건설사가 시공한 건물이었고 빌라를 설계한 건축사는 이 문제로 인해 전혀 어려움을 겪지 않은, 심지어 관여조차 하지 않은 국내 법률 시스템의 한계를 보여주는 대표적인 사례였다. 결국 법원에서는 일정 금액을 받고 포기를 하거나 상고를 하라며 합의를 권했다. 상고 시에는 이 합의금도 장담을 못한다는 이유로 말이다.

이 일을 경험하면서 두 가지를 느꼈다. 첫 번째는 국내에는 이런 문제를 깔끔하게 다루는 기준이 부족하다는 점이다. 두 번째는 시공사에서 위탁한 하자 판정 전문가들조차 설득력이 떨어지는 내용을 보고서에 쓰고, 심지어는 문제의 인과 관계 조차 제대로 이해하지 못한다는 것이다. 한 단계만 더 깊이 들어가면 문제의 심각성이 확연해지는 보고서였다. 법정에서 의뢰한 제3의 전문가 보고서도 그리 큰 차이가 없었다. 결국 담당 변호사 없이 3명의 변호사와 싸우던 건축주는 끝내 법원의 중재안을 수락했다. 필자가 보수 없이도 돕겠다고, 다만 끝까지 해야 한다고 내걸었던 조건도 시간이 흐르며 건축주의 마음을 붙잡을 수 없었다.

해당 건물은 치장 벽돌 외부 마감에 철근콘크리트 구조, 내부는 석고보드 위 실크 벽지가 시공된 건물이었다. 내부에 사용된 실크 벽지 표본을 독일에서 받아 투습 저항 수치를 측정했다. 등가공기층두께라 불리고 투습 저항 치를 알려주는 Sd값이 약 1.2m로 투습이 제한적인 소재였다(1장 7. 습기 발생 참조).

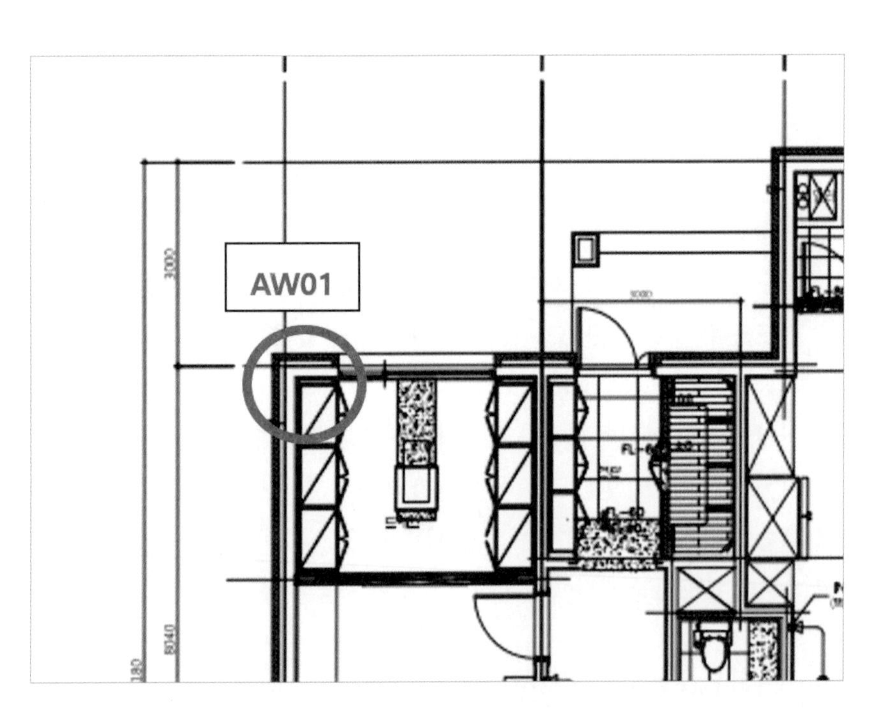

사진 139 시뮬레이션을 한 드레스룸

문제가 가장 심한 곳은 붙박이장이 설치된 드레스룸이었다. 가구 안의 모든 옷이 곰팡이로 뒤덮인 상태였다. 이 부분을 Wufi라는 온습도 프로그램을 통해 시뮬레이션해 봤다.

시뮬레이션 조건

내부표면저항(Rsi)의 종류:

커튼(DIN 4108-2, EN ISO 13788)	$0.25m^2K/W$
벽체 하부(스위스 기준)	$0.35m^2K/W$
일반 가구(DIN 4108-8)	$0.50m^2K/W$
붙박이장(DIN 4108-8)	$1.00m^2K/W$

콘크리트 함수량:

시공 후 함수량(Tyipical Built-In Moisture): $147kg/m^3$
몇 달간 증발이 이루어진 경우: $100kg/m^3$
상대 습도 80%에 안정화된 함수량: $75kg/m^3$

국제적 기준(ISO 13788)에서 표면 상대 습도 약 80%를 곰팡이 발생의 위험선으로 보기 때문에 이 수치를 판단의 기준으로 보았다. 하지만 주변 온도에 의해 일시적으로 80%를 넘는 경우는 예외적인 상황으로 상정했다. 마찬가지로 여름철 80%의 상대 습도와 겨울철의 80%는 달리 판단해야 한다. 시뮬레이션 결과물 판독에서 확실하지 않은 것은 Wufi-Bio 3.2를 통해 표면의 곰팡이 발생 위험을 추가로 살펴볼 수 있다.

표 21 시뮬레이션 조건

SYSTEM	철근콘크리트 함수량	석고보드	PVC 벽지 (실크 벽지)	합지 벽지 혹은 투습 페인트	실내표면저항	가구
V1-1	147kg/㎥	O	Sd = 1.2m	X	1.00	붙박이장

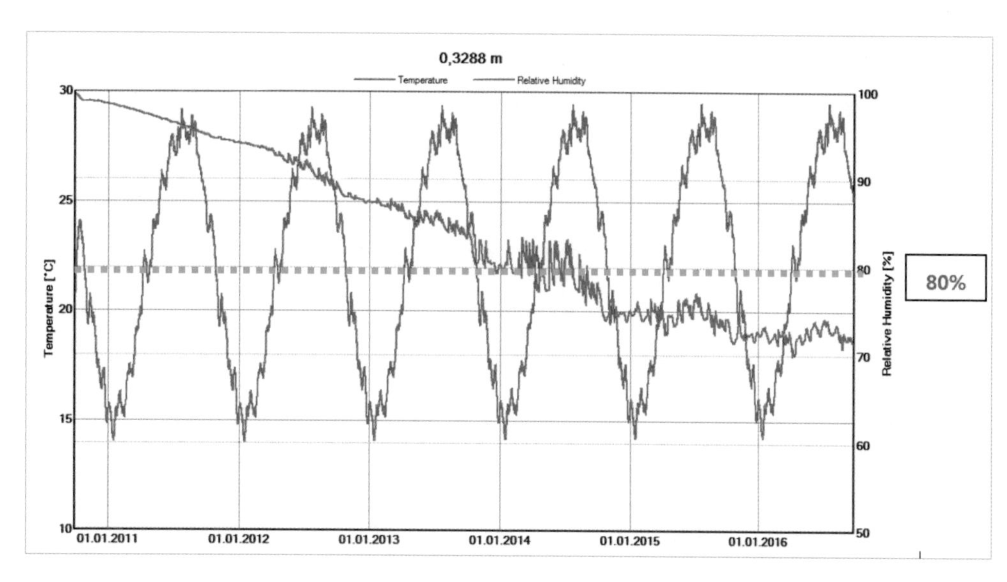

사진 140 철근콘크리트의 실내측 온도와 표면 상대 습도의 변화

위 그래프는 철근콘크리트의 실내측 온도와 표면 상대 습도의 변화를 보여준다. 곰팡이 발생 기준으로 보자면, 표면 상대 습도(녹색선)가 80% 이하로 내려가기까지 약 3년 6개월 이상 소요됨을 알 수 있다.

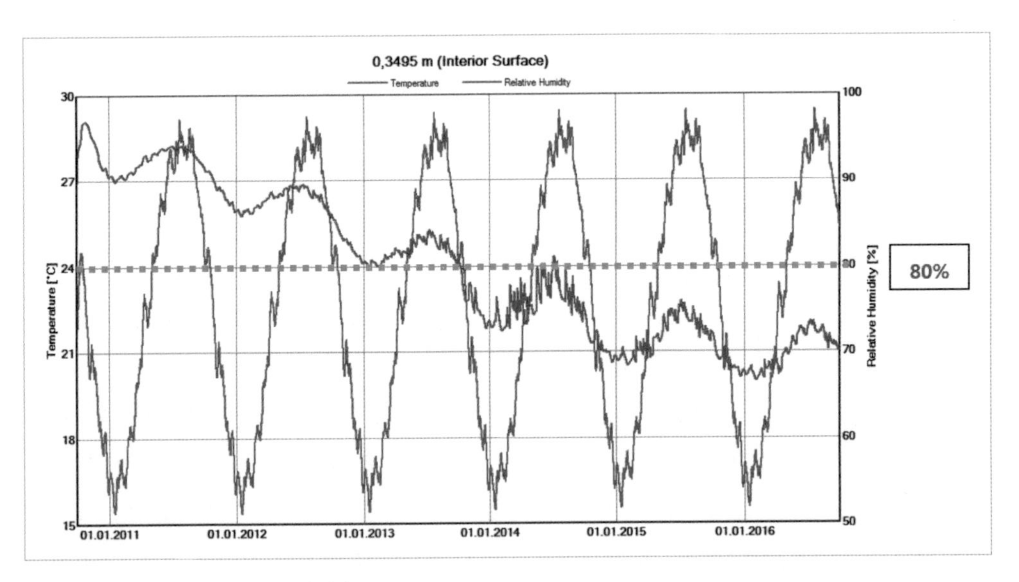

사진 141 실내측 온도와 표면 상대 습도의 변화

실내 표면의 상대 습도(녹색선)는 정확히 3년이 지난 이후에 80% 이하로 떨어진 것을 알 수 있다. 실내의 에어컨 사용 정도에 따라 기간은 줄 수도 있다. 실내 에어컨은 냉방 효과뿐 아니라 제습 기능도 있기 때문이다. 이런 기계적 냉방 없이 자연 상태로 실내 기후를 적용할 경우 3년이 지나야 곰팡이 발생 위험이 없어지는 안정권으로 들어온다. 3년이 지나면 추가적인 곰팡이 발생 위험은 거의 없다고 볼 수가 있다. 이런 현상은 특히 공동주택에서 겨울철 입주 후 2~3년이 지나면 곰팡이 발생이 현저하게 줄어드는 것과 깊은 관련이 있다. 보통의 공동주택 분쟁이 이 기간이 지나면 잠잠해지는 것도 우연은 아닐 것이다.

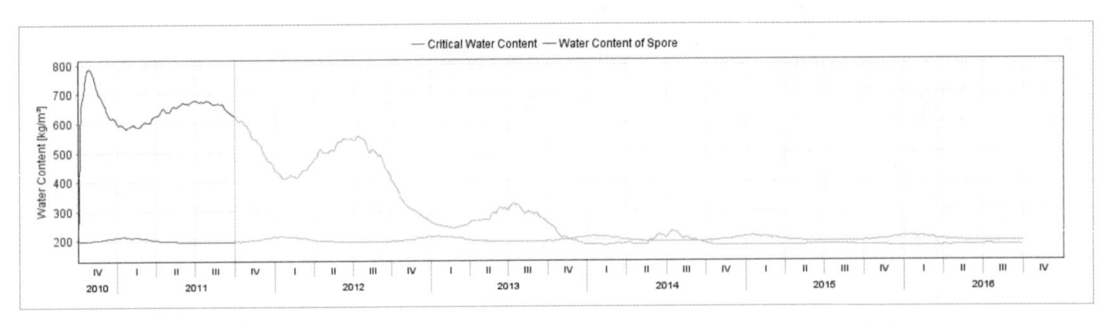

사진 142 실내측 표면의 곰팡이 발생 체크

표면의 함수량(파란색)과 곰팡이 발생 경계 함수량(빨간색)을 서로 비교한 것이며, 3년이 지나면 위험 함수율(Critical Water Content) 이하로 내려가는 것을 보여준다.

콘크리트에 사용된 물이 외부 압출법 단열재의 투습 억제 성능과 내부 실크 벽지의 마감으로 인해 증발하지 못한 결과이다. 특히 여름철 실내 상대 습도가 높은 구조에서는 사실상 곰팡이 발생을 막을 수 없다고 할 수 있다. 다음으로 코너 부위의 열교를 검토했다.

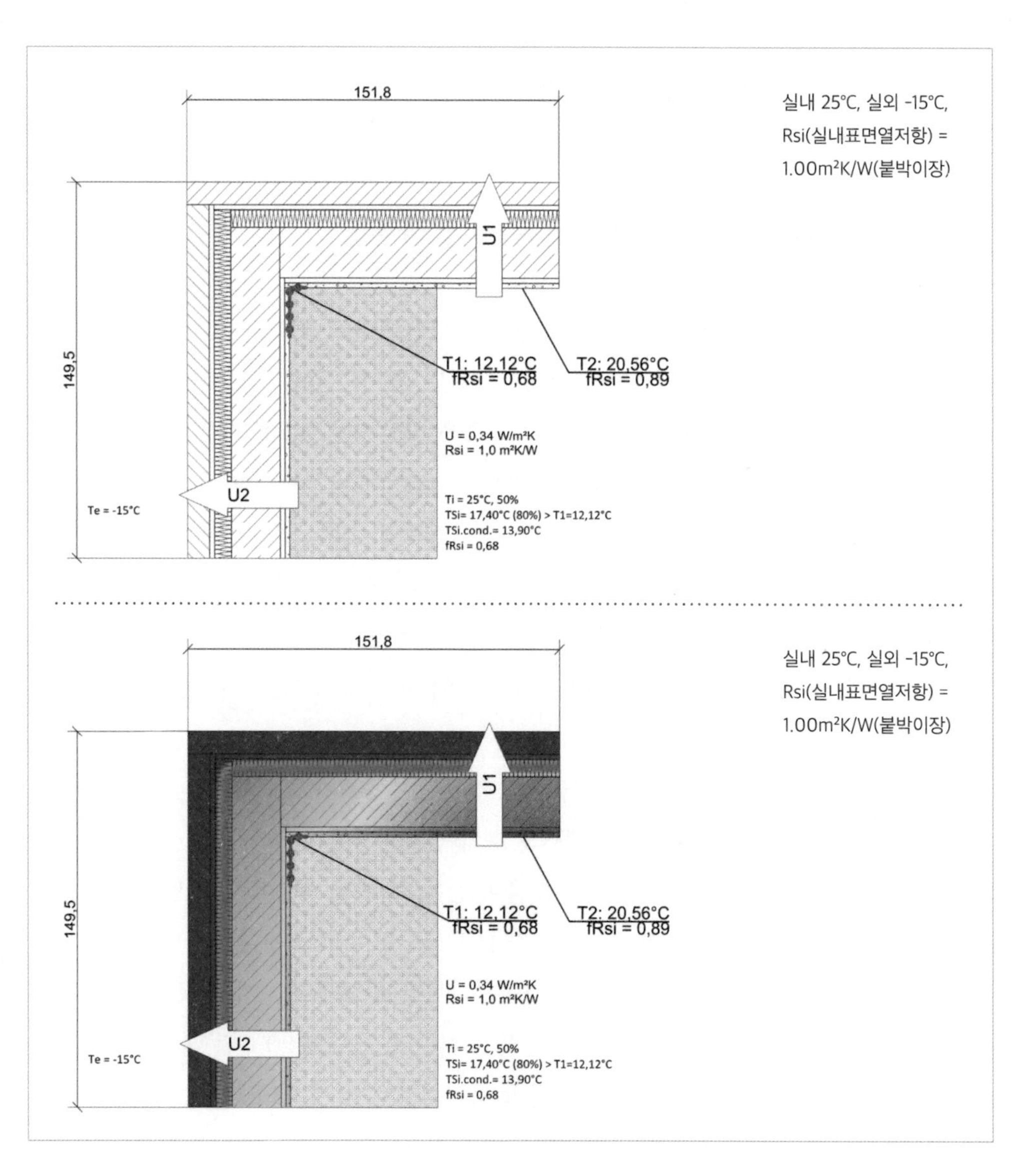

사진 143 실내측 열교 검토

붙박이장의 경우 현재 국내 결로 방지 기준의 주변 온도를 적용했더니 붙박이장 뒷면의 표면 온도가 12.12°C를 보였다. 결로 발생 온도인 13.90°C보다 낮은 수치다. 곰팡이 발생이 예상되는(상대 습도가 80%) 온도인 17.40°C보다 낮으므로 이런 조건이 지속될 경우 결로는 물론 곰팡이 발생을 막기 어려운 조건에 해당한다.

위의 사례를 여러 시뮬레이션으로 검토한 결과, 치장 벽돌 마감에서 중단열재가 투습이 제한적이고(특히 XPS 혹은 알루미늄 시트가 붙은 경질의 PUR보드), 실내에도 투습이 제한적인 조합(실크 벽지)은 곰팡이 발생 위험이 높다. 따라서 내부 마감 이전 구조체 제습을 별도로 하지 않는 경우라면 이 조합은 반드시 피해야 한다.

이런 위험 요소를 피하기 위해 람다패시브하우스에서는 단열재 두께만 고려한 것이 아니라 실내 마감도 건축물리를 고려해 선택했다. 모든 것이 우연이 아닌 사전에 철저히 계획한 것이다. 패시브하우스를 다른 말로 설명하면 '우연적인 요소를 최소화한다'이다. 물론 위의 사례는 일반 건물에서도 가장 기본적으로 지켜져야 할 사항이다.

기타 비난방 구간의 창호 주변 결로 및 곰팡이 발생 위험

비난방 공간이 외벽과 면하고, 난방되는 공간에 면한 문이(단열문은 아니더라도) 기밀한 문이 아닌 경우 실내 상대 습도가 급격히 올라갈 수 있다. 습기의 확산과 대류 현상 때문에 거실이나 부엌의 따뜻하고 다습한 공기가 창고와 같은 비난방 공간으로 유입되기 때문이다. 외기와 면하지 않는 공간은 난방 공간과 온도가 비슷해 상대 습도가 많이 상승하지 않는다. 하지만, 비난방 창고와 같은 경우 열 손실로 인해 거실에 비해 온도가 약 5°C이상 더 낮고 상대 습도는 최고 20% 이상 더 높아져 이 조건이 장시간 지속되면 곰팡이 발생은 당연한 결과로 이어진다. 이를 억제하기 위해 비난방 공간의 창호를 항상(겨울철 자연 환기) 열어 둔다 해도 거실과 면한 벽체 온도가 내려가기 때문에 발생 장소가 달라질 뿐, 곰팡이 발생 자체는 막을 수 없다.

여름철은 습기가 증발해야 하는데 겨울철의 정체된 수증기가 구조체에 남아 있으면 이것이 표면의 높은 상대 습도의 원인이 되어 문제가 심각해지기도 한다. 건축물리적인 관점에서 붙박이장과 같은 비난방 공간은 열전도율이 높은, 즉 단열 성능이 조금 떨어지는 두꺼운 단열재로 보면 된다. 즉, 결로를 유발하는 어설픈 내단열이 되는 것이다.

다음 그래프는 겨울철 실내 온도가 약 15°C일 때 실내 상대 습도가 78%인 수준이 약 64일 지속하면 곰팡이가 피기 시작한다는 것을 보여준다. 온도가 20°C일 때는 단 10일 만에 곰팡이가 생긴다. 높은 상대 습도의 비난방 공간이라는 조건 외에 내부 표면에 투습이 제한적인 마감재까지 쓴다면 곰팡이 발생은 당연한 수순이다.

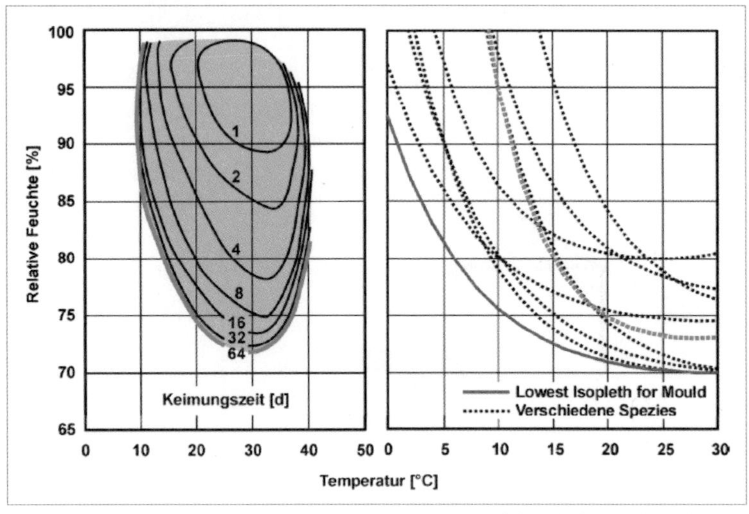

사진 144 곰팡이 발아 시간

출처: Fraunhofer Institut für Bauphysik (IBP)

쉬운 예를 들자면 공동주택 발코니에 성능 좋은 창호를 설치할 경우 오히려 단열이 되지 않은 발코니 벽면에 곰팡이나 결로가 생기는 것과 같은 원리다. 비록 발코니에 성능 좋은 창호를 썼어도 비난방 공간이므로 실내에 비해서는 온도가 낮다. 여기에 거실과 발코니를 구분하는 내부 출입문의 기밀 부족으로 실내의 고온 다습한 공기가 유입된다면 발코니 벽면에 곰팡이가 발생하는 것을 막을 수 없다. 단지 그 위험 경계를 조금 올려줄 뿐이다. 그런 이유에서 단열이 되지 않은 발코니 공간의 외부 창호는 성능이 좋을 필요가 없으며 오히려 환기가 자유로운 정도의 성능이면 된다. 직접적으로 들이치는 겨울의 찬바람만 막는 용도라 생각하면 편하다.

따라서, 곰팡이가 자라기 위해 필요한 보편적인 조건은

- 습기(표면 80% 이상)
- 온도(최적 온도 30°C)
- 토양의 산성도(pH 3~6)

3가지다. 따라서 곰팡이가 싫어하는 환경으로 pH > 11, 공기의 이동(제습), 빛을 꼽을 수 있다. 일반적인 벽지나 석고보드의 pH는 약 5~8 정도이며 미장면의 pH는 약 11(강한 염기성)이다. 그렇다고 미장면에 곰팡이가 생기지 않을 것이라 생각하면 오산이다. 물성 자체는 곰팡이가 싫어하는 토양이지만 시간이 지나면서 표면에 막이 형성되면서 곰팡이가 발생하기도 한다.

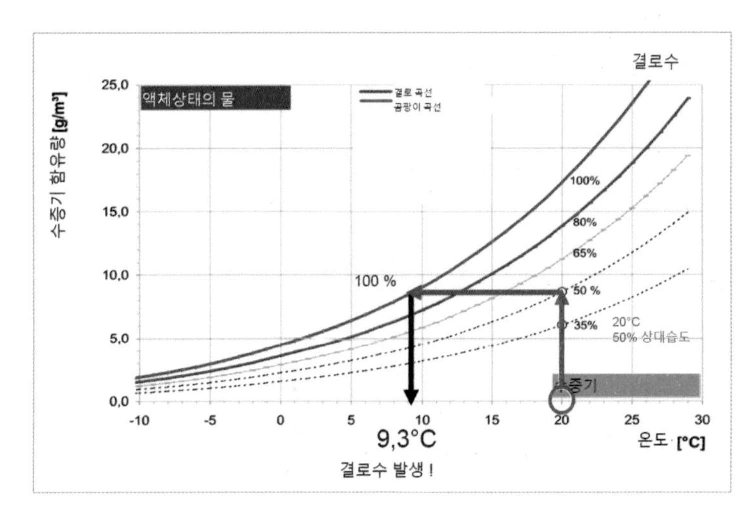

사진 145 결로 발생 조건

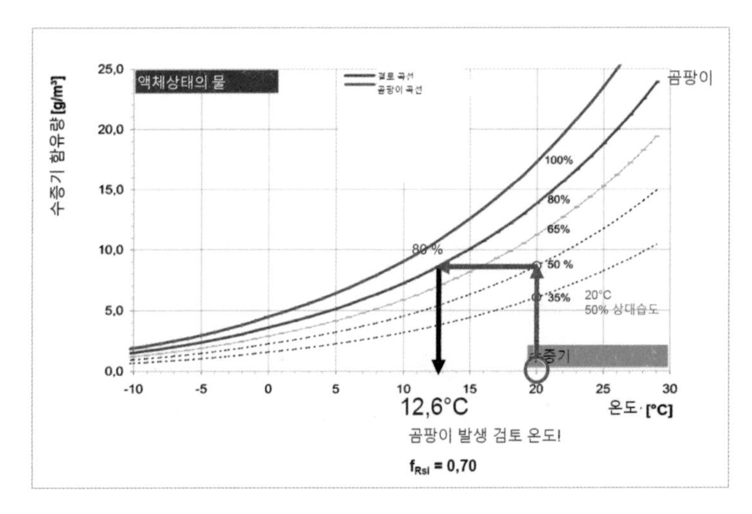

사진 146 곰팡이 발생 조건

실내 온도 20°C에 상대 습도가 50%인 경우의 노점 온도는 9.3°C이다(사진 145). 파란색의 곡선 구간과 만나는 부분이 이에 해당한다. 하지만 곰팡이는 상대 습도 80%의 빨간 곡선 구간과 만나는 부분의 온도인 12.6°C에서 발생한다(사진 146).

결로와 곰팡이[62]는 구분해서 살펴봐야 한다. 보통 결로가 생겨야 곰팡이가 생기는 것으로 생각하는데 그렇지 않다. 곰팡이는 결로 발생 훨씬 이전에 표면에 발생하기 시작한다. 실내의 상대 습도를 낮추고 난방을 지속적으로 했음에도 곰팡이가 발생한다면 외피 함수율이 높거나 내부 마감의 불투습성, 열교 및 기밀층 훼손으로 인한 국지적인 온도 하락, 난방열 전달 미흡 구간을 원인으로 꼽을 수 있다.

62 여러 가능성을 검토하고 싶은 경우에는 필자 블로그에 올린 엑셀 파일을 이용하면 된다. (https://blog.naver.com/bauhaushong/130190399172)

9. 설비 계획

① 환기 계획

먼지부터 얘기를 시작해 보자. 람다패시브하우스를 계획할 당시만 하더라도 먼지에 대해 큰 고민을 하지 않아도 됐다. 공기조화기를 이용해 외부 공기를 실내에 공급하면 다른 일반 건물에 비해 먼지의 양이 훨씬 줄고 산소공급이 원활해 아침에 일어나도 머리 아픈 일이 없기 때문이었다. 하지만 지금은 최고의 이슈가 미세먼지다. 패시브하우스는 미세먼지에 어떻게 대응하는가?

지름이 10µm 이상인 먼지는 호흡기 이전에 걸러진다. 이 정도 크기의 미세먼지는 일반적으로 PM 10으로 표기한다. 이 미세먼지는 공장이나 경유 자동차 엔진에서 주로 나오며 암 발생의 원인으로 의심되기도 한다. 이보다 더 위험한 것은 2µm 수준이다. 보통 초미세먼지 PM 2.5로 표시하며 우리 폐에 들어가 핏줄 안으로 유입된다고 한다 [6].

WHO(세계보건기구)와 각 국가에서 확률에 기초한 사망자 수나 조기 사망자에 관한 자료를 발표하지만, 아직 미세먼지로 인한 사망한 사례는 없는 것으로 알려져 있다. 증명 사례나 연구가 없다고 해서 실험 조건에 의문을 가질 필요는 없다. 누구라도 어느 선에서는 실험을 위한 가정을 해야 한다. 현재 필자는 독일 내 호흡기 전문의들을 중심으로 제기되고 있는 디젤 자동차 문제나 미세먼지 제한에 관한 법률안(독일 기준 PM 10, 연중 평균 40µg/m³, 하루 평균 50µg/m³ 일 년에 35회 이상 넘으면 안 됨. PM 2.5 연중 평균 25µg/m³)의 문제점[63]을 살펴보고 있다. 그런데 우리가 접하는 데이터들을 과연 여과 없이 그대로 받아들여도 되는지 한 번쯤은 생각해 볼 필요가 있다.

WHO의 발표를 반복해서 인용하는 연구가 아니라 구체적인 자료가 필요해 보인다. 통계 수치로 40µg/m³ 기준의 미세먼지 위험에 관한 폐 전문의들의 주장이 맞다면, 흡연하는

63 https://www.stern.de/tv/diesel-fahrverbote---die-schadstoffbelastung-in-staedten-ist-voellig-unbedenklich--8444006.html

사람은 예외 없이 모두 폐암으로 사망해야 맞다[64]. 문제는 안전 기준이라는 것이 잠재적인 위험 가능성의 최대치를 확률에 근거해 정한다는 점이다. 표시하는 방법도 '나쁨' 혹은' 매우 나쁨' 이라 일반 사람으로서는 걱정하기에 충분하다.

이런 미세먼지는 공기조화기에 설치된 미세필터 F7 혹은 F9를 사용하면 대부분 거를 수 있다. 교통량이 많은 지역이라면 F9와 같은 필터를 적용하는 것이 좋다. 아무리 공기가 좋다고 생각하는 시골 지역이나 산속이라도 급기를 위한 필터는 F7 이상 설치를 권한다. 등급이 낮은 필터를 사용할 경우에는 공기 중의 미생물이 급기 배관에 붙어 추가적인 문제를 야기할 수 있기 때문이다. 하지만 급기 배관이 오염되는 것은 공사 중을 제외하고는 거의 불가능하다. 시공 후 8년이 지난 공기조화기의 배관 청소를 참관한 적 있는데, 급기 배관은 아주 양호하고 깨끗했다. 배기관도 먼지와 이물질이 상대적으로 많아 보였지만 생각보다는 양호한 상태였다. 그런 이유에서 급기 배관에 등급이 낮은 필터가 더 맞다고 주장하는 전문가들도 있다.

그렇다면 사용하는 필터의 성능을 얼마나 신뢰할 수 있을까?

독일산이든 국산이든 사실 완전히 신뢰하긴 어렵다. 2002년 일반 환기용 공기 필터 측정 기준인 'EN 779'은 평균값을 보는 시험기준이었기 때문에 실제 사용시 성능 저하 같은 문제점이 나타났고 유럽표준위원회(CEN)는 EN 779를 2012년에 보완해서 발표했으며 최소 효율을 기준값으로 미세필터의 성능을 측정했다. EN 779가 등급에 사용되는 먼지의 크기를 0.4μm 하나로만 했다면, 2016년 12월에 발표된 ISO 16890는 분류를 세 가지로 나눠 측정한다. ISO 16890에서는 PM 1(0.3 ≤ x ≤ 1μm), PM 2.5 (0.3 ≤ x ≤ 2.5μm), PM 10(0.3 ≤ x ≤ 10 μm)의 먼지 크기를 나눠서 측정한다. 이때의 최소 효율은 50%를 넘어야 한다. EN 779는 2018년 중반 이후부터 더 이상 측정기준으로 유효하지 않다. 이 새로운 기준의 필터 등급이 생기면서 이전 기준에서는 9등급이던 것이 총 49등급으로 세분화되었다.

필터 생산 과정에서 의도적으로 필터의 정전기를 높이는 경우가 있는데, 이는 필터 테스트에서 효율 등급을 높이기 위한 꼼수다. 이런 필터는 테스트 과정에서 비현실적으로 좋은 값을 보이지만, 실제 상황에 적용해보면 불과 며칠 만에 필터 성능을 상실한다. 특히 습하거나 교통량에 의한 그을음이 많으면 퇴화 속도는 더 빨라진다[6]. 유사한 상황이 국내에서도 간혹 보고되고 있다. 공기조화기를 시공하고 F7과 같은 미세필터를 적용하는 세대가 늘어나고 있기 때문이다. 또한 일반인들도 미세먼지 수치 측정 장비를 쉽게 구입하게 되면서 직접적인 비교도 아주 간단해졌다.

64 계산하는 과정에서 단위 변화의 실수가 있기는 했지만 전문의들의 의견을 주의 깊게 들어 볼 필요는 있다.

중유럽에서는 이런 문제를 다룬 실험이 그동안 자주 진행되어 왔고 해결책으로 정전기를 없앤 테스트 값만 인정하는 경우도 있다. 'Discharged efficiency of filter(필터 배출 효율)'로 표현하며 정상적인 필터 생산 회사는 이에 관한 테스트 값을 제출할 수 있다[6].

2018년 중반부터는 새로운 기준인 ISO 16890로만 테스트를 할 수 있기 때문에 앞으로는 좀 더 현실적인 수치를 확보할 수 있을 것으로 기대한다.

표 22 EN 779와 ISO 16890의 비교

EN 779	ePM1 [%]	ePM2.5 [%]	ePM10 [%]
M5			ISO ePM10 (≥ 50%)
F7	ISO ePM1 (≥ 50%)	ISO ePM2.5 (≥ 50%)	
F9	ISO ePM1 (≥ 80%)		
마지막 필터 등급은 최소 ISO ePM1 ≥ 50% 이상을 충족해야 한다.			

ePM = efficiency Particulate Matter

출처: VDI 3803 Blatt 4

필터 재사용 가능할까?

필터 비용을 아끼기 위해 필터를 식기세척기로 세척 후 다시 사용한다는 이야기를 종종 듣는다. 가능하다면 버리고 새것으로 교체하는 것이 맞다. 정수기의 필터는 교체해도 공기는 눈에 보이지 않기 때문에 필터 교체에 그리 큰 신경을 쓰지 않고 대부분 빨아서 재사용해왔다. 최근 들어 미세먼지가 공론화되면서 필터에 대한 관심이 늘었지만, 사용 기간과 필터 성능을 고려한다면(새로운 측정 기준을 통해 개선되겠지만) 지금 국내에 유통되는 필터들은 성능면에서 재검증 혹은 측정 기준의 보완이 필요해 보인다.

화장실이나 다른 배기 공간에 사용하는 G4 정도의 필터는 가격이 비싸지도 않지만, 여러 번의 청소를 하는 것도 크게 문제가 되지는 않는다.

한편 공기조화기가 모든 것을 해결한다고 오해하기도 한다. 대표적인 것이 음식 냄새, 휘발성유기화합물(VOCs) 등을 정화하는 것도 공기조화기 본연의 기능이라는 생각이다. 물론 활성탄소 필터와의 조합으로 불가능한 것은 아니지만, 일반적이지는 않다. 외기 인입구의 위치는 냄새 발생을 고려해서 선정하는 것이 중요하다. 예를 들어 바비큐를 하는 장소나 거름을 만드는 곳, 장독대가 있는 냄새 나는 곳은 피해야 한다.

공기조화기의 외부 필터는 적어도 프리필터라 불리는 G3 정도를 사용해서 작은 곤충이나 기타 공기 중 이물질을 일차적으로 걸러내고 기계 내부에는 F7, 실내에서 배기 되는 경우 G4 등급의 필터를 사용하는 것이 가장 일반적인 조합이다. 외기 온도를 올려주는 프리히터의 유무에 관계없이 외부에는 G3 혹은 G4의 필터를 사용하는 것을 권한다[65]. 람다패시브하우스의 경우(필자의 실수도 있었는데) 여기서 기본적으로 시공하는 프리필터를 사전에 주문하지 못해 건축주가 직접 프리필터를 만들어 시공했다. ISO 16890 이후 독일 패시브하우스 연구소(PHI)에서도 필터에 관한 기준을 변경해서 2019년 1월부터는 공기조화기 검사 시에 오직 ISO 16890로 측정된 공기 필터만 인정된다.

사진 147
람다패시브하우스의 ODA (Outdoor air), 외기 흡입구

65 ISO 16890 기준 등급으로 외기 쪽에는 최소 ISO ePM1 50%, 배기 쪽에는 ISO Coarse 60%를 만족해야 한다. 외기 프리필터는 10μm 이상의 크기를 거르는 것으로 보면 된다(곤충이나 먼지, 큰 꽃가루 등).

성능 좋은, 등급 높은 필터를 사용한다는 의미는 공기 흐름을 방해하며 배관 내에 압력을 높인다는 의미다. 계획한 공간에 원하는 공기량이, 계획된 전력 소모로 공급 가능한지 등을 공조기 생산업체나 설비 업체와 협의해 환기 계획을 세워야 한다.

람다패시브하우스는 건물 각 실의 기능과 크기 위치 등을 고려해 급기와 배기, 오버플로우(Overflow)를 고려한 일차적인 데이터(Worksheet)를 PHPP 내에 입력하고 이 결과를 기준으로 공기조화기의 용량을 설정했다. 부엌, 욕실, 손님 화장실, 거실, 침실 등에 관한 표준 공기량은 PHI에서 제안하는 것이 있지만 꼭 이에 준해 설계할 필요는 없다. 부엌의 크기와 사용 빈도를 고려한다면 좀 더 많은 공기를 배기하는 것도 가능하다. 다음 단계로 건물의 위치와 주변 건물, 바람의 정도를 고려해 침기율 등을 살펴보고 예상 기밀 테스트 값을 기입한다. 기밀 테스트 값은 나중에 측정한 후 실제 값을 쓰면 된다. 동시에 건물을 빠져나가는 배관 길이와 단열 상태 등을 고려해 열교를 계산하면 실제 공기조화기의 폐열회수율이 계산된다. 즉 생산 업체에서 말하는 폐열회수율을 그대로 사용하면 안된다는 말이다.

필요한 환기량을 간단하게 계산하는 방법

먼저, 물을 사용하는 공간 즉, 배기가 되는 공간의 표준 환기량을 알아야 한다. 물론 이 수치를 꼭 지켜야 하는 것은 아니다.

- 부엌 $60m^3/h$
- 샤워 시설이 있는 욕실 $40m^3/h$
- 샤워 시설이 없는 화장실, 창고 $20m^3/h$

계산 예

설정 : 에너지 유효면적(TFA) $150m^2$, 공간 높이 2.5m, 3인 가족, 부엌, 욕실

1. 신선한 공기 : $3P \times 30m^3/(h \cdot P) = 90m^3/h$
2. 습식 공간의 배기 공간 : $60m^3/h$(부엌) + $40m^3/h$(욕실) = $100m^3/h$
3. 최소 환기 횟수 : $0.3/h \times 150m^2 \times 2.5m = 112.50m^3/h$

총 세 가지의 환기 종류가 가능하다. 1은 단지 신선한 공기만을 고려하는 경우, 2는 배기만을 고려한 경우, 3은 최소 환기 즉, 위생을 위한 환기다. 이 세 종류의 공기량 중에서 제일 큰 것을 선택하고, 그 수치에 1.3~1.5 정도를 곱한 값을 환기 장치 용량으로 보면 된다. 위의 사례에서는 $112.50m^3/h \times 1.5 = 168.75\ m^3/h$가 필요한 용량이 된다.

Passive House with PHPP Version 9.3

Ventilation data

람다 패시브하우스 / Climate: GONGJOO / TFA: 159 m² / Heating: 14,8 kWh/(m²a) / Cooling: 15,6 kWh/(m²a) / PER: 100,6 kWh/(m²a)

	Unit	Value		
Treated floor area A_{TFA}	m²	159		('Areas' worksheet)
Room height h	m	2,50	2,50	
Volume of ventilated space (A_{TFA}*h) V_V	m³	399		(Worksheet 'Annual heating')

Ventilation type

Please select: 1-Balanced PH ventilation with HR

Infiltration air change rate

Wind protection coefficients e and f		
Coefficient e for wind protection class	Several side exposed	One side exposed
No protection	0,10	0,03
Moderate protection	0,07	0,02
High protection	0,04	0,01
Coefficient f	15	20

		Unit	For annual demand:	For heating load:				
Wind protection coefficient, e			0,07	0,18				
Wind protection coefficient, f			15	15	Net air volume for press. test V_{n50}		Air permeability q_{50}	
Air change rate at press. test	n_{50}	1/h	0,60	0,60	432	m³	0,47	m³/(hm²)

		Unit	For annual demand:	For heating load:
Excess extract air		1/h	0,00	0,00
Infiltration air change rate	$n_{V,Rest}$	1/h	0,046	0,114

Selection of ventilation input - Results

PHPP offers two methods for dimensioning air quantities and choosing the ventilation unit. With "Standard data input for balanced ventilation", supply or extract air quantities for residential buildings and parameters for ventilation systems with a maximum of 1 ventilation unit can be planned. Projects with up to 10 different ventilation units and air quantities determined according to rooms or zones can be entered in the 'Addl vent' worksheet. Please select your design method here:

Ventilation unit / Heat recovery efficiency design

- [x] Standard design ('Ventilation' worksheet, see below)
- [ ] Multiple ventilation units, non-res ('Addl vent' worksheet)

Average air flow rate m³/h	Average air change rate 1/h	Extract air excess (extract air system) 1/h	Effective heat recovery efficiency unit [-]	Energy recovery [-]	Specific power input Wh/m³	Heat recovery efficiency SHX [-]
135	0,34	0,00	79,6%	61,0%	0,31	0,0%

Cooling degree:

Efficiency SHX η^*_{SHX}: 0%

Average interior humidity during winter operation

Jan	Feb	Mar	Apr	May	Jun	Jul	Aug	Sep	Oct	Nov	Dec
42%	43%	49%	60%	-	-	-	-	-	-	55%	45%

Passive House with PHPP Version 9.3

Standard data input for balanced ventilation

Dimensioning of ventilation system with only one ventilation unit

	Unit					
Occupancy	m²/P	40				
Number of occupants	P	4,0				
Supply air per person	m³/(P*h)	30				
Supply air requirement	m³/h	120				
Extract air rooms		Kitchen	Bathroom	Bathroom (shower only)	WC	technik
Quantity		1	2		1	5
Extract air requirement per room	m³/h	60	40	20	20	20
Total extract air requirement	m³/h	260				

Design air flow rate should cover at least the extract air demand according to DIN 1946!

Design air flow rate (maximum) m³/h: 250 Recommended: 260 m³/h

Average air change rate calculation

Type of operation	Daily operation times h/d	Factors referenced to maximum	Air flow rate m³/h	Air change rate 1/h
maximum		1,00	250	0,63
Standard		0,77	192	0,48
Basic ventilation	24,0	0,54	135	0,34
Minimum		0,40	100	0,25
	Average value	0,54	Average air flow rate (m³/h): 135	Average air change rate (1/h): 0,34

Selection of ventilation unit with heat recovery

Location of ventilation unit: 1-Inside thermal envelope

	Go to ventilation units list 1-Sorting: LIKE LIST	Heat recovery efficiency Unit η_{WRG}	Energy recovery η_{ERV}	Specific efficiency [Wh/m³]	Application [m³/h]	Frost power input
Ventilation unit selection	0329vs03-Zehnder - ComfoAir550, ComfoD550, WHF	0,84	0,61	0,31	110 - 308	yes

		Unit	Value
Conductivity outdoor air duct	Y	W/(mK)	0,793
Length of outdoor air duct		m	1,2
Conductivity exhaust air duct	Y	W/(mK)	0,793
Length of exhaust air duct		m	2
Temperature of mechanical services room		°C	20
(Enter only if the central unit is outside of the thermal envelope)			

Implementation of frost protection	1-No
Limit temperature [°C]	0
Useful energy [kWh/a]	0
Room temperature (°C)	20
Avg. ambient temp. heat. period (°C)	3,6
Avg. ground temp (°C)	13,2

Effective heat recovery efficiency $\eta_{HR,eff}$ **79,6%**

폐열회수율은 정해진 숫자가 아니라 같은 기계라도 여러 요소에 의해 변경되기 때문에 가급적이면 배관 길이와 열교를 줄이는 것도 중요하다. 공조기는 단열선 내부 즉, 난방 공간에 설치하는 것을 권한다.

표 24 환기 계획 각실 공기량, PHPP

Nr.	실명	면적	높이	체적	공기량			환기회수	Type of Flow-Off Vent
		A	h	A x h	V_{SU}	V_{EX}	$V_{Through}$	n	(door gap, grid in door leaf, door frame, valve...)
		m^2	m	m^3	m^3/h	m^3/h	m^3/h	1/h	
1	부엌	11.70	2.50	29.3		60		2.05	
2	식당	11.70	2.50	29.3	40			1.37	
3	거실	16.69	2.50	41.7	60			1.44	
4	안방	13.43	2.50	33.6	50			1.49	
5	드레스룸	4.45	2.50	11.1		20		1.80	
6	화장실(욕조)	5.97	2.50	14.9		40		2.68	
7	로비	18.77	2.50	46.9			120		
8	현관	1.87	2.50	4.7			20	4.28	
9	공조실	2.56	2.50	6.4		20		3.13	
10	화장실(변기)	2.06	2.50	5.2		20		3.88	
11	취미/다용도실	10.86	2.50	27.2		30		1.10	
12	방+공부방	18.65	2.50	46.6	50			1.07	
13	방2	15.81	2.50	39.5	30			0.76	
14	로비	12.93	2.50	32.3	30	30	110		
15	화장실(샤워/욕조)	8.16	2.50	20.4		40		1.96	
	전체:	155.61	---	389.03	260.0	260.0	---	0.67	

람다패시브하우스에는 전열교환기 즉, 습기도 어느 정도 회수[66](약 60%)하는 시스템을 선택했다. 1차 분석(260m³)에서는 시간 당 350m³ 공급 가능한 기계도 가능했지만, 설계 초기 단계에서는 여유치(1.3배)가 필요했고 냉방 모듈을 추가 시공할 가능성도 있었기 때문에 다음 크기인 550m³의 공기를 공급할 수 있는 기계를 선정했다.

출처: Zehnder, germany

사진 148
상부 : 냉방 모듈, 하부 : 공기조화기 모듈

디퓨저의 위치

각 실의 용량이 정해졌으면 다음 단계로 열회수 성능을 고려한 디퓨저의 개수와 위치를 정한다. 디퓨저가 하나만 있다고 실에 배관이 하나만 들어가는 것은 아니다. 시공되는 배관의 직경과 소음 발생을 고려해 두 개의 배관이 시공되는 경우가 일반적이다. 내경이 65mm인 배관의 경우 약 25~30m³/h의 공기량이 흐른다. 그 이상은 배관을 추가 시공해야 한다. 그렇지 않으면 소음 발생의 원인이 된다.

가장 주의해야 할 점은 준공 후 가구 배치다. 침실의 급기구는 가급적이면 침대에서 떨어져 설치하는 것이 좋다. 겨울철에는 간혹 공기가 차갑게 느껴지는 경우가 있고, 밤에는 작지만 소리가 들리기 때문이다.

66 습기가 회수된다고 실내의 상대 습도가 많이 상승하는 것은 아니다. 기계와 실내의 수증기 발생량, 외피의 침기량에 따라 다르지만 5~15%의 상승이 있다고 보면 된다.

침실은 전형적인 급기 공간이다. 외부에서 들어온 신선한 공기가 방 안 공기와 섞이고, 이렇게 바뀐 공기가 다음 배기 공간으로 움직이는 게 정석인데 문제는 그 길이다. 만일 신선한 공기가 방안으로 유입되자마자 바로 배기되면 일차적으로는 신선한 공기가 부족하게 되고 이차적으로는 공기가 이동하면서 데워지는 시간이 짧아 열회수율이 저하된다. 다른 방법이 없다면 일반적으로 사용하는 디퓨저가 아니라 실내 깊숙이 공기를 전달하는 제품을 사용해야 한다.

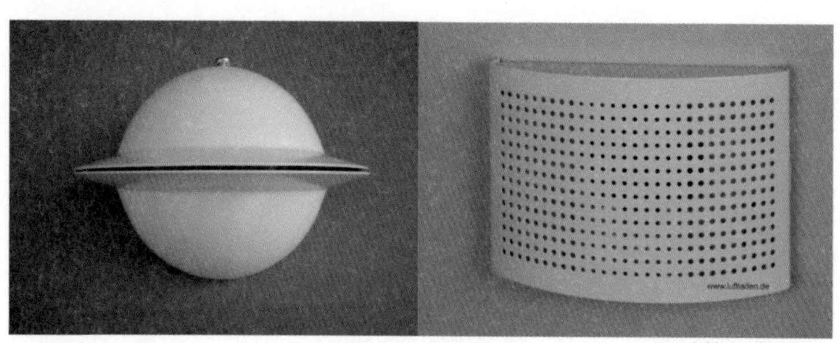

www.luftladen.de, germany

사진 149 Coanda 효과가 있는 급기 디퓨저

부엌, 화장실, 창고 등의 배기구(Extract valves)는 보통 천장 혹은 천장 하부 벽체에 시공한다. 이유는 간단하다. 악취 혹은 음식 냄새, 사용한 공기는 열을 함유하고 있어 위로 상승한다. 배기구를 상부에 두는 것이 하부보다 효과적이다. 하지만 공기조화기의 밸런스에 따라서는 배기구가 상부에 있어도 화장실 냄새가 다른 공간으로 퍼지기도 한다. 특히 부엌의 주방 후드가 작동되면서 추가적인 공기 유입이 없는 상태인 음압이 걸리는 경우가 바로 그것이다.

화장실은 가급적이면 변기 상부에, 샤워 부스가 있다면 바로 위보다 측면 상부에 설치하는 것이 좋고 직접적으로 습한 공기를 배기하는 것은 피하는 것이 좋다. 샤워 후에는 짧게라도 자연 환기를 권한다.

여름철 실내 발열로 불필요한 냉방 부하를 더하는 가전제품이 있다면 바로 그 위치에서 배기하는 것이 좋다. 그런 이유에서 람다패시브하우스는 냄새가 많이 나는 요리를 위한 다용도 부엌을 별도로 설치하고 외부로 바로 공기를 빼는 주방 후드를 설치했다. 마찬가지로 공기조화기 배기 디퓨저도 냉장고 주변에 달았다. 우리나라는 식생활이 다르기 때문에 가전제품에서 발생하는 발열량이 중유럽 국가들보다 큰 편이라 유의해야 한다.

ODA(OutDoor Air, 외기 흡입구), EHA(Exhaust air, 배기구) 두 개의 배관은 모두 건물 외피에 시공되는데 같은 방향이라면 2m 이격해서 공기가 섞이는 것을 피하는 것이 좋다. 람다패시브하우스의 경우 급기는 동측 외피(숲이 있는 근린공원 방향)에, 배기는 서측 외피에 달아 방향과 위치를 달리했다. 간혹 환기 장치에서 외부로 빠지는 EHA배관을 보이지 않게 외피 뒤에 시공하는 경우가 있다. 통기층이 있는 구조에서는 주변에 철물 등으로 인해 상대 습도가 올라가면서 결로와 녹이 생길 위험이 있으므로 주의해야 한다. 그런 경우라면 스테인리스 스틸을 사용하는 것이 좋다.

음식 냄새

2층으로 올라가는 계단이 부엌 근처에 있으면 냄새가 쉽게 올라가는 것을 막기 위한 장치를 두기도 한다. 조리 공간 천장에 턱을 만들어 냄새가 빨리 퍼지는 것을 막고, 그 턱진 공간에 보이지 않게 배기구(Extract valves)를 여러 개 시공하면 매우 효과적으로 냄새를 제어할 수 있다. 건축적으로는 2층으로 올라가는 계단 앞에 디자인 도어를 다는 것도 방법이다. 공기의 흐름을 방해해야만 냄새의 확산을 줄일 수 있다. 람다패시브하우스는 2층으로 올라가는 계단홀이 있지만 주방과의 거리가 있어 다용도실에 설치한 레인지 후드를 작동하면 냄새 유입 걱정은 안 해도 되는 수준이다.

사진 150 층별 배관 계획 기호표

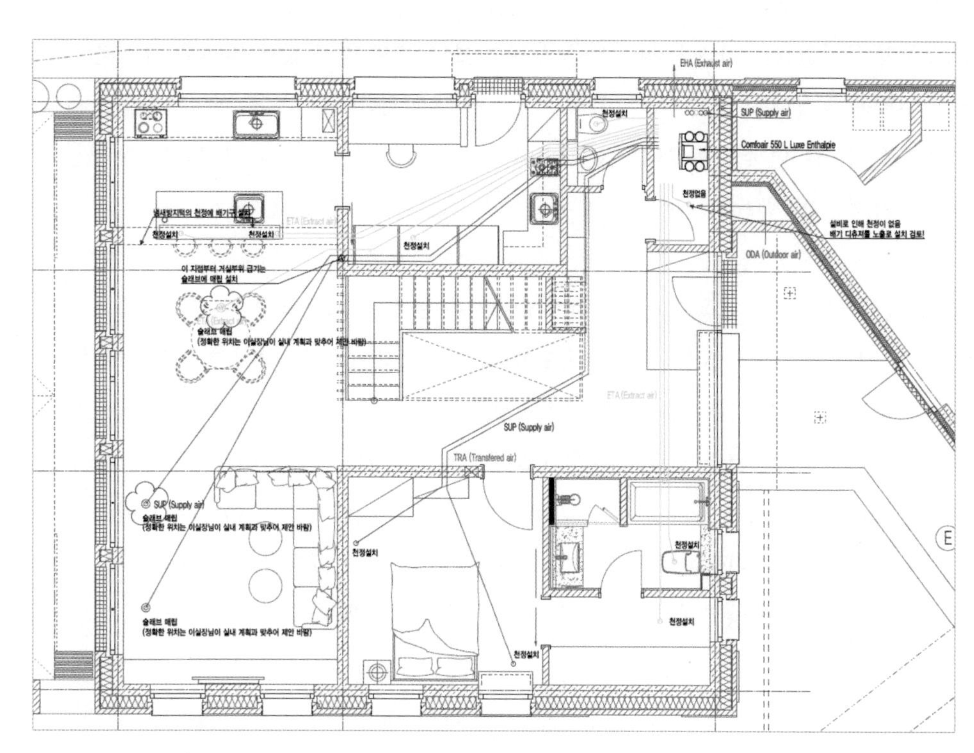

사진 151 층별 배관 계획, 1층

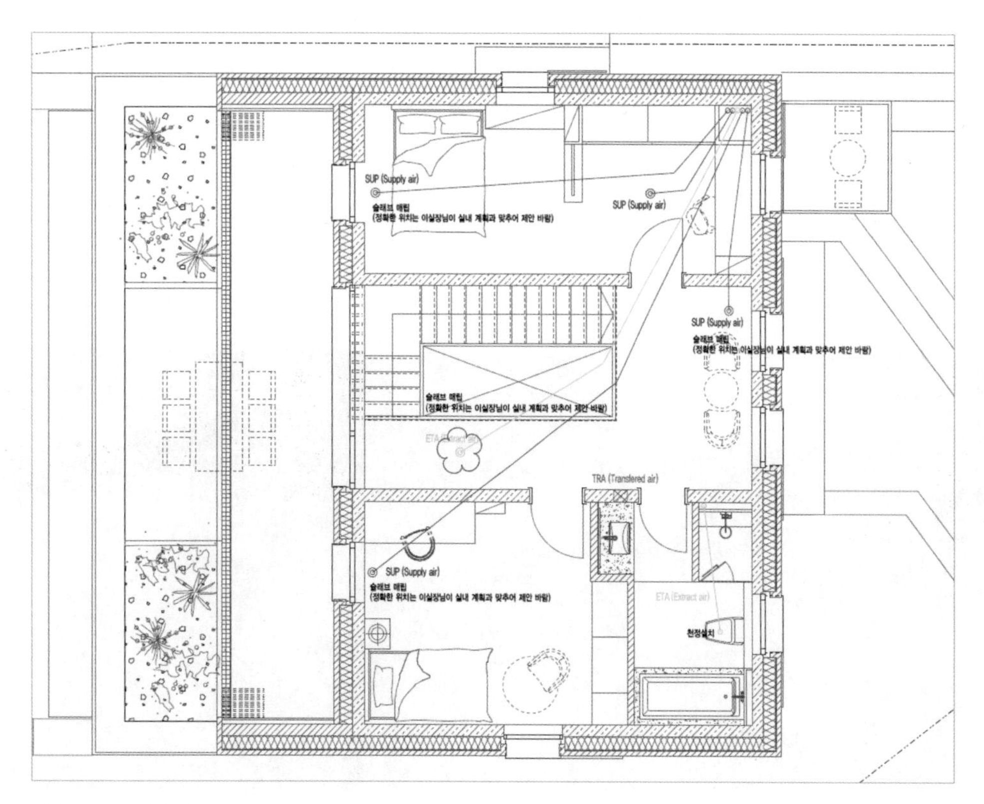

사진 152 층별 배관 계획, 2층

1, 2층의 급기관으로 표시된 파란색을 자세히 보면 주로 창호 앞에 일정한 간격을 두고 계획되어 있는 것을 확인할 수 있다. 열회수율을 높이기 위함이다. 보통 패시브하우스에 적용되는 창호 수준이면 결로로부터 안전한 편이지만, 창호 주변 온도가 낮더라도 습기를 덜 함유한 공기(열 교환된 외기)를 지속적으로 공급하면 결로로부터 더 안전하다.

비슷한 예로 KTX와 같은 기차를 타면 겨울철 창호 하부에서 유리를 타고 바람이 강하게 올라오는 것을 본 적 있을 것이다. 이런 개념은 수증기가 많은 실내 수영장 등에 사용되기도 한다. 실내 수영장은 보통 공기의 온도를 높이고 절대 습도는 낮춰 창호의 결로를 줄이는 시스템이다. 이런 시스템을 좀 더 효율적으로 적용하기 위해 급기구를 바닥 모르타르층에 설치하기도 한다. 보통 결로로 문제가 되는 부분은 창호 상부보다는 열 저항이 높은 하부이기에 사각형의 배관을 깔고 창호 바로 앞에 급기구를 설치한다. 이런 시스템의 단점은 급기구 안에 먼지나 이물질이 들어갈 위험이 높아 정기적으로 청소를 해야 한다는 것이지만, 실제 보통의 주거 용도의 패시브하우스에서는 다른 건물처럼 먼지가 그리 많지 않다. 이 시스템의 가장 큰 장점은 2층 건물의 경우 두 층의 배관을 1층 슬래브에 모두 설치할 수 있다는 것이다. 배관 길이가 전체적으로 짧아지면 배관 내 압력 손실이 훨씬 줄어든다. 즉, 1층의 배관은 상부가 되고, 2층의 배관은 바닥이 되는 것이다(사진 153).

출처 : http://www.wir-bauen-dann-mal.de/tag/zehnder/

사진 153 바닥 위에 배관을 설치한 경우, 시스템 Zehnder Comfo

TRA(Transferred Air)는 소위 급기된 공기가 다음 공간으로 빠져나가거나 그다음 공간에서 배기 공간으로 이동하여 순환되는 공기를 의미한다. 침실과 같이 문으로 구획되는 공간으로 급기가 되는 경우에는 일반적으로 문 하부를 약 15mm 정도 짧게 시공하는데, 국내 방문 시공은 기밀이 거의 없는 편이라 그냥 진행하기도 한다.

TRA를 위해 문틈을 사용하는 것은 비용이 들지 않는다는 장점이 있다. 또한 아주 간단하게 누구나 만들 수도 있다. 보통 흐르는 공기량이 30m^3 정도면 7mm 정도, 40m^3이 넘으면 10mm 정도의 틈이 필요하다[17]. 단, 문틈이 많이 벌어질수록 내부 불빛과 소음이 전달되기 쉽다는 점을 주의해야 한다. 원칙적으로는 실내문이라도 내부 소음을 차단하기 위해 문틀에 홈을 파서 고무로 된 실링을 최소 3면에 돌리는 것이 프라이버시 면에서 좋다. 대부분의 국내 현장에서는 낯선 얘기일 것이다.

문 하부를 짧게 하는 방법의 가장 큰 단점은 방음 기능이 현저히 떨어진다는 것이다. 가족 간이라도 프라이버시는 존중되어야 한다. 손님이 방문했을 때 화장실 사용 소리 등도 고려한다면 설계 단계부터 개선된 대책을 마련하는 것이 좋다. TRA를 해결하면서도 방음 기능이 있는 Overflow를 칸막이벽에 설치하는 것도 방법일 수 있다.

가격도 그리 비싸지 않다. 온라인숍에서 직접 구매를 하더라도 세금 포함해서 100유로 이하다. 보통의 단독주택은 2~4개면 충분하다. 국내 수입처에서 사더라도 큰 가격 차이는 없다.

화장실과 같은 공간에는 Overflow라고 불리는 별도의 시스템을 조적 혹은 철근콘크리트와 같은 벽에 매립하거나 문에 시공한다. 눈에 잘 보이기 때문에 디자인적인 부분도 고려해야 한다.

람다패시브하우스에서는 방음 기능을 고려해 총 4군데에 적용했다. 시공 경험이 없는 시공사를 위해 건축주와 도면을 기준으로 협의(사진 154)를 진행했다. 협의 내용은 단순하다. 시스템의 크기와 여유치, 틈새를 막는 방법에 관한 기본적인 내용이다. 이런 과정은 모든 단계를 하나씩 짚어 나가는 것이기에 건축주 입장에서는 공정에 대한 이해도를 높일 수 있는 검토 수단이기도 하다.

배관 청소

설계 시에는 생각을 깊게 하지 않는 부분이 있다. 바로 배관 청소다. 급기는 그리 걱정할 것이 아니지만 배기구와 배관은 청소를 해야 한다. 아직 이에 대한 구체적인 데이터가 없다. 국내에 배관 청소를 하는 회사가 있기는 하지만 대부분 규모가 큰 상업용 건물을 대상으로 하고 있다. 비주거 건물인 상업용 건물과 패시브하우스 건물과는 오염 정도나 청소

방법에 관한 직접적인 비교가 아직은 어렵다고 생각한다. 패시브하우스 건물을 중심으로 환기 장치 청소 및 필터 교체 등의 서비스를 지속적으로 할 회사가 조만간 문을 연다는 소식을 들었다. 초반 환기 계획 단계부터 공기조화기 구입 시 서비스에 관한 내용도 함께 다룬다면 비용 계획도 경제적으로 세울 수 있을 것이다.

오버플로워 설치:

급기가 된 공기가 오보플로워 되어서 배기가 되기 위해서 현재 계획에서는 일층 안방과 이층화장실을 계획을 했지만 이층의 두 침실에도 설치하시기를 희망하시기에 Pos.11 을 4 개를 잡고 양쪽으로 스테인레스 디자인 덮개(Pos.19)로 막게 됩니다. 추가적인 설치는 이층화장실 표시된 타공을 기준으로 삼으시길 바랍니다.

타공도면 A-5-Gr-0-DS-50_a 과 A-5-Gr-1-DS-50_a 에 표시된 오버플로워를 위한 타공크기는 235 x 125 mm 입니다. 첨부파일로 보내드린 overflow 를 보시면 장비의 순수크기는

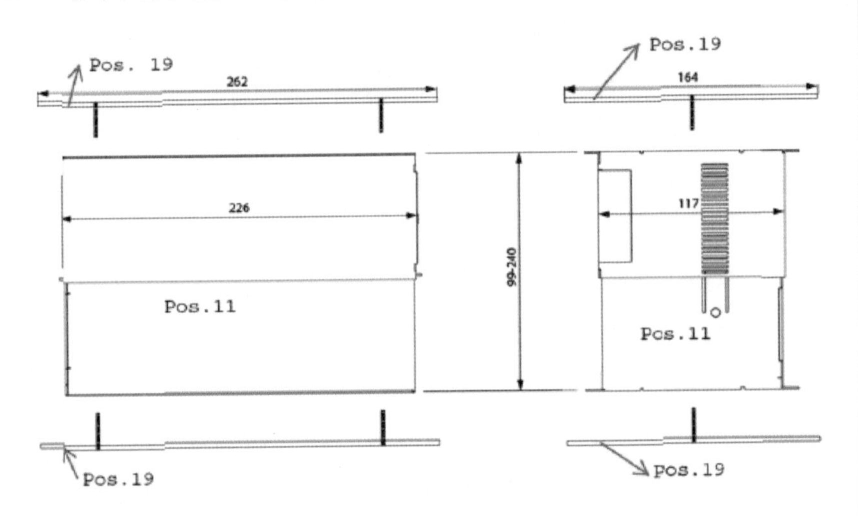

226 x 117 mm 입니다. 제가 보기에는 현장의 오차가 있을 터이니 얇은 글래스울을 추가적으로 빈공간에 시공하는 것으로 하면 실제 타공의 크기는 246 x 137 로 해서 10mm 의 여유를 두어서 하는 것도 좋으리라 봅니다. Pos.19 의 덮개는 가급적이면 미장면과 맞추길 바랍니다. 아니면 첨부파일 overflow 에 나와 있는 사진처럼 약간의 높이차이를 두는 것도 방법입니다.

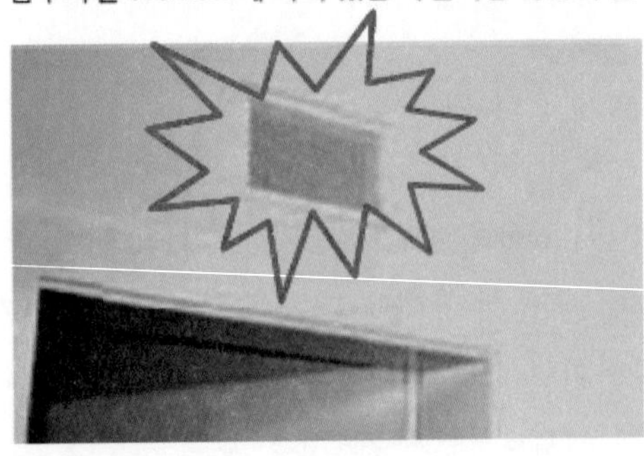

사진 154 Overflow 협의 내용

② 난방 계획

지금까지 국내 패시브하우스 설계에서 가장 소홀히 취급받은 것이 있다면 바로 난방 설비 계획이다. 이유는 간단하다. 어떤 방식으로 하더라도 기계 제어 세팅만 제대로 하면 난방에너지 절감은 저절로 따라오기 때문이다. 독일에서는 공기조화기, 온수, 난방이 한 기계에 포함된 종합 설비 장치도 많이 보급되지만, 국내에서는 콘덴싱 보일러가 보편적이다.

얼마 전까지만 해도 필요 이상으로 용량이 큰 지열 히트펌프를 설치하고 매월 일반 누진제보다 높은 기본요금을 내거나 전기 소비를 줄이기 위해 태양광을 추가로 다는 사례가 많았다. 단독주택이라는 몸에는 맞지 않은 큰옷 같은 느낌이었는데, 17.5KW(5RT) 외에 10.5KW(3RT) 용량도 주택용 지열 보일러의 국고 보조[67]가 진행되고 있다. 사용량에 상관없이 매달 지출해야 하는 높은 기본요금 체계와 과도한 시공비는 아직 넘어야 할 산이지만, 용량이 작은 히트펌프의 지원 정책은 반가운 일이다. 하지만 히트펌프 지원 사업을 단지 '지열'히트펌프에만 적용하는 것은 아쉽다. 패시브하우스라 부하가 낮아진 건물이라면 지중에 2~3개의 파일을 150m 깊이에 시공하는 지열 히트펌프보다 저용량의 공기열 히트펌프가 오히려 더 경제성 있다고 본다. 패시브하우스의 기술 발전을 견인하기 위해서라도 패시브하우스에 설치하는 공기열 히트펌프에 대해 국고 보조금 지원이 이루어졌으면 하는 희망을 가져본다.

개인적으로 국내에 꼭 한번 적용해보고 싶은 설비 조합은 이런 지열 혹은 공기열 히트펌프와 복사 냉난방의 조합이다. 바닥 모르타르층에 설치해서 냉난방을 운용해도 되지만, 높은 시공비의 장벽을 넘을 수 있다면 슬래브 배관으로 냉방을, 바닥에는 난방관을 설치하는 조합을 시도해보고 싶다. 슬래브에 시공하는 시스템을 보통 TABS(Thermo-Active Building Systems)라고 하는데 겨울에 32~35°C, 여름에 약 20°C의 냉매를 지열 교환으로 공급하는 시스템이다. 시원한 암반이 머리 위에 있는 셈이다. 시스템이 축열체 속에 있기 때문에 에어컨 온도까지 내려가지는 않아도 냉방이 가능하다. 물론 제습은 별도로 해결해야 한다. 복사 냉방 온도가 낮으면 여름철 결로 이슈가 있기 때문이다. 실내 상대 습도가 너무 높으면 복사 냉방 시스템은 자주 가동을 멈추기 때문에 복사 냉방과 제습은 필요 불가결한 조합이다.

전기 복사 난방

건축주의 개인 사정으로 진행되지는 못한 한 현장에서는 다른 패턴으로 난방을 계획했다. 도시가스가 들어오지 않는 지역으로 LPG 가스를 사용하려면 단지 내 각 건물 모퉁이에 건

67 10.5kW는 1kW당 620,000원, 17.5kW는 1kW당 470,000원 국고 보조. 출처: 한국에너지공단, 2018년 주택지원사업

물과는 전혀 어울리지 않는 가스 저장 시설을 설치해야 했다. 가스관을 모두 노출해서 시공하면 공사비가 상승하고 미관이 훼손된다는 점도 선택에 영향을 주었다. 패시브하우스는 난방 부하가 낮고 난방기 용량이 클 필요가 없어, 필요한 위치마다 벽걸이형 전기 난방기를 두기로 했다. 이럴 경우 바닥 난방과의 조합은 어려워지지만, 이 케이스에서는 실내 작업 공간이 주 용도라 적용이 수월했다.

이는 보일러 같은 난방 관련 설비가 필요 없고 복사 난방의 장점을 최대로 이용한다는 장점이 있다. 물론 난방 부하가 높은 일반 건물에서는 검토하기 어렵다. 이 케이스에서는 유입되는 급기를 지중열이나 히트펌프를 이용한 열교환 또는 전기 코일을 이용한 공기 난방(Post heating)으로 약 22°C까지 올리고 나머지 부하는 실내 전기 복사 난방으로 해결한다면 난방이 충분하다는 계산이 나왔다.

필자가 근무하는 회사에서 설계한 패시브하우스에서도 그 효과가 입증된 바 있다. 물론 급기 온도를 조금이라도 올리면 모든 급기관을 추가로 단열해야 계획된 온도를 맞출 수 있다. 단, 이 방식에서 실내 벽은 석고보드에 단열재를 충진한 벽이 아니라 조적이나 철근 콘크리트여야 열전도를 통해 다른 공간으로의 간접 난방이 가능해져 효율적으로 실내 온도를 관리할 수 있다.

패시브하우스라도 욕실은 기준 온도인 20°C가 아니라 23°C를 유지하는 것이 좋다. 평

사진 155 전기 복사 난방기(자연석)

사진 156 전기 복사 난방기 - 욕실, 수건 건조대로 사용할 수 있다.

소 생활할 때보다 옷을 더 얇게 입거나 안 입는 곳이기 때문이다. 그런 이유에서 위의 사진처럼 전기나 온수를 이용한 난방기를 추가해 젖은 수건을 말리는 용도로도 쓴다. 독일의 경우 욕실 난방기가 일반적이라 다양한 제품이 구비되어 있다. 다만, 디자인이 마음에 드는 것은 하나당 100만 원을 넘는 경우가 흔하다. 그럼에도 불구하고 다른 난방 설비를 생략할 수 있는 부분이기 때문에 꼭 비경제적이라 볼 수는 없다.

초기의 패시브하우스에서는 공기 난방(Post heating)만으로 난방을 100% 해결하는 것이 시스템 단순화 차원에서 호응이 좋았다. 그러나 겨울이 습한 중유럽에서도 실내 상대 습도가 낮아지는 것은 막기 어려웠다. 이런 단점을 이미 경험했기 때문에 순수 공기난방시스템은 현재 거의 사라졌다. 난방과 환기를 별도의 독립 시스템으로 관리하는 것이 요즘 추세다. 더불어 환기 장치를 통해 난방과 환기를 동시에 할 경우, 만약 근처에서 화재나 화학약품 사고가 발생한다면 일시적으로 환기 장치를 꺼야 하는데 겨울이라면 난방과 환기 모두에 치명적일 수 있다.

필자가 말하는 시스템은 바로 두 가지 시스템의 장점만 연결한다. 공기를 약 22°C 수준으로 맞추고 나머지는 전기 복사 난방으로 해결하는 것이다. 실내가 건조해지는 것을 억제할 수 있고 다른 설비를 위한 시공이 필요없어 공사비도 절약할 수 있다고 본다.

온수는 세면대 하부에 설치하는 순간온수기를 사용하면 된다. 고효율에 성능 좋은 제품이 요즘 많이 출시돼 부엌이나 욕실에서도 문제없이 쓸 수 있다. 필자가 현재 살고 있는 독일의 건물은 1936년에 지어져 단열이나 창호 성능이 현재 기준에는 한참 못 미치는 곳이다. 난방은 실내 공기를 덥히는 공기 난방 시스템이고 온수는 모두 순간온수기를 사용한다. 한 해 다섯 식구가 사용하는 전기 사용량은 온수를 포함해 총 5,500kWh/a이고 난방 기름은 약 1,000ℓ를 사용한다. 겨울철에만 사용하는 전기를 30%로 보면 총 소요량 16,650kWh/a이며 연면적 200m²로 나누면 난방에너지 소비량은 83.25kWh/a이다. 지은 지 80년이 넘은 건물이지만, 요즘 지은 패시브하우스 기준보다 5.5배 정도 더 높을 뿐이다. 물론, 누진세가 있는 국내 현실에 그대로 적용하기 어렵다는 것은 안다. 태양광 설치 등의 대안도 고려해 볼 수 있지만 에너지 부하 자체를 낮추는 것이 의도인 패시브하우스에서 바른 접근은 아닐 것이다.

가정마다 난방 패턴은 조금씩 다르다. 자식들과 살다가 남은 빈 방은 아예 난방을 하지 않거나 온도를 내리는 경우도 많다. 그렇다면 패시브하우스에서 이렇게 난방을 한다면 어떤 결과가 벌어질까?

패시브하우스 입주 후 난방에너지 요구량이 기존 건물에 비해 워낙 낮아 크게 신경을 쓰지 않는 사람이 있는 반면 어떤 사람은 에너지가 적게 소비되기 때문에 전에 살던 건물에서보다 더 많은 에너지를 사용하기도 한다. 이런 현상을 두고 '리바운드 효과(Rebound effect)'

라고 한다. 연비가 좋은 자동차를 사고 나면 연비가 좋지 않았던 이전 차보다 더 많이 타게 되는 것과 같은 원리다.

반면 이론적으로 에너지 소비량이 많아야 하는 단열이 부족한 건물임에도 추위를 참으며 실생활에서 난방에너지 요구량의 50% 미만으로 에너지를 소비하는 경우도 있다. 이는 건물의 단열과 기밀 성능이 부족한 것을 알고 있기 때문에 절약을 위해 노력한 결과다.

독일 패시브하우스 연구소에서는 다양한 생활을 바탕으로 난방에너지 소비량 패턴을 조사했다. 자료에 따르면 겨울철 14일 동안

- 평상시 실내 온도 20°C로 유지
- 실내 온도를 17°C로 낮춘 경우
- 집을 비우는 동안 난방 장치를 끈 경우

물론 난방에너지를 제일 많이 절약한 건 난방 장치를 아예 꺼버렸을 때였다. 문제는 실내 온도를 17°C로 낮춘 경우 이전의 온도로 다시 올리는데 약 1주일, 난방을 꺼버린 경우 약 12일이 소요되었는데 이 기간에 쾌적성이 상대적으로 많이 떨어지는 것으로 나왔다. 수치상으로는 실내 온도 17°C의 경우 93kWh, 꺼버린 경우 199kWh의 에너지 절감[68]이 있었지만, 실제 추가적인 에너지 비용을 고려해 본다면 경제적으로 그리 큰 의미가 없다는 결론이다[18].

쾌적성을 고려한다면 잠깐 집을 비울 때는 난방 온도를 낮출 필요가 없다. 일주일 이상 비운다면 온도를 조금 낮추는 것은 고려할 수 있지만, 난방 장치를 아예 끄는 것은 피하는 것이 좋다. 물론 위의 테스트는 실내로 유입되는 급기를 통한 공기 난방이기에 원래의 상태로 다시 돌아오는데 바닥 난방과 같이 물을 사용하는 경우에 비해 시간이 더 오래 걸리는 측면이 있다. 하지만 투입되는 에너지의 절대량을 고려한다면 결과적으로 큰 차이는 없다.

결국 비용이다. 아무리 좋은 것이라도 지불할 수 없는 기술이라면 의미가 없다. 패시브하우스 부하에 맞는 경제적이고 효율적인 시스템이 상용화되지 않는 한 패시브하우스에도 당분간은 콘덴싱보일러가 그대로 사용될 것이다(콘덴싱보일러가 패시브하우스에 적합하지 않다는 말이 절대 아니다). 중유럽에서도 단독 혹은 다가구주택에 콘덴싱보일러를 주 난방원으로 하는 건물이 많다. 또한 바닥 난방은 우리나라만 적용되는 시스템으로 알려져 있지만 실제 독일만 해도 제법 많이 시공된다. 다만 우리나라와 다르게 급수 온도는 35°C가 일반적이다.

바닥이 뜨거운 것을 바라는 것은 어쩌면 과거에 대한 향수가 아닐까 싶다. 공간의 쾌적성과는 사실 거리가 멀다. 물론 바닥 난방 온도에 대해 유럽 사람들이 느끼는 쾌적성과 우

68 1992년의 수치지만 160원/kWh(한국에너지공단 홈페이지에 표시된 가격)으로 계산하면 각각 5.580원 그리고 31.840원이다.

리가 느끼는 것은 차이가 있을 수도 있다. 어쩌면 그래서 공동주택의 모르타르층 두께를 늘리면 층간 소음을 훨씬 줄일 수 있는데, 두께를 낮춰 바닥 온도를 높이는 선택을 하는지도 모르겠다.

③ 냉방 및 제습 계획

2015년 여름은 람다패시브하우스를 준공하고 맞는 첫 번째 여름이었고 건축주의 작은 실험은 계속되고 있었다. 패시브하우스에서 보통 단열은 문제되지 않는다. 가장 힘든 것은 실내 공기 온도 기준으로 25°C 혹은 쾌적성의 상한선으로 보는 26°C에서 공기 중의 수증기의 양이 12g/kg을 만족하는 것이다. 즉, 해당 온도에서 상대 습도 60% 수준을 유지하는 것이다. 우리나라의 여름에서는 쾌적성을 고려할 때 맞추기 어려운 것이 사실이며 패시브 요소만으로 감당하기에는 한계가 있어 액티브적인 설비를 함께 고려한다.

쉽게 말해 에어컨만으로 냉방하면 기존 건물과는 달리 패시브하우스에서는 문제가 발생한다. 냉방에는 현열(Sensible)과 잠열(Latent)이 있다. 현열 부하가 잠열 부하보다 2~3배 높은 일반 건물은 에어컨을 이용해 냉방과 제습을 동시에 하는 것이 쾌적성에 그리 큰 문제가 되지 않는다.

하지만 패시브하우스는 냉방 부하 자체가 적고 현열과 잠열의 차이가 크지 않다. 실내의 잠열 즉, 습도를 쾌적 범위로 맞추는 것을 목표로 하여 냉방기를 가동하면 실내 온도를 낮추기 위한 현열 부하보다 훨씬 많은 에너지가 투입되어 실내가 추워지고 오히려 쾌적하지 못한 환경으로 이어진다. 그렇다고 현열 부하에 냉방 기능을 맞추면 제습을 충분히 하지 못하게 돼 결과적으로 쾌적성을 벗어나는 높은 상대 습도 상태에 놓이게 된다(1장 7. 전열교환기 참조).

표 25 PHPP Cooling Units

	Sensible kWh/(m²a)		Latent kWh/(m²a)		COP		:lectricity demand (kWh/a) kWh/(m²a)	Sensible fraction
Useful cooling total	8,0		7,6					51%
Cooling contribution by:								
Supply air cooling		+		)/	0,0	=		
Recirculation cooling	8,0	+	4,0	)/	3,2	=	3,8	66%
Dehumidification			3,6	/	1,3	=	2,9	0%
Remaining for panel cooling				/	0,0	=		100%
Cooling distribution				/	3,2	=		100%
Total	8,0	+	7,7	)/	2,4	=	6,6	51%

가장 현실적인 방법은 에어컨을 통한 냉방 시 현열 부하 수준(제습 모드)으로 설정하면서 경우에 따라 이동용 제습기를 같이 사용하는 것이다. 그러면 현열과 잠열 부하 두 개 모두 컨트롤 할 수 있다. 일반 제습기는 토출 온도가 약 40°C 정도이기 때문에 냉방 부하를 고려하면 합당하지 않다. 이동용 제습기는 토출 온도가 낮고 효율이 좋은 제품을 권한다. 생각보다 전력 소모가 크다.

람다패시브하우스에서는 설계 초기에 바닥 난방 코일을 복사 냉방으로 활용해 여름철 냉방 용도로 쓰는 것을 고려했으나, 히트펌프를 비롯한 제어와 센서 등의 비용이 높아 실현되지 못했다. 또한, 필요 이상의 큰 용량을 시공해야만 국가 지원이 가능한 것도 포기한 이유 중 하나다. 결국 공기조화기에 냉방 모듈을 설치하지 않고 건축주가 기존에 사용하던 에어컨으로 냉방 현열을 해결하고, 상대 습도가 높은 여름에는 이동용 제습기로 잠열 부하를 해결하는 안으로 결정되었다.

10. 오하수 벤트 (통기용 배관)

화장실과 부엌에서 배수할 때 배관 내부에 음압 혹은 양압이 걸려 배수가 원활하지 않은 현상이 종종 발생한다. 이를 억제하기 위해 오수 배관에 만드는 별도의 통기구를 오하수 벤트라고 한다.

화장실, 부엌, 발코니 배수구 등에서 하수구 냄새가 역류할 때도 있다. 보통은 역류 차단 배수구 혹은 건조한 상태에서도 냄새가 역류하지 않는 트랩이 있으면 큰 문제가 되지 않는다. 주방 후드가 작동해 실내에 강한 음압이 생겨도 냄새의 유입을 차단할 수 있다.

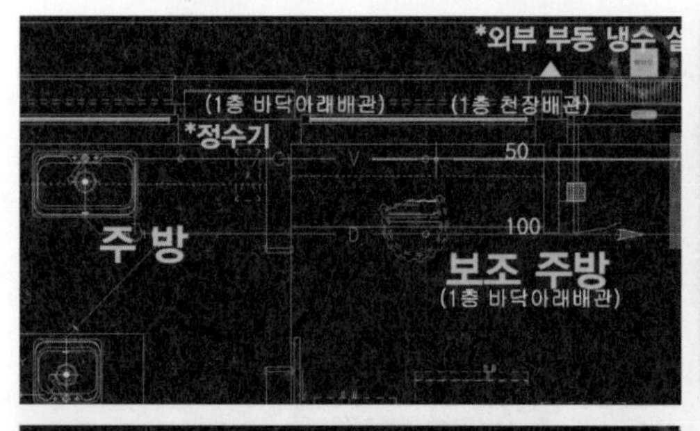

사진 157 람다패시브하우스 오하수 벤트 배관

출처: 수양엔지니어링

이런 작지만 중요한 보조 설비 외에도 원활한 배수를 위한 통기관 확보 역시 고려해야 한다. 단독주택을 비롯한 소규모 현장에서는 설비 사무실에 일을 맡기지 않고 건축가들이 비슷하게 그려내는 경우가 대부분이다 보니 통기관의 중요성을 고려하지 않는 경우가 많다. 그래서 통기관이 그려진 도면을 현장에서 접하는 시공사들은 간혹 당황해하면서 '그냥 빼고 진행하자'고 건축주를 설득하기도 한다. 그러나 그냥 넘어갈 사안이 아니다.

주방과 손님 화장실의 배수관을 하나로 묶는 통기관은 2층의 설비 덕트를 통과해 상부 평지붕으로 빠져나간다. 물론 모든 배관을 길이 제한 없이 하나로 묶을 수는 없다. 간접적으로 순환형의 통기관을 시공할 경우 일정한 경사가 필요하기에 설비 업체와 사전에 조율하는 것이 좋다. 배관 길이가 길어진다면 간접 통기구가 추가로 필요하기 때문에 천장 내부에만 시공할 수 있다. 람다패시브하우스는 모든 배관이 천장에 시공되는 것이 아니라 이에 대한 고려도 필요했다.

이런 이유로 평지붕의 슬래브와 방수층 그리고 단열재를 통과하는 통기구가 필요했다. 방수 시스템과 호환 가능한 제품 2개를 해외에서 구입했으며, 추후 평지붕 위 태양광 설치에 대비해 배관 인입을 위한 시스템도 같이 수입했다.

사실 특별한 기술력이 필요한 제품은 아니다. 그동안 단독주택이나 소규모 건축 시장에 설비 사무소가 함께 하는 경우가 거의 없었기에 언제부터인가 중요성을 잊었고 시간이 지나면서 당연히 생략해도 되는 것으로 여겨온 것 같다.

사진 158 평지붕 배기구 및 태양광 배관 부자재

다음 사진에서 보이는 람다패시브하우스 평지붕 위 녹색 원은 태양광 전선 인입을 위한 것이다. 나중에 태양광을 설치할 때 이곳을 통해 전선만 인입하면 된다. 파란색 원은 부엌과 다용도실, 손님 화장실을 연결하는 통기구이며 아래쪽의 빨간색 원은 안방 화장실 통기구다.

파란색 통기구는 최대 이격 거리(보통 10m)를 약간 벗어나 있어 별도의 순환 배관도 설치하는 것이 맞지만, 사용 빈도와 연결 도기들을 고려해 직접 배기 방식으로 결정했다.

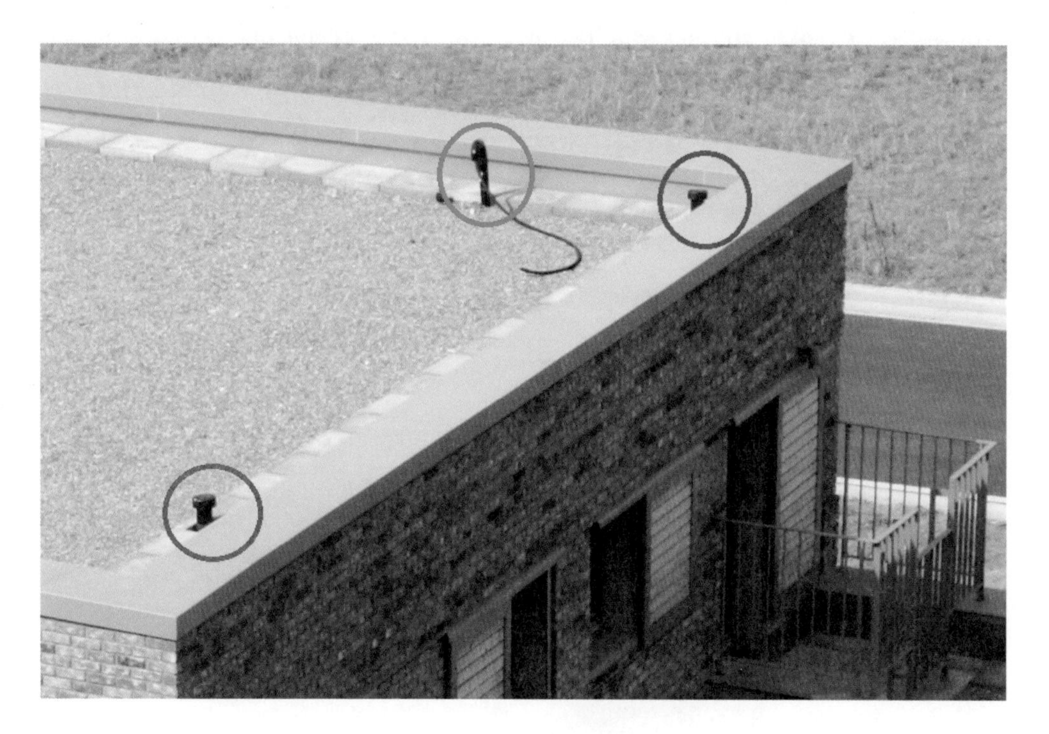

사진 159 람다패시브하우스 평지붕

이런 시스템이 평지붕을 통과해 방수 시트와 연결될 때 파라펫과의 이격 거리도 고려해야 한다. 이격 거리가 짧으면 효과적인 방수 시트 공사가 어려워져 디테일 작업 시 간섭을 염두에 두고 간격을 정해야 한다. 최소 30cm는 이격하는 것이 좋다. 아래층 배관을 고려하면 이를 지키는 것이 그리 쉬운 일은 아니다. 요즘은 이런 배관과 파라펫과의 간섭을 하나로 묶는 시스템이 적용되기도 하지만, 국내 현장에서는 아직은 어려운 얘기다.

한편, 국내에서도 원활한 배수를 위해 자동으로 배관의 압력을 조절하는 시스템이 생산되고 있다. 배관에 음압이 걸리면 열리고 양압이 걸리면 자동으로 닫히면서 냄새의 역류를 억제하고 배수가 되는 원리다. 세면대나 도기 근처에 설치하는 방식도 있고, 경남 함양에 준공된 패시브하우스 사례처럼 외부로 빼지 않고 실내에 설치해 열교나 기밀 문제를 최대한으로 줄이기도 한다.

패시브하우스용이라고 광고도 하지만 배관 길이에 따라서는 이 시스템 하나만으로는 부족한 경우가 많기에 설비 사무소와 협의해서 시스템을 조합하길 권한다.

이 시스템만 적용한 경남 함양의 한 패시브하우스 단독주택의 경우, 이 장치의 문제라기보다 공기조화기가 냉방 모드가 되면 실내에 음압이 걸리는데 화장실 배수구 역류 방지 트랩의 성능이 그 음압을 견디기에 다소 부족한 정도여서 간혹 냄새가 역류하는 일이 발생하기도 했다. 국산인 역류 방지 배수구의 성능 개선도 아주 시급한 일 중 하나다. 일시적인 현상이기는 하지만 이런 상황이 지속된다면 배수구를 교체해야 한다. 배수구 트랩에 물이 없더라도 냄새가 역류해서는 안 된다. 바닥 모르타르 층이 두껍지 않은 시스템이고 샤워 부스가 턱 없이 시공되어 바닥 배수가 이뤄지는 경우에는 특히 이런 시스템이 중요하다.

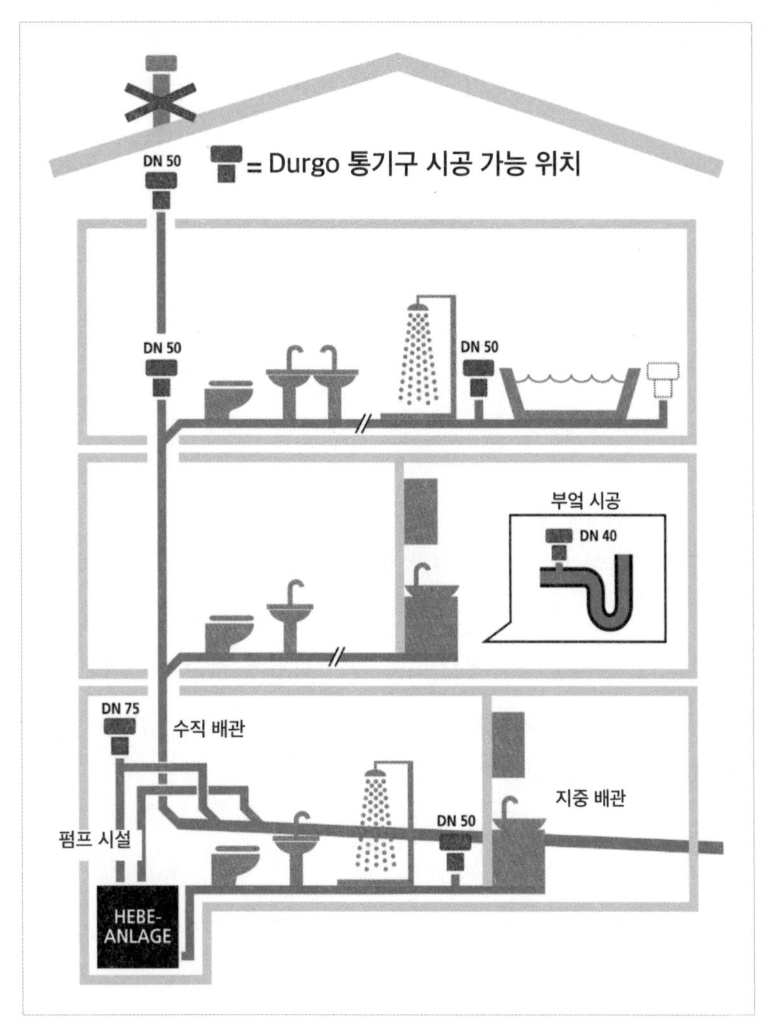

출처: Durgo, germany

사진 160 배관 통기 시스템 작동 원리

11. 화장실 설비층

도면(사진 162)을 살펴보면 노란색으로 표시한 곳에 세면대와 변기가 설치된다. 독일어권에서는 신축의 경우 바닥 위에 변기를 올려 오수 배관이 수직으로 슬래브를 관통하게 시공하는 사례가 잘 없다. 변기를 바닥에서 띄워 설비 덕트에 설치된 변기를 잡아주는 고정 시스템에 연결하는 것이 가장 일반적인 시공 방식이다. 수직이 아닌 경사진 수평 배관이 된다. 이런 시공 방식의 장점은 다음과 같다.

1. 바닥에서 떨어져 있어 청소하기 편하다.
2. 변기 움직임으로 화장실 바닥에 틈이 생겨 물이 들어갈 염려가 없다.
3. 아래층 슬래브를 통과해 시공하는 시스템이 아니기 때문에 층간 소음에 유리하고 소음 전달이 없다.
4. 계획된 오하수 배관이라 배관 정리가 깔끔하다.
5. 변기 크기가 작아져 화장실이 좀 더 산뜻해 보인다.

단독주택은 변기를 슬래브 바닥 위에 시공하고 배관을 수직으로 빼는 것도 가능하다. 하지만 다가구주택은 반드시 피해야 하는 방식이다. 독일은 배관이 다른 세대를 관통하는 경우 방화 성능을 높이기 위해 그라스울을 충진하고 석고보드 두겹으로 덕트를 만들어서 배관을 감싸 시공한다. 또한 층간 소음을 고려한 배관 고정 자재를 써야 한다.

하지만 우리나라의 공동주택은 집값이 비싼 곳이든 싼 곳이든 윗집 배관이 내 집 화장실 천장에서 그것도 별도의 분리도 없이 지나가는데, 설비 방음 처리도 없다. 심한 경우 윗집이 화장실을 사용할 때 나는 소리부터 변기 물 내리는 소리까지 들린다. 이 현상의 가장 큰 이유가 변기를 바닥에 놓는 시공 방식 때문이다. 더불어 별도의 설비층을 만들지 않는 것도 주 원인이라고 할 수 있다.

단독주택은 윗층 화장실 배관이 슬래브를 관통한 채로 거실 천장 약 10m 이상을 가로질러 1층 화장실로 가는 이해하기 어려운 시공 현장도 있었다. 배관을 보온재로 감싼다고 해도 이는 잘못된 설계고 개선되어야 하는 부분이다.

람다패시브하우스도 변기는 바닥에 올리는 방식으로 진행했다. 그 외 배수관은 설비층으로 계획한 곳에 매립 시공했고 2층 화장실 아래가 안방 화장실이라 큰 문제는 없었다. 이 선택의 가장 큰 원인은 벽 고정 시스템과 이에 맞는 변기 섭외의 어려움 때문이었다[69]. 건축가가 원하는 모든 것을 고집스럽게 할 순 없다. 현재는 이 시스템도 한국에서 구입 가능하다. 다만 선택의 폭이 많지 않고 독일에 비해 가격이 높은 편이다.

출처: Geberit, Germany

사진 161 설비층을 별도로 확보해 변기를 설치한 경우

변기를 바닥 위에 올리는 기존 시스템이 기능상 큰 문제가 없다면 바꿀 필요는 없다. 물론 이런 배관 시공은 세대 간 간섭이 없는 단독주택에서만 가능한 시스템이다. 공동주택에서는 아주 일반적으로 행해지는 공법이지만 피해야 할 시공 방식이다. 이런 작은 것부터 해결해야 진정한 층간 소음 문제를 해결할 수 있는 것이다.

왜 현장에서는 실험실에서 측정한 층간 소음 수치가 나오지 않을까? 현관의 신발 벗는 곳은 낮춤 시공에 따른 바닥 높이를 맞추기 위해 소음재를 시공하지 않는다. 배수구 역시

69 벽부 고정형 변기와 조합이 가능한 비데 시스템도 부재했다.

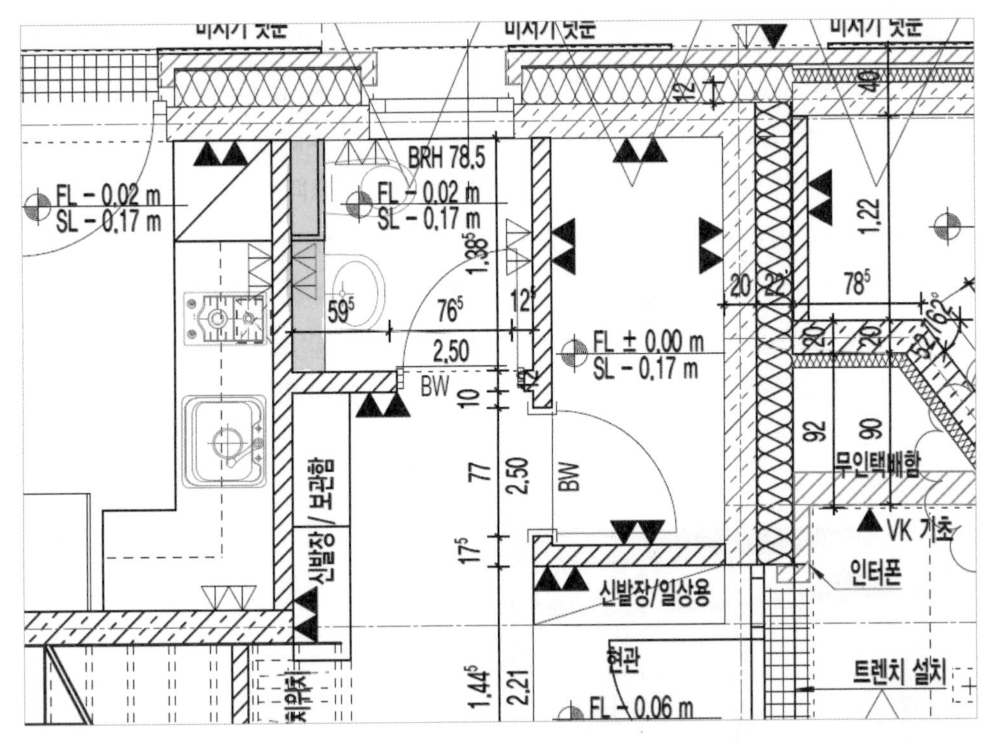

사진 162 노란색: 1층 손님 화장실 설비층

사진 163 손님 화장실 벽체 형 변기 걸이, Ingelheim

사진 164 화장실 설비 층과 중앙 설비 연결, Ingelheim

마찬가지다. 또한 발코니 배수구나 마감재는 층간 소음 분리 없이 시공된다. 그러면서 문제가 해결되지 않는다는 이유로 다른 시스템을 개발해 단점을 상쇄하려고 한다.

그러면 결국 비경제적인 시스템이 되는 것이다. 마치 외벽 마감재로 자연석을 시공하기 위해 사용된 철물 구조의 열교를 상쇄하려고 필요 이상 두꺼운 단열재를 다시 쓰는 것과 비슷한 격이다. 결과는 같을지 몰라도 합리적이고 건강한 시스템은 아니다. 더불어 땅값이 비싼 우리의 경우는 벽체의 두께가 얇아질수록 더 경제적이다.

옆의 사진 속 파란색은 급수 배관이며 변기를 바닥에서 이격시키는 시스템 중 하나다. 아래층이 아닌 설비층 안에서 측면으로 배관을 모두 연결했다.

메인 화장실 설비층에 계량기, 변기, 샤워 기기, 건물의 주요 오수 배관 등이 연결된 것을 볼 수 있다. 이런 덕트가 있으면 모든 설비가 깔끔하게 연결되고 경제적으로 시공할 수 있다. 골조 공사가 끝난 후 공정이 시작된다.

12. 주방 환풍기 (후드)

중유럽의 패시브하우스에서는 외벽으로 직접 공기를 빼는 주방 레인지후드가 흔치 않다. 그 대안으로 탄소 필터 등을 이용한 순환형 시스템 사용이 권장된다. 부엌 배기를 통해 에너지가 많이 함유된 내부 공기가 열 교환 없이 그냥 버려지기 때문이다. 또한 부엌 배기의 공기 순환 회수는 시간당 최소 2회, 일시적으로 8회 정도이다[70]. 부엌 볼륨이 30m³라고 한다면 시간당 환기되는 공기량은 160~440m³/h이다. 이 값에는 기본적으로 필요한 해당 공간의 공기량을 포함하고 있다.

[계산 예]

- 공기 순환양 : 330m³
- 공기 밀도 : 약 1.2kg/m³
- 공기 비열 : 약 1kJ/(kg·K)
- 실내 온도 : 20°C
- 외부 온도 : 5°C
- 온도 차(ΔT) : 15°C

$Q_{환기\ 손실} = V_{공기} \times \rho_{공기} \times c_{공기} \times \Delta T$

$Q_{환기\ 손실} = 330 \times 1.2 \times 1.0 \times 15$

$Q_{환기\ 손실} = 5940kJ = 5940kWs = 5940/3600 = 1.65kWh$

70 출처: Arbeitsgemeinschaft Die Moderne Küche e.V., AMK-MB-008, Ausgabedatum 02/2014

1.65kWh의 에너지가 손실된다. 일반인에게 그리 와 닿는 수치는 아니다. 그렇다면 1kWh의 에너지로 할 수 있는 것에는 무엇이 있을까[71]?

- 133개의 토스트를 구울 수 있다.
- 2,500번 전기 면도기를 사용할 수 있다.
- 50시간 동안 노트북을 사용할 수 있다.
- 100시간 동안 라디오를 들을 수 있다.
- 7시간 동안 텔레비전을 볼 수 있다.
- 91시간 동안 에너지 절약 램프를 사용할 수 있다.

살펴본 바와 같이 환기를 통한 에너지 손실이 크기에 독일 PHI에서는 순환형 주방 후드를 적극적으로 권하고 외부로 직접 빼는 방식을 지양한다. 하지만 탄소 필터를 사용한다고 해도 순환형은 우리의 생활 습관에 분명 맞지 않는다. 무엇보다 전기가 아닌 가스를 이용한 조리가 많고 하루 세끼 따뜻하게 요리(실내 습 부하의 증가)를 하는 문화라 환기를 통한 에너지 손실을 감수하더라도 외부로 바로 배기하는 것을 권한다. 가스레인지는 수증기와 미세먼지가 발생하기 때문에 패시브하우스라면 가급적 가스보다 전기레인지를 이용한 요리 방법이 좋다. 요즘은 전기레인지도 가스레인지와 대등한 화력을 가진 것 제품이 많다. 뿐만 아니라 힘들게 공급한 신선한 공기를 의미 없이 태워버리기에 가스레인지는 좋은 조합이 아니다.

역류 방지 주방 후드 전동 댐퍼 선택 시 주의 사항

1. 기밀성이 뛰어나 틈새 바람으로 인한 외기 유입이 적을수록 좋다. 창호 기밀 3등급에 준하는 제품도 있다.
2. 벌레나 기타 곤충의 유입이 불가능해야 한다.
3. 외부 마개가 바람 등의 영향으로 열리고 닫히거나, 소리가 나서는 안 된다. 고층 건물의 경우 바람이 세게 불더라도 기능상의 문제가 없어야 한다.
4. 작동 시 창문을 통해 빠져나가는 공기만큼 외부 공기가 실내로 다시 유입되어야 한다. 공기 유입이 없는 경우 배기관의 공기가 실내로 역류하면서 곰팡이 등이 퍼질 위험이 있다[6].
5. 작동 시 유입되는 공기가 없으면 벽난로나 보일러로 인해 배기가스가 역류할 수 있어 일산화탄소 센서를 설치해야 한다. 자동으로 보일러가 꺼지는 제어도 가능하지만 경보 센서만 있어도 인명 사고는 막을 수 있다.

71 EnBW blog: https://www.enbw.com/blog/energiewissen/strom/was-man-mit-1-kwh-so-alles-machen-kann-2/

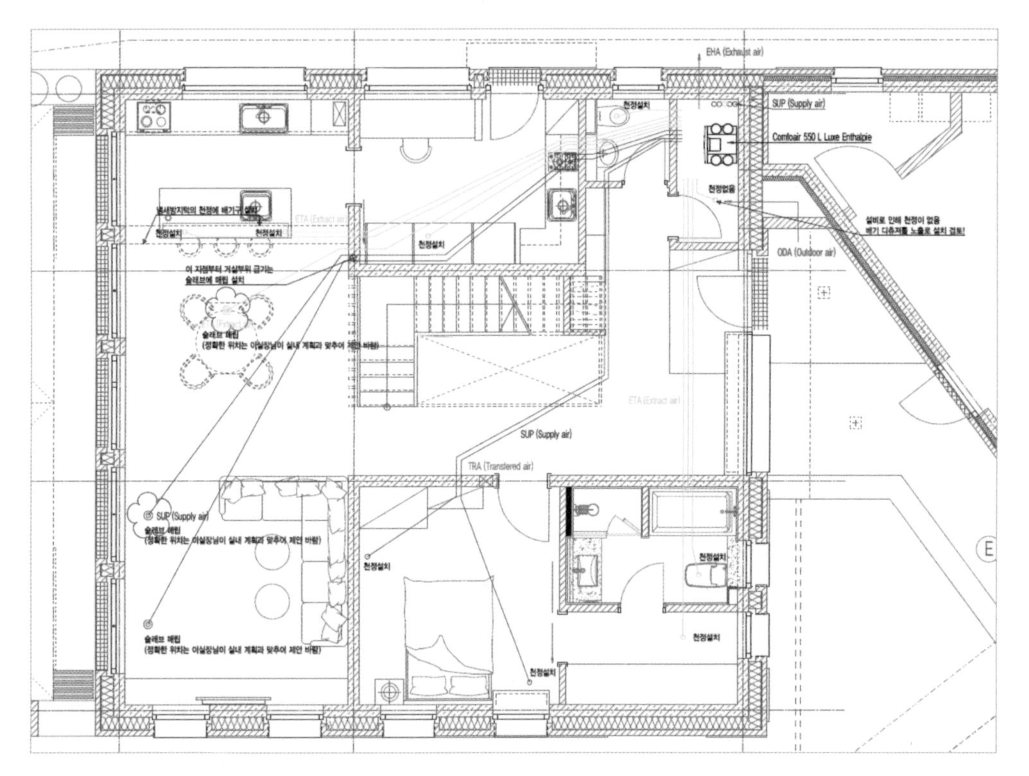

사진 165 공조기 급·배기구 설치 계획

출처: Air-Circle Aeroboy, Odenwald germany

사진 166 역류 방지 부엌 전동 댐퍼

순환형 주방 후드 사용 시 공기를 불어내는 부분이 벽에 너무 근접해 있으면 수증기를 실내로 밀어내는 경우가 많다. 즉, 수증기가 실내로 퍼지기 때문에 레인지 후드의 위치도 미리 계획해야 한다. 또한 공기조화기의 배기구를 통해 부엌의 공기가 외부로 배출되는데 이럴 경우 요리하는 곳 너무 가까이 있는 것은 피한다. 배기구에는 일반 배기 필터 외에 기름을 거르는 필터를 적용하는 것이 좋다. 기름진 요리를 많이 하는 가정이라면 배기구가 있는 배관을 약 1m 정도 분리가 가능하게 시공하는 것이 청소나 교체에 도움된다.

계획 검증을 위한 시뮬레이션

제3장

1. PHPP (Passive House Planning Package)

패시브하우스연구소 소장 Dr. Feist가 1998년에 개발한 엑셀 바탕의 PHPP는 패시브하우스를 계획하면서 가장 중요하고 필요한 도구다. 유사 정상 상태(Pseudo Steady state)[72] 해석에 의한 월간 분석법을 통해 에너지 요구량을 평가하는 것을 기본으로 한다. 하지만 비전문가인 건축주가 알아야 할 필요는 없다. 다만, 건축설계를 하는 건축가가 PHPP 혹은 Energy#(에너지샵)을 다룰 줄 안다면, 다른 전문가의 도움 없이 신속하고 효율적으로 일할 수 있다. 서로의 연결고리를 이해하게 되면 문제 해결의 속도가 빨라지기 마련이다.

PHPP는 패시브하우스뿐 아니라 에너지 효율이 부족한 건물의 에너지 성능을 검토할 때도 사용할 수 있다. 또한, 독일 패시브하우스 인증을 목표로 한다면 국가나 지역에 상관없이 이 소프트웨어를 사용해야만 한다. 우리나라의 경우 자체 개발된 Energy#을 통한 계산이 사용자 입장에서 더 간단하고 전체를 이해하기에 더 효율적이다.

PHPP 작성에 앞서 건물의 기본 데이터로 위치, 설계자, 설비전문가에 관한 것을 기입해야 하고, 계산 방법에 있어 주거 또는 비주거 건물 중 선택할 수 있다. 모든 결과는 첫 장인 Verification에 요약 정리되어 인증에 필요한 정보를 한눈에 알 수 있다.

PHPP는 PHI의 Dynbil 소프트웨어를 통한 열 환경 시뮬레이션과 DIN EN ISO 13790, 그동안 준공된 많은 패시브하우스 건물에서 수집한 기초 데이터를 보완해 오차를 줄인 프로그램이다. 난방 에너지 외에 일차 에너지, 기타 전기 소비와 함께 여름철 적정 실내 온도 유지 정도를 계산하는 '에너지 총량제' 프로그램으로 볼 수 있다. 기본 주변 조건은 현재 독일의 에너지 절감 시행령인 EnEV(Energieeinsparverordnung)와 약간의 차이가 있다. 패시브하우스 성능을 계산하고 증명하는 것은 대부분 독일의 DIN 그리고 유럽연합의 EN에 근거를 두고 있다.

72 Pseudo Steady state: 제한된 지역에서 안정화 된 유동 조건. 유사 정상 상태 흐름에서는 공간 내 모든 지점에서 시간에 대한 압력 비율의 변화가 일정한 상태가 됨을 의미한다.

오스트리아의 경우, 기존의 기준인 B 8110, H 50xx 그리고 H 7500이 패시브하우스를 계산하기에 합당하지 않아 자체적으로 그에 맞는 기준을 만드는 작업을 하고 있다. 대표적인 것이 '냉난방 부하 산정 시 어떤 면적을 기준으로 하는가' 이다. 그 외에 기후 데이터, 실내 발열량, 열교, 태양열에 의한 에너지 축적 등이 서로 다르다.

우리나라도 면적 계산시 국내 건축법에 따라 구조체 중심선을 기준으로 해야 하는데, 이는 PHPP 상의 체적 계산과 달라 이에 대한 조정 작업이 병행되어야 할 것이다. 특히 열교를 계산할 때, 예를 들어 DIN EN V 18599 따른 계산의 경우 일반 건축 면적과 연면적을 그대로 적용하지 않고 외곽선을 기본으로 하기 때문에 이용자 입장에서 혼동이 없도록 기준을 보완해야 한다.

우리나라에서 이용되는 총량제 소프트웨어 중에는 내부 면적 혹은 건축법에 따른 면적을 기준으로 하면서 독일 DIN EN V 18599의 알고리즘을 바탕으로 계산하는 경우가 있는데, 두 개의 연결은 불가능하다. 독일의 기준은 내부가 아닌 외부선을 기준으로 하고 관련된 기준 역시(에너지 총량제 볼륨 계산도) 외부 면적으로 계산하기 때문이다. 이럴 경우 결과가 보통 좋게 나오는 것이 일반적이다. 다시 말해 PHPP에 따른 계산을 충족하지 못해도 위의 기준에 따라 계산하면 패시브하우스가 될 수도 있다는 것이다. 필자의 경험에 비추어 PHPP에 A/V 관계, V/에너지 면적, 창호 면적과 에너지 면적의 대비 등이 추가되어 값을 비교할 수 있다면 좋을 것 같다.

우리나라에서도 최근 논의되고 있는 기후별 분리 작업 역시 필요하다. 이런 데이터는 PHPP만이 아니라 다른 시뮬레이션 프로그램과도 쉽게 호환이 이루어져야 한다. 현재 한국패시브건축협회에서 연구 결과로 제공하는 국내 기후 데이터와 Energy#의 기후 데이터는 그런 면에서 아주 필요한 기초 데이터로 볼 수 있다.

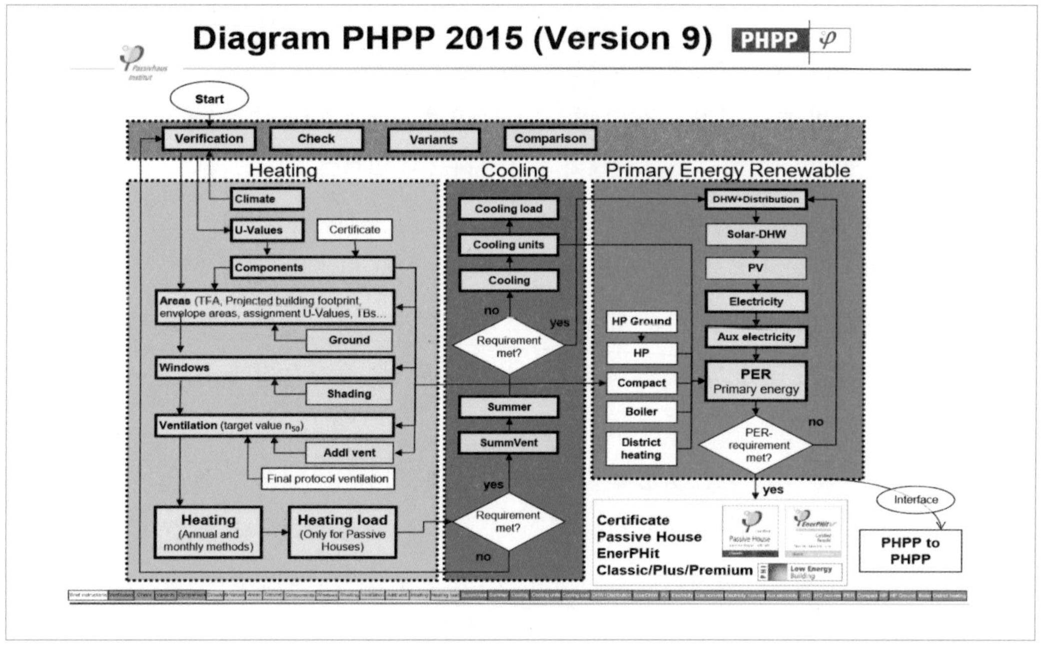

출처: PHI, germany

사진 167 PHPP 데이터 기입 순서

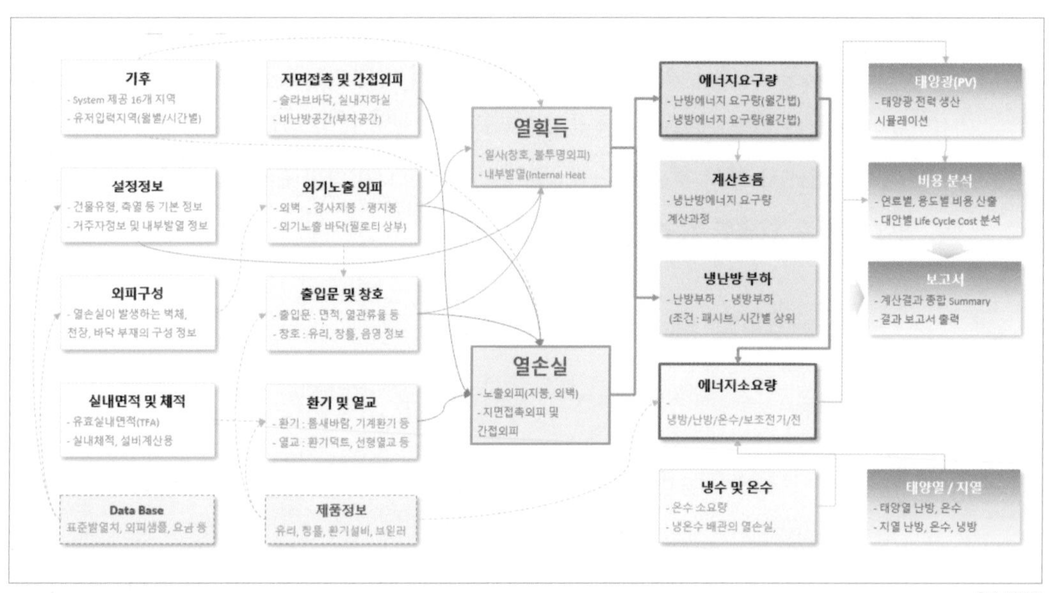

출처: 배성호

사진 168 Energy# 프로그램 구성도

2. Energy#

이 소프트웨어는 패시브하우스 종사자뿐만 아니라 건축계 전반에서 일하는 엔지니어들에게 에너지 계산의 독립을 선물한 아주 귀한 프로그램이다. 아무리 좋은 자재로 설계와 시공이 진행됐다 해도 이를 정량적으로 표현할 수 있는 장치가 없다면 성능을 증명할 수 없다. 독일에서 시작된 패시브하우스가 국제적으로 인정받고 발전할 수 있었던 건 정량적인 판단이 가능한 PHPP와 같은 툴 덕분이었다.

Energy#은 국제적으로 통용되는 계산 기준(ISO 13790)이기에 다른 유사 프로그램과 비교가 가능하고 한국어로 모든 것이 표현되어 있어 훨씬 사용이 간편하다. 더불어 다른 외국 프로그램에 비해 우리나라의 실제 기후 데이터가 쉽게 공급되기 때문에 모든 지역에서의 실제 기후를 바탕으로 한 에너지 요구량 검토가 가능하다.

사용자 편의면에서도 PHI의 PHPP처럼 엑셀을 조금이라도 다뤄 본 사람이라면 건축 관련 종사자가 아니더라도 쉽게 시작할 수 있다. 서로의 상호 관계를 이해하기 위해, 좀 더 전문적인 이용을 위해 한국패시브건축협회에서 제공하는 교육프로그램[73]에 참여하는 것도 좋은 방법이다. Energy#은 한국패시브건축협회의 공식 프로그램이기도 하다. 무엇보다 가장 큰 장점은 이 프로그램이 무료라는 것이다. 건축주들도 관심만 있다면 도전해 볼 만하다.

73 http://www.phiko.kr/bbs/board.php?bo_table=EnergySharp

3. WUFI
(acronym for Wärme und Feuchte Instionär, 온습도 시뮬레이션)

실제 조건과 비슷한 환경을 고려해 건물 내 1, 2차원적인 열과 습기의 이동을 계산하는 프로그램이다. 독일 프라운호퍼 건축물리 연구소[74](IBP, Fraunhofer Institute for Building Physics)에서 개발했으며 우리나라에서는 한국패시브건축협회에서 국내 판매와 교육을 담당하고 있다.

이 프로그램의 가장 큰 장점은 실험실 조건을 벗어난 각 지역의 기후를 고려하는 것이다. 프라운호퍼 건축물리 야외 연구소(Valley, germany)에서는 실제 구조 실험체에서 얻은 기초 데이터와 비교해 프로그램과의 오차를 지속적으로 줄인다.

패시브하우스 정량적 수치 계산을 위해 앞서 언급한 독일 패시브하우스연구소의 PHPP 외에 프라운호퍼 연구소의 WUFI Passive[75]가 있다. 아직 우리나라나 유럽 쪽에서 그리 많이 알려진 것은 아니다. 이 프로그램은 한 건물을 계산해 두 가지의 결과를 얻는 것이 장점이다.

- 디자인을 위한 월별 에너지 계산과 EN 13790에 기본을 둔 패시브하우스 스탠다드에 따른 건물의 인증
- 패시브하우스 스탠다드 건물과 각 구조체의 습 환경 변화를 추정하기 위해 WUFI Plus 다이나믹한 건물 시뮬레이션 가능

중량형인 철근콘크리트 혹은 조적조의 경우 큰 문제[76]가 없지만, 실내에 기밀층 겸 방습층이 시공되는 경량형의 건물에서는 가급적 해당 지역의 기후와 건물 방향, 높이 등을 고려한 시뮬레이션을 하는 것이 좋다.

74 https://wufi.de/en/software/what-is-wufi/

75 https://wufi.de/en/software/wufi-passive/

76 치장 벽돌 마감과 중단열(XPS)과의 조합은 예외

4. PHPP와 Energy# 비교 (람다패시브하우스)

2017년 4월 11일 PHPP 8.1 버전을 기반으로 한 에너지 요구량 결과를 검토했다. 이후 현재까지 주변에 지어진 건물과 람다패시브하우스의 수평 돌출 부위를 고려해(PHPP 매뉴얼에서 구체적으로 언급하는 계산식은 없지만) 최종 에너지 요구량을 계산하는 것이 이 단락의 첫 번째 목표이다. 두 번째 목표는 이 결과를 바탕으로 우리나라에서 ISO 13790을 기반으로 개발된 Energy#과 비교 분석을 통해 방법과 오차의 원인을 찾아내는 것이다.

① 일반적 사항

먼저, 설계가 진행되면서 검토한 새로운 TFA(Treated Floor Area, 유효에너지면적)는 159.41m² 였지만, 초기 설계 단계의 TFA인 181.1m²를 수정하지 않고 그대로 사용하는 필자의 중대한 실수가 있었다. 유효한 에너지 면적이 줄어든다는 것은 단위 면적당 난방에너지 상승이라는 결과로 이어졌다. 람다패시브하우스가 독일 패시브하우스연구소가 정한 난방에너지 요구량의 기준치인 1.5ℓ/m²·year를 만족하지 못하는 상황이 벌어질 수도 있는 큰 문제였다. 필자의 실수를 만천하에 드러내는 일이지만 그냥 넘어갈 문제가 아니었다.

이에 대한 원인 분석과 해결 방안 검토를 위해 안전율을 고려한 계산 접근 방식을 벗어나 더 깊이 살펴볼 필요가 있었다[77]. 동시에 2014년 준공 이후 주변에 건물 몇 채가 더 지어진 상태라는 점과 겨울철 실제 실내 온도(평균 18.5°C)를 고려한 에너지 소비량과 PHPP의 계산을 추가로 검토했다.

2014년 에너지 계산을 위해서 세종시와 공주시의 기후를 서로 비교하면서 그 해에 좀 더 가까운 기후 데이터로 공주시를 결정했지만, 2017년도에는 업그레이드된 Meteonorm

77 필자가 국내에서 패시브하우스 설계 시에는 별도 협의가 없다면 PHPP의 모든 요소와 깊이를 다루지 않고 가장 중요한 요소와 기본 요소만을 일반적으로 다룬다.

사진 169 람다패시브하우스 TFA 계산 검증 도면

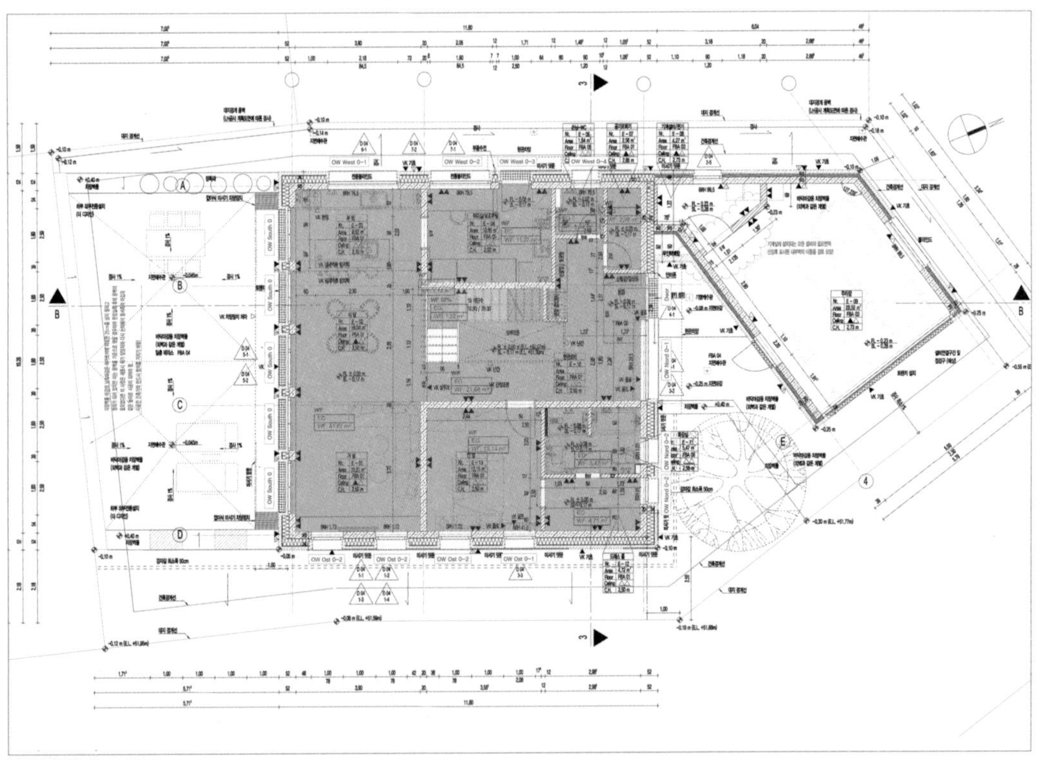

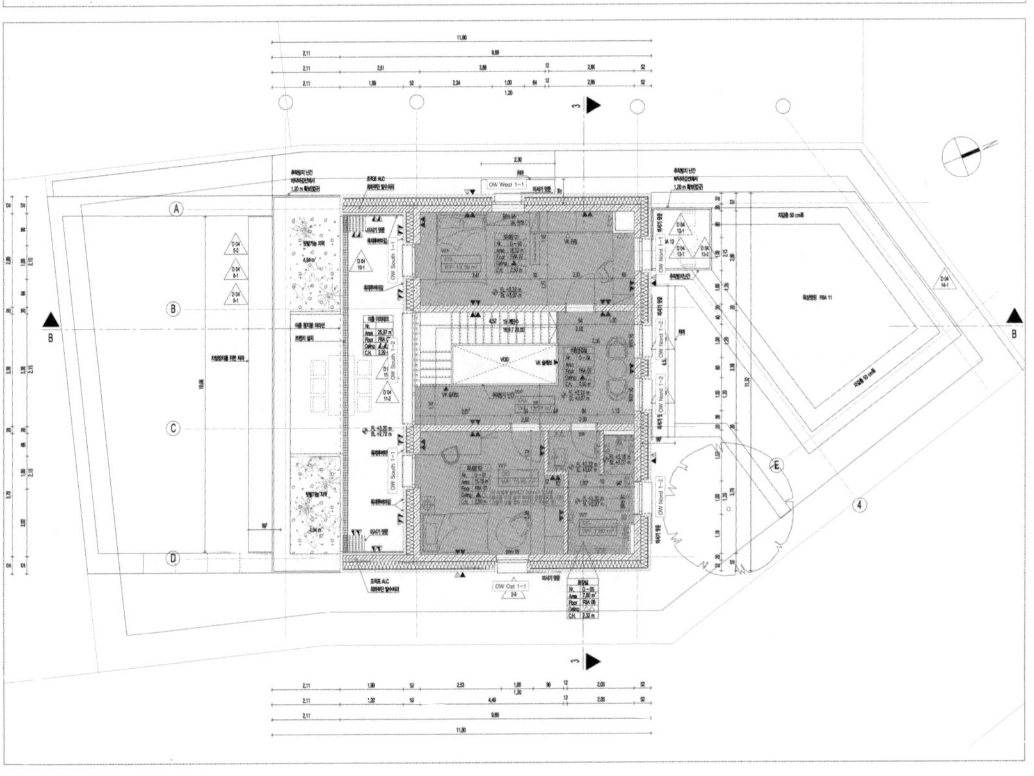

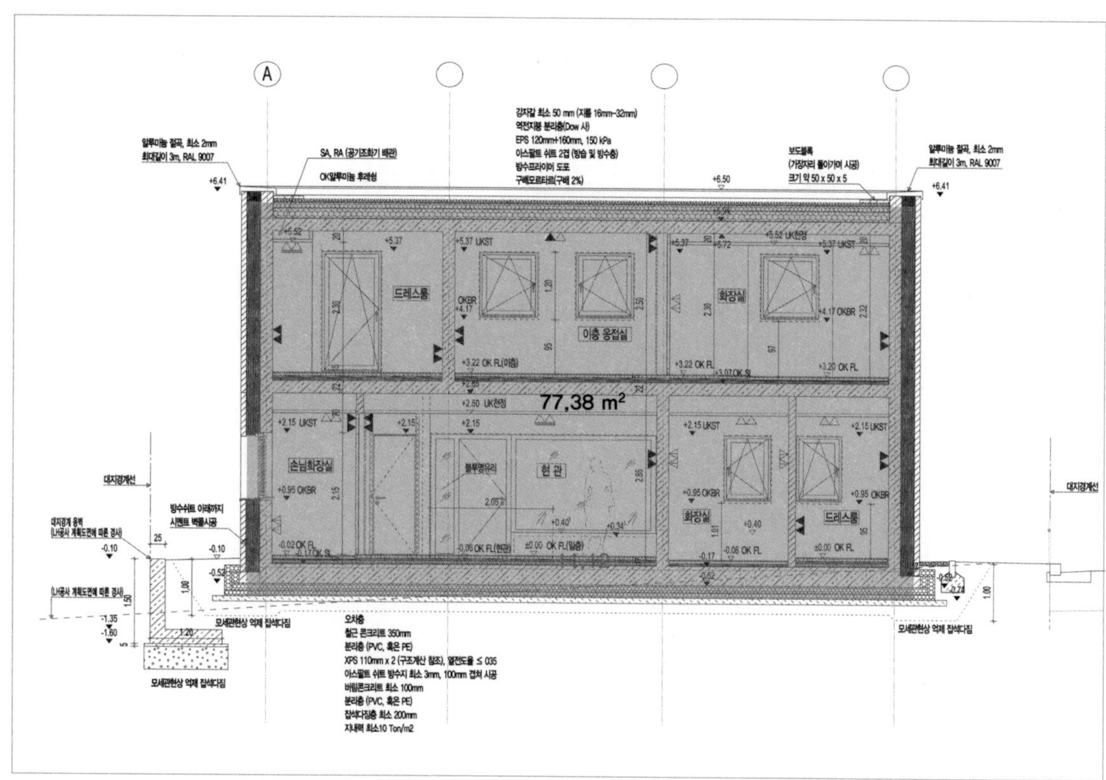
강자갈 최소 50 mm (지름 16mm-32mm)
역전지붕 분리층(Dow AI)
EPS 120mm+160mm, 150 kPa
아스팔트 쉬트 2겹 (방습 및 방수층)
방수프라이머 도포
구배모르타르(구배 2%)
알루미늄 절곡, 최소 2mm
최대길이 3m, RAL 9007
SA, RA (공기조화기 배관)
OK알루미늄 후레싱
보도블록
(가장자리 들이기여 시공)
크기 약 50 x 50 x 5
드레스룸
이층 응접실
화장실
77,38 m²
손님화장실
블루명유리
현 관
화장실
드레스룸
대지경계선
방수쉬트 아래까지
시멘트 벽돌시공
모세관현상 억제 잡석다짐
오차층
철근 콘크리트 350mm
분리층 (PVC, 혹은 PE)
XPS 110mm x 2 (구조계산 참조), 열전도율 ≤ 035
아스팔트 쉬트 방수지 최소 3mm, 100mm 겹쳐 시공
버림콘크리트 최소 100mm
분리층 (PVC, 혹은 PE)
잡석다짐층 최소 200mm
지내력 최소10 Ton/m2

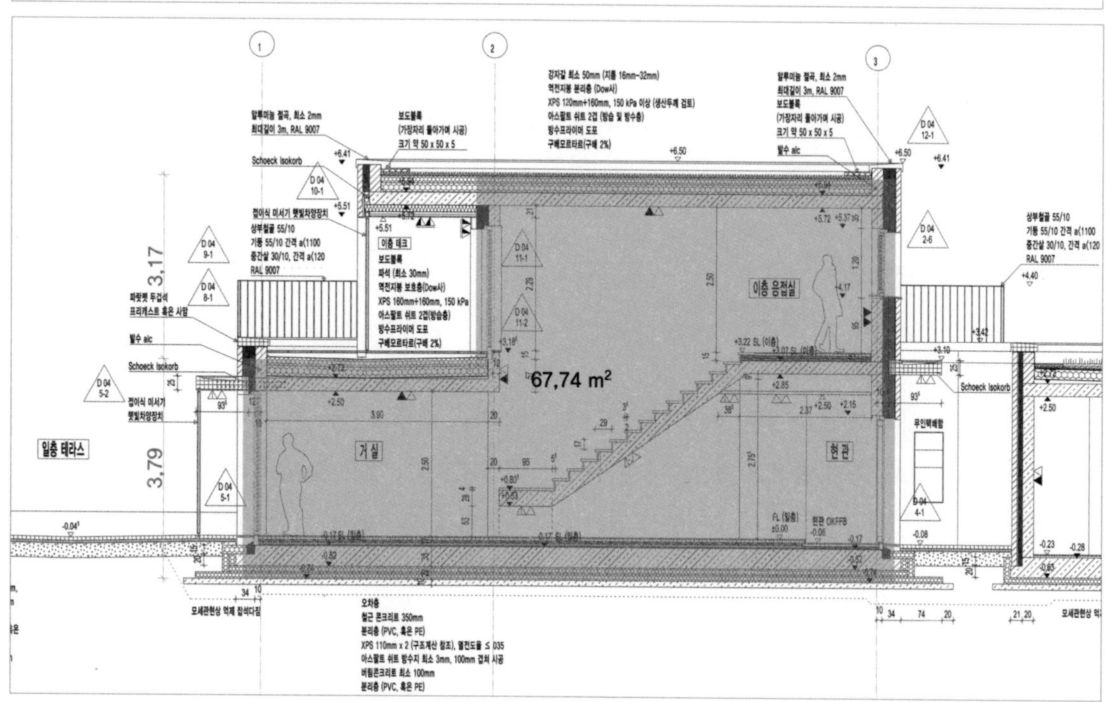
강자갈 최소 50mm (지름 16mm-32mm)
역전지붕 분리층 (DowAI)
XPS 120mm+160mm, 150 kPa 이상 (생산두께 검토)
아스팔트 쉬트 2겹 (방습 및 방수층)
방수프라이머 도포
구배모르타르(구배 2%)
알루미늄 절곡, 최소 2mm
최대길이 3m, RAL 9007
보도블록
(가장자리 들이기여 시공)
크기 약 50 x 50 x 5
Schoeck Isokorb
접이식 미서기 햇빛차양장치
상부철골 55/10
기둥 55/10 간격 a(1100
중간살 30/10, 간격 a(120
RAL 9007
이층 테크
보도블록
파쇄 (최소 30mm)
역전지붕 보호층(DowAI)
XPS 160mm+160mm, 150 kPa
아스팔트 쉬트 2겹(방습층)
방수프라이머 도포
구배모르타르(구배 2%)
이층 응접실
67,74 m²
일층 테라스
거 실
현 관
무인택배함
모세관현상 억제 잡석다짐
오차층
철근 콘크리트 350mm
분리층 (PVC, 혹은 PE)
XPS 110mm x 2 (구조계산 참조), 열전도율 ≤ 035
아스팔트 쉬트 방수지 최소 3mm, 100mm 겹쳐 시공
버림콘크리트 최소 100mm
분리층 (PVC, 혹은 PE)

7.1의 세종시 기후를 추가적으로 고려했다. 이 기후 데이터를 Energy# 개발자가 제공하면서 두 프로그램의 문제점, 유사성 그리고 차이점을 분석하게 되었다.

표 26 2017년 공주시와 세종시 기후 비교표

구분		1월	2월	3월	4월	5월	6월	7월	8월	9월	10월	11월	12월	합계/평균
수평일사 (kWh)	공주시	79	92	127	150	175	164	132	138	127	115	75	65	1,439
	세종시	66	85	111	136	157	155	118	122	111	102	70	62	1,294
기온(℃)	공주시	-3.5	0.3	5.2	11.6	18.2	22.4	25.5	25.9	21.0	13.8	7.0	-1.0	12.2
	세종시	-1.4	0.8	6.4	12.8	18.4	22.2	25.2	25.6	20.8	14.7	6.9	0.5	12.8

출처: 배성호

② 시뮬레이션 데이터 검토 및 수정

PHPP V8.1 이후 2017년에는 V9.4가 제공되고 있으며 아직 국내 버전은 2017년 기준으로 V9.3을 기준으로 한다. 가장 최신판을 이용할 경우 람다패시브하우스가 가지는 에너지 성능을 좀 더 정확하게 검토를 할 수 있다. 2018 최신 버전은 PHI 온라인상에서 V9(2015)으로 주문할 수 있다.

기본 데이터 수정 내용

- 유효에너지면적(TFA): 159.41m²
- 외피 면적 : 외피 면적 수정은 열관류율 계산 방법에 따라 산정, 외피까지 계산하는 것이 아니라 단열선까지 면적에 계산한다. 이는 어느 정도 통기가 되는 것을 고려한 계산 접근 방식이다. 통기 벽체에서 공기층은 열관류율 계산에서 제외한다. 이전 단계에서는 좀 더 좋게 나오지만, 현실은 이 두 가지 방법의 중간 정도일 것으로 예측한다.
- 창호 면적 : 최종 실시 도면 기준
- 기존 PHPP 열관류율 계산에서 잘못 연결된 경사 지붕 수정(추정컨대 1차 람다패시브하우스 PHPP 자료와 함양 패시브하우스 자료를 서로 검토하며 해당 구조체의 열관류율을 지정하는 단계에서 발생한 오류라고 본다.)

• 지중 ground에서의 열전도율

Building section 1

Ground characteristics

Thermal conductivity	λ	2,0	W/(mK)
Heat capacity	ρc	2,0	MJ/(m³K)
Periodic penetration depth	δ	3,17	m

PHI의 표준을 따라 2.0W/(m·K)으로 했지만, 실제 람다패시브하우스 지중은 습윤 상태가 아닌 자갈층(모래층)이기에 수치적으로 1.5W/(m·K)가 가능하다.

• 지중 바닥 슬래브의 면적과 외부 길이 및 실제 열교 수치와 전체 길이를 고려해서 수정

Area of ground floor slab / basement	A	129,0	m²
Perimeter length	P	45,4	m
Charact. dimension of floor slab	B'	5,68	m

• 기존의 실제 창호 간봉 및 연결 부위 열교를 최종 시공에 준한 수치 적용

• PHPP V8.1 기존 입력 데이터

Glasrand Wärmebrücke				Einbau Wärmebrücke			
$\Psi_{Glasrand}$ links	$\Psi_{Glasrand}$ rechts	$\Psi_{Glasrand}$ unten	$\Psi_{Glasrand}$ oben	Ψ_{Einbau} links	Ψ_{Einbau} rechts	Ψ_{Einbau} unten	Ψ_{Einbau} oben
W/(mK)	W/(mK)	W/(mK)	W/(mK)	W/(mK)	W/(mK)	W/(mK)	W/(mK)
0,035	0,035	0,035	0,035	0,040	0,040	0,040	0,040

• PHPP V9.4 변경 데이터

Glazing edge thermal bridge				Installation thermal bridge			
$\Psi_{glazing\ edge}$ left	$\Psi_{glazing\ edge}$ right	$\Psi_{glazing\ edge}$ bottom	$\Psi_{glazing\ edge}$ top	$\Psi_{glazing\ edge}$ left	$\Psi_{glazing\ edge}$ right	$\Psi_{glazing\ edge}$ bottom	$\Psi_{glazing\ edge}$ top
W/(mK)	W/(mK)	W/(mK)	W/(mK)	W/(mK)	W/(mK)	W/(mK)	W/(mK)
0,031	0,031	0,031	0,031	-0,007	-0,007	0,030	0,012
0,031	0,031	0,031	0,031	-0,007	-0,007	0,030	0,012
0,031	0,031	0,031	0,031	-0,007	-0,007	0,030	0,012
0,031	0,031	0,031	0,031	-0,007	-0,007	0,030	0,012
0,031	0,031	0,031	0,031	-0,007	-0,007	0,030	0,012
0,031	0,031	0,031	0,031	-0,007	-0,007	0,030	0,012

출처: Arbeitskreis Warme Kante BF

	Produktname	Abstandhalter Bauhöhe in mm	Material	Wärmeleitfähigkeit λ in W/mK	Dicke d in mm
Querschnitt	Swisspacer V	6,5	Edelstahl Kunststoff	15 0,16	0,01 1,0

		Metall mit thermischer Trennung	Kunststoff	Holz	Holz/Metall
Repräsentative Rahmenprofile					
Repräsentativer Psi-Wert Zweischeibiges Wärmedämmglas W/mK	4 16 4 Zweischeiben-Isolierglas U_g=1,1 W/m²K	0,039	0,034	0,032	0,035
Repräsentativer Psi-Wert Dreischeibiges Wärmedämmglas W/mK	4 12 4 12 4 Dreischeiben-Isolierglas U_g=0,7 W/m²K	0,034	0,032	0,031	0,033

사진 170 Swisspacer V 간봉 시험서

창호 좌우측의 시공 열교는 열교 프로그램을 이용해 계산한 마이너스 열교값을 적용했다. PHPP 시뮬레이션 시에는 되도록 창호뿐만 아니라 다른 부위의 열교값이 마이너스인 경우 그 길이를 구하지 않고 무(無) 열교의 개념으로 보며, 단순히 플러스 열교값만을 안전장치로 고려하는 것이 독일 PHI의 권고 사항이다. 하지만 더 정확한 값을 고려하는 것도 시뮬레이션 시에 가능하다.

유리의 공기층이 12mm를 벗어날 경우 전체 선형 열교값이 더 줄어들지만, 여기에서는 단순 데이터의 조건을 보고 0.031을 적용했다(목조프레임의 경우를 고려함).

- Phase shift(지중 공간 온도 지연)

Additional thermal bridge heat losses at perimeter				Steady-state fraction	$\Psi_{P,stat} \cdot l$	0,091	W/K
Phase shift	β	0,00	Monate	Harmonic fraction	$\Psi_{P,harm} \cdot l$	0,091	W/K

초기 Phase shift 계산에서는 빈칸 대신 '0'을 기입해 지중 온도 계수 보정이 0.54가 되어 더 많은 에너지 손실이 있었다.

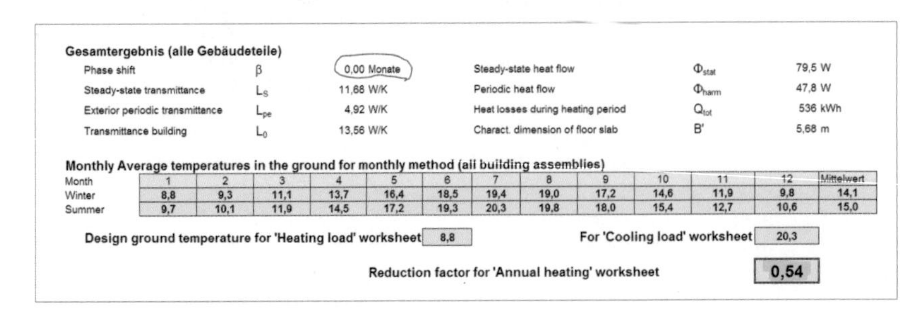

Gesamtergebnis (alle Gebäudeteile)

Phase shift	β	0,00 Monate	Steady-state heat flow	Φ_{stat}	79,5 W
Steady-state transmittance	L_S	11,68 W/K	Periodic heat flow	Φ_{harm}	47,8 W
Exterior periodic transmittance	L_{pe}	4,92 W/K	Heat losses during heating period	Q_{tot}	536 kWh
Transmittance building	L_0	13,56 W/K	Charact. dimension of floor slab	B'	5,68 m

Monthly Average temperatures in the ground for monthly method (all building assemblies)

Month	1	2	3	4	5	6	7	8	9	10	11	12	Mittelwert
Winter	8,8	9,3	11,1	13,7	16,4	18,5	19,4	19,0	17,2	14,6	11,9	9,8	14,1
Summer	9,7	10,1	11,9	14,5	17,2	19,3	20,3	19,8	18,0	15,4	12,7	10,6	15,0

Design ground temperature for 'Heating load' worksheet 8,8 **For 'Cooling load' worksheet** 20,3

Reduction factor for 'Annual heating' worksheet **0,54**

수정 계산에서는 빈칸을 그대로 두어 지중 공간의 지연을 고려했다. 그로 인해 지중 온도 계수의 보정이 0.49가 되어 에너지 손실이 줄었다.

Additional thermal bridge heat losses at perimeter			Steady-state fraction	$\Psi_{P,stat}$*l	0,091	W/K
Phase shift	β	Monate	Harmonic fraction	$\Psi_{P,harm}$*l	0,091	W/K

Gesamtergebnis (alle Gebäudeteile)

Phase shift	β	1,44 Monate	Steady-state heat flow	Φ_{stat}	79,5 W
Steady-state transmittance	L_S	11,68 W/K	Periodic heat flow	Φ_{harm}	34,9 W
Exterior periodic transmittance	L_{pe}	4,92 W/K	Heat losses during heating period	Q_{tot}	482 kWh
Transmittance building	L_0	13,56 W/K	Charact. dimension of floor slab	B'	5,68 m

Monthly Average temperatures in the ground for monthly method (all building assemblies)

Month	1	2	3	4	5	6	7	8	9	10	11	12	Mittelwert
Winter	10,6	9,1	8,9	10,2	12,5	15,2	17,7	19,2	19,3	18,1	15,8	13,0	14,1
Summer	11,4	9,9	9,8	11,0	13,3	16,1	18,5	20,0	20,2	18,9	16,6	13,9	15,0

Design ground temperature for 'Heating load' worksheet 8,9 For 'Cooling load' worksheet 20,2

Reduction factor for 'Annual heating' worksheet **0,49**

• 창호 유리의 음영을 인접 건물과 건물 1, 2층 좌우의 수평 돌출 부위를 고려해 세부적으로 수정했다. 구조적 돌출과 접이식 미서기 문이 닫혀진 경우가 이에 해당한다.

Höhe des Verschattungs-objekts / Height of the shading object	Horizontal-entfernung / Horizontal distance	Laibungstiefe / Window reveal depth	Abstand des Verglasungs-rands zur Laibung / Distance from glazing edge to reveal	Tiefe des Überstands / Overhang depth	Abstand des oberen Vergla-sungsrands zum Überstand / Distance from upper glazing edge to overhang	zusätzlicher Abminderungs-faktor Verschattung Winter / Additional reduction factor winter shading	zusätzlicher Abminderungs-faktor Verschattung Sommer / Additional reduction factor summer shading	Abminderungs-faktor für temporären Sonnenschutz / Reduction factor z for temporary sun protection
h [m]	a [m]	o [m]	d [m]	o [m]	d [m]	r [%]	r [%]	z [%]
6,50	9,00	**0,65**	**0,405**	1,02	0,10	**127%**	**111%**	**10%**
6,50	9,00	**0,65**	**0,405**	1,02	0,10	**127%**	**111%**	**10%**
6,50	9,00	0,30	0,418	1,04	0,12	**127%**	**111%**	**10%**
6,50	9,00	0,30	0,418	1,04	0,12	**127%**	**111%**	**10%**
6,50	9,00	0,29	0,405	1,02	0,10	**127%**	**111%**	**10%**
6,50	9,00	0,29	0,405	1,02	0,10	**127%**	**111%**	**10%**
6,50	9,00	0,30	0,418	1,04	0,12	**127%**	**111%**	**10%**
6,50	9,00	0,30	0,418	1,04	0,12	**127%**	**111%**	**10%**
6,50	9,00	**0,65**	**0,405**	1,02	0,10	**127%**	**111%**	**10%**
6,50	9,00	**0,65**	**0,405**	1,02	0,10	**127%**	**111%**	**10%**
4,80	3,00	0,29	0,020	0,29	0,02	**153%**	**140%**	**10%**
4,80	3,00	0,29	0,020	0,29	0,02	**153%**	**140%**	**10%**
5,97	3,00	0,30	0,050	0,73	0,10	**164%**	**149%**	**10%**
4,80	3,00	0,30	0,050	0,30	0,05	**153%**	**140%**	**10%**
3,00	3,50	0,30	0,713	1,02	0,10	**139%**	**129%**	
2,30	3,50	0,30	0,050	0,30	0,05	**131%**	**124%**	**10%**
32,00	105,00	0,30	0,050	0,30	0,05	**118%**	**113%**	**10%**
32,00	105,00	0,30	0,050	0,30	0,05	**118%**	**113%**	**10%**
3,20	13,00	**1,30**	**1,053**	2,29	0,24	**105%**	**105%**	**10%**
3,20	13,00	0,30	1,260	2,29	0,24	**105%**	**105%**	**10%**
3,20	13,00	0,29	0,485	2,29	0,22	**105%**	**105%**	**10%**
1,80	3,00	0,30	0,050	0,30	0,05	**129%**	**122%**	**10%**
2,20	15,00	0,30	0,050	0,30	0,05	**107%**	**106%**	**10%**
2,20	15,00	0,30	0,050	0,30	0,05	**107%**	**106%**	**10%**
29,00	105,00	0,30	0,050	0,30	0,05	**115%**	**112%**	**10%**
3,20	13,00	**1,30**	**0,520**	2,29	0,24	**104%**	**104%**	**10%**

수치 보정 : 연한 녹색으로 표시한 것은 1층과 2층의 수평 돌출에 의한 음영의 영향을 고려한 값이다.

zusätzlicher Abminderungs-faktor Verschattung Winter / Additional reduction factor winter shading	zusätzlicher Abminderungs-faktor Verschattung Sommer / Additional reduction factor summer shading	Abminderungs-faktor für temporären Sonnenschutz / Reduction factor z for temporary sun protection	geregelt / transparent (Regulated / transparent)	Horizont / Horizon
$r_{so,w}$ [%]	$r_{so,s}$ [%]	z [%]		r_H [%]
127%	111%	10%		65%

제일 중요한 사항으로 PHI에서 일반적으로 음영 계산 시 적용하는 인근 건물의 높이와 길이는 한정된 것이 아니다. 끝이 없는 수치로 보고(현실과 거리가 있지만) PHPP 시뮬레이션의 안전 장치로 분류한다.

첫 단계에서 이런 변수까지 고려할 필요는 없지만 PHI 권고에 따라 추정을 시작한다. 인근 건물이 메인 건물에 미치는 음영은 간접광 등을 모두 고려했을 때 50~70%, 남측은 거리가 더 있어 앞집 건물이 람다패시브하우스에 미치는 영향은 약 50%가 될 것이라 보고 수정했다. 왼쪽에서 두 번째, 세 번째 열이 그 영향을 바로 잡은 값이다.

Energy#은 PHPP와 달리 좌우측의 측면 수직 돌출부를 각각 입력할 수 있는데, 이는 매시간 태양의 위치를 바탕으로 직접 음영을 정밀하게 산출하는 방식을 채택했기에 가능하다.[79] 따라서 더 정확한 값을 얻을 수 있다.

전체 1층 창호의 크기와 음영 산출 근거

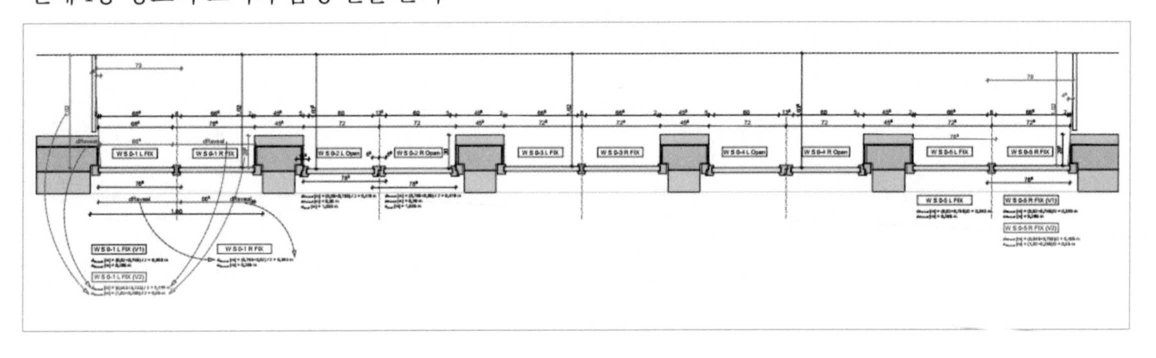

78 문제가 되는 것은 이 주변 건물이 미치는 영향을 추정한다는 것이 PHPP가 가진 한계이다. 예를 들어 127%는 = (1-0.5*(1-0.65)) / 0.65의 결과로 수평의 영향을 1 즉 100%가 아닌 0.5 (= 50%) 정도의 영향을 미친다고 보고 계산을 한 것이고 이는 직달광선뿐만 아니라 산란광을 고려한 보정값이다. 다만 추정치라는 것이 약점이다.

79 https://blog.naver.com/energysharp

남측 미서기 폴딩 차양 장치를 고려한 음영 계산: 창호를 분리해서 음영의 영향을 고려한다.

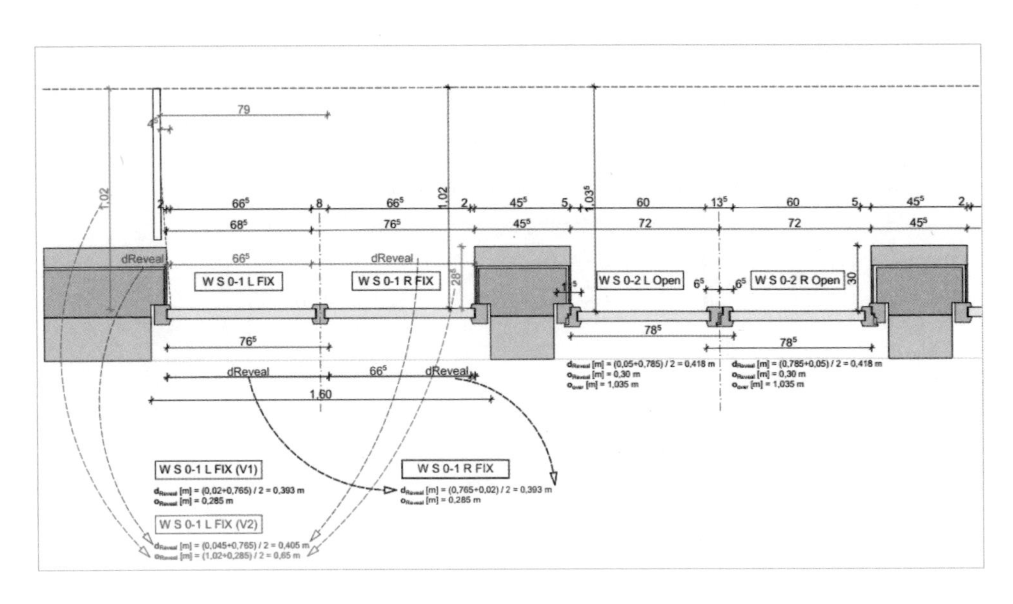

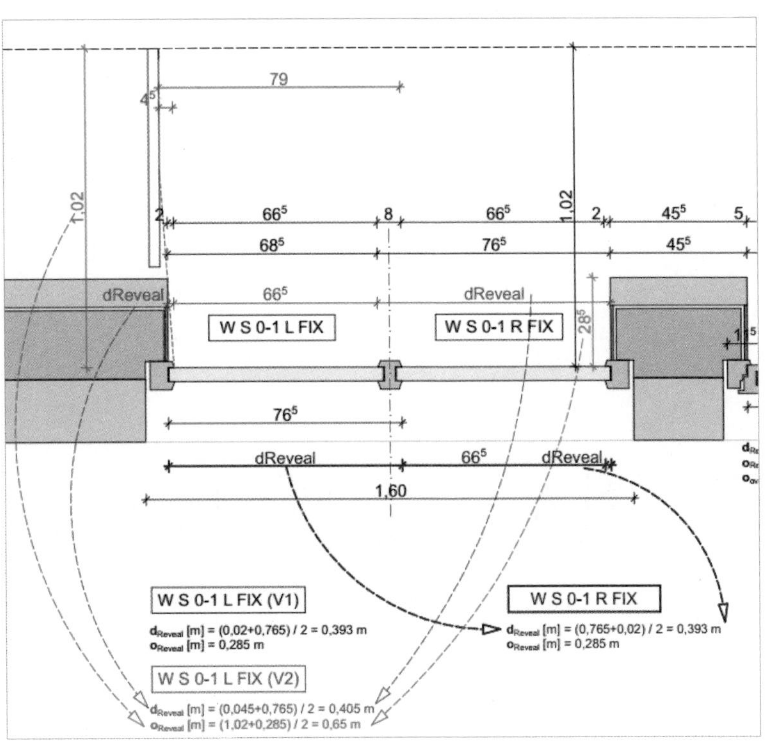

남측 미서기 폴딩 차양 장치를 고려한 음영 계산 : 창호를 분리해서 음영의 영향을 고려한다. V2는 돌출되는 것을 고려한 경우

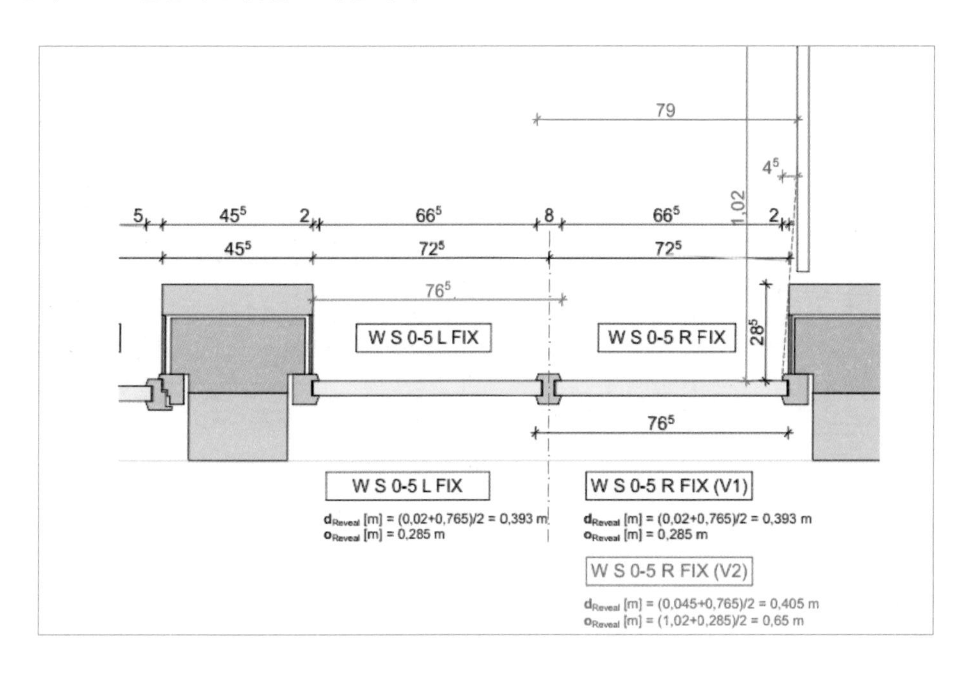

2층 데크 좌우의 수평 돌출을 고려한 음영 계산[80]

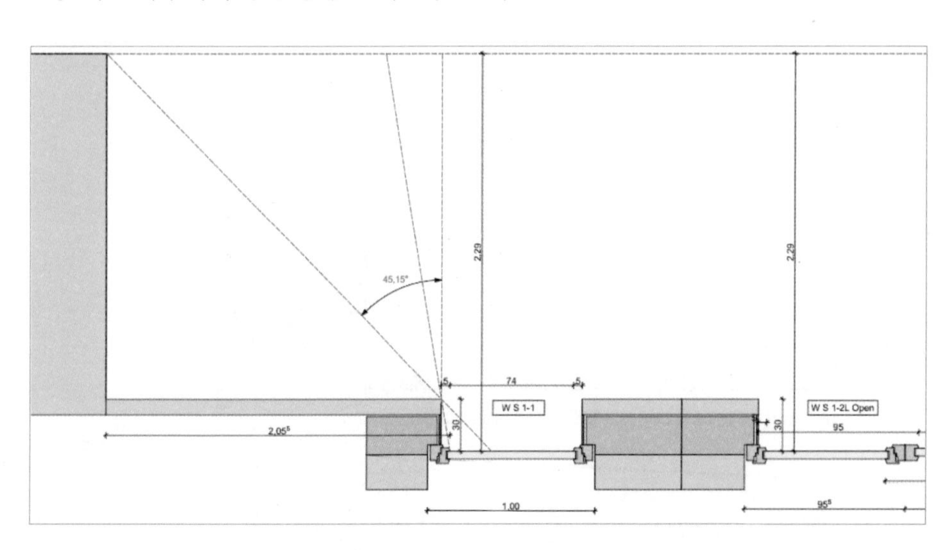

80 거리상으로 어떤 창호까지 음영의 영향을 받는지, 그 정도는 얼마인지 수치로 도출되는지에 대한 알고리즘이 PHPP에서는 설득력 있게 제공되지 못함.

내부 발열량(IHG : Internal Heat Gain)

IHG 수치는 약 2.74W/m²로 계산했지만 이 경우 전기압력밥솥[81] 등 가전제품을 고려하지 않았기에 실제로는 약 3W/m² 이상일 것이라 보았다. 한국설비학회 산하 IPAZEB에서 우리나라 아파트 세대의 실내 발열량을 조사한 자료에 따르면(세대 면적에 따라 약간의 차이는 있지만) 약 4W/m² 이상이다.

Energy#은 국내의 '에너지효율등급인증제도 운영 규정'에서 제공하는 4.38W/m²를 기본값으로 제시하지만, PHPP처럼 별도 계산도 가능하다. 시뮬레이션을 위해서는 다소 보수적으로 접근했다. PHI의 표준 계산 방법(2.1 + 50/TFA W/m²)을 통해 도출한 내부 발열 2.41W/m²와 람다패시브하우스의 내부 발열로 보는 2.74W/m² 두 가지를 내부 발열량으로 정했다. 그렇다면 단순히 면적과 관련한 표준값인 2.41W/m²를 적용할 것인지 아니면 4.38W/m²를 사용할 것인지 고민이 된다. 그냥 적용하기에는 차이가 너무 커 결과치에 영향을 미친다.

Energy# 개발자는 "직접 계산(시스템으로)해서 도출된 내부 발열량 사용을 권장한다"고 말했다. 주택에 따라 면적, 인원, 조명 등의 상황이 달라지기에 이로 인한 내부 발열량 입력을 일률적으로 하는 것은 문제가 있다고 보기 때문이다. Energy#으로 계산한 람다패시브하우스의 내부 발열량을 보면 겨울철 값이 2.97W/m²로 PHPP가 내부 발열원 입력값을 기반으로 계산한 2.74W/m²와 근사함을 알 수 있다. 물론 표준치인 2.41W/m²(PHPP)이나 4.38W/m²(국내 기준)도 의미는 있다. 등급을 판정하거나 비교를 하는 경우에는 일률적인 기준을 적용하는 것도 필요하기 때문이다. 또한 계획 초기라 구체적인 내부 발열 정보를 알 수 없는 경우, 컨설팅 계약이 없는 개략적인 시뮬레이션을 고려하는 경우에 일반적인 값이 도움된다. 한국패시브건축협회에서는 인증을 위한 시뮬레이션 시 내부발열값으로 표준치 4.38W/m²를 적용하고 있다[82].

표 27 내부 발열 입력 화면. 개략 계산 시 표준치 선택, 정밀 계산 시 시스템 계산 활용

기본 정보	건 물 명	세종시 람다패시브	프로젝트 설명	조건 : 재실자4, 인접건물X. 난방20℃, 냉방26℃/60%		
	기후 조건	◇ 세종시(람다)	건물 유형	주거	축열 성능 (Wh/m²K)	★직접 입력
	난방온도(℃)	20	냉방온도(℃)	26		204
거주자 정보	전체 거주자수	4	평일낮 거주자수	1	주말낮 거주자수	2
	낮시간 길이	12	일평균 재실시간	15.9	1인당 발열(W)	70
내부 발열	발열 입력유형	○ 직접 입력 ◉ 시스템 계산 ○ 표준치 선택			표준치 유형	
	인체발열(W/m²)	1.16	기기발열(W/m²)	1.86	총내부발열(W/m²)	3.02

→ 겨울 2.97 여름 3.16

출처: 배성호

81 약탕기, 건조기 등이 이에 속함

82 https://blog.naver.com/energysharp

표 28 Energy# 계산 람다패시브하우스의 월별 내부 발열량. 11~3월 평균 2.97W/m², 6~8월 평균 3.16W/m²

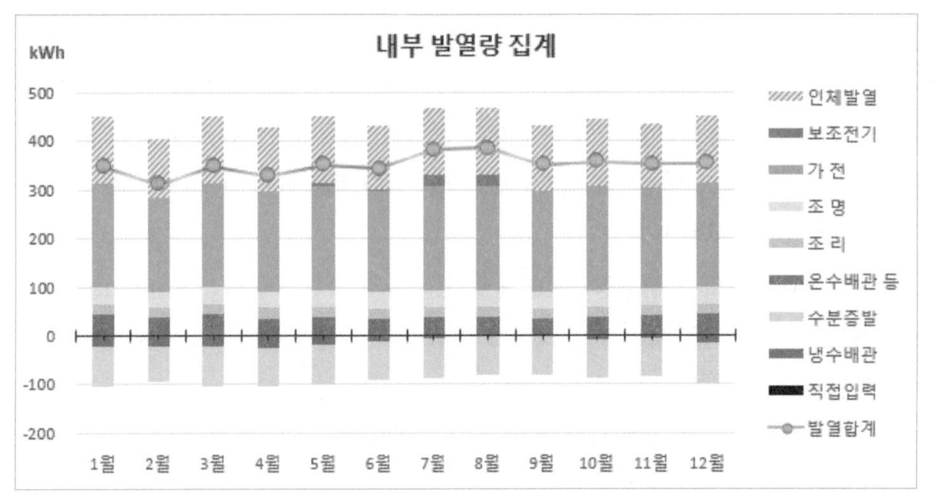

출처: 배성호

내부 발열량 2.4W/m²(표준값)

Certification:				Internal heat gains	
Street:				Utilisation pattern:	10-Wohnen
Postcode/City:				Values:	2-Standard
Province/Country:					
Interior temperature winter [°C]:	20,0	Interior temp. summer [°C]:	26,0		
Internal heat gains (IHG) heating case [W/m²]:	2,414	IHG cooling case [W/m²]:	2,9	Occupancy	
Specific capacity [Wh/K per m² TFA]:	204	Mechanical cooling:	x	4	2-Eigene Ermittlung

내부 발열량 2.74W/m²(IHG 표를 통한 계산)

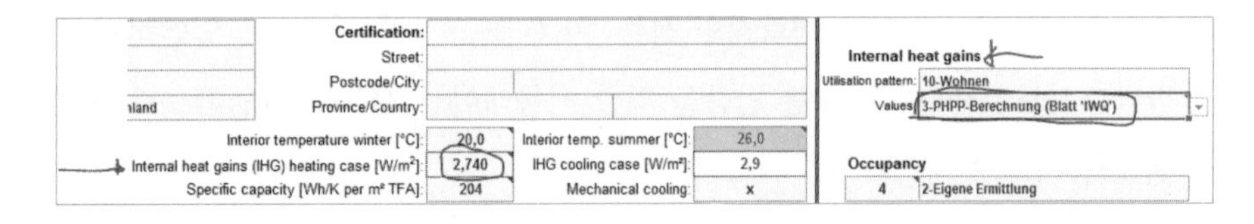

Certification:				Internal heat gains	
Street:				Utilisation pattern:	10-Wohnen
Postcode/City:				Values:	3-PHPP-Berechnung (Blatt 'IWQ')
Province/Country:					
Interior temperature winter [°C]:	20,0	Interior temp. summer [°C]:	26,0		
Internal heat gains (IHG) heating case [W/m²]:	2,740	IHG cooling case [W/m²]:	2,9	Occupancy	
Specific capacity [Wh/K per m² TFA]:	204	Mechanical cooling:	x	4	2-Eigene Ermittlung

람다패시브하우스에서는 내부 발열과 관련해 Energy# 개발자의 의견에 동감했다. 내부 발열량이 많을수록 난방에너지 요구량에 좋은 값을 나타내기 때문에, 처음부터 보수적으로 고려했기 때문에 PHI의 새로운 면적을 반영한 표준 내부 발열과 시스템 계산식만 적용해서 시뮬레이션했다.

마이너스 열교

에너지 요구량을 계산할 때 외피 면적 산정식을 보정하다 보면, 열교에서 흔히 말하는 마이너스 값이 생기는 경우가 많다. 이런 마이너스 열교는 전체 건물의 에너지 총량제 계산 시 손실이 너무 많게 책정[83]된 것(L0)을 보정한다는 개념으로 이해할 수 있다. 열역학적으로 마이너스는 보통 에너지 손실에 고려하지 않는 경우도 있지만, PHI의 권고에 따라 안전 수치로 보통 제외를 하기도 한다. 그래서 전체를 열교가 없는 구조(무열교의 개념)로 판단하지만, 이 마이너스 열교를 PHPP나 Energy# 계산에 포함한다고 해서 잘못된 것은 아니다. 안전 요소가 하나 줄어드는 것뿐이다.

사진 171 열교 계산의 이해(bj : 온도 보정 계수)

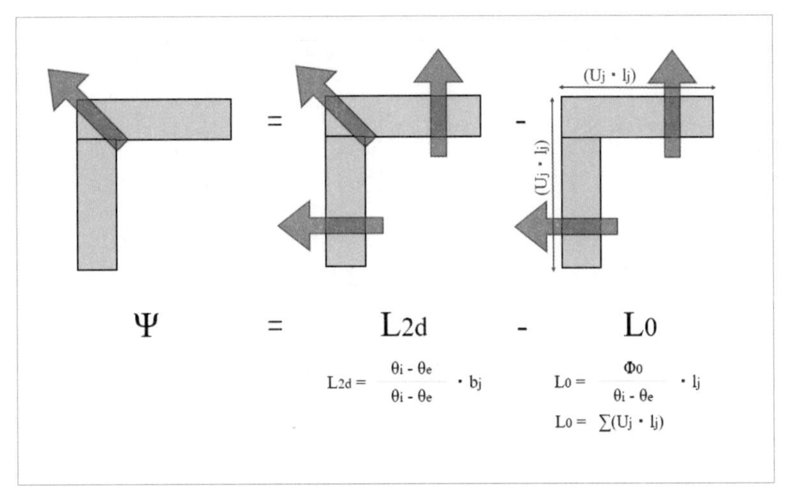

출처: 홍도영

면적 계산 하부 표에 전체 열교와 마이너스 열교를 같이 기입했다.

Wärmebrückeneingabe											
Nr.	Wärmebrücken - Bezeichung	Gruppe Nr.	Zuordnung zu Gruppe	An-zahl	x (	Länge [m]	-	Abzug Länge [m]	)=	Länge ℓ [m]	Eigene Angabe Ψ-Wert [W/(mK)]
1	지면부 바닥열교	16	Wärmebrücken Perimeter	1	x (	45,44	-		) =	45,44	0,002
2	외벽모서리 열교	15	Wärmebrücken Außenluft	1	x (	27,84	-		) =	27,84	-0,053
3	외벽 / 지붕 연결부위 1	15	Wärmebrücken Außenluft	1	x (	45,44	-		) =	45,44	-0,026
4	외벽 / 지붕 2층 테라스	15	Wärmebrücken Außenluft	1	x (	11,12	-		) =	11,12	0,126

- 재실 인원 : 4명
- 실내 축열 성능: 204Wh/K per m² TFA(참조 : 경량 60Wh/m²·K, 혼합 132Wh/m²·K)

83 외피선을 기준으로 면적과 체적을 계산하기에 코너 등에서 단열재 두께만큼 이중으로 열교 계산이 되면서 나오는 값이다.

• 공기조화기의 습기 회수율 적용

실제 PHPP 데이터베이스에 해당 공조기는 습기 회수율이 없기에 Zehnder社의 데이터를 바탕으로 약 61%의 습기 회수율(Energy recovery)을 추가로 고려했다. 구조체의 잔여 수분으로 인한 차이는 있지만, 3년째 되는 겨울 실내 상대 습도와 비교해보기 위함이다.

Ventilation unit / Heat recovery efficiency design	Average air flow rate m³/h	Average air change rate 1/h	Extract air excess (extract air system 1/h	Effective heat recovery efficiency unit [-]	Energy recovery [-]	Specific power input Wh/m³	Heat recovery efficiency SHX [-]
x Standard design (Blatt Lüftung s.u.) Multiple ventilation units, non-res (Blatt Zusatz Lüftg.)	140	0,35	0,00	79,7%	61,0%	0,31	0,0%
				Cooling degree		η*EWÜ	Efficiency SHX 0%

hong:
실제 데이터와
비교필요!

Average interior humidity during winter operation

Jan	Feb	Mar	Apr	Mai	Jun	Jul	Aug	Sep	Okt	Nov	Dez
48%	49%	55%	66%	-	-	-	-	-	-	61%	51%

③ PHPP V9.4에서 검토한 다양한 조건과 검토 결과

comparison		V1-1			V1-2			V1-3			V1-4		
		주변건물이 모두 완공된 경우 / 돌출(x)	기후: 공주 Meteonorm V7, 2008-2012	IHG 2.41 W/m2 PHPP Standard	주변건물이 모두 완공된 경우 / 돌출(x)	기후: 공주 Meteonorm V7, 2008-2012	IHG 2.74 W/m2 PHPP 계산	주변건물이 모두 완공된 경우 / 돌출(x)	기후: sejong Lambda, meteonorm version 7.1.11.24422	IHG 2.41 W/m2 PHPP Standard	주변건물이 모두 완공된 경우 / 돌출(x)	기후: sejong Lambda, meteonorm version 7.1.11.24422	IHG 2.74 W/m2 PHPP 계산
Heating demand	kWh/(m²a)	14,8			13,7			15,4			14,3		
Heating load	W/m²	12,5			12,2			14,0			13,7		
Cooling & dehum. demand	kWh/(m²a)	16,1			16,1			14,0			14,0		
Cooling load	W/m²	5,2			5,2			7,0			7,0		

comparison		V2-1			V2-2			V2-3			V2-4		
		현재 주변상태를 고려한 경우 2017 / 돌출(o)	기후: 공주 Meteonorm V7, 2008-2012	IHG 2.41 W/m2 PHPP Standard	현재 주변상태를 고려한 경우 2017 / 돌출(o)	기후: 공주 Meteonorm V7, 2008-2012	IHG 2.74 W/m2 PHPP 계산	현재 주변상태를 고려한 경우 2017 / 돌출(o)	기후: sejong Lambda, meteonorm version 7.1.11.24422	IHG 2.41 W/m2 PHPP Standard	현재 주변상태를 고려한 경우 2017 / 돌출(o)	기후: sejong Lambda, meteonorm version 7.1.11.24422	IHG 2.74 W/m2 PHPP 계산
Heating demand	kWh/(m²a)	12,7			11,7			13,4			12,4		
Heating load	W/m²	11,9			11,5			13,5			13,2		
Cooling & dehum. demand	kWh/(m²a)	16,3			16,3			14,2			14,2		
Cooling load	W/m²	5,3			5,3			7,1			7,1		

실내 온도를 20°C로 보고 계산하는 것은 PHPP 주거용 건물에서 표준 환경이지만 람다패시브하우스의 경우, 실제 겨울철 평균 실내 온도는 약 18.5°C[84]이며, 이를 고려해서 난방에너지 소비의 변화를 실제로 살펴보는 것도 비교 차원에서 의미가 있다. 하지만 주의해야 할 것은 지난 2~3년간 에너지 실제 소요량(사용량)의 평균값과 PHPP에서 18.5°C 조건일 경우 난방에너지 요구량을 1:1로 비교하는 것은 참고 사항으로 이해해야 한다(지난 3년간의 기후를 정리[보정]하지 않은 상태, 더불어 설비 효율 데이터가 정확하지 않기 때문에).

comparison		V3-1	V3-2	V3-3	V3-4
		주변건물이 모두 완공된 경우 / 돌출(x) 기후: 공주 Meteonorm V7, 2008-2012 IHG 2.41 W/m2 PHPP Standard	주변건물이 모두 완공된 경우 / 돌출(x) 기후: 공주 Meteonorm V7, 2008-2012 IHG 2.74 W/m2 PHPP 계산	주변건물이 모두 완공된 경우 / 돌출(x) 기후: sejong Lambda, meteonorm version 7.1.11.24422 IHG 2.41 W/m2 PHPP Standard	주변건물이 모두 완공된 경우 / 돌출(x) 기후: sejong Lambda, meteonorm version 7.1.11.24422 IHG 2.74 W/m2 PHPP 계산
Heating demand	kWh/(m²a)	11,3	10,5	11,8	10,8
Heating load	W/m²	11,3	11,0	12,8	12,5
Cooling & dehum. demand	kWh/(m²a)	16,2	16,2	14,1	14,1
Cooling load	W/m²	5,3	5,3	7,1	7,1

comparison		V4-1	V4-2	V4-3	V4-4
		현재 주변상태를 고려한 경우 2017 / 돌출(o) 기후: 공주 Meteonorm V7, 2008-2012 IHG 2.41 W/m2 PHPP Standard	현재 주변상태를 고려한 경우 2017 / 돌출(o) 기후: 공주 Meteonorm V7, 2008-2012 IHG 2.74 W/m2 PHPP 계산	현재 주변상태를 고려한 경우 2017 / 돌출(o) 기후: sejong Lambda, meteonorm version 7.1.11.24422 IHG 2.41 W/m2 PHPP Standard	현재 주변상태를 고려한 경우 2017 / 돌출(o) 기후: sejong Lambda, meteonorm version 7.1.11.24422 IHG 2.74 W/m2 PHPP 계산
Heating demand	kWh/(m²a)	9,6	8,8	10,1	9,2
Heating load	W/m²	10,6	10,3	12,3	12,0
Cooling & dehum. demand	kWh/(m²a)	16,4	16,4	14,3	14,3
Cooling load	W/m²	5,4	5,4	7,2	7,2

84 패시브하우스는 외피 내부의 표면 온도가 높기 때문에 복사 온도 불균형이 다른 건물에 비해 현저히 낮다. 즉 낮은 온도더라도 기존 건물 실내 온도 20℃ 이상의 효율이 나온다. 패시브하우스가 아닌 건물이었다면 실내가 춥게 느껴질 것이다.

최종적으로 가장 좋지 못한 경우로, 미래에 주변 건물이 모두 완공되고 건물의 모든 돌출 부위로 인한 음영을 고려할 때 실내 온도 20°C와 18.5°C 두 조건을 모두 고려한 비교 결과다.

comparison		V5-1	V5-2	V5-3	V5-4
		주변건물이 모두 완공된 경우 / 돌출(o) 기후: 공주 Meteonorm V7, 2008-2012 IHG 2.41 W/m2 PHPP Standard	주변건물이 모두 완공된 경우 / 돌출(o) 기후: 공주 Meteonorm V7, 2008-2012 IHG 2.74 W/m2 PHPP 계산	주변건물이 모두 완공된 경우 / 돌출(o) 기후: sejong Lambda, meteonorm version 7.1.11.24422 IHG 2.41 W/m2 PHPP Standard	주변건물이 모두 완공된 경우 / 돌출(o) 기후: sejong Lambda, meteonorm version 7.1.11.24422 IHG 2.74 W/m2 PHPP 계산
Heating demand	kWh/(m²a)	15,6	14,5	16,1	15,0
Heating load	W/m²	12,8	12,5	14,2	13,9
Cooling & dehum. demand	kWh/(m²a)	16,0	16,0	14,0	14,0
Cooling load	W/m²	5,2	5,2	6,9	6,9

comparison		V6-1	V6-2	V6-3	V6-4
		주변건물이 모두 완공된 경우 / 돌출(o) 기후: 공주 Meteonorm V7, 2008-2012 IHG 2.41 W/m2 PHPP Standard	주변건물이 모두 완공된 경우 / 돌출(o) 기후: 공주 Meteonorm V7, 2008-2012 IHG 2.74 W/m2 PHPP 계산	주변건물이 모두 완공된 경우 / 돌출(o) 기후: sejong Lambda, meteonorm version 7.1.11.24422 IHG 2.41 W/m2 PHPP Standard	주변건물이 모두 완공된 경우 / 돌출(o) 기후: sejong Lambda, meteonorm version 7.1.11.24422 IHG 2.74 W/m2 PHPP 계산
Heating demand	kWh/(m²a)	12,0	11,1	12,4	11,4
Heating load	W/m²	11,6	11,2	13,0	12,7
Cooling & dehum. demand	kWh/(m²a)	16,1	16,1	14,1	14,1
Cooling load	W/m²	5,3	5,3	7,0	7,0

④ 분석과 결론

살펴본 모든 경우에서 겨울철 난방에너지 요구량(Specific Heating Demand, SHD) 15kWh/m²·K를 만족하지 못하는 경우는 V1-3, V5-1 그리고 V5-3으로 총 세 가지다. PHPP에서는 소수점은 고려하지 않고 반올림하기에 PHI 기준에 따르면 V5-1과 V5-3에서만 내부 발열량을 PHI 표준 계산에 따른 IHG 2.41W/m²와 새로운 기후(Sejong Lambda)를 적용할 경우 약간 미달한다고 볼 수 있다. 하지만 PHI에서도 실제 발열을 고려한 계산을 인정하고 우리나라와 중유럽의 발열량의 차이(환경과 문화 차이)가 있기 때문에, 검토한 모든 조합이 패시브하우스 조건에 부합한다고 결론 내릴 수 있다.

현재에 가장 근접한 안은 V4로 실내 기온이 약 18.5°C면서 주변 건물이 모두 완공되지 않은 상태다. PHPP를 통해 지난 기간 난방에너지 소요량(소비량)과 비교(5장 겨울보고서 참조)한다면 약 1~2kWh/m²·a 정도 더 소비한 것으로 나온다. 그 원인은 아래와 같이 유추해 볼 수 있다.

- 실제 람다패시브하우스의 실내 온도가 평균 18.5°C가 아니라 그 이상인 경우, 예: 19°C
- 세종시 실제 외부 기후를 보정하지 않은 것에서 오는 차이
- 아직 콘크리트의 수분이 평형 상태로 맞춰지지 않아 열전도율이 계산보다 높은 경우
- 내부 발열량에서 오는 차이[85] (예: 재실 인원의 변동)
- 사용된 단열재의 열전도율이 조금 높거나 약간 젖은 상태일 경우
- 빨래를 주로 실내에서 건조해 수분 증발로 인해 내부 발열량이 줄어드는 경우
- 사용자 생활 습관

PHPP를 통한 시뮬레이션에 가장 큰 영향을 미치는 요소는 음영과 실내 발열량이다. 표준 발열량이 아닌 직접 계산에서는 큰 문제가 없어 보인다. 음영은 Energy# Ver.2를 통해 그 알고리즘의 문제점과 차이점을 비교해 한계와 개선 가능성을 검토해야 할 필요성이 있다고 본다. PHPP 곳곳에 여러 안전 장치를 둔 것은 충분히 이해하지만, 국내 현실과 실제 환경에 좀 더 적합한 도구를 개발하기 위해서는 서로의 비교가 불가피해 보이며 각각의 부족함을 개선하는 방향이 좋을 것이다.

85 예를 들어 계산 시에 고려된 4인이 아니라 그 이하인 경우, 실내 내부 발열량에 차이가 발생한다.

Energy#과의 비교 결과[86](배성호 작성)

겨울철 기준값은 PHPP의 경우 2.74W/m²를, Energy#의 경우 2.97W/m²를 적용했다.

• 인접 건물이 완공되었을 때

우선 최악의 경우로 주변 건물이 모두 다 들어섰을 때를 가정해 보았다. 예전부터 그래왔던 것처럼 Energy#의 에너지 요구량 수치가 PHPP에 비해 난방은 9%, 냉방은 7% 더 높게(에너지 효율은 더 낮게) 나온다.

표 29 인접 건물 준공을 가정한 시뮬레이션 결과

재실자 : 4, 난방조건 : 20℃, 냉방조건 : 26℃/60%, 음영조건 : 인접건물 완공

구 분	PHPP 9.3	Energy# 2.1	
난방에너지 요구량 (kWh/m²a)	14.3	15.5	9%
난방부하 (W/m²)	13.7	13.1	-4%
냉방에너지 요구량 (kWh/m²a)	13.1	14.0	7%
냉방부하-현열 (W/m²)	7.0	4.6	-34%
1차에너지 (kWh/m²a)	125	130	4%

• 주변 건물이 없는 현재의 음영 조건

다음은 현재의 조건과 마찬가지로 인접 건물 없이 나대지인 상황에서 학교, 야산, 아파트 단지와 같은 원거리 수평 장애물만 고려한 결과다. 역시 난방에너지 요구량 수치는 9% 더 높게 나오고, 냉방에너지는 어떤 이유에서인지 6% 낮은 값이 나온다.

표 30 인접 건물이 없다고 가정한 시뮬레이션 결과

재실자 : 4, 난방조건 : 20℃, 냉방조건 : 26℃/60%, 음영조건 : 인접건물이 없는 현상태

구 분	PHPP 9.3	Energy# 2.1	
난방에너지 요구량 (kWh/m²a)	13.1	14.2	9%
난방부하 (W/m²)	13.4	11.7	-12%
냉방에너지 요구량 (kWh/m²a)	13.0	12.2	-6%
냉방부하-현열 (W/m²)	6.9	4.5	-35%
1차에너지 (kWh/m²a)	124	126	2%

출처: 배성호

86 Naver Blog 에너지샵, 건축을 바라보는 새로운 시선, 람다패시브하우스 분석, 저자: 배성호

무엇이 맞나?

이렇게 Energy#의 결과값이 약간 더 보수적으로 나오는 상황에서, 우리는 어느 쪽을 더 신뢰해야 하는가? 답은 건축주가 축적해 온 에너지 실측값에서 찾을 수 있다. 에너지 실측 환경과 가급적 유사하게 만들기 위해, 재실자는 2명, 난방 온도는 19℃, 냉방 온도는 25.5℃, 냉방 시 기준 습도는 70%, 그리고 2016년 실험을 위해 여름철 잠시 가동한 제습기 의존율을 20%로 잡고 다시 계산한 결과는 다음과 같다. 난방에너지는 약간 낮게, 냉방에너지는 높게 나온다.

표 31 인접 건물은 없고, 에너지 실측 환경과 동일한 조건

재실자 : 2, 난방조건 : 19℃, 냉방조건 : 25.5℃/70%, 제습기로 20% 처리
음영조건 : 인접건물이 없는 현상태

구 분	PHPP 9.3	Energy# 2.1	
난방에너지 요구량 (kWh/m²a)	13.1	12.3	-6%
난방부하 (W/m²)	13.3	11.0	-18%
냉방에너지 요구량 (kWh/m²a)	8.0	9.7	22%
냉방부하-현열 (W/m²)	6.5	4.9	-25%
1차에너지 (kWh/m²a)	90	122	36%

출처: 배성호

- 실측 데이터 비교

  드디어 건축주가 고생하며 모아온 실측 데이터와 비교해 볼 차례다. 논의에 앞서, 이렇게 예상치와 실제 값을 비교할 수 있도록 온수와 난방을 분리해 3년이 넘도록 실측 데이터를 관리해 온 건축주에게 경의를 표한다.
- 난방에너지 요구량

  3년 평균 오차는 Energy# : -0.6%, PHPP : -6.8%다. RC조의 콘크리트 내부의 습기가 어느 정도 빠진 최근 2년 치의 데이터가 더 정확하다고 볼 때, Energy#의 오차율은 -0.8~-6.6%이고, PHPP는 -7.0~-12.4%다. 이 추세로 볼 때 PHPP의 오차는 Energy#에 비해 계속해서 더 벌어질 것으로 예상된다.
- 냉방 에너지 요구량

  기기의 효율(COP, Coefficient of performance)을 정확히 알 수 없기 때문에 냉방에너지는 요구량이 아닌 소요량(사용량)을 기준(5장 여름보고서 참조)으로 비교한다. 건축주가 2016년 7월 10일부터 8월 31일까지 측정한 에어컨과 제습기의 총 에너지 사용량

은 511kWh. 비교 기간을 동일하게 놓기 위해, 냉방 기기를 가동하지 않은 7월 1일부터 9일까지는 측정 기간 일평균 사용량의 50%[87]를 적용하여 전체 에너지 사용량을 보정하였다. 이렇게 했을 때 PHPP와 Energy# 모두 실측치보다 42~46% 정도 적게 나왔다. 평년보다 기온이 2℃가량 높았던 2016년의 살인적 무더위를 생각하면, 2016년의 실제 냉방에너지가 예측치보다 높게 나온 것은 당연한 것으로 판단된다. 냉방은 습부하가 개입되기에 정확한 수치를 비교하는 것은 큰 의미가 없어 보인다.

실측치와 비교했을 때 결과적으로 PHPP와 Energy#은 거의 유사한 경향성을 보이나, 비교하자면 난방에서는 Energy#이 약간 더 우세한 결과를 도출했다고 볼 수 있다.

Enegy#[88] 을 통한 비교는 다른 프로그램을 통한 투명성과 검증을 위해 절대적으로 필요한 과정이며, 이를 통해 두 개의 시뮬레이션 툴의 알고리즘과 레퍼런스를 좀 더 깊이 이해하는 계기가 되었다.

PHPP 계산 및 건축주가 3년간 기록한 실측치와의 비교를 통해 Energy#에 대한 신뢰성은 검증이 되었고, 이는 국내 패시브하우스 에너지 계산 툴로 적용하는 데 문제가 없다는 것을 보여준다.

87 여기서 약간의 차이는 있다. 냉방에너지요구량 (현열 + 잠열) 약 14.4kWh/m²·a에 PHPP에서 현열과 잠열을 고려한 COP 2.1로 나누면 PHPP상의 냉방에너지 소요량은 약 6.85kWh/m²·a(Electricity demand)이 된다. 전체 냉방 기간을 고려한다면 1,054kWh/m²가 되기에 412 혹은 400과는 거리가 있다. 실제는 100%를 사용해야 쾌적 범위에 들어오는 것이다. 결과적으로 냉방에너지 소요량은 511이 아니라 1,054kWh/m²가 되어야 하기에 요구량보다 훨씬 적게 사용한 것이다. 물론 PHPP에서는 축열체의 온도를 고려하지 않기 때문에 실제 냉방 부하보다는 약 2~3W/m² 정도 높게 나오는 면도 있다. PHI에서는 이것을 안전 요소로 간주한다.

88 Energy#은 원론적으로 시간대별 태양의 위치에 따른 실제 음영으로 접근하는 shading 방식이기에 더 현실적일 것으로 판단된다. ISO 13790와 DIN 18599에서도 어느 정도 이 문제(창호 중간 높이에서 각도로 계산)를 다루기는 하지만, PHPP의 경우와 마찬가지로 간략하게 접근하기 때문에 앞으로 실제 프로젝트 적용을 통해 이에 대한 검토가 필요해 보인다.

표 32 최근 3년간 겨울철 난방에너지 요구량 비교 분석

2014-2016년 난방에너지요구량 비교 분석

난방에너지 요구량 (kWh/a)	난방에너지소비량	난방에너지요구량	PHPP 9.3	Energy# 2.1
프로그램 계산결과	보일러 효율 =	84%	2,093	1,963
2014.11-2015.3 실측치	2,467	2,072	-1.0%	5.6%
2015.11-2016.3 실측치	2,318	1,947	-7.0%	-0.8%
2016.11-2017.3 실측치	2,183	1,834	-12.4%	-6.6%
		1,951	-6.8%	-0.6%

표 33 2016년 냉방에너지 소요량(사용량) 비교 분석. 평년 기온 적용

2016년 냉방에너지소요량비교 분석 - 평년 기온

냉방에너지 요구량 (kWh/a)	냉방에너지소비량	PHPP 9.3	Energy# 2.1
프로그램 계산결과		412	400
2016.7-2016.8 실측치	585	41.9%	46.2%

* 585 = 7.10~8.31 실측치 511를 보정한 값

출처: 데이터_손태청, 표 작성_배성호

람다패시브하우스 시공 과정

제4장

1. 골조
2. 창호 / 차양 장치
3. 방수 / 배수
4. 단열
5. 기밀
6. 설비

1. 골조

람다패시브하우스에서는 두꺼운 버림콘크리트 상부에 시트 방수를 시공했다. 기능상으로는 지중 공간의 수증기나 수분의 유입을 막고 매트 기초에 크랙이 발생할 경우를 대비해라도 유입을 억제하기 위함이다. 물론 이것만이 답은 아니다. 1층 구조에 따라 다른 방법의 방수 시스템도 가능하다. 또한 일반적으로 지하수의 위험이 없기 때문에 방수 시트를 설치하지 않아도 되지만, 매트 기초가 자기치유형 콘크리트가 아니고 매트 상부에 방습층 겸 방수층이 시공되는 시스템이 아니라 하부에 설치했다.

방수 시트 위에는 XPS를 두 겹 시공했다. 단열재 사이에 꼭 폴리우레탄 폼을 사용할 필요는 없다. 단열재를 두 겹으로 시공하기 때문에 열교 문제가 그리 크지 않기 때문이다. 그보다 단열재 시공 시 열 십 자(+) 모양의 연결을 피했으면 더 좋은 시공이 되었을 것이다. 열교 때문이 아니라 단열재 밀림 현상을 방지하기 위함이다. 하지만 한 겹이 아니라 두 겹으로 시공했기 때문에 이에 대한 차이는 미미하다고 볼 수 있고, 매트 기초의 가장자리를 제외한 중간은 실내외 온도 차가 외기와의 차이보다 적어 그리 큰 문제가 되지는 않는다.

분리층으로 P.E 필름을 시공하기 전 단열재에 테이프를 시공했지만, 이는 단지 단열재를 서로 조금 잡아주는 역할을 할 뿐 공정·기능상 꼭 해야 할 이유는 없다. 또한, 상부에 비닐을 덮기 때문에 콘크리트 타설 시 단열재 사이로 시멘트 페이스트가 유입될 가능성은 매우 희박하다.

계단 측면에 전기선 매립을 놓친 것이 보이지만, 이는 아쉬운 것이지 하자나 시공 불량으로 볼 문제는 아니다.

2. 창호 / 차양 장치

현장에서 창호 기밀 테이프와 고정 자재를 시공하는 모습이다. 창호의 고성 방법과 설치 위치, 마감 부위 연결에 따라 다를 수 있지만, 일반적으로 창호 시공 전에 기밀 자재를 시공하는 것이 편하다.

구조체와 창호 사이에 창호 전용 연질폼을 시공하는 장면(위)과 Purenit(폴리우레탄 재생 제품)으로 하부를 고정하고 있는 장면(아래)이다. 창호를 골조면에 맞춰 시공하는 것이 더 좋았

을 것으로 조금 아쉬움이 남는다. 그러면 창호 고정 공사가 쉽게 진행되었을 것이다.

국내에서도 폴리우레탄 리사이클링 제품이 몇 년 전 개발되었다. 아직 수요가 많지 않아 가격이 좀 비싼 것이 단점이다. 하지만 지면에 닿은 부위에만 적용되는 자재이기에 전체 시공비를 본다면 충분히 적용이 가능하다.

햇빛 차양 장치 유무에 따른 변화를 보여주는 완공 사진으로 람다패시브하우스에서 적용된 외부 전동 블라인드(EVB) 시스템 두 개 중 하나이다. 다른 창호는 미서기 혹은 미서기 폴딩형 차양 장치다.

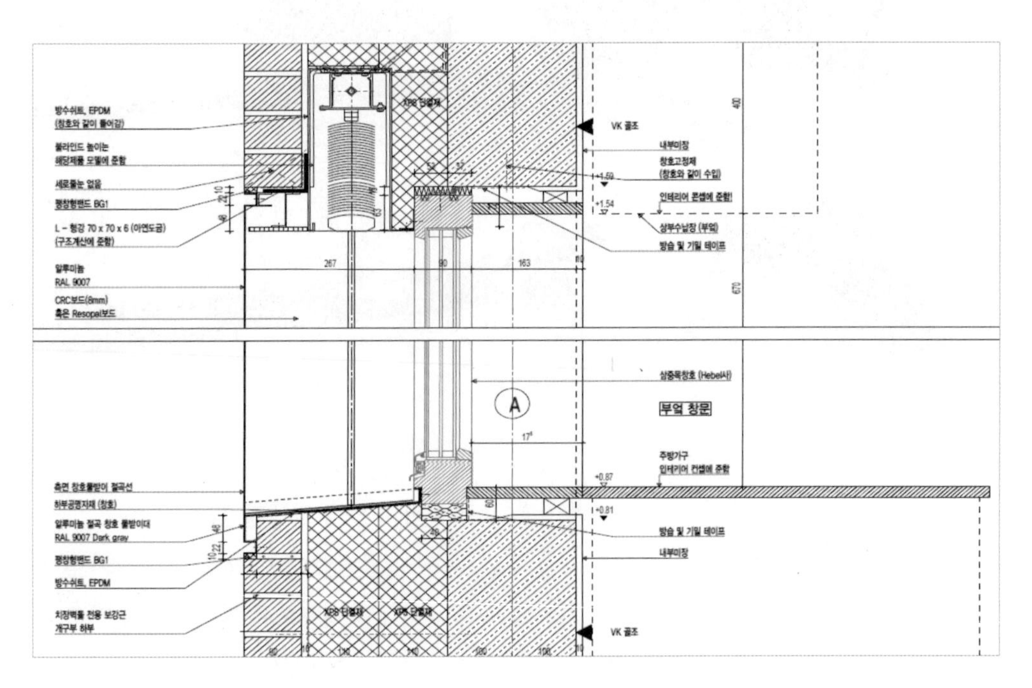

주방의 차양 장치 연결 디테일

2층 계단실 복도에서 외부를 바라본 모습으로 햇빛 차양 장치 유무에 따른 실내 환경의 변화를 보여준다. 차양을 닫아도 실내가 그리 어두워지지 않는다.

건물 동측 거리에서 차양 덧문을 개폐한 모습이다. 람다패시브하우스의 기능성을 가장 뚜렷하고 특징적으로 보여주는 부분이기도 하다. 왼쪽 테라스 부위의 개폐는, 도로를 지나가는 사람들의 시선을 막기 위한 차폐용으로 쓰인다.

2층 테라스의 폴딩 차양 개폐 모습이다. 비가 와도 세탁물 건조 등 야외 활동이 가능하다. 더불어 일차적인 차양 기능은 돌출된 평지붕이 하지만 이차는 덧문이 한다. 또한 덧문은 1층의 더운 공기가 위로 올라와 2층의 온도 상승을 컨트롤할 수 있는 설계 기법이다.

1층 테라스 차양 덧문을 개폐한 모습. 차양 장치를 낯설어 하는 이들이 많아, 입면 디자인 계획 시 이질감을 줄이고자 많은 고민을 했다. 차양 장치를 디자인적 요소로 풀어내는 것은 건축가의 몫이다. 중요한 점은 설계가 끝날 무렵이나 시공 중 뒤늦게 고려한다면, 원하는 결과를 얻기 어렵다.

3. 방수 / 배수

바닥과 슬래브, 배수에 사용된 부수 기자재이다. 대부분의 기초 현장은 슬래브 타설 전 배관 작업을 하지만, 람다패시브하우스는 매트 기초의 철근 배근 사이로 설비 배관을 시공하지 않았다.

버림콘크리트 위에 표면 프라이머 작업을 하고 방수 시트를 접착 시공한 후의 사진이다. 여기서는 방수의 기능보다 지중의 습기가 올라오는 것을 억제하려는 목적이 더 크다.

패시브하우스 계산 범위에 포함되지 않는 주차장 지붕에 사용된 우수 드레인 두 개가 좌우로 보인다. 가장 아쉬운 점은 법규를 준수하려다 보니 추락 방지 난간의 높이가 1.2m이다. 독일의 경우 이 정도 건물 높이에선 90cm까지 허용된다. 디자인적으로 무리 없는 설계도 충분히 가능하지만, 평균 키가 우리보다 큰 독일과 비교해 규정이 더 강한 것은 좀 과하다 싶은 마음이 있다. 아이들이 타고 오를 위험에 대비한 것으로 추론할 수 있겠지만, 이는 추락 방지 난간의 구조적 설계로 막을 수 있는 부분이다. 높이보다 중요한 것은 발을 딛고 올라설 요소가 있는가의 유무가 아닐까 싶다. 기준의 경직성과 아이들이 움직이는 패턴을 이해하지 못하는 것에서 비롯된 기준 중 하나라고 생각한다.

4. 단열

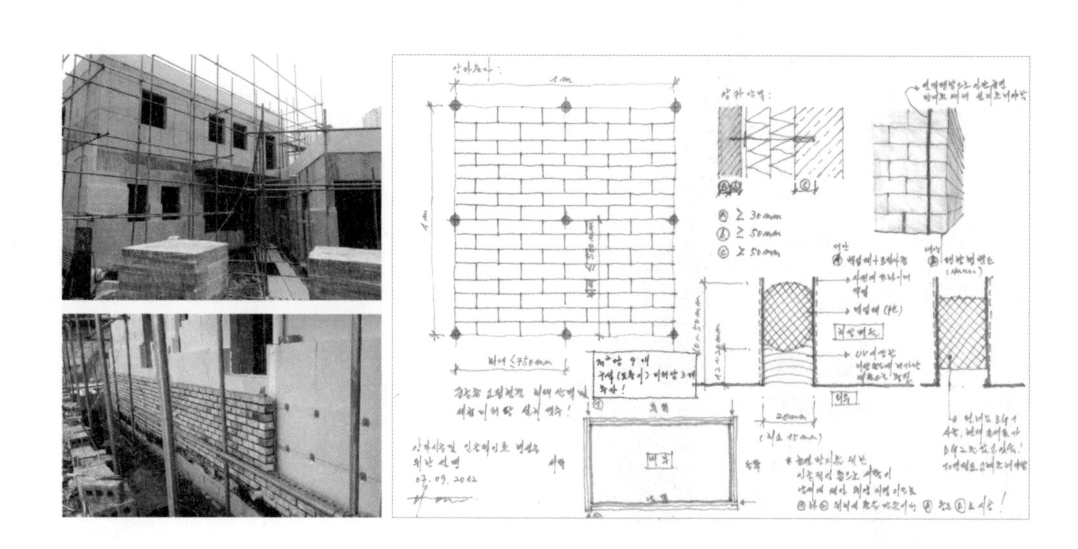

치장 벽돌은 일정한 간격을 두고 시공해 구조체 변화에 의해 크랙이 가지 않도록 예방해야 한다. 보통 6m마다 수직의 신축 줄눈을 시공하지만, 창호나 출입구 등이 대부분 외피에 면해 있어 어느 정도의 예외를 두는 것은 문제가 되지는 않는다고 봤다. 다만 모서리 부위는 분리를 해주는 것이 좋다[89]. 바닥 모르타르를 타설하고 나면 대부분 크랙이 발생한다. 이 크랙을 그냥 두는 것이 아니라 지정한 위치에 미리 크랙 선을 주는 것처럼 외피의 치장 벽돌에도 같은 원리로 '계획된 크랙'을 고려할 수 있다. 이는 단지 치장 벽돌에만 해당하는 것이 아니라 외부 타일이 시공되는 외단열 공법에서도 지켜야 하는 기본 시공 매뉴얼이다.

89 치장 벽돌 모서리 부분은 열적 팽창이 그렇게 심하지는 않지만 일반 외단열 미장 공법에서 외부 타일을 마감재로 시공하는 경우는 일사에 따른 각 면의 열적 팽창 정도가 서로 달라 크랙 발생 위험이 더 높다.

치장 벽돌 시공과 긴결 철물의 간격을 보여주는 사진이다. 파란색의 플라스틱 자재는 빗물이나 역(逆) 결로 등으로 생긴 물이 단열재 안으로 유입되는 것을 억제하는 기능을 가지고 있다. 물에 강한 압출법보온판에는 꼭 필요하다고 볼 수 없지만 암면과 같은 단열재와의 조합에서는 시공하는 것이 좋다.

더불어 단열재의 두께에 따라 시공되는 긴결 철물도 6~9개 정도 필요하다. 구조측에서 계산한 것과 생산 업체에서 제안한 것을 바탕으로 계산한 것이다. 이 철물은 스테인리스 재질이기 때문에 점형 열교 수치를 무시할 수 있지만, 일반 아연도 계열이나 일반 철이라면 별도로 점형 열교를 계산해야 한다.

창호 상부 인방의 방수 공사를 하는 모습이다. 치장 벽돌 혹은 중공층이 있는 건물 구조에서 우수나 기타 응축수의 유입이 우려되는 조건이라면 반드시 진행해야 한다. 만일 이런 안전 장치가 없는 상태에서 빗물이나 상부 파라펫 부위의 누수로 인한 하자가 발생할 경우, 창호를 빼내고 추가 시공을 해야 하기 때문에 그리 간단한 공사가 아니다.

실제 람다패시브하우스 시공 중 위 사진과 같이 외부 치장 벽돌 시공이 완공되지 못하여 단열재 면이 드러난 상태, 즉 외부 방수층이 완전히 무너진 것과 동일한 상태에서 장맛비가 내렸지만, 창호 상부 인방에서 누수는 관찰되지 않았다. 창호 상부의 누수를 치장 벽돌에 원인을 돌리고, 줄눈을 보강하고 발수제를 덧바르는 것은 빈약한 조치다.

파라펫의 열교를 최소화하고 구조의 두께를 줄이기 위해 열전도율이 낮은 ALC 블록을 사용하고 상부에 홈을 파서 배근 후 콘크리트를 타설한 모습이다. 국내에서 열교를 줄이기 위한 다양한 노력이 실패하는 가장 큰 이유는 수급 자재가 부족하거나, 아예 적용 가능한 자재가 없다는 점이다. 결국 '이건 꼭 해야겠다'는 시공사의 다짐이 없으면 실현하기 어려운 점이 많다는 뜻이다.

추가적인 비용을 준다고 모든 시공사가 다 시공하지도 않는다. 필요 없는 공정이라고 여기고 편하게 작업하는 게 좋다고 말한다. 또한, 경험을 해보니 그리 큰 차이가 없다는 것이

주된 주장이다. 그 말이 맞을 수 있다. 그리 큰 차이는 없다. 다만, 이런 큰 차이 없는 소소한 부분들이 모이면 가랑비에 옷이 젖듯 차이를 만들어 낸다. 패시브하우스는 절대 '한 방'에 모든 걸 해결하는 시스템이 아니다.

건물에서 돌출되는 모든 캔틸레버(Cantilever)식의 처마나 발코니를 열교 전용 자재로 분리해 배근하는 사진(위)과 타석 후 거푸집을 제거한 모습(아래)이다. 처마와 외벽 연결 부위의 파란색 부분이 열교 분리 자재다. 독일이었다면 공장에서 처마를 PC(Precast Concrete)로 제작해 1층 슬래브 타설 시 하부 지지재를 만들고 연결했을 것이다. 공정이 매우 간단해지기 때문이다. 또 콘크리트의 표면질도 더 좋아져 노출콘크리트 수준의 표면이 가능해진다.

5. 기밀

람다패시브하우스와 같은 중량형의 건물은 경량의 건물과 달리 외벽이나 지붕 하부에 별도 방습층을 설치하지 않는다. 콘크리트 외벽 자체가 별도의 기밀층이라 기능상 미장층이 필요 없지만, 조적조는 실내측 바닥 슬래브까지 미장했을 경우에만 기밀층이 형성되었다고 본다. 미장하지 않으면 줄눈 사이로 내부의 습하고 따뜻한 공기가 외부로 배출돼 단열재에 정체할 수 있다. 이는 외단열 미장 공법에서는 부수적인 하자와 연결된다. 흔히 공동주택에서는 천장 상부면을 미장층 없이 시멘트 벽돌로만 시공하곤 하는데, 방음이 안 되고, 우리 눈에는 보이지 않지만 외벽에 면한 곳이라면 결로가 생길 수 있다.

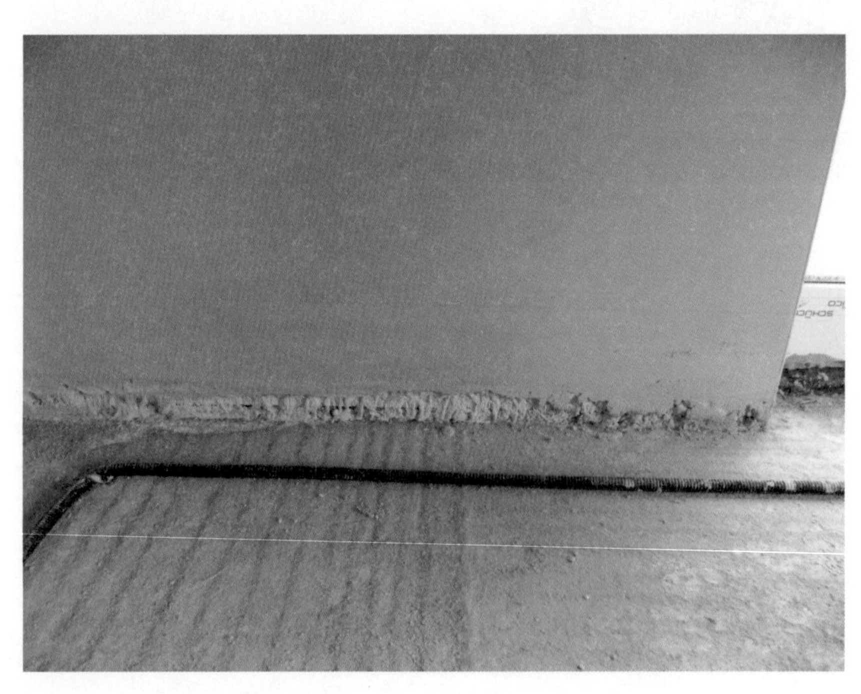

사진 172 조적 건물에서 외벽 내부 미장(잘못된 사례)

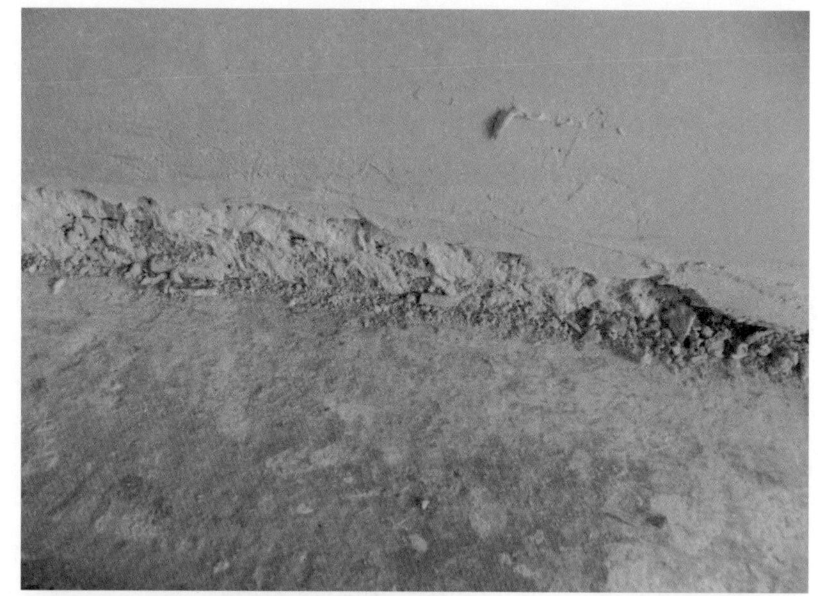

사진 173 외벽 내부 미장이 잘못된 예(위)
사진 174 풍속기를 통한 침기 지역 측정

창호 연결 부위의 조적은 다른 부위에 비해 틈이 많다. 그런 취약 부위는 하부 슬래브 상부면까지 미장하지 않으면, 결국 외기가 침투하고 국지적으로 불쾌할 정도의 바람(외풍)이 들어온다. 결로와 곰팡이 발생 위험도 증가한다. 층간 소음재와 시멘트 모르타르층 그리고 최종 마감까지 하게 되면 그로 인한 문제는 훨씬 줄어들지만 간혹 석고보드로 마감되는 분리벽과의 연결부위에서 문제가 생길 수 있어 하부 골조선까지 초벌 미장이라도 하는 것이 좋다.

©손태청

사진 175 외부 배관 기밀, 처마 하부

6. 설비

위 사진을 자세히 살펴보면 기초 콘크리트가 아니라 잡석층에 배관을 매립하고 그 위에 매트 기초를 타설했다. 이렇게 하면 기초 배근을 하면서 복잡한 철근 사이로 배관 구배를 고민해야 하는 어려움이나 타설 중 손상되는 위험이 없다. 또한, 콘크리트 타설 시 철근의 간격을 유지하기 위해 벽돌이나 나무 조각 등을 사용하는데 이로 인해 콘크리트의 방수 성능이 떨어져 철근의 피복층이 얇아지면서 부식이 생길 수 있다.

공정상 '누가 이 배관을 시공하느냐'라는 질문이 있을 수 있다. 이렇게 시공하는 경우 골조 업체가 매트 기초 하부에 배수나 인입을 위한 배관 시공을 하는 것이 맞다. 그렇게 되면 설비 업체가 추가로 현장에 올 필요는 없다.

2층 바닥 슬래브 배근 시 공기조화기의 배관을 미리 매립하고 타설했다. 이 관을 일명 '스파게티관'이라고 부른다. 콘크리트 슬래브에 배관을 미리 시공하는 방식은 슬래브 하부에 별도 천장이 없는 람다패시브하우스에서는 합리적인 방법이다. 하지만 공기 배관의 크기로 인해 슬래브의 두께가 두꺼워진다면 친환경적인 관점에서 적합하지 않을 수도 있다. 슬래브가 두꺼워진다는 것은 콘크리트 양이 늘어난다는 것이고 경우에 따라 철근량도 같이 증가한다. 즉, 일차에너지의 상승으로 이어지기 때문이다. 그렇게 된다면 슬래브가 아니라 바닥 모르타르층에 배관 작업을 하는 것도 가능한 대안이다. 이 시스템의 단점은 슬래브의 두께가 최소 20cm는 넘어야 하기 때문에 아무리 층간 소음에 도움이 되는 두께라도 건물 하중과 자재 사용 증가가 불가피하다는 것이다.

또한, 일반적으로 시공하는 슬래브 하부의 천장 시공이 람다패시브하우스에서는 보조 공간으로만 제한되었다. 거푸집 공사 시 환기구 부자재, 조명 자리, 정확한 위치의 배선관 등 기타 공간에 설치해야 할 고려 사항이 많아 일반적인 천장 마감보다 손이 많이 갔다.

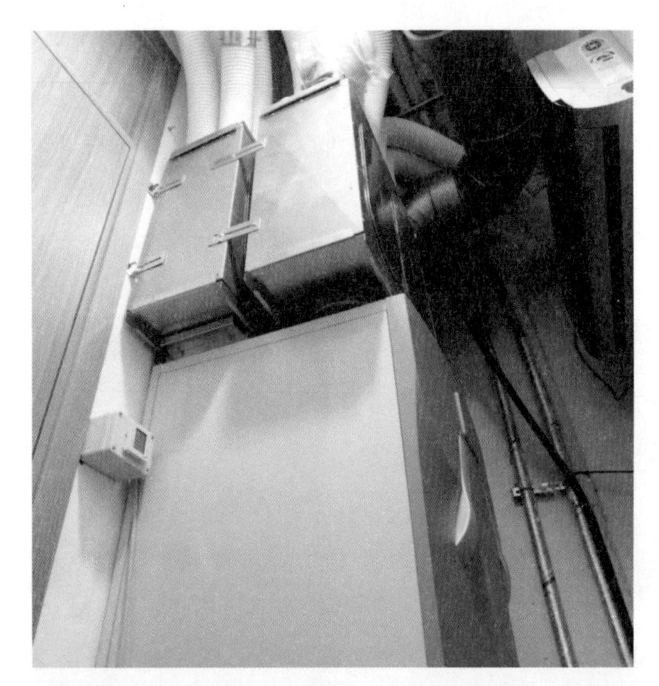

공기조화기가 들어간 다용도 공간이며 그 아래로 외피에 배관 인입이 보인다. 공기조화기가 시공되는 공간은 가급적이면 기계가 들어가는 크기보다 좀 더 여유를 두어 넓게 하는 것이 좋다. 람다패시브하우스의 경우, 설계 중 공간을 더 넓히려고도 생각해 봤지만 여러 다른 요소에 미치는 영향을 고려해서 그대로 진행했다.

안방 출입문 오른쪽 옆에 Overflow가 보인다. 화장실 내부에서는 왼쪽 천장 상부에 있다. 화장실을 제외한 모든 공간의 문은 하부에 문틀이 없는 배리어프리(barrier free, 무장애)[90]로 진행되었다.

90 고령자나 장애인들도 살기 좋은 사회를 만들기 위해 물리적·제도적 장벽을 허물자는 운동

정량적 검증 테스트

제5장

1. 기밀 테스트

2. 공기조화기 T.A.B

3. 실내 라돈 테스트

4. 기타 모니터링

① 이산화탄소 농도

② 겨울 보고서

③ 여름 보고서

④ 햇빛 차양 장치와 냉방에너지의 상관 관계

⑤ 작은 제습 실험

1. 기밀 테스트

기밀한 외피는 연간 난방에너지 요구량인 $Q_H \leq 15kWh/(m^2 \cdot a)$의 목표를 달성하기 위한 중요한 기본 요소다. 건물 틈새를 통해 외부의 차가운 공기가 실내로 유입되면 실내 난방으로 계속 온도를 올려줘야 하기 때문에 비효율적이다. 반대로 따뜻한 실내 공기가 외피의 틈을 통해 빠져나가면 열 에너지의 손실이 발생한다. 두 경우 모두 연간 난방에너지를 높이는 원인이 된다.

이런 중요한 요소를 말이 아닌 정량적인 숫자로 기록하기 위해 패시브하우스에서는 시공 중, 입주 전 두 차례의 기밀 테스트를 필수적으로 거친다. 기밀층인 창호와 미장(목조나 경량철골의 경우 방습층 겸 기밀층) 시공 후 시행하는 첫 번째 테스트는 기밀값을 얻기 위한 테스트[91]는 아니다. 공사의 질적 완성도를 확인하고 경우에 따라 보수공사를 하기 위함이다. 보통은 비용을 이유로 생략하기도 하지만 공사 관련자의 주의를 환기시키기 위해서라도 중간 검증 과정을 거치는 것이 좋다. 보통 현장 위치에 따라 다르지만 40만~70만 원선에서 측정이 가능하다. 지역에 따라 다르지만, 약 50만 원 이상 소요되는 이런 테스트를 두 번 하는 것이 건축주에게 부담이 되기도 해 보통 입주 전 공조기 등이 설치된 후 실시하는 것이 일반적이다.

패시브하우스는 기밀하다. 실내 체적 대비 시간당 환기 횟수 0.6회[92] 이하를 기본적으로 만족해야 독일 패시브하우스 인증 서류를 제출할 수 있다. 물론 아직 우리나라는 법적으로 기밀에 대한 정량적인 수치를 정해 놓지 않고 있다. 다만 일부 학계나 연구소에서 권고 기준이 있다. 독일은 폐열회수 장치가 달린 공조기가 설치되었다면 시간당 1.5회 자연 환기

91 공사 중에 하는 기밀 테스트는 실내에 50pa의 음압을 걸고 연기나 열화상카메라 등의 보조 도구를 이용해 기밀층이 훼손된 곳을 찾는 방식으로 진행된다.

92 실제 조건에서의 침기는 0.1회 이하가 된다.

를 하는 경우 3회[93]로 정하고 있다. 공조기의 경우 수치가 낮은 이유는 열교환기의 효율을 높이기 위함이다. 한국패시브건축협회 인증기준에서 A0등급을 1.5ℓ의 난방에너지 요구량으로 본다면 독일 패시브하우스 연구소 기준인 0.6회와 동일하지만, A1·A2의 경우 시간당 1~1.5회이다. 한국패시브건축협회에서도 현재 기밀 성능을 1.5회에서 1회로 변경하는 것을 검토 중이다. 독일 에너지 절감 시행령(EnEV, Energieeinsparverordnung)에서 요구하는 환기장치가 설치된 건물의 기밀 성능과 그 값이 같다.

표 34 건물의 A/V 값에 따른 n50 환기 회수

기밀 설계	n50 ≤ 0.6회	n50 ≤ 1.0회	n50 ≤ 1.5회	A/V값 0.6 초과 건물
	q50 ≤ 0.6회	q50 ≤ 1.0회	q50 ≤ 1.5회	A/V값 0.6 이하 건물

출처: 한국패시브건축협회

시공사가 외부 업체를 통해 테스트를 진행할 때는 시공 계약서에 상한선에 해당하는 수치를 명기하는 것이 좋다. 더불어 단순히 EN 13829에 따른 블로어도어 테스트(Blower Door Test)라는 언급뿐만 아니라 테스트 시 보조 도구를 이용한 확인 방법, 테스트에 필요한 기본 데이터는 누가 제공하는지에 대한 구체적인 사항도 미리 정해둬야 한다.

또한, 측정값이 0.6회 이상으로 나올 경우, 시공사가 자비로 보수하고 다시 한번 테스트를 한다는 문항도 잊어서는 안 된다. 이렇게 자세하게 계약서에 기록하면 시공사는 매 단계 더 신중을 기할 것이다.

람다패시브하우스는 양압(+)과 음압(-) 평균으로 패시브하우스 기본 기준의 경계로 볼 수 있는 시간당 0.6회를 만족한다. 위의 테스트 결과물에는 체적, 면적, 양압 및 음압 시의 그래프, EN 13829 혹은 ISO 9972에 따른 기준, 중간 테스트(Methode B)/최종 테스트(Methode A) 여부, 측정 기준에 따른 현장 체크리스트 매뉴얼대로 어떤 일을 진행했는가 등에 대한 정보를 포함한다.

측정은 단 한 기준에 따라야 한다. 두 기준을 혼합하면 인정되지 않는다. 독일 패시브하우스연구소와 독일 에너지 절감 시행령, 국가재건은행의 지원프로그램(KfW, Kreditanstalt für Wiederaufbau)에서는 현재 EN 13829에 따른 측정 방법만을 인정하고 있다. 두 기준의 가장 큰 차이는 내부 체적을 계산하는 방법이다.

93 EnEV(Energieeinsparverordnung 에너지절감시행령) 2014 측정 기준 DIN EN 13829

출처: 서울대학교 건축환경계획연구실

사진 176 기밀 테스트 준비 과정

건축물 기밀성능 측정결과 보고서

(서울대학교 건축환경계획연구실)

■ 측정 대상 건물

- **건 물 명** : Lambda House
- **건물위치** : 세종특별자치시 아름동
- **건물규모** 1층 : 10m(L) × 10m(W) × 3m(H)
  2층 : 6.8m(L) × 10m(W) × 3m(H)

■ 측정 개요

- **측정일시** : 2015년 5월 15일(금) 16:00~18:00 [2h]
- **측정장비** : Retrotec 3101 Blower Door System
- **측 정 자** : 서울대학교 건축환경계획연구센터 연구원 김희강, 정창호

■ 측정 결과

- **가압 조건**

구 분	측정 1-1	측정 1-2	측정 1-3	측정 1-4	측정 1-5
실내외 차압[Pa]	11.1	20.5	29.8	40.4	52.1
풍량[m³/h]	82.19	132.7	169.8	215.1	260.2

n = 0.73524, C = 14.236, 신뢰도 r = 99.97%

-Air Flow@50 : 252.66 m^3/h
-ACH@50 : 0.58 회/h
-ACH@4 : 0.09 회/h

- **감압 조건**

구 분	측정 2-1	측정 2-2	측정 2-3	측정 2-4	측정 2-5
실내외 차압[Pa]	11.1	18.7	30.5	41.8	50.4
풍량[m³/h]	84.51	125.7	184.3	230.6	264.7

n = 0.75162, C = 14.017, 신뢰도 r = 99.99%

-Air Flow@50 : 265.24 m^3/h
-ACH@50 : 0.61 회/h
-ACH@4 : 0.09 회/h

- **종합(가압, 감압 결과 종합)**

Air Flow@50	258.95 m³/h	ACH@50	0.60 회/h

측정 및 보고서 작성 : 서울대학교 건축환경계획연구실 연구원 김 희 강
연구원 정 창 호

출처: 서울대학교 건축환경계획연구실

사진 177 기밀 테스트 결과

엄격하게 본다면 독일에서 기존의 DIN EN 13289는 DIN EN ISO 9972[94]가 2015년에 재정비되어 발표되면서 그 효력을 잃은 기준이다. 하지만 독일 에너지 절감법(EnEV)이 2014년에 개정되었기 때문에 기밀 기준인 DIN 4108-7에 언급된 DIN EN 13829가 측정 기준이 된다. 에너지 절감법 개정이 몇 년 후에 이뤄진다면 측정 기준은 DIN EN ISO 9972가 될 것으로 전문가[95]들은 보고 있다. 이 기준에서는 나라별 실내 체적 계산의 자율성을 언급하고 있기 때문에 현재 독일 및 유럽에서 가장 광범위한 기준인 DIN V 18599의 1번에서 정하는 면적과 체적 계산에 따를 확률이 높다.

기준에 대한 설명이 중요한 이유는 현재 우리나라에서 사용하는 Eco2 에너지 총량제 프로그램의 중심 축이 DIN V 18599를 따르기 때문이다. 이에 준하는 면적 통합과 체적 계산이 필요하다. 통상적인 건축물의 중심선에 따른 면적 계산을 적용하면 계산하기 불편할 뿐 아니라 다른 국제 기준들과 충돌돼 국가별 에너지 절감을 비교하기가 사실상 불가능해진다.

블로어도어 테스트를 진행하기 위해선 아래의 공정이 마무리되어 있어야 한다[96]:

- 중량형(철근콘크리트, 조적조 건물)의 건물은 내부 미장
- 경량형(경량목구조, 중목구조, 경량철골조 등)은 내부 기밀층(보통 방습층[97])
- 창호 기밀층
- 각 구조의 연결 부위(중량과 경량의 연결 부위)
- 방습층 시공 및 고정
- 각종 설비 배관의 건물 외피 관통 부위 기밀 시공
- 외부 차양 장치(기밀층을 관통할 경우)

94 DIN EN ISO라는 의미는 처음 ISO 기준을 유럽연합의 기준 EN으로 그다음 각 국가별 기준으로 변환했다는 의미로 독일의 경우는 DIN이 붙게 된다.

95 Fachverband Luftdichtheit im Bauwesen e.V. (FLiB e.V.): https://www.flib.de

96 [23, p. 193]

97 기밀층과 방습층은 별도로 두어도 되지만, 경제적·효율적인 측면에서 보통 방습층이 기밀층 기능도 가지고 있다.

2. 공기조화기 T·A·B

T·A·B는 Testing(시험), Adjusting(조정), Balancing(균형[98])의 약자이며 공기조화기를 설치한 후, 특히 패시브하우스라면 반드시 거쳐야 하는 과정이다. 실별 풍량 계획이 처음 설계할 때 고려했던 수치에 근접한 값인지 실내에 양압 혹은 음압이(가압 및 감압이라고도 함) 걸려 전체적인 환기 시스템에 불균형이 있는지 확인하는 과정이다.

공기조화기는 건물의 마무리 청소가 이뤄진 후 필터가 더러워졌다면 교체하고 시각적으로 설비를 검토한 후 테스트하는 것이 좋다. 만일 공사로 인한 배관 내부의 오염이 예상된다면 배관의 카메라 점검을 권장한다[99]. 이러한 내용까지 계약서에 명시하기도 한다. 특히 현장이 오염이 우려되는 지역이라면 고려해 볼 만하다. 오염원 차단의 주요 방법은 공사 중 배관 입구를 잘 막는 것이다. 보통 테이프로 입구를 막아놓는 것이 일반적이나 요즘은 배관에 끼울 수 있는 마개가 별도로 제공되어 전용 부속품 사용을 추천한다. 또는 약간 두꺼운 비닐을 이용해 고무줄이나 끈으로 고정하는 방법도 가능하다.

맨 왼쪽이 실별로 계획한 풍량이고 오른쪽으로 갈수록 1차·2차의 풍량 조절을 나타낸다. 결과적으로는 숫자를 얻는 것이지만 실별로 모든 디퓨져를 조절하는 일이 그리 쉬운 일이 아니다. 1차 조정 후 다른 공간에서 조정하면 차이가 또 생기는 것이 당연한데, 배관 길이에 따라 달라지기 때문에 작업에는 시간과 집중을 요한다. 공조기와 가장 가까운 거리에 있는 급기 디퓨져의 경우 자체 조절만으로 풍량을 맞추기 어려울 수도 있다. 또 이에 따른 소음도 만만하지 않기 때문에 별도의 공기량 감소 장치가 필요하다. 공기량 감소 장치의 원리는 생각보다 간단하다. 빨대 형태의 묶음에 지름이 다른 얇은 판으로 나머지를 해결하는 방식이다.

98 필자의 개인적인 해석이며, 보통은 평가라고 번역하는데 의미상 평가보다는 균형이 더 적합해 보인다.

99 아직 소규모 건물에서는 일반적으로 진행되는 사항은 아니다.

PFLICHTBLATT für Wohnungslüftungsanlagen: Inbetriebnahme
Zu- / Abluftanlage mit Wärmerückgewinnung

Projekt		Inbetriebnahme		Lüftungsanlage	
Objekt:	세종시 탐다하우스	Firma:	INAIR	Hersteller:	Zehnder
Bauort Straße, Nr.:	범지기 길 39-4	Bearbeiter:	Sung Jung Park	Produktname:	Comfo 350 with Entahphy and Vorhitzer
Bauort PLZ, Ort:	세종시	Straße, Nr.:		Geräte-Nr.:	
Bauherr Name:	손태청	PLZ, Ort:		Steuerungs-Nr.:	
Bauherr Telefon:	010-3269-9323	Telefon:	010-7102-4878		
Baujahr:	2014	Datum:	2015.05.15		

1. Protokollierung der Luftmengen Zuluft und Abluft

Nr.	Raumbezeichnung	Planung V_{ZU} m³/h	Planung V_{AB} m³/h	Planung $V_{ÜBER}$ m³/h	Messung 1 V_{ZU} m³/h	Messung 1 V_{AB} m³/h	Messung 2 V_{ZU} m³/h	Messung 2 V_{AB} m³/h	Messung 3 V_{ZU} m³/h	Messung 3 V_{AB} m³/h	Ventilart	Einstellung	Überströmung $V_{ÜBER}$ m/s	Schallmessung dB(A)	Filterklasse	Filter sauber?
1	Kitchen-01		30			31		30.1		29.2	Tellerventil	ceiling			no	ja / nein
2	Kitchen-02		30			28.5		30.2		30.6	Tellerventil	ceiling			no	ja / nein
3	식당		20			30.7		20		21.3	Tellerventil	ceiling			no	ja / nein
4	거실-01	35			17.8		35		36.5		Tellerventil	ceiling				ja / nein
5	거실-02	35			17.4		34		32.3		Tellerventil	ceiling				ja / nein
6	안방-01	30			20.2		32.1		35.3		Tellerventil	ceiling		28		ja / nein
7	안방-02	30			19.2		29.4		32		Tellerventil	ceiling		28		
8	드레스룸		15			25.7		20.4		21.8	Tellerventil	ceiling			no	ja / nein
9	화장실(욕조)		40			27.5		32.5		34.6	Tellerventil	ceiling			no	ja / nein
10	로비			120												
11	안방-TA			10												
12	공조실		15					15		15	Tellerventil	ceiling			no	ja / nein
13	화장실(변기)		20			14		21.5		22.7	Tellerventil	ceiling			no	ja / nein
14	취미/다용도실		20			x		20		35	Tellerventil	ceiling			no	ja / nein
15	2F															ja / nein
16	방1	30			18.1		33.7		32.7		Tellerventil	ceiling		29.2		ja / nein
17	방1_TA			30												ja / nein
18	방2	30			22.2		34		31.2		Tellerventil	ceiling				ja / nein
19	방2_TA			30												ja / nein
20	로비	30			19.9		31		40		Tellerventil	ceiling				ja / nein
21	화장실(샤워/욕조)		40			22.1		33.8		35.7	Tellerventil	ceiling			no	ja / nein
22	화장실_TA			40											no	ja / nein
23	공부방	30			19.8		41.4		35		Tellerventil	ceiling		29.8		
24	복도		20			20.6		19.7		21.3	Tellerventil	ceiling			no	
26	화장실			40												ja / nein
	gesamt:	250.00	250.00	—	154.60	200.10	270.60	243.20	275.00	267.20			—	—	—	—

2. Volumestrombalance

Nr.		Messung 1 V_{AUL} m³/h	Messung 1 V_{FOL} m³/h	Messung 2 V_{AUL} m³/h	Messung 2 V_{FOL} m³/h	Messung 3 V_{AUL} m³/h	Messung 3 V_{FOL} m³/h	Disbalance	Regelungsart	Einstellung	Schallmessung dB(A)	Filterklasse	Filter sauber?
1	Außenluftansaugung		—		—	275		3%					ja / nein
2	Fortluftauslass	—		—		—	267						ja / nein

3. Inbetriebnahme gemäß Herstellervorgaben erfolgt: ja / nein Unterschrift

© PHC GmbH

사진 178 Final Protocol Worksheet for Ventilation Systems

출처: IPAZEB 패시브제로에너지건축연구소

사진 179 디퓨저의 풍량을 balometer로 측정하는 모습

©손태청

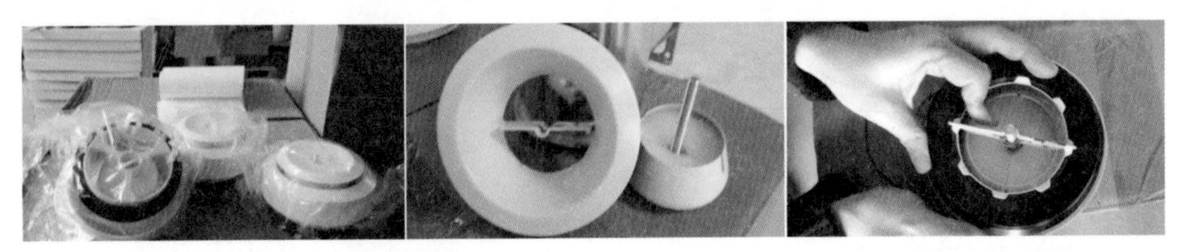

사진 180 람다패시브하우스에 적용된 여러 형태의 디퓨져

사진 181 디퓨져 내부에 적용된 공기량 감소 장치

©손태청

1. Mit Sperrwasser
2. Ohne Sperrwasser

출처: Dallmer, germany

TistoPrimus - geruchsicher ohne Sperrwasser

사진 182 바닥 배수구의 냄새 역류 방지 원리, 1. 습식, 2. 건식

최대한 압력 손실을 줄이고 급기와 배기의 균형을 최대한 확보[100]할 것. 두 가지가 충족되면 기계의 효율이 올라가고 실내 공기의 쾌적성이 증가한다. 특히 실내가 음압이 되면 (요즘은 그런 경우가 적지만) 바닥 배수구를 통해 냄새가 역류하는 경우가 발생할 수 있다. 일반 공조 모드에서는 이런 현상이 드물지만 냉방기를 장착한 공조기의 경우 이미 다른 단원에서 언급한 것처럼 냉방 시 압력 차의 변화로 냄새 역류의 문제가 발생하기도 한다. 이 문제와 상관없이 효과 좋은 냄새 역류 방지 바닥 배수구를 설치하는 것이 제일 중요하다. 적절한 트랩에 대한 사이즈 및 효율을 시공 전에 고려해야 한다. 가장 좋은 것은 트랩 하부에 물이 없는 건조한 상태에서도 냄새 역류를 방지하는, 캡이 자동으로 내려가 배관을 막는 시스템이 좋다.

건축사가 확인할 부분이긴 하지만, 보통 공조기 회사는 견적서 작성시 T·A·B를 견적에 포함하지 않고 선택 사항으로 처리한다. 이는 선택 사항이 아니라 의무 사항이다. 견적서에서 꼭 확인해야 하며, 누락되었다면 요청해야 한다. 만일 에너지 컨설팅 전문가가 없다면 건축가가 할 일이다.

또한 목구조에서 기밀층의 중요성을 인지하지 못하고 공조기를 설치한 경우, 급기와 배기의 차이가 크면 특히 양압이 걸렸을 때 실내 수증기가 구조체로 빠져나가면서 결로를 발생시킬 위험이 있다. 예외적으로 실내의 따뜻하고 습한 공기가 빠른 속도로 짧은 구간을 통해 외부로 빠져나가는 경우에는 결로의 위험이 줄어든다. 하지만 이동하는 길이가 늘어나면 중간에 공기의 온도가 차가워지면서 결로 발생 위험이 다시 증가한다.

대류와 확산을 통한 수증기 이동량[(1)]:

내부 방습층 Sd값 : 30m. 방습층의 틈(기밀층)

주변 조건 : 내부 온도 +20℃, 외부 온도 -10℃

틈이 없는 경우 : 0.5g 함수/m^2 x 24h(확산)

1mm 틈 : 800g 함수/m^2 x 24h(대류)

수증기 증가량: 1,600 배

(1) 측정: Institut für Bauphysik, Stuttgart
출처: DBZ 12/89, p.1,639 ff

공동주택 최상층에서 일어난 곰팡이 발생 하자 사례이다(사진 185). 석고보드끼리 만나는 연결 부위가 선명하게 드러난다. 기밀층 겸 방습층이 시공되지 않았음을 충분히 짐작할 수 있다. 바람이 빠져나가는 틈새로 오랜 시간 습한 공기가 유입되어 주변 함수량이 증가하면

100 일반적인 공기량에서는 그 오차가 5% 미만이 되는 것이 좋다. 최소한의 환기의 경우 10% 차이까지 기술적으로 인정된다.

서 발생한 전형적인 하자다. 외부로 나가는 것이 있으면 실내로 유입되는 것도 있는데, 보통 공동주택의 경우 덕트 혹은 창호와 현관문 등을 통해 들어오게 된다. 만일 차가운 외부 공기가 들어와 공기조화기의 배기구를 통해 열교환 소자로 가게 되면, 결과적으로 열회수의 효율은 떨어진다. 다른 문제로는 외부 냄새 유입 등이 있다. 다시 한번 건물은 기밀하게 시공되는 것이 맞다는 결론이 나온다.

"과거의 건물은 오히려 건물이 숨을 쉬기 때문에 곰팡이가 없고 더 건강했다"라는 말을 들을 때가 있었다. 건물은 숨을 쉬지 못한다. 건물의 기밀과 조습 기능을 혼동해서 하는 말이다.

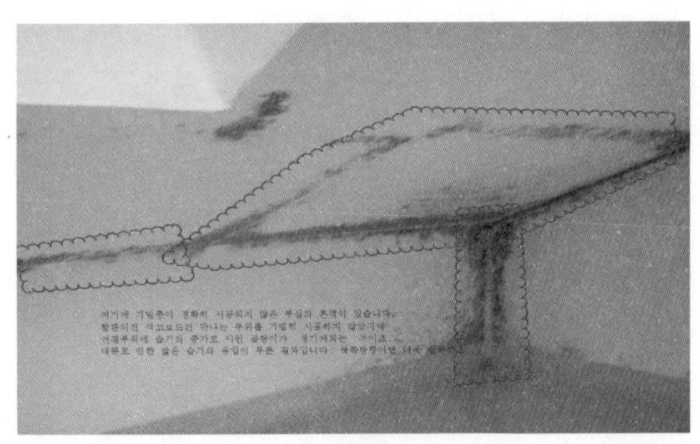

사진 183 기밀층이 훼손되거나 없는 곳에 발생한 곰팡이

사진 184 덕트 연결 부위의 마감재가 대류로 인한 수증기 이동으로 젖은 경우

3. 실내 라돈 테스트

라돈(Rn, Radon)은 볼 수도(무색) 느낄 수도(무미) 없으며, 냄새를 맡을 수도(무취) 없는 기체이다. 방사성 원소인 우라늄(우란, Uran)이 화학적으로 분해되면서 발생하는 가스 형태의 기체이며 1급 발암물질로 규정되어 있다(폐암 발병의 두 번째 원인[101]이라 알려져 있다). 2009년 세계보건기구 연구 결과에서는 라돈이 전 세계 폐암 발병 원인 3~14%를 차지한다고 보고한 바 있으며 영국암센터와 유럽연합집행위원회(European Commission)의 지원으로 수행된 연구에 따르면 영국에서는 매년 약 1,100명이 라돈에 의한 폐암으로 사망[102]하는 것으로 추산한다. 이들 사망자의 반은 흡연 인구의 1/4에서 발생하고 있다고 보고 있다.

라돈은 우라늄을 특히 많이 함유한 지면이나 암반 지역에서 특히 그 농도가 높다. 대부분 산악지역이고 석회암이 많은 지역인 우리나라의 지형상 정도의 차이는 있지만, 라돈의 위협은 전국적으로 해당한다고 볼 수 있다. 지형과 위치상 농도 차는 큰 편이다. 특히, 강원도처럼 산악 지역이고 도로가 모여 있거나 계곡을 이루는 곳은 라돈 수치가 다른 지역보다 높을 것으로 추정된다.

라돈 가스는 지하실 바닥의 틈, 지면과 면한 기밀하지 못한 창호를 통해 실내로 유입되고 실내에 사용된 건축 자재 등에서도 배출된다. 건축에 사용되는 거의 모든 미네랄 계열의 자재는 정도의 차이만 있을 뿐 라돈을 배출한다고 볼 수 있다. 규칙적인 환기를 통해 위험을 줄일 수 있지만, 근본적인 해결책은 아니다.

이미 라돈 농도가 높은 지역이라면 실내 환기 회수를 높여도 공조기를 통한 조절만으로는 한계가 있다. 오히려 그런 지역이라면 단순하게 공조기의 급기 압력만 살짝 높여도 실

101 [25]

102 이런 종류의 숫자에 대한 설명: 일정량의 라돈 가스를 하루 동안의 담배를 피우는 것으로 환산한 수치이다. 예를 들어 100Bq/m³를 담배 1/10의 크기로 환산하고 이것이 하루 동안 최대 30개 소비되는 경우의 리스크를 통계화하는, 실제로는 존재하지 않는 가상의 사망자이다. 우리가 눈으로 보는 실제 사망자를 두고 말하는 것이 아니다. 대부분의 보고서를 보면 '추정' 혹은 '예측'이라는 표현을 쓰는 이유다.

내로 유입되는 라돈을 차단하는데 효과적일 것이다[103]. 반대로 단순히 화장실이나 부엌에서 공기를 외부로 배출만 하는 시스템이라면 문제를 더 악화시키게 된다. 건축물리적인 관점에서는 난방 기간에 실내에 양압을 걸면 수증기를 함유한 높은 온도의 공기가 상대적으로 온도가 낮은 구조체로 유입되기 때문에 결로의 위험이 높아진다.

패시브하우스 초기에는 외부 공기가 공기조화기에 도달하기 전 지중의 쿨튜브(cool tube)라는 배관 시스템을 거치게 해 겨울에는 온도를 높이고 여름에는 온도를 노점 온도 이하까지 낮춰 제습하는 사례도 많았다(최근에는 브라인 시스템을 이용한 액체를 이용하는 기술이 보급화되고 있다). 다만 외기를 지중으로 빨아들이면서 작은 틈으로 라돈이 유입될 위험성이 있어 독일어권 지역의 라돈 위험 지구에서 이런 시스템에는 좀 더 세심히 접근한다. 일반적으로 그런 틈으로의 라돈 유입은 거의 없다고 보고되지만, 라돈 농도가 높은 지역에서는 브라인과 같은 다른 시스템을 적용하길 권한다.[104]

람다패시브하우스가 지어진 지역은 기존의 산과 언덕의 암반을 절개해서 택지로 개발한 곳으로 지형적으로 라돈의 위험이 높은 지역이라 볼 수 있다. 실내는 조습 성능을 높이기 위해 콘크리트 구체에 단순 미장 처리 후 칠 마감으로 했다. 실내에 석고보드는 거의 사용하지 않았지만 골조 자체를 철근콘크리트로 했기에 기존의 일반적인 건축 환경을 본다면 이보다 더 심각한 조합은 없을 것으로 판단했다. 바닥의 매트 콘크리트에는 방수 시트를 설치했으므로 그 사이로 라돈가스가 유입되는 것은 거의 불가능하다고 본다. 또한, 창호처럼 개구부가 있는 곳도 모두 방수 시트로 내·외부를 마감했기 때문에 틈을 통한 지면의 라돈 유입은 사실상 불가능하다고 판단된다.

일본 후쿠시마 원전의 방사능 유출로 인한 문제가 사회적 이슈였으며 또 일본 후쿠시마 원전으로 오염된 산업폐기물(석탄재)을 시멘트 생산에 첨가해 방사능 오염 문제가 심각하다는 의혹[105]이 제기된 바 있다. 이런 상황에서 람다패시브하우스의 건축물리적 조합이 아무리 좋아도 그런 리스크를 안고 구조를 결정하는 것은 쉬운 일이 아니었다. 다만 이런 좋지 못한 조합에서 건축적으로 해결 가능한 안을 도출하고, 측정 수치가 여러 사람을 설득할 수 있을 때 미칠 영향을 생각했다. 또한, 폐열회수공기조화기가 24시간 내내 사용된 실내 공기를 외부로 배출을 하기 때문에 충분히 해 볼 만한 시도라고 판단했다.

람다패시브하우스는 외부가 치장 벽돌이라 중단열로 XPS 단열재가 시공되었다. 이 단열재는 물성상 암면이나 EPS보다 투습 저항(Sd 최고 50m)이[106] 높기 때문에 콘크리트의 수분

103 [6, p. 289]

104 [22, p. 88]

105 http://www.weeklyseoul.net/news/articleView.html?idxno=25260 이 기사에는 라돈과는 직접적인 관련이 없는 내용도 있다.

106 공기층의 두께는 XPS 단열재의 두께가 16cm일 경우 약 50m 가 된다는 의미이며, 비교로 석고보드 12.5mm의 Sd값은 0.13m이다.

이 외부로 증발하기는 거의 불가능하고 실내 공기층으로 증발한다. 더불어 지하실[107]은 계획하지 않았지만, 배리어프리 구조로써 1층 바닥이 외부 테라스나 현관 입구와 높이 차이가 없다. 다른 말로 창호를 개방할 경우 지면 주변의 외기가 실내로 곧바로 유입되는 상황이다.

실내에 신발을 벗는 현관 입구와 거실의 바닥과도 높이 차이를 두지 않으려고 했으나 오

사진 185
람다패시브하우스 우측의 언덕 화강암 절개지 사진

©손태청

사진 186 남측 테라스 전경

107 건물에서 지하실은 흔히 연돌(굴뚝) 현상으로 인해 별도의 조치를 취하지 않으면 라돈 가스가 실내로 유입되는 위험 요소이다.

랜 생활 습관을 거스르기에는 한계가 있어 여기에는 약간의 단차를 계획했다. 단, 일반 공동주택의 경우와는 달리 바닥 하부에 단열재를 끊김없이 시공하였다.

우리나라는 라돈 수치를 판단할 때 미국의 권고 기준을 사용하고 있으며 다른 유럽국가의 기준에 비해서 상당히 엄격하다. 그 기준 수치가 엄격한 이유와 유럽 국가와 왜 그렇게 차이가 나는지, 유럽은 자국민의 안전을 고려하지 않는 것인지, 과연 우리가 생각하는 것처럼 위험한지에 대한 개인적인 의문(각주)[108]도 있었다. 일단 걱정하는 사람들을 설득하기 위해서는 무엇보다도 엄격한 기준이 합당할 것으로 판단했다. 알프스 지방에는 깊은 지하에 라돈 가스 등을 이용한 치료 시설이 다수 존재한다. 치료 효능이 입증되었고 시실 장기 근무자에 대한 전수조사에서도 있었지만 큰 변화는 보고되지 않았다.

람다패시브하우스의 라돈 가스 실험은 환경부 산하 한국환경공단에서 시행하는 라돈 프로그램을 통해 진행되었다. 2015년 9월 2일 오후 6시에 시작해 9월 7일 오전 10시까지 총 112시간 동안, 건축에 관련되지 않은 제3자를 통해 측정하였다. 이 프로그램은 누구나 신청

사진 187 거실에서 외부 테라스 하부 연결 디테일

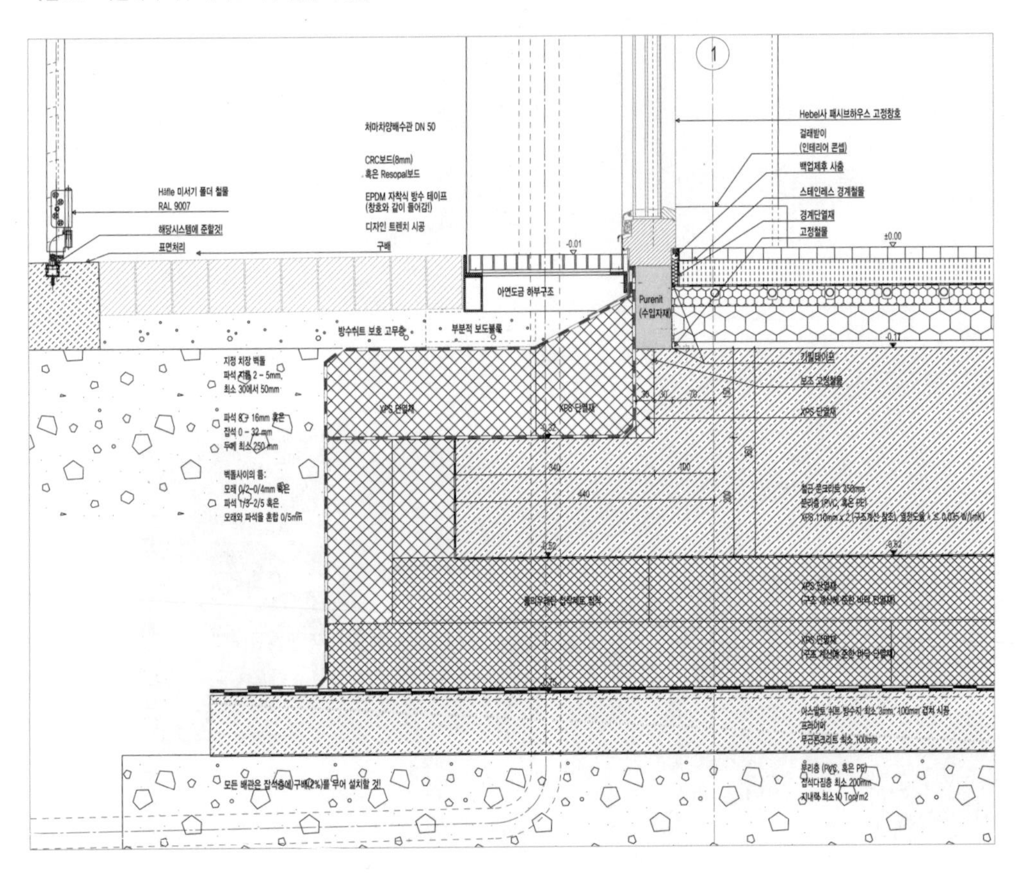

108 흔히 알고 있는 CT 촬영에서는 몇 분 만에 10~20mSv(밀리시버트)의 방사선에 노출된다. 반면, 핵발전소의 점검이나 청소 시 적용되는 최대 경계치는 연간 10μSv(마이크로시버트)다. 핵발전소에서는 이 경계치를 준수하기 위해 많은 비용을 지불하면서 이보다 1,000배나 그 농도가 높은 CT 촬영은 위험이 없다는 것은 앞뒤가 맞지 않는 문제이다.
출처: Dr. Lutz Niemann, https://www.eike-klima-energie.eu/2018/06/24/die-widerspruechlichkeiten-beim-strahlenschutz

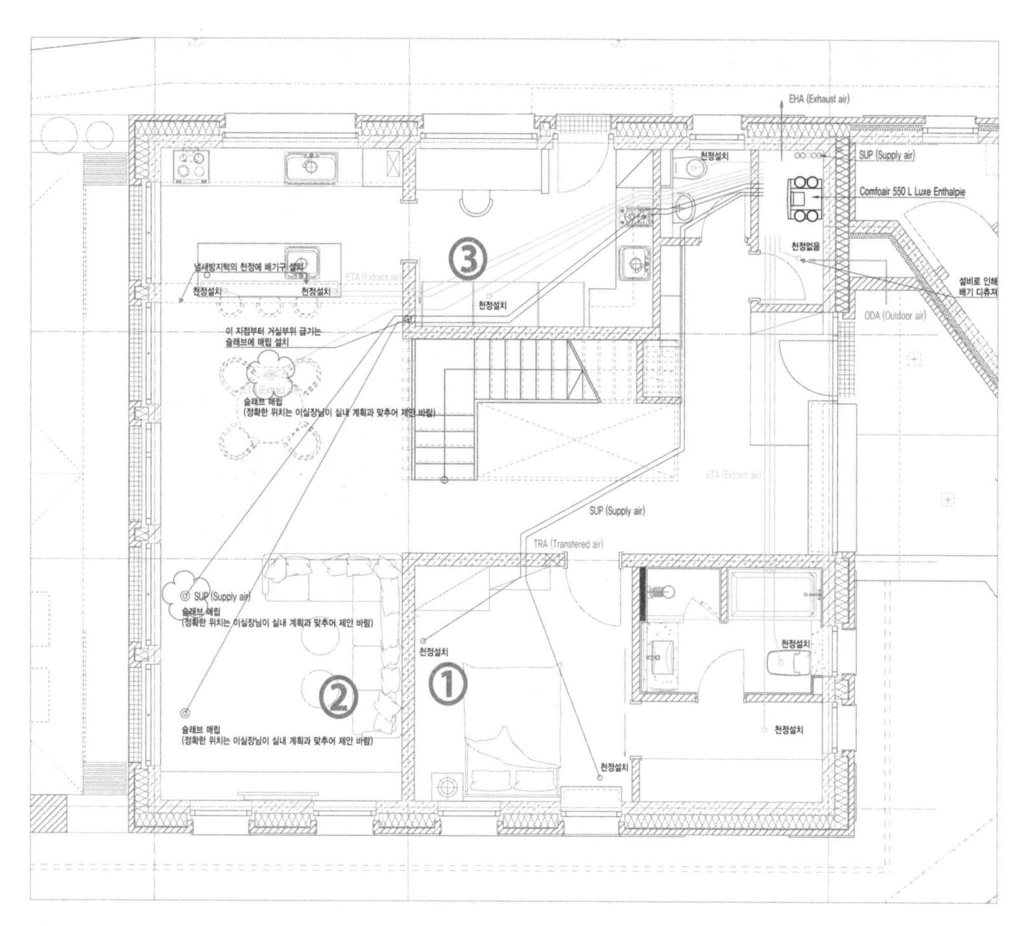

사진 188 라돈 농도 측정 위치, 1: 안방, 2: 거실, 3: 보조 주방

© 손태청

사진 189 라돈 농도 측정 시 사용된 S-Chamber와 SPER-2 Microprocessor Reader

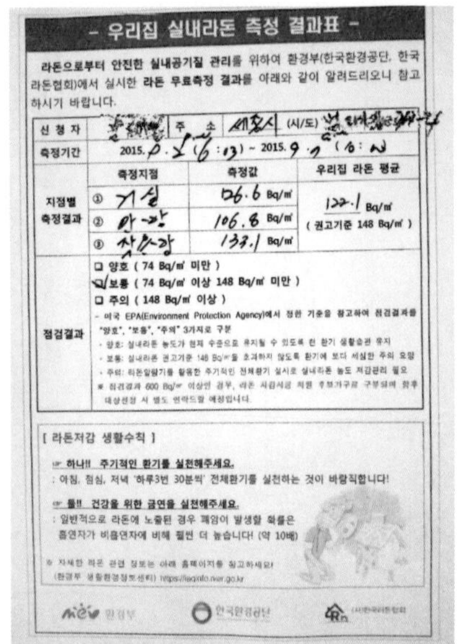

- 우리집 실내라돈 측정 결과표 -

라돈으로부터 안전한 실내공기질 관리를 위하여 환경부(한국환경공단, 한국라돈협회)에서 실시한 라돈 무료측정 결과를 아래와 같이 알려드리오니 참고하시기 바랍니다.

신 청 자		주 소	세종시 (시/도)
측정기간	2015. ~ 2015.		
지점별 측정결과	측정지점	측정값	우리집 라돈 평균
	① 거실	126.6 Bq/㎥	122.1 Bq/㎥ (권고기준 148 Bq/㎥)
	② 안방	106.8 Bq/㎥	
	③ 작은방	133.1 Bq/㎥	
점검결과	□ 양호 (74 Bq/㎥ 미만) ☑ 보통 (74 Bq/㎥ 이상 148 Bq/㎥ 미만) □ 주의 (148 Bq/㎥ 이상) - 미국 EPA(Environment Protection Agency)에서 정한 기준을 참고하여 점검결과를 "양호", "보통", "주의" 3가지로 구분		

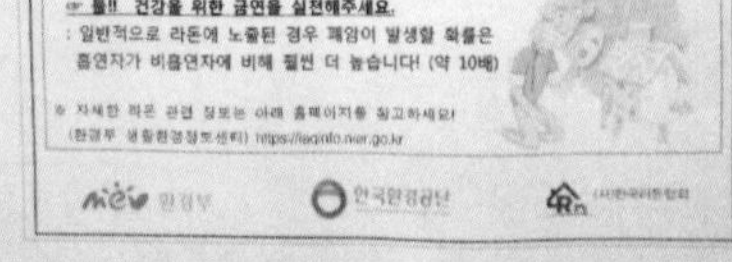

[라돈저감 생활수칙]

☞ 하나!! 주기적인 환기를 실천해주세요.
: 아침, 점심, 저녁 '하루3번 30분씩' 전체환기를 실천하는 것이 바람직합니다!

☞ 둘!! 건강을 위한 금연을 실천해주세요.
: 일반적으로 라돈에 노출된 경우 폐암이 발생할 확률은 흡연자가 비흡연자에 비해 훨씬 더 높습니다! (약 10배)

© 손태청

사진 190 라돈 측정 결과서

사진 191 라돈 수치가 가장 높았던 보조 주방 공간

할 수 있으며 비용은 무료다[109].

측정 기간 모든 창호는 밀폐하고 공조기의 풍량을 150m³/h로 하여 약 0.35회/h 환기[110] 강도를 유지하였다.

이 환기 횟수는 겨울철 난방하는 동안 실내 이산화탄소와 수증기를 외부로 배출하는 최소한의 환기량으로 이해하면 된다.

표 35 라돈 관련 단위표

국제단위	비고
배크럴(Bq)	시간당 방사능 붕괴 횟수(방사능 세기)[(1)]
그레이(Gy)	물질의 단위 질량(kg)에 흡수된 방사선 에너지(J,흡수 선량)
시버트(Sv)	방사선의 생물학적 손싱 정도(피폭 방사선량)

출처: 한국원자력안전기술원, http://clean.kins.re.kr/info/in01_000_00.jsp

(1) 방사능의 발견자로 알려진 베크렐(Antoine Henri Bequrel)의 이름을 따서 베크렐(Bq)이라 하고, 매초 1개의 붕괴수(Disintegration Per Second: DPS)를 1Bq로 한다.

109 https://www.keco.or.kr/kr/business/research/contentsid/1602/aform.do 한국환경공단

110 0.35회/h라는 의미는 시간당 실내 체적을 기준으로 내부 공기가 0.35회 순환한다는 의미이다. 즉 3시간이면 100% 모든 공기가 순환된다. 독일 패시브하우스연구소에서는 최소 환기를 0.3회로 보고 있다.

라돈 측정 결과서를 보면 국내에서 적용하는 미국 EPA(Environment Protection Agency) 권고 기준의 상한선인 148Bq/m³ 보다 이하로 전체 평균 122.1Bq/m³ 값을 보이고 있다.[111] 이는 공기조화기가 돌아가는 람다패시브하우스의 최소 풍량을 기준으로 측정한 것이기 때문에 일반적인 작동에서는 그 이하의 수치로, 람다패시브하우스가 보일 수 있는 최대의 수치라고 이해할 수 있다.

측정 위치별 수치를 자세히 분석해 보면 무엇보다 공조기가 제대로 작동한다는 것을 알 수 있다. 거실은 126.6Bq/m³, 안방은 106.8Bq/m³, 작은 방(보조 주방)의 수치는 133.1Bq/m³이다. 안방은 신선한 공기가 100% 유입(급기)만 되는 곳이고 거실은 유입 기타 공간의 공기가 혼합되는 공간이며, 작은 방은 사용된 공기가 배기되는 공간이기 때문에 공기질이 다른 곳에 비해 좋지 않다. 즉, 공기가 급기된 곳에서 배기되는 공간으로의 흐름과 실내 공기질의 연관성을 알 수 있는 대목이다.

본 측정 결과는 환기 계획과 실내 환경 위해 요소의 직접적인 연관성을 증명해주는 좋은 사례라 볼 수 있다. 패시브하우스는 기밀한 건물이다. 그런 이유에서 공기조화기를 통해 일차적으로 폐열을 회수하고 환기를 통해 손실되는 에너지를 보존하는 것도 중요하지만, 좋은 실내 공기질을 지속적으로 확보하는 것이 우리의 건강을 위해선 더 중요하다.

라돈 테스트[112]는 일 년간 여러 공간에서 측정해야 신뢰할 수 있는 데이터를 얻을 수 있다. 차선책으로 난방을 시작하는 10월에서 3월까지 약 90일 정도 진행하는 것이 좋다.[113] 하지만 람다패시브하우스처럼 비교적 좋지 못한 조건을 만들어 며칠간 측정하는 것도 데이터 확인 차원에서는 무리가 없다.

사회적인 문제가 되고 서로의 갈등이 있는 곳이라면 몇 개월간의 측정은 반드시 필요하다. 문제는 소비자들이 기다리지 않는다는 것이다.

111 2018년부터 유럽연합 회원국에 적용하는 최고 허용 수치는 300Bq/m³이다(COUNCIL DIRECTIVE 2013/59/EURATOM, Article 74 Indoor exposure to radon). https://eur-lex.europa.eu/legal-content/EN/TXT/PDF/?uri=CELEX:32013L0059&qid=1536007960761&from=EN

112 라돈 측정 국제 기준 ISO 11665-8:2012

113 Federal Office of Public Health FOTH, https://www.bag.admin.ch/bag/en/home/themen/mensch-gesundheit/strahlung-radioaktivitaet-schall/radon/radonmessung.html

4. 기타 모니터링

람다패시브하우스 준공 후 건축주 스스로 여러 가지 값진 테스트를 진행했다. 가장 중요하고 어려운 것은 온·습도 중 제습과 관련된 흐름을 읽어 전체적인 연관 관계를 유추해 내는 것이었다. 보통의 집중력 없이는 복잡한 상호 관계와 연결 고리를 분석하는 것이 불가능하다. 그 외 모니터링으로는 이산화탄소의 농도 변화, 실제 냉난방에너지의 소요량과 소비량 비교 분석 등이 있는데 건축주 특유의 감각으로 아주 재미있게 풀어냈다. 건축주의 동의를 얻어 그 내용을 그대로 옮겨 소개한다. 필자의 보충 설명이나 관련 기준에 관한 비교가 필요한 경우 별도 표시를 통해 이해를 돕도록 하였다. 각종 테스트를 위해 한국패시브건축협회에서 많은 도움을 주었고 덕분에 소중한 기초 데이터를 확보할 수 있었다.

① 이산화탄소 농도

(원본글: https://blog.naver.com/lamdahouse/220290804890), 작성: 손태청

- 필자주:

  실내의 이산화탄소농도는 실내 공기질을 파악하는 기본 기준으로 본다. 이산화탄소 농도가 1,000ppm(1830mg/m³)일 때 약 20%의 사람들이 공기질에 만족하지 못한다.[19] 이 수치는 독일 Max von Pettenkofer 교수가 정한 주거 환경의 이산화탄소 최대 농도와 같은 값이다. 0.1Vol% CO2 = 1,000ppm = 1,830mg/m³이다.

  Huber와 Wanner[20]는 사람의 몸에서 발산되는 냄새의 경계치로 1,500ppm(2,750mg/m³)을 기준으로 정했고 독일에서는 이 두 가지 기준을 주로 적용한다.

이산화탄소 농도 측정을 위해 패시브건축협회와 측정 데이터 공유를 약속하고 이산화탄소 측정 로거(MCH-383SD)를 무상 임대했다. 총 3개의 센서. 2층 외부 데크에 1번 센서를,

사진 192 외부 이산화탄소 농도

2번은 1층 안방 침실에 3번 센서는 아들 방에 달았다.

실내 이산화탄소 농도에 대해 정확한 판단을 내리기 위해서는 외부의 이산화탄소 농도에 대한 측정도 동시에 이뤄져야 한다. 그래야 실내 이산화탄소 농도에 외기가 미치는 영향을 판단할 수 있고 서로의 연관 관계를 이해할 수 있기 때문이다.

측정 기간은 2014년 12월 6일 오전 8시부터 2014년 12월 8일 오전 7시까지, 약 48시간이다. 측정하는 동안 대기 중 평균 이산화탄소 농도는 491±14ppm였다. 최소치는 445ppm, 최고치는 525ppm로 측정[114]되었다. 물론 이 짧은 시간의 데이터가 모든 변수를 대변한다고 말하기는 어렵지만, 적어도 외부 이산화탄소 농도와의 연관성에 대해 어느 정도 파악이 가능하기에 현실과 완전히 동떨어진 결론에 도달하지는 않을 것으로 예상한다.

- 필자주:

WMO(World Meteorological Organization, UN 기구)가 2017년 스위스 제네바에서 발표한 바에 따르면 2016년 세계 평균 이산화탄소 농도[115]는 403.3ppm이다. 2015년의 400ppm보다 증가했고, 산업화 시대 이전인 1750년의 280ppm보다 약 45% 증가한 수치다. 세종시에서 측정된 농도가 지구 평균 농도 보다는 약간 높지만 우리나라 도심지에는 약 800ppm 이상인 곳도 있음을 감안할 때 아직 개발이 덜 된 세종시 수치는 좋은 값이라고 볼 수 있다.

114 기상청 통계 2017년 : 한국 평균 이산화탄소 농도는 412.2ppm(안면도), 독일: 약 400ppm

115 http://www.spiegel.de/wissenschaft/mensch/co2-konzentration-steigt-so-schnell-wie-nie-a-1175568.html

표 36 이산화탄소 농도 별(ppm 기준) 인체에 미치는 영향

농도(ppm)	영향
~450	건강한 환기 관리가 된 상태이다.
~700	장시간 있어도 건강에 문제가 없다.
~1,000	건강 피해는 없지만, 불쾌감을 느끼는 사람이 있다.
~2,000	졸림을 느끼는 등 컨디션 변화가 느껴진다.
~3,000	어깨 결림이나 두통을 느끼는 사람이 있는 등 건강 피해가 생기기 시작한다.
3,000~	두통, 현기증 등의 증상이 나오고, 장시간으로는 건강을 해친다.

출처: 한국 패시브건축협회, http://www.phiko.kr/bbs/board.php?bo_table=z3_01&wr_id=452

• 필자주:

우리나라 다중 이용시설 실내 공기질 관리법에서 실내는 1,000ppm 이하로 유지하도록 권장하고 있는데 이는 일본의 경계치와 같다.[116] 너무 낮다고 본다. 1,500ppm도 문제가 없는 상한선이다. 또 이는 평균치로 보는 게 맞다. 이 수치를 부분적으로 넘는다고 해서 건강상에 치명적인 문제가 발생하는 것은 아니기 때문이다.

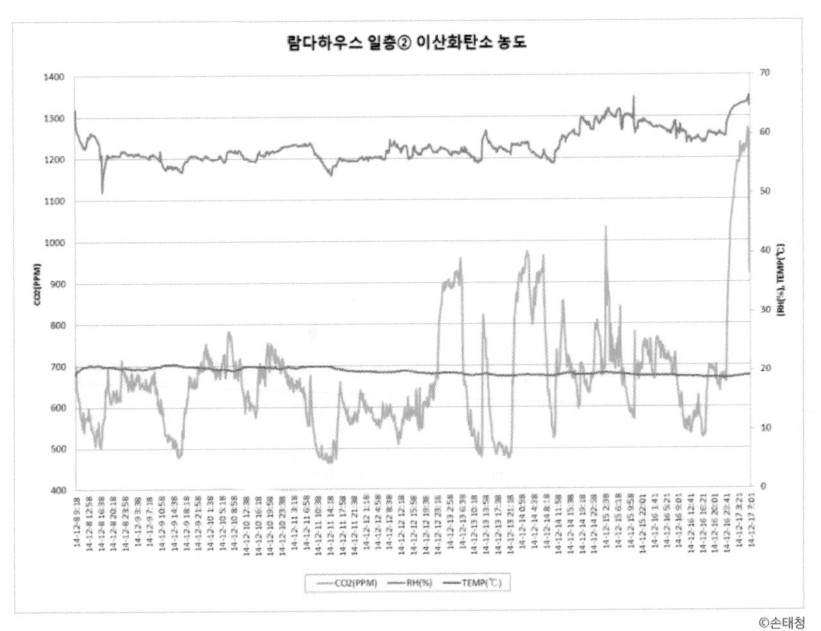

©손태청

사진 193 2번 센서가 부착된 안방

116 http://www.phiko.kr/bbs/board.php?bo_table=z3_01&wr_id=452

2번 센서가 설치된 안방의 이산화탄소 농도 변화를 보여주는 그래프에는 몇 가지 환기 강도 변화에 따른 관측 데이터가 혼재되어 있다. 첫 번째 시나리오는 12월 8일 측정 이후로 12월 12일 23시까지는 공조기의 시간당 환기량을 150㎥/h(환기 강도 0.34회/h)[117] 로 유지하면서 이산화탄소 농도 변이를 관측한 것이다. 센서 지점은 안방인데 주로 침실로 이용되는 관계로 주간에는 600ppm 이하의 농도를 보이지만 취침하는 야간 시간대는 600ppm을 상회하여 순간 최고치 781ppm에 이른다. 결론적으로 이 정도 실내 공기질이라면 쾌적하게 사는 데 전혀 무리가 없다.

• 필자주:

실내 공기질에 관한 국제 기준인 DIN EN 13779 : 2007-09에 등급으로 정한 IDA 1(Indoor Air)[118]에 해당되는 공기질로 기준상으로는 최고 수준으로 볼 수 있다. EN 13779는 어떤 절대적인 수치를 경계로 보는 것이 아니라 외기에 비교한 실내 공기 CO_2의 최대 차이를 규정한다.

두 번째 시나리오는 12월 12일 11시부터 15일 7시까지 야간 취침 시간 대(밤 11시에서 새벽 7시 사이) 공조기를 가동할 때 ON/OFF를 1시간 간격으로 반복하였다.

관측 결과 비록 1시간 정도 짧은 시간 환기를 중단했지만, 이산화탄소 농도는 최고 1,033ppm까지 치솟는 것을 알 수 있었다. 높은 값이기는 하지만 실내 공기질 기준으로 보면 이 정도의 값도 양호[119]한 것이다.

실험 전에는 이보다 농도가 더 올라서 1,500ppm 정도까지 갈 것으로 예상했었다. 추측건대 안방 문을 닫고 자기는 했지만, 완전히 밀폐되진 않았던 것이다. 안방 벽에는 공조기의 공기 흐름을 원활하게 하기 위한 Overflow[120]가 설치되어 있었기 때문이다.

오버플로우는 실내 소음이 밖으로 나가지 않도록 차단하면서 급기된 공기가 중간 공간인 거실을 통해 배기 공간으로 이동할 수 있도록 의도적으로 만드는 공기 통로[121]다. 이것 때문에 방문을 닫았지만 완벽한 밀폐가 되지는 않았다.

한편, 공조기 가동을 중단하고 이산화탄소 농도 추이 관찰 실험을 하는 동안 실내 상대 습도는 위험 수치를 아슬아슬하게 줄타기했다. 철근콘크리트 건물(RC조)은 준공 후 1~2년

117 최소한의 위생을 위한 환기량으로 이해해야 하며 겨울철이라도 이 이하로는 내려가지 않는 것이 좋다.

118 IDA 1: 높은 실내 공기질, 외기보다 증가한 이산화탄소의 양 400ppm 이하, 실내 공간의 절대적 이산화탄소의 양 800ppm 이하

119 DIN EN 13799 IDA 2에 따르면 평균 공기질이며 절대적인 이산화탄소 농도가 1,000ppm 까지인 경우

120 한국 패시브하우스에 그 적용 가능성을 보기 위해 람다패시브하우스를 통해 처음 시공되었다.

121 보통은 화장실 벽에 설치하거나 별도의 방풍 공간 없이 거실 복도나 방으로 바로 연결되는 현관의 다세대주택 등에서 방음 목적으로 실내 문의 하부를 자르지 않고 이런 시스템을 사용한다.

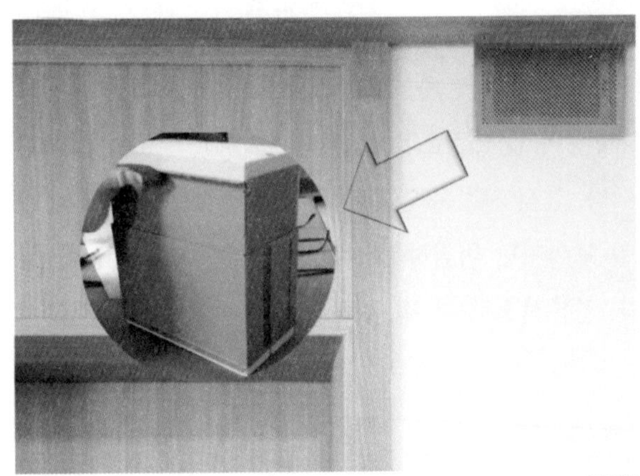

사진 194 overflow가 설치된 안방 벽 ©손태청

정도 실내 상대 습도 관리에 매우 유의[122]해야 한다.

특히 동절기에 임박해 준공한 건물은 구조체 자체가 함유한 습기가 매우 높은 상태일뿐더러 바닥 난방으로 구조체가 가열됨으로 인해 습기 방출이 가속화되기 때문이다[123].

어느 정도의 습기가 방출되는지 정확하게 시험한 자료를 본 적은 없다. 자체적으로 축적하는 관측 데이터와 람다패시브하우스에 설치된 공조기의 기계 성능 등에 근거해 여러 가지 계산을 거쳐 이를 가늠할 수 있는 추정 자료를 만들어 보았다. 이 계산을 한 시나리오의 근거는 아래에 따른다.

먼저 공조기로 리턴되는 ETA 혹은 RA[124](배기, 排氣, Extract Air, Return Air)의 실내 상대 습도를 실측 기준(아래 그래프의 붉은 선)으로 삼는다. 외부에서 유입되는 공기 속에 포함된 대기 중 수분량과 공조기 온도 교환 모듈에서 ETA(RA) 중에 포함된 습기를 회수해 돌려주는 엔탈피 효율(Eff. Enthalpy, 0.63)을 적용한다. 실내로 유입되는 급기의 수분량을 계산한 후 이를 실내 온도의 상대 습도로 환산하고 다시 혼합 비율(34%)을 산술적으로 적용한다(사진 195의 파란선).

즉, 실내에서 발생하는 습기가 없다면 이 두 가지 값은 산술적으로 일치되어야 하고 반대로 차이가 있다면 이는 실내에서 발생하는 습기에 기인한 것이라 해석할 수 있다는 시나리오를 따른다.

파란 선이 공조기를 통해 공급되는 공기와 실내 공기가 혼합된 것을 가정한 상대 습도(실내 온도 기준)이고 붉은 선이 실제 관측된 실내 상대 습도 값이다.

앞서 말한 바와 같이 추정한 가설이 참이라고 한다면 건물이 완전히 건조되고 나면 다른

122 건물 향에 따라, 내·외부 마감에 따라 콘크리트가 함유한 공사 중의 수증기가 증발하는 데 필요한 시간은 차이가 난다. 하지만 처음 2년 정도 지나면 아주 위험한 구간은 벗어난 것으로 봐도 좋다.

123 10월경에 입주하고 첫 겨울을 나는 건물, 그중에서도 북향의 방은 환기하지 않으면 문제가 심각해질 수 있다.

124 국내에서는 일반적으로 RA 즉, Return air라는 말을 사용하지만, 국제기준에서는 RA보다 ETA(Extract air)라는 용어를 주로 사용해 병용 표기하였다.

요인에 기인하는 습도 발생 요인(예를 들어 조리·샤워·빨래 건조)이 배제된 구간에서는 이 두 개의 값이 일치하게 될 것이다.

현재 관측하기로는 활동이 없는 야간 시간대에도 약 4~6% 이상 상대 습도값이 편차를 보인다. 이는 대부분 구조체의 건조에 기인한다고 판단[125]한다. 그래프가 시사하는 점은 이뿐만이 아니다. 정확한 분석을 따로 요하는 사안이기는 하나 실내 상대 습도가 65%를 넘을 때는 이 두 수치의 간격이 급격히 줄어드는 경향이 있다. 즉, 실내 상대 습도가 65%를 넘는 상황에서는 구조체의 원활한 건조가 일어나지 않는다는 것을 의미한다.

- 필자주:

  건축주가 데이터를 분석한 결과에서 '65% 이상부터는 증발을 통한 구조체의 건조가 어렵다'고 말한 것은 독일 시멘트 연합회 연구 자료의 내용과 유사하다. 물론 여기에선 공기 중의 온도, 상대 습도 그리고 콘크리트의 표면 온도와 바람의 속도에 관한 복잡한 관계도 설명되어 있지만 상대 습도 65~70%를 넘으면 바람이 좀 더 강하게 분다고 해도 증발 속도에는 차이가 있다. 아래 그래프에서 실내 온도 25°C, 상대 습도 65%, 표면 온도 25°C 그리고 바람의 속도를 5km/h로 본다면 증발하는 수증기는 시간당 0.1kg에 불과하다. 상대 습도가 만일 50%라 본다면 두 배 이상의 증발 효과가 있다.

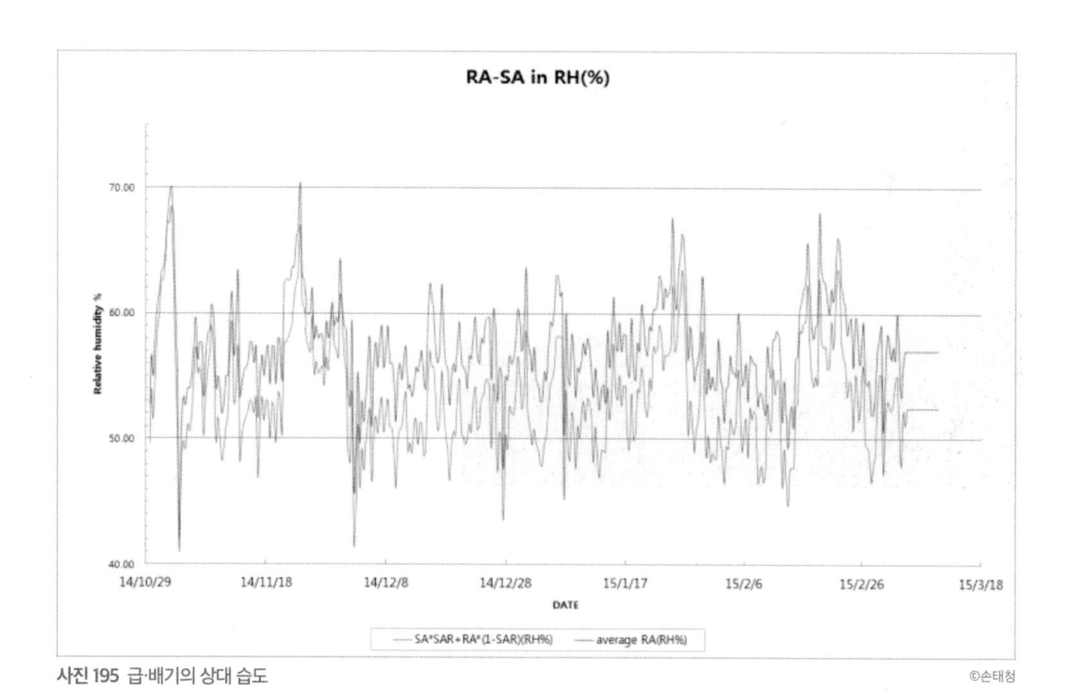

사진 195 급·배기의 상대 습도 ©손태청

125 활동은 아니지만 취침할 때도 호흡을 통해 1인당 35g/h의 수증기를 발산한다.

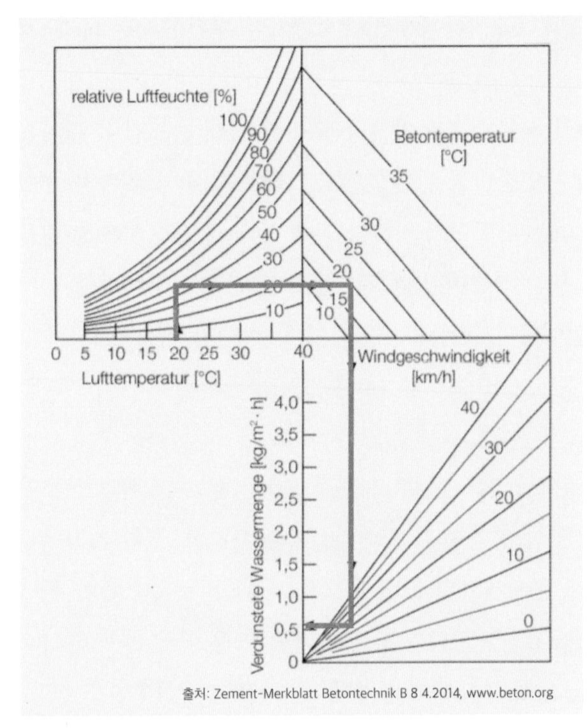

출처: Zement-Merkblatt Betontechnik B 8 4.2014, www.beton.org

사진 196 콘크리트의 수분 증발 그래프 (상대 습도, 온도, 풍속에 따른 변화)

사진 197 창호 하부 유리 연결 부위 간봉에 발생한 결로

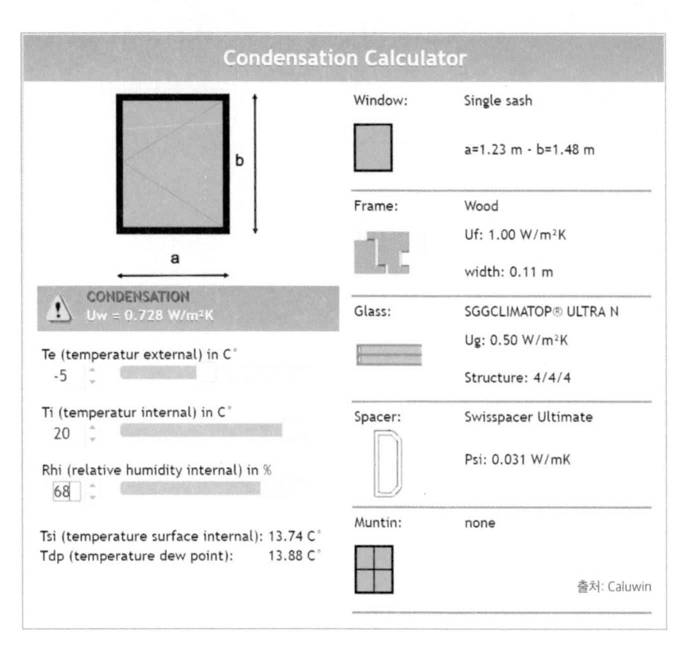

사진 198 결로 발생 계산 프로그램을 통해 창호 하부 유리 연결 부위 간봉에 발생한 결로 추적

마지막으로, 12월 16일 23시부터 17일 7시까지 야간 취침 시간 동안 환기 장치를 끈 상태로 측정하였다. 취침 시간대 이산화탄소 농도는 수직으로 상승하고 있음을 알 수 있는데, 최고치는 1,272ppm에 달했다[126]. 엄격하게 얘기하면 경고 수준의 값은 아니지만, 상쾌한 아침[127]은 물 건너간 것이다.

이 실험을 위해 야간에 공조기를 끄는 바람에 실내 상대 습도가 68% 수준으로 치솟았고 그 결과 창호 하단 간봉 부위에서 결로가 발생하기도 했다.[128]

- 필자주 :

  이 현상을 결로 발생 계산 프로그램을 통해 역추적해보면 해당 외기와 실내 조건에서 상대 습도가 68%일 때 간봉 부위에서 결로가 발생하는 것을 알 수 있다. 패시브하우스는 상대적으로 결로에 강한 건물이지만 실내 상대 습도를 조절하는 공기조화기가 꺼져 있고 람다패시브하우스처럼 준공 후 첫해라 결로가 발생한 것이다. 공사 중 사용된 수분이 증발해 겨울이라도 상대 습도가 상당히 높아져 경량목구조와 같이 공사 중 물을

126 EN 13779에 따른다면 IDA 4 즉, 좋지 못한 공기질에 해당한다. 하지만 피부로 큰 차이를 느끼지는 못한다.

127 패시브하우스에서 공기조화기가 왜 중요한지 예비 건축주들에게 설명을 할 때 다음 날 아침이 개운하고 집 안에 먼지가 적어진다고 강조한다.

128 패시브하우스 단열면에서 제일 약한 부분은 다름 아닌 유리가 연결되는, 흔히 말하는 간봉이라는 부분이다. 요즘은 단열 간봉이라 표현하지만 그럼에도 불구하고 열교에서 제일 취약하다.

적게 사용하는 구조에 비해 결로에 더 위험하다. 물론 창호가 어떻게 설치되었느냐에 따라 실내 따뜻한 공기가 창호에 공급되는 정도가 다르기 때문에 어느 정도의 차이는 존재한다. 반면 이런 중량형 건물의 경우 상당히 건조한 우리나라 겨울에 별도의 가습기 도움 없이도 실내 상대 습도를 50% 수준으로 유지할 수 있어 구조적인 장점도 있다.

한국패시브건축협회의 요구가 있어 1층 측정을 끝낸 후 2층 공간 중 아들이 거주하는 방(3번 지점)을 대상으로 측정을 기록했다. 딱히 언급할 특이 사항은 없으나, 순간 피크 값이 1,000ppm을 넘어가는 농도가 나타나는 시간대가 있었다. 야간 취침 시간대가 아닌 오후 7~8시 사이였다. 하교 후 식사를 한 뒤 이 시간대에 방 안에서 운동을 심하게 하기 때문[129]이라고 했다.

가끔 예비 건축주들로부터 '패시브하우스급은 아니지만, 단열에 특히 신경 쓰고 기밀하게 시공할 계획이다'라는 말을 듣곤 한다. 삶의 보금자리를 잘 지어보겠다는 굳건한 의지의 표현일 것이다. 이런 콘셉트의 주택을 지어준다는 곳들이 국내에 꽤 있는 것 같다. 그러나, 나는 이런 접근이 위험한 선택이라 본다. 그 표현은 다음과 같이 고쳐서 부를 필요가 있다.

'패시브하우스급은 아니지만 건물을 기밀하게 시공하고 에너지 효율이 높은 공조시스템은 꼭 갖출 계획이다'가 바람직하고, 단열은 그다음이다. 패시브하우스에서 공조시스템을 빼고 단열과 기밀 성능만을 가져간다는 것은 온 식구가 스티로폼 통 속에 들어앉아 숨을 헐떡거리며 살겠다는 표현과 크게 다르지 않다. 물론 반론이 있을 수 있다.

'내가 실제로 그런 집을 짓고 살고 있는데, 사는 데 아무 불편함이 없고 실내 공기질도 좋다' 실제로 경험해 보고 문제없다는데 할 말이 있는가. 어찌 보면 가장 강력한 반론일 수 있다. 그러나 이 주장이 정직함을 담보하고 있다고 하더라도 그 이면을 살펴보면 역설적으로 그보다 더 근본적인 전제 즉, 건축주가 기대했고 시공사가 지어주겠다고 약속한 건물의 단열과 기밀이 당초 예정한 품질로 시공되지 못했다는 것을 증명하는 것이 된다. 위 반론 표현을 기술적인 측면으로 재해석해 본다.

'온 식구가 숨 쉬고 사는데 불편함이 전혀 없을 정도로 건물 곳곳에서 바람이 숭숭 새어 들어오고 있다' 이 말의 다름 아닌 것이 된다.

건물의 기밀이 부실한 상태가 아니라면 건축물의 구조체인 시멘트나 목재가 이산화탄소를 먹어 치우고 산소를 내뿜지는 않을 것이기 때문에 달리 이 현상을 설명할 길이 없다. 실내 공기질 관리에 좋다고 소문난 화분 몇 개로 설명할 수 있는 것은 더더욱 아니다.

129 우리가 큰 활동을 하지 않고 조용히 있는 경우, 폐를 거쳐 가는 공기의 양이 분당 약 4ℓ이다. 그러나 운동을 심하게 하면 분당 50ℓ의 공기가 통과해 실내에 갑작스럽게 이산화탄소가 증가하는 것은 당연한 결과이다. 이것을 좀 더 구체적으로 생각해 본다면 사람이 없거나, 있더라도 이산화탄소 농도가 높지 않은 공간에 공급되는 공기량은 줄이고 위의 사례처럼 이산화탄소 농도가 올라가는 공간에는 유동적으로 급기량을 높이는 시스템도 좋은 발전 방향이라 본다.

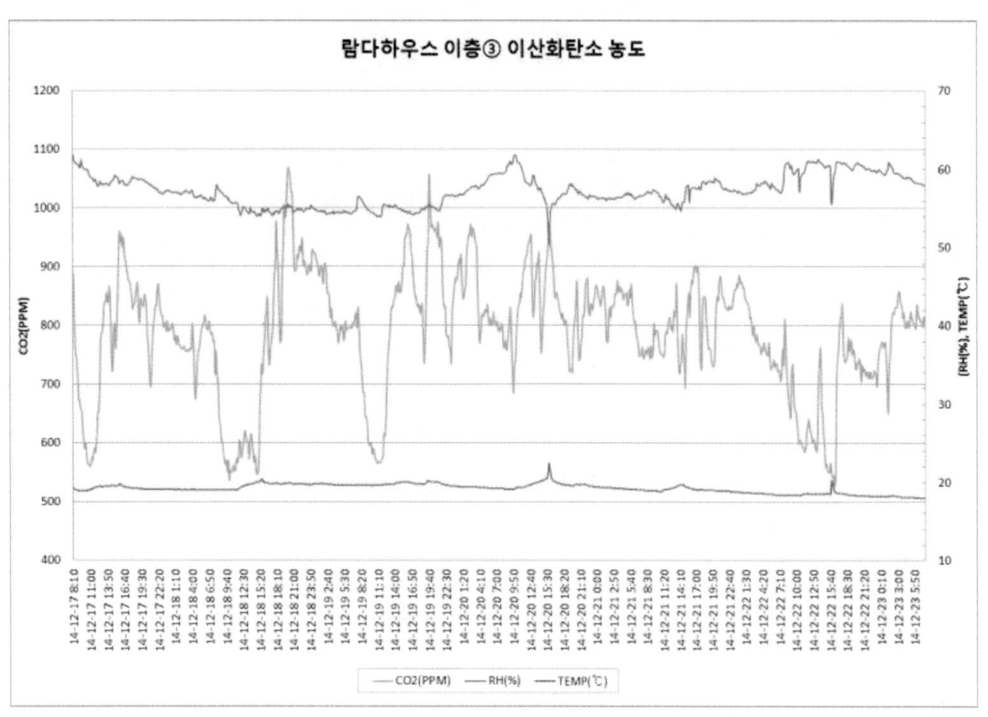

©손태청

사진 199 2층 아들 방의 이산화탄소 농도

② 겨울 보고서

(원본글: https://blog.naver.com/lamdahouse/220962573308), 작성: 손태청

람다패시브하우스의 난방에너지 소비량에 관한 모니터링은 준공 후 2015년에 진행한 바 있지만 비교 분석을 위해 2016, 2017년의 겨울 보고서를 살펴본다.

표 37 난방에너지 소비량 (2016.11.01 ~ 2017.03.31.)

	난방에너지 소비량(1)(kWh)	유효난방 에너지량(2)(kWh)	난방에너지 소요량(3)(kWh/m².a)	△(kWh/m².a, %)
2014~2015	2,467	2,072	13.1	
2015~2016	2,318	1,947	12.2	↓0.8 kWh/m².a, ↓6.1%
2016~2017	2,183	1,834	11.5	↓0.9 kWh/m².a, ↓6.5%

©손태청

(1) 2015년 11월 난방에너지는 2016년, 2017년 평균값 (51.86kWh)을 적용함
(2) 보일러 효율은 84% 적용함
(3) 람다패시브하우스 실내 바닥 난방 면적(TFA)은 159.4m², 난방에너지 소요량 = 유효난방 에너지양 / 159.4

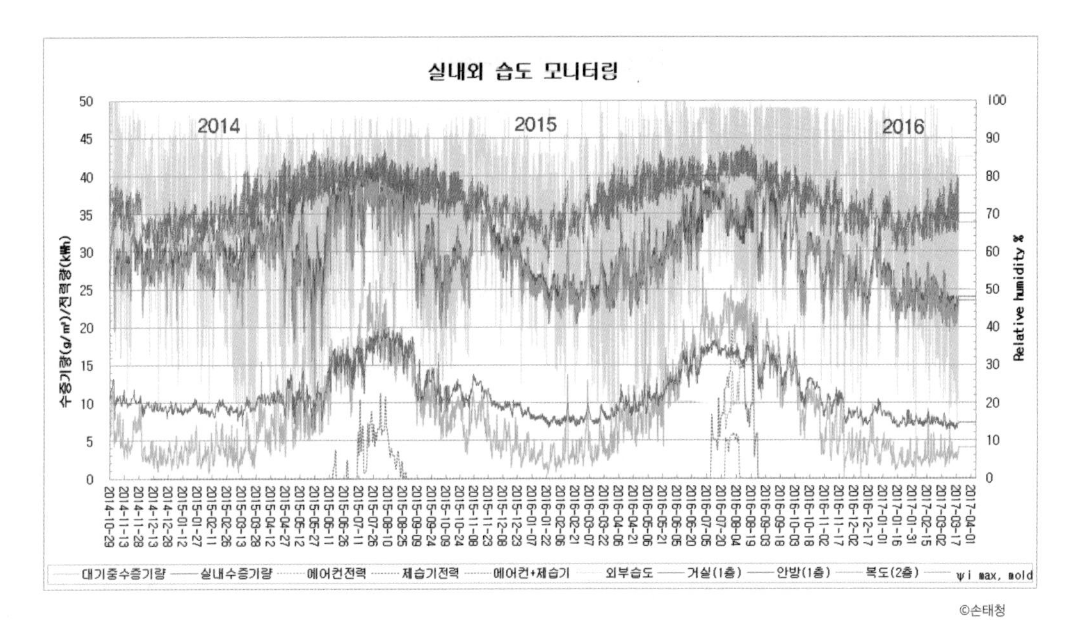

사진 200 2014 / 2015 / 2016 실내외 습도 모니터링

2016년 람다패시브하우스의 난방기는 2016년 11월 25일부터 2017년 3월 18일까지 총 114일간 가동되었다. 그간의 기록을 보면 일평균기온이 8℃를 넘어서면 난방 없이도 실내 온도는 서서히 상승하는 것으로 분석된다. 2014년 준공 연도를 기준으로 볼 때 난방에너지 소비 총량은 서서히 줄어드는 경향을 보이는데, 2016년 겨울은 2014년에 비해 난방에너지 총량은 284kWh(↓11.5%), 난방에너지 소요량은 1.6kWh/m²·a 감소했다.

난방에너지 소요량의 변화는 기후, 실내 거주 조건 등 복합적인 변수에 의해 결정되는 것이므로 이를 단정하여 판단할 수는 없으나 람다패시브하우스가 2014년 10월 12일 준공된 후 첫 번째 맞는 겨울에는 콘크리트 골조의 높은 수분 함량으로 인해 구체의 열전도율이 상대적으로 높은 상태였다. 무엇보다 수분 건조를 위한 잠열 에너지 소비량이 많았지만 이후 골조가 서서히 건조과정을 거치면서 에너지 소비량이 줄어드는 효과[130]를 보였을 것으로 짐작하고 있다.

이 경향은 람다패시브하우스의 에너지 및 실내 온·습도 모니터링 데이터에서도 뚜렷하

130 구조체의 함수 혹은 함습량이 높다는 것은 수분을 많이 함유하고 있어 열을 빨리 전도시킨다는 뜻으로 결과적으로 에너지 손실이 더 크다고 해석할 수 있다. 그런 이유에서 초기의 단열 성능은 안전율을 고려해 약 15% 더 높여 설계하거나 초기 오차에 관해 건축주에게 미리 알리는 방법을 쓰기도 한다.

게 나타난다.

2014년 12월~2015년 2월까지 실내 3개 측정 지점의 평균 상대 습도는 57%였다. 빈번하게 65%[131]를 넘는 경향을 보이나 2015년 같은 기간 53%로 떨어졌으며 2017년에는 평균값이 50%로 낮아졌다. 3월 이후로는 40%대를 보이고 있다.

겨울철 실내 상대 습도가 낮아진 이유가 골조의 수분 건조에 따른 것인지 기후에 의한 것인지 혹은 실내 거주 환경의 변화에 의한 것인지 확정할 수는 없다. 그러나 골조 건조에 대한 이론적 해석은 분명하므로 이에 영향을 받았다는 것은 의심의 여지가 없다. 나아가 건조에 따른 골조의 열전도율 감소와 잠열 에너지의 소비량만큼 난방에너지 소비량이 감소한다는 점도 추론할 수 있다.

월별 난방에너지 소비량/비용

아래 그래프는 람다패시브하우스 준공 후 2014년 12월부터 매월 전기, 도시가스 소비량을 합산한 에너지 소비량과 비용 자료를 도식화한 것이다. 에너지원별로 구분하자면 파란색은 전열&전등에 의한 전기에너지 소비 자료이고 나머지 회색과 주황색은 도시가스가 에너지원이다. 패시브하우스로 건축된 단독주택의 난방비와 냉방비, 개략적인 에너지 소비 패턴을 이해할 수 있을 것이다.

난방에너지 소비량 데이터는 난방에너지뿐만 아니라 조리, 급탕[132], 조명 등 전체 에너지 소비량을 통합해 관찰할 필요가 있다. 급탕과 조리 행위는 난방 목적을 가진 것은 아니지만 제한적으로 실내 발열[133]에 기여하고 전기장판(매트)과 같은 전열기 사용도 난방에너지로 계산되지 않지만, 실질적으로 난방에너지 소비량에 영향을 미친다. 그래프 자료를 검산하면 필요한 여러 수치를 도출하는 것이 어느 정도 가능하겠지만, 보는 이의 편의를 위해 필자가 추적한 난방 관련 데이터를 아래 표에 따로 정리한다. 연도별 난방 기간이 상이하기 때문에 비교를 위해 분석 기간은 12~2월로 한다.

131 기밀한 건물에 공조기를 24시간 가동하긴 하지만, 통상적으로 50~60%의 상대 습도가 권장되므로 가습기 같은 보조 장치 없이 건조한 국내 겨울에 준수한 결과로 볼 수 있다.

132 급탕 및 조리의 경우 12월에서 3월까지만 고려한다면 2014년은 1,743kWh, 2015년은 1,707kWh 그리고 2016년은 1,730kWh로 거의 변화가 없는 반면 난방에너지 소요량은 해가 지날수록 줄어드는 것을 알 수 있다. 주목할 것은 급탕 및 조리가 차지하는 에너지와 난방에너지의 비율인데, 그 차이가 일반 건물에 비해 상당히 미미하다는 것이며 이것은 전형적인 패시브하우스의 에너지 소비 유형이다.

133 조리로 인한 실내 발열은 생각보다 미비하다. 하루 3번 더운 음식을 꾸준히 해 먹는다면 중유럽 기준보다는 분명 더 높게 나오는 것이 맞지만, 실내 재실 인원의 인체 발열이나 냉장고·냉동실에서 나오는 폐열 수치보다는 훨씬 영향이 낮다.

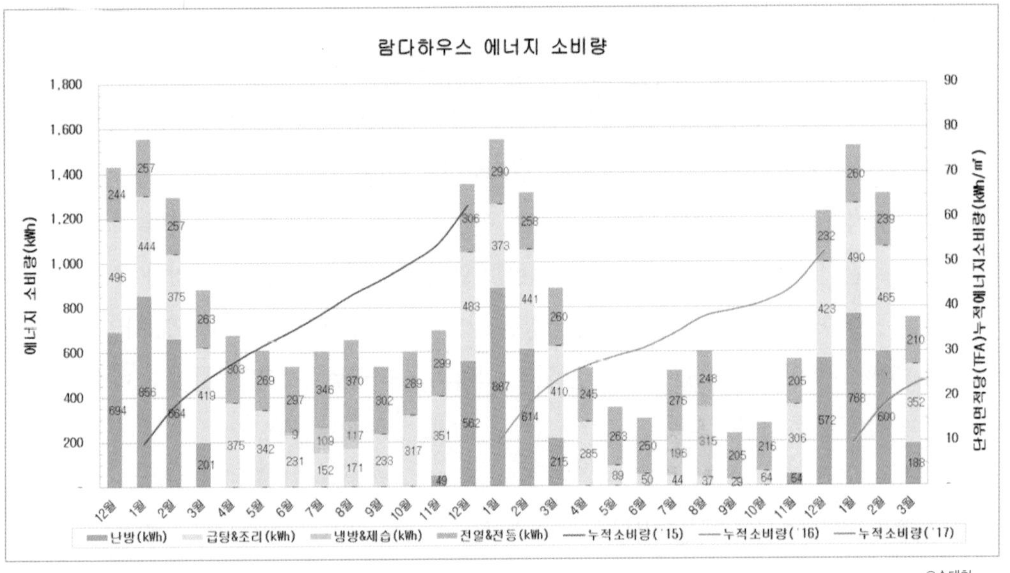

©손태청

사진 201 2014 / 2015 / 2016 에너지 소비량

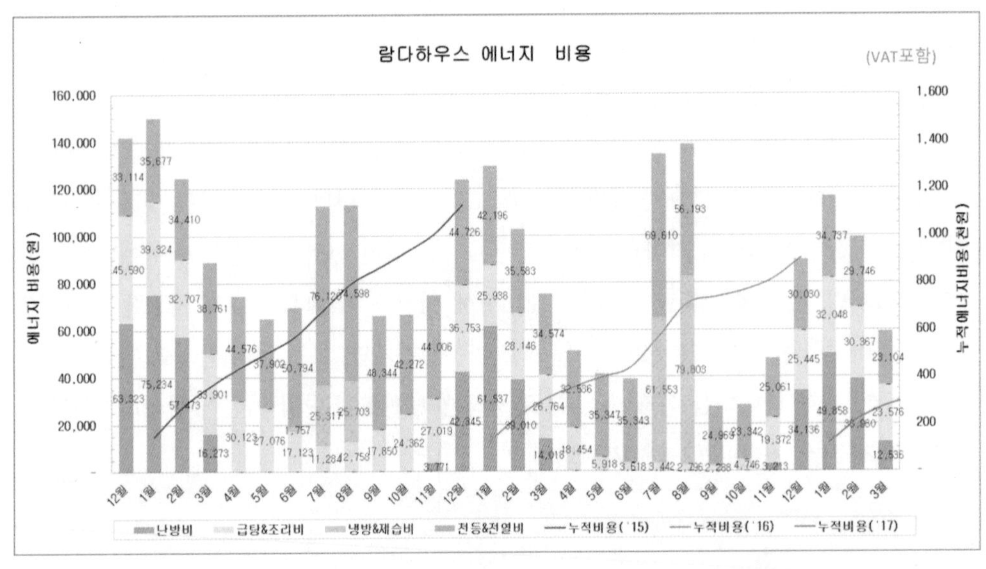

©손태청

사진 202 2014 / 2015 / 2016 에너지 비용

표 38 난방에너지 소비량 비교

	2014.12~2015.2.	2015.12~2016.2.	2016.12~2017.2.
대기 평균 기온	-0.7℃	0.0℃	0.0℃
실내 평균 온도	18.9℃	18.5℃	18.5℃
대기 평균 상대 습도	71%	70%	69%
대기 평균 절대 습도	3.25g/m³	3.37g/m³	3.32g/m³
실내 평균 상대 습도	57%	53%	50%
실내 평균 절대 습도	9.22g/m³	8.37g/m³	7.90g/m³
총 에너지 소비량	4,286kWh	4,215kWh	4,049kWh
난방에너지 소비량	2,213kWh	2,064kWh	1,940kWh
난방에너지 소비량(m²)	13.9kWh/m²	12.9kWh/m²	12.2kWh/m²

위 분석 자료에 의하면 2015년 겨울과 2016년 겨울의 지표면 평균 기온과 대기중 습도는 차이가 없음을 알 수 있다. 주목할 점은 실내 절대 습도의 변화다. 난방에너지 소요량과 실내 절대 습도 사이에는 상관관계가 있는 것으로 나타난다. 절대 습도값이 줄어드는 것에 따라 난방에너지 소요량도 비례하여 감소한다. 데이터군 숫자가 너무 적어 이에 대한 상관

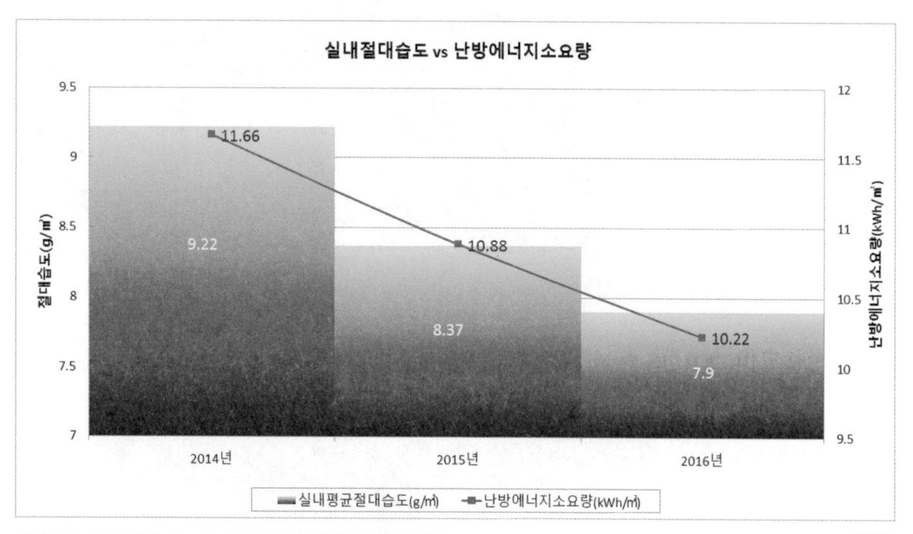

사진 203 실내 절대 습도와 난방에너지 소요량과의 상관 관계 ©손태청

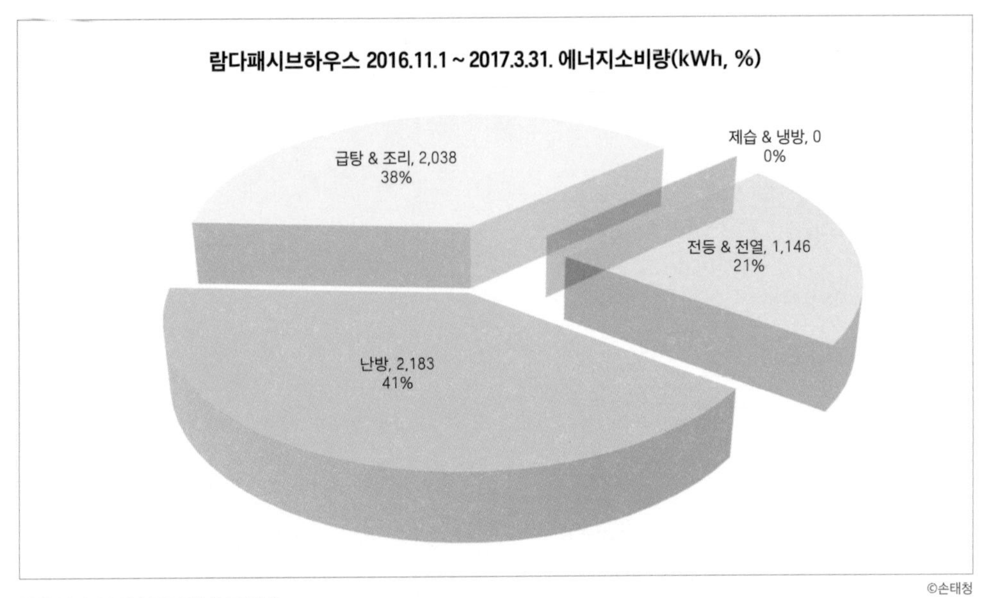

©손태청

사진 204 2016 / 2017 에너지소비량

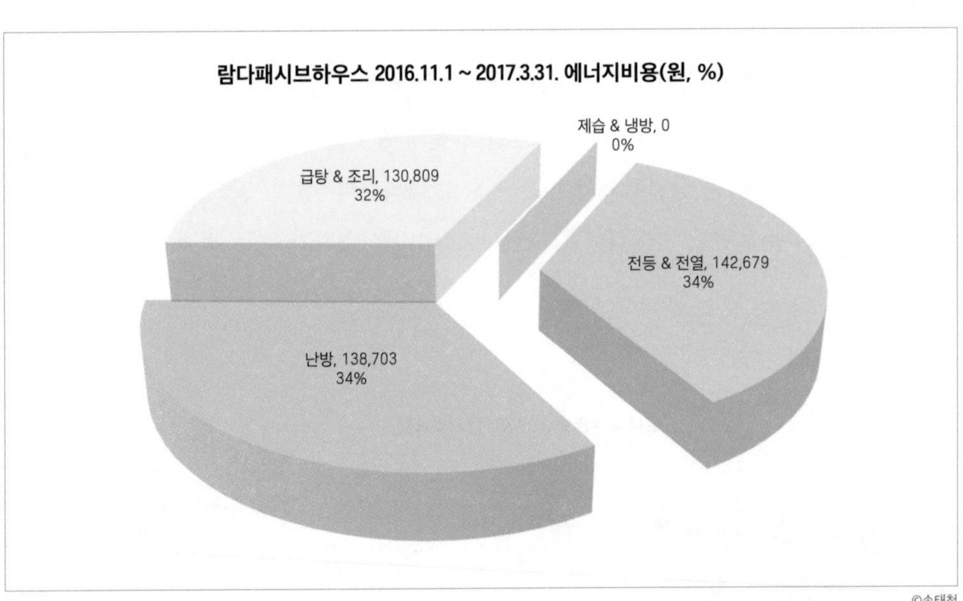

©손태청

사진 205 2016 / 2017 에너지 비용

함숫값을 도출하는 것에는 무리가 있으나 단순히 2차원으로 두 개 값만을 고려한 R제곱 값이 0.9822로써 거의 정비례하는 상관 관계가 있음을 보여준다.

동절기(2016.11.1~2017.3.31) 5개월간 총 에너지 소비량은 5,366kWh이며 이중 난방에너지는 2,183kWh로써 전체 에너지 소비량의 41%이다. 총 에너지 비용은 412,182원. 이중 난방에너지 비용은 138,703원[134]으로 전체 비용의 34%이다.

결론

람다패시브하우스의 2016년 겨울 난방에너지 소비량은 12.2kWh/m²·a(1.22ℓ 등유)로 그 추이는 입주 초기에 비해 낮아지고 있다. 2016년 겨울 람다패시브하우스의 난방비는 138,703원이다. 이제 3년이 지났으므로 람다패시브하우스의 콘크리트 골조 내 수분 함량은 80kg/m³ 이하로 내려갔을 것으로 추정된다. 이후 2~3년간 계속 건조가 진행되면 70kg/m³ 수준까지 내려갈 것으로 예상하고는 있지만 계절별 외부 환경에 따라 증감할 것이고 이제 어느 정도는 안정화 단계에 접어든 것으로 판단된다.

준공 후 3년 차 겨울을 보내면서 관찰한 결과, RC조 패시브하우스는 첫 겨울 이후 난방에너지가 점점 감소하는데, 이를 한 가지 이유로 단정할 수는 없지만, 골조 내 수분의 건조와 이에 따른 실내 상대 습도의 변화와 관련이 있는 것으로 추정된다.

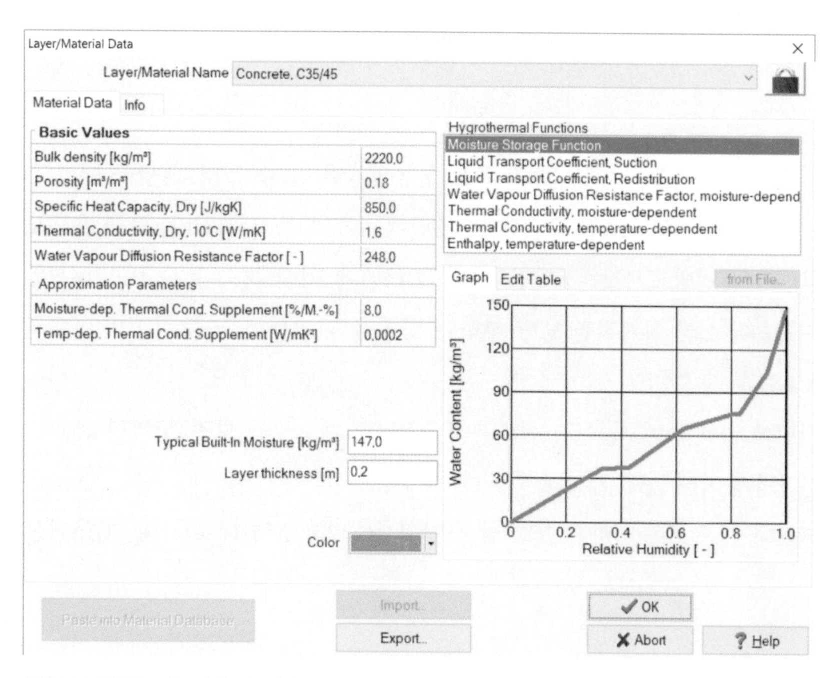

사진 206 철근콘크리트의 함수율 변화

134 난방 면적인 TFA 159.4m²로 나누면 평방미터당 연간 난방에너지 비용은 약 870원이 된다.

• 필자주:

건축주는 건물 구조체의 건조가 진행되면 70kg/㎥ 수준까지 수분 함량이 내려갈 것으로 예상했다. 그 배경은 콘크리트가 주변의 상대 습도가 80%가 되는 수준을 평형 상태라고 일반적으로 보는데 이때 콘크리트의 함수량이 75kg/㎥이 되는 것을 의미한다. 건축주가 실측한 데이터를 기반으로 한 추정이지만 WUFI 자재 데이터의 변경 폭과 큰 차이 없음을 알 수 있다.

PHPP로 계산할 경우 실내 온도를 20°C로 설정하고 난방에너지 요구량을 계산하지만, 겨울철 실제 내부 평균 온도와 주변 건물이 다 시공되지 않은 현재 상황을 고려해 PHPP 시뮬레이션으로 비교했다. 가장 근접한 현재 상황이다.

③ 여름 보고서 (2016)

(원본글:https://blog.naver.com/lamdahouse?Redirect=Log&logNo=220802095341&from=postView) 작성: 손태청

2016년 여름은 덥고 습했다. 람다패시브하우스는 2016년 여름을 맞이하면서 RC조 패시브하우스에서의 여름 실내 환경 관리에 대한 최적화 조건을 모색하는 실험을 하였다. 일주일 단위로 에어컨과 제습기를 사용하여 실내 온도와 상대 습도 조건을 변경해가며 에너지 사용량과 실내 온·습도를 계측했다.

기후 조건

2016년 여름은 2015년에 비해 지표면 대기 온도가 높았음을 알 수 있다. 일평균 대기 온도가 25℃를 넘는 기간도 2015년 31일에 비해 2016년에는 53일로 길어졌다. 평균 온도도 더 높았다. 6~8월까지의 냉방도시값(> 18℃)을 보면 2015년에 비해 14% 높은 16,171KH였고, 특히 람다패시브하우스의 실질적인 냉방 부하에 영향을 미치는 > 25℃ 기준 냉방도시값은 전년에 비해 43%나 높았다.

평균 기온도 진년에 비해 0.9℃ 높아졌는데 특히 7~8월 기준으로만 보면 2015년 25.0℃, 2016년 26.3℃로 전년에 비해 1.3℃ 더 올랐다.

세종시의 6~8월 대기 중 수증기량은 2015년은 평균 16.29g/m³인데 반하여 2016년은

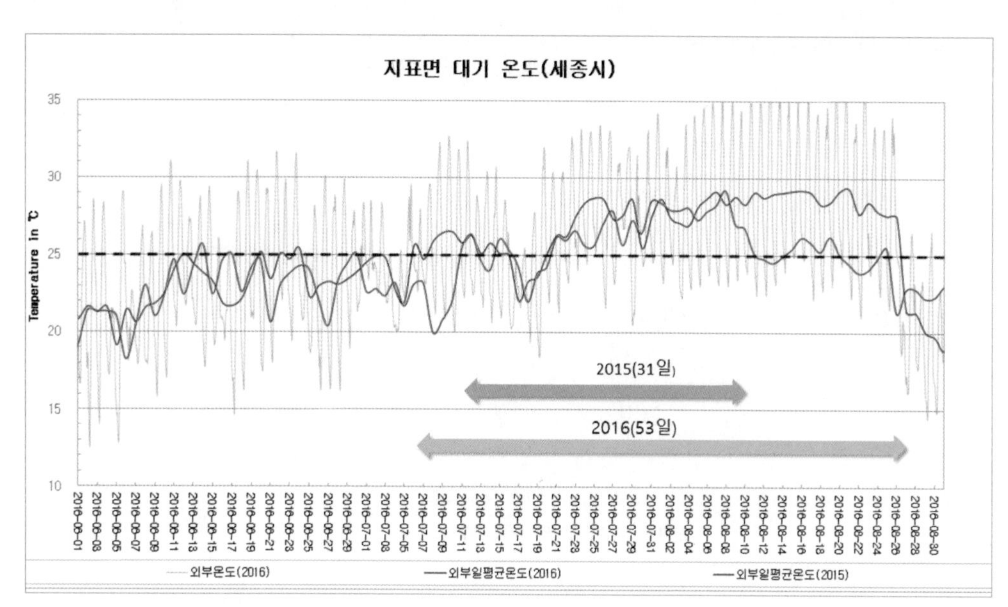

©손태청

사진 207 지표면 대기 온도 (세종시)

18.67g/m³로써 전년에 비해 2.38g/m³ 높은 다습한 기후였음을 알 수 있다.[135]

이를 람다패시브하우스의 내부 용적 431m³에 산입하면 전년에 비해 하루 중 제습 필요량 7.4ℓ/day(환기율 0.33회/h 기준)가 증가했다. 제습을 위해 대략 4kWh/day(1.8ℓ/kWh 제습 능력 기준)의 전력이 추가 소모됨을 의미한다.

세종시의 6~8월 중 바람은 0.2~3.0m/s 수준의 남서풍이 탁월풍이고 북동풍도 다소 불었던 것으로 판단된다. 특히, 상대적으로 강한 환기가 이루어지는 새벽 1시~7시 시간대에는 주로 남남서풍이 탁월풍이었다.

135 필자주: 독일 패시브하우스연구소의 PHPP 프로그램에 쾌적성 경계로는 별다른 이유가 없는 한 실내 온도 25°C 상대 습도 약 57%를 본다. 이때의 절대 습도량은 12g/kgTL으로 이를 체적으로 환산하면 14.10g/m³이 된다. 즉, 2015년과 2016년 6~8월의 외부 평균 절대 습도는 이미 쾌적성 범위를 벗어나기에 추가적인 실내 습 부하가 있는 건물 내부는 액티브 냉방이 절대적으로 필요하다는 말이 된다. ISO 7730에서는 실내 상대 습도 30~70%를 권하며 독일 VDI 2089에서는 옷을 입지 않은 상태에서 절대 습도 X=14.3g/kgTL를, DIN 1946-2에서는 11.5g/kg를 그 경계로 본다. 이는 25℃의 상온에서 상대 습도 55%를 의미한다. DIN 1946-2는 유럽 기준인 EN 13779 (12g/kgTL)로 2005년 대체되었다가 현재는 EN 16798-3가 유효한 기준이고 독일에서는 DIN EN 16798-3으로 DIN이라는 말이 추가되고 비주거용 건물에 관한 내용을 다룬다. ASHRAE 55-2013에서는 같은 값인 12g/kgTL을 사용한다. 물론 옷을 입은 정도와 활동에 따라 11.5g/kgTL을 적용하기도 한다.

표 39 세종시 지표면 대기 조건(2016년 여름)

	2015년	2016년	△
평균기온 (℃)	24.30	25.20	0.90
냉방도시 (>18℃), KH	14,145	16,171	2,026 (↑14%)
냉방도시 (>25℃), KH	3,028	4,340	1,312 (↑43%)

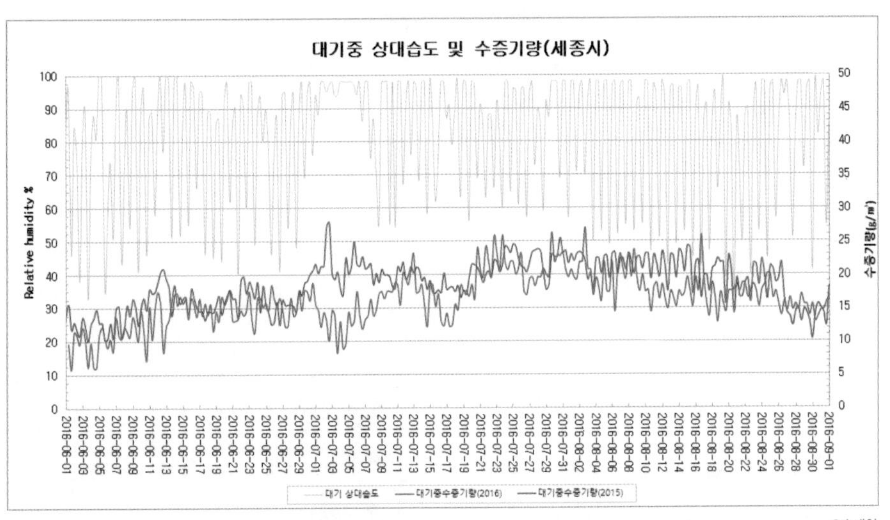

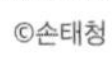
©손태청

사진 208 대기 중 상대 습도 및 수증기량(세종시)

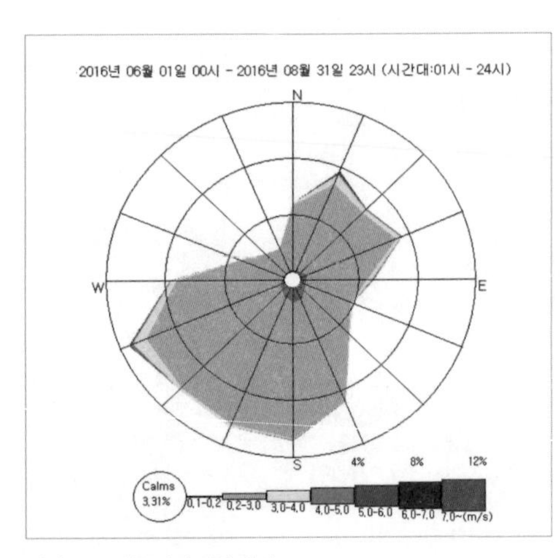

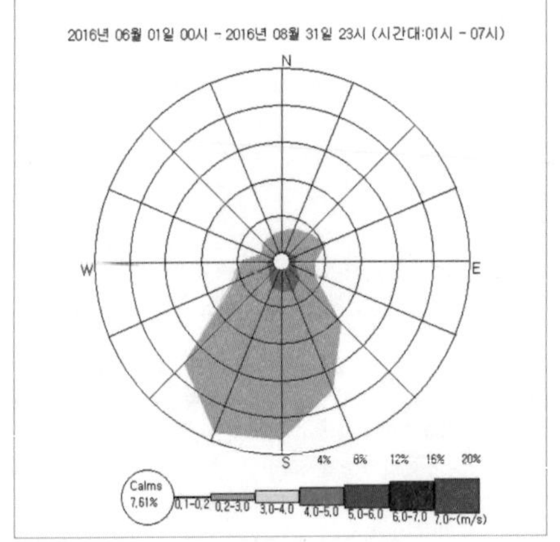

사진 209 세종시의 바람 장미

냉방(제습) 실험

람다패시브하우스의 냉방기 가동은 일평균 지표면 기온이 25℃를 넘어서는 7월 10일 개시되었다. 약 40일 정도의 냉방(제습) 기간을 산정하고 일주일 간격에 몇 가지 모드로 실험을 계획하였다.

표 40 냉방 & 제습 실험 계획

	기간	에어컨	제습기	목표 온도 (℃)	목표 상대 습도 (%)	비고
MODE1	07.10.~ 07.16.	가동		25	> 75	
MODE2	07.17.~ 07.23.	가동		24	> 70	
MODE3	07.24.~ 08.06.	가동	가동	26	65~70	
MODE4	08.07.~ 08.13.	가동		24	65	
MODE5	08.14.~ 08.20.	가동		25~26	68~73	
MODE6	08.21.	가동		26	65	

©손태청

에어컨을 이용해 현열 부하를 처리하면서 실내 온도 유지 조건에 따라 상대 습도가 어떻게 평형을 이루는지 관찰한다. 또한 냉방 온도가 너무 낮아질 경우를 대비해 제습기를 추가로 사용해 상대 습도를 낮추는 조건을 계획하였다.

위 그림은 2016년 람다패시브하우스와 관련한 거의 모든 정보를 포함하고 있다. 대기 중 온도·상대 습도·수증기량과 실내 공기의 온도·상대 습도·수증기량, 여기에 에어컨과 제습기의 전력량까지 담겨 있다.

너무 많은 정보가 있어 내용 파악이 어렵지만, 이 보고서를 다 읽고 난 다음 다시 보면 훨씬 쉽게 전체 정보를 파악할 수 있게 될 것이다. 독립적인 하나의 조건은 사실 주변 조건들과 연동하여 현상을 만들어 내기에 각각의 조건을 이해하고 난 뒤 전체로 병합해 살펴보는 절차가 필요하다. 예를 들어 실내 상대 습도 변화만을 관찰하면 습도가 내려간 현상을 제습의 효과로 판단하는 것이 일반적이지만, 경우에 따라 제습과 상관없이 실내 온도의 상승으로 상대 습도가 떨어질 수도 있다. 따라서 상대 습도와 온도, 수증기량 등의 데이터는 별개로 판단할 수 없는 측면이 있다.

본론에 들어가기 전에 아래에 있는 똑같은 프레임의 2015년 여름 그래프를 살펴보면 실내 상대 습도가 2016년 여름 상대적으로 낮게 관리되었음[136]을 알 수 있을 것이다.

136 황색의 실내 절대 수증기량도 2016년에는 훨씬 내려가 있다.

실내 상대 습도는 그래프 상부의 4가지 색이 뭉쳐서 표기된 부분인데, 2015년에는 여름 기간 대부분 75% 수준에서 상대 습도가 유지되었고 부분적으로는 80%에 근접하기도 했음을 알 수 있다.

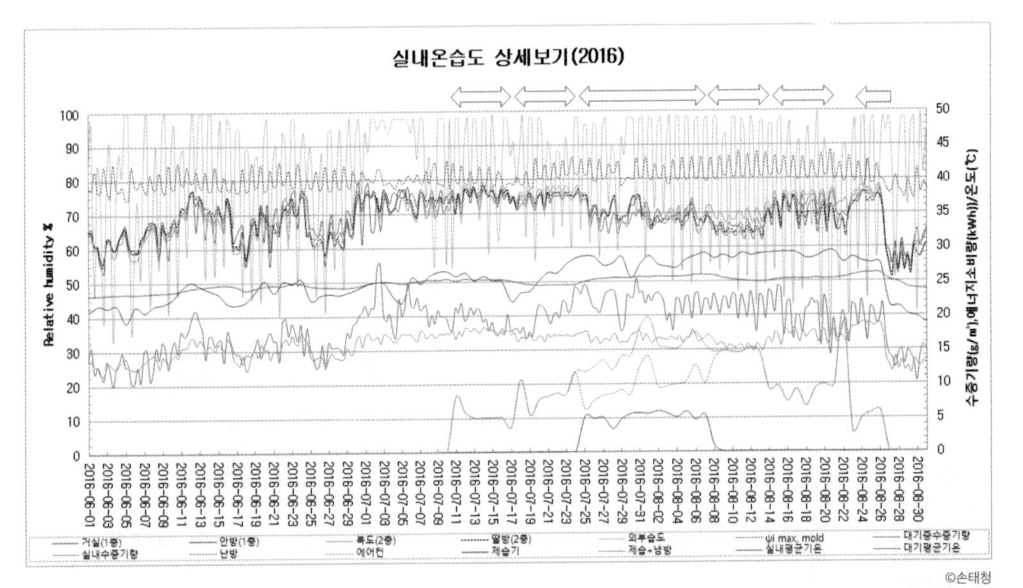

©손태청

사진 210 실내 온습도 상세 보기 (2016)

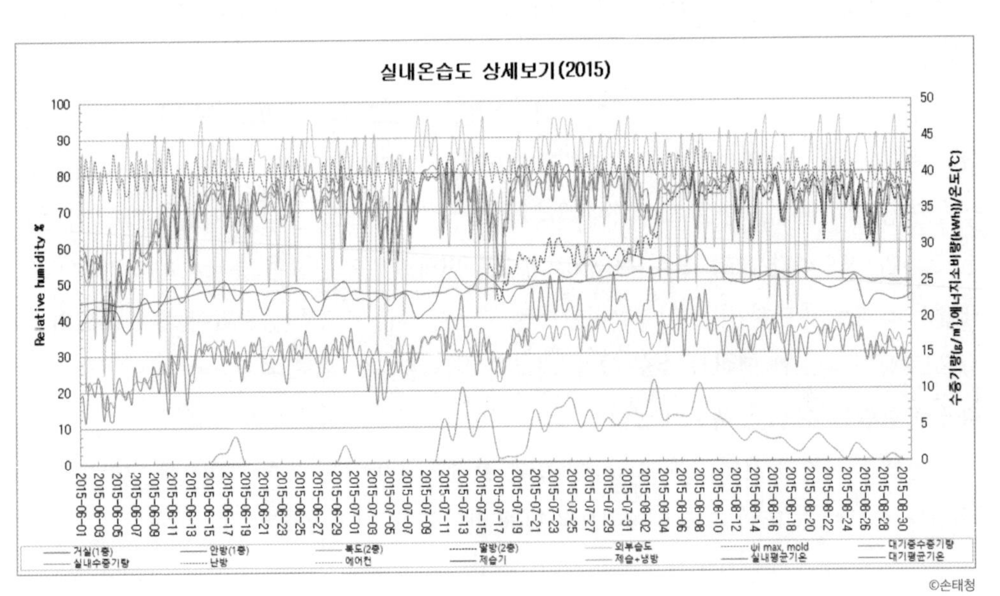

©손태청

사진 211 실내 온습도 상세 보기(2015)

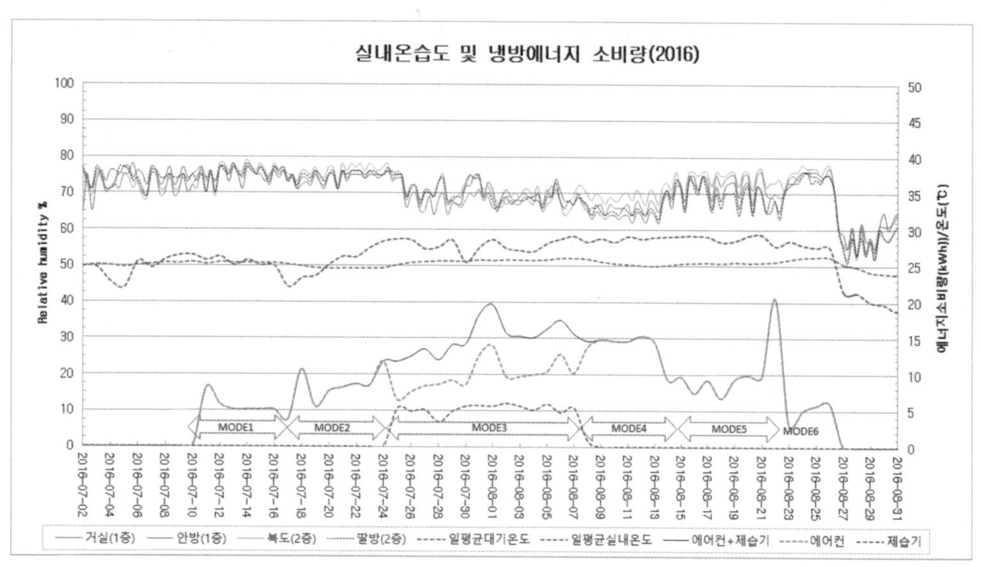

©손태청

사진 212 실내외 온도, 실내 상대 습도 및 수증기량(세종시)

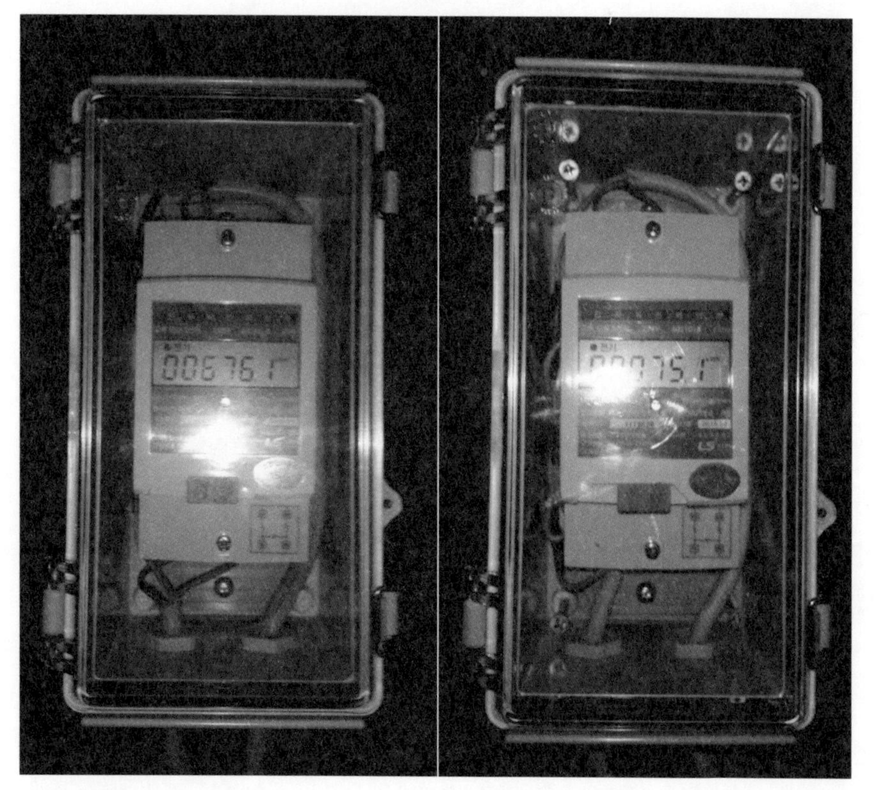

사진 213 전력 소모량 측정 전후 사진

이제 위 그래프 정보에서 부가적인 것은 삭제하고 실험 조건별로 실내·외 온도와 실내 상대 습도 및 에너지 소비량 정보만을 추출하여 살펴보고자 한다.

그래프의 맨 위는 실내 4곳의 상대 습도값을 나타낸 것이다. 그 아래 붉은 점선은 일평균 대기 온도(℃, 오른쪽 Y축)이고 파란색 점선은 일평균 실내 온도(℃, 오른쪽 Y축)다. 맨 아래 표시된 정보 중 검은색은 에어컨 + 제습기 전력량(kWh, 오른쪽 Y축), 녹색 점선은 에어컨 전력량(kWh), 핑크색 점선은 제습기 전력량(kWh)을 표시한 것이다. 람다패시브하우스는 에어컨과 제습기의 전력 소모량을 정확하게 계측하기 위해 전용 전력계를 콘센트에 각각 부착하여 전력량을 측정하였다(현재 전력계는 마지막 측정을 끝내고 콘센드에서 분리되어 있다).

표 41 실내 온·습도 및 전력 소비량

	온도		상대 습도		에어컨 전력량	제습기 전력량	합계	비 고
	μ(℃)	δ	μ(%)	δ	kWh/day	kWh/day	kWh/day	
MODE1	25.3	0.28	75.3	2.13	5.47	0	5.47	
MODE2	24.6	0.41	74.8	1.74	8.73	0	8.73	
MODE3	25.6	0.41	69.8	2.99	9.88	5.23	15.11	
MODE4	25.3	0.59	66.7	2.66	13.8	0	13.8	
MODE5	25.4	0.52	71.9	3.40	8.84	0	8.84	
MODE6	25.6	0.60	68.9	2.78	20.5	0	20.5	외부차양개방!

©손태청

봐도 무슨 차이가 있는지 잘 모를 수 있다. 작은 차이가 있지만 온도 평균값(μ)도 고만고만하고 표준편차(δ)가 의미하는 바도 아리송할 수 있다. 그러나 이 값들이 위 실내 상대 습도값의 다이나믹한 변동 결과와 연관이 있는 것은 분명하다. 이유를 설명하기에 앞서 이 실험의 결론을 먼저 정리한다.

- 575W의 에어컨 전력이 투입되면 냉방 부하 최대 기간에도 실내 온도 26℃, 상대 습도 65% 수준으로 현열 및 잠열 부하를 처리할 수 있다. 즉, 13.8kWh/day[137] 또는 냉방기 부하 기준으로 3.60W/m²에 해당[138]한다.

137 필자주: 575W x 24간 = 13.8kWh/day

138 필자주: 575W / 159.4m²(TFA) = 3.60W/m²

- 250W(1.57W/m²) 이하의 에어컨 전력 투입으로 26℃ 이하의 실내 온도를 만들 수는 있지만 상대 습도를 75% 이하로 내릴 수는 없다. 이 경우 두 가지 선택이 가능하다. 외부 차양을 개방하여 냉방기 부하를 3W/m² 이상으로 끌어 올리거나 제습기를 이용하는 것이다.
- 24시간 실내 온도를 일정하게 유지하는 것보다 낮에는 높게, 밤에는 낮게 유지하는 것이 상대 습도 관리에 유리하다. 에어컨 온도를 하나의 값에 고정하여 24시간 운전하면 낮에만 주로 가동되고 밤에는 가동하지 않게 된다. 이로 인해 밤 시간에 상대 습도가 치솟는 결과를 초래한다.
- MODE 5에서 낮에는 에어컨 온도를 약간 높게 설정하고 밤에는 낮춰서 운전했는데, 이 설정으로 에어컨이 낮보다는 주로 밤에 더 많이 가동하게 된다. 낮에는 실내 온도가 서서히 상승하면서 상대 습도 상승 속도를 늦추는 효과를 얻고, 밤에는 낮에 축적한 현열 부하[139]를 에어컨이 처리하는 동시에 제습하게 됨으로써 평균 상대 습도를 낮출 수 있었다. 일중 상대 습도는 설정에 따라 일정하게 제어될 수도 있겠지만 대개 낮에는 약간 올라갔다가 밤에 떨어지는 형태를 이루게 된다.
- 에어컨 부하 500W(3.14W/m²) 이상에서는 제습기와 에어컨을 같이 사용하는 것보다 에어컨 단독으로 사용하는 것이 유리하다. 충분한 냉방 부하(현열)가 있을 때는 굳이 제습기를 보조(잠열)로 사용할 이유가 없다. 제습기를 사용하면 자체 발열에 의해 현열 부하가 발생하고 이를 에어컨이 다시 처리해야 하는 이중 부하를 만들기 때문이다.

어려운 표현을 보다 생활에 가깝게 풀어 정리해 보겠다.

- 여름 초입에 외부 온도가 고만고만한 경우(일평균 대기 온도 25~26℃거나 새벽 온도가 23℃ 미만)라면 에어컨으로 실내 온도를 낮추고 별도로 제습기를 돌리거나, 외부 덧창을 열어 냉방 부하를 인위적으로 올려 에어컨 가동률을 높인다.
- 열대야라면 에어컨 단독으로 온도와 습도를 조절하는 것이 전기 소비량이 적게 든다.
- 에어컨 온도는 낮에는 1℃ 높게, 밤에는 1℃ 낮게 설정하는 것이 일정하게 유지하는 것보다 유리하다.

에어컨 온도를 더운 낮에는 올리고 서늘한 밤에 낮추는 것은 현열 부하를 극한치로 낮춘 패시브하우스에 적합하다는 점을 이해하길 바란다. 축열 용적이 큰 패시브하우스에서는 이

139 낮시간의 열이 여러 형태로 실내에 저장이 되면서 밤시간에 복사열의 형태로 실내로 다시 발산되기에 이를 냉방 부하 중 현열 부하라고 이해하면 된다.

렇게 해도 낮과 밤의 실내 온도 편차가 0.5℃ 수준에 불과하다. 람다패시브하우스는 여름철 냉방에너지 요구량[140]이 현열 6.7kWh/m², 잠열 7.6kWh/m²로써 실내 온도를 낮추는 에너지보다는 습기를 제거하는데 필요한 에너지값이 더 높았다. 실내 온도를 26℃로 관리하면 여름 내내 200kWh 남짓한 에너지밖에 소비되지 않는다.

위 실험 결과를 두고 유념할 것은 현재 람다패시브하우스에 설치된 에어컨과 제습기의 에너지 효율이 그리 높지는 않다는 점이다. 인버터 에어컨도 아니고 제습기 역시 판매 당시에는 1등급이었지만 2016년 7월 기준으로는 3등급보다 조금 나은 수준에 불과하다. 1.8ℓ/kWh의 제습 능력을 갖췄는데 2016년에 판매되는 제습기는 1등급 기준이 2.5L/kWh 이상으로 39% 이상 성능이 좋다.

즉, 람다패시브하우스의 제습기가 5.23kWh/day의 전력을 소모하면서 제거한 습기를 2016년 신형이라면 3.19kWh/day면 처리했을 것이다. 제습기가 가동된 14일을 기준으로 보면 29kWh의 전력량 차이가 난다. 누진제를 감안하면 2만1천 원에 해당하는 금액으로 작은 차이라 볼 수 없다. 부수적이지만 제습기에 의한 발열도 적다.

에너지 소비량과 비용

람다패시브하우스의 2016년 여름 냉방은 7월 10일 시작해 8월 27일까지인 53일간이었다. 에어컨은 24시간 가동했고 전용 전력계를 이용해 하루 단위로 전력 소비량을 측정했다. 이 측정 결과만으로 2016년 람다패시브하우스의 냉방에너지 소비량을 평가할 수는 없다. 왜냐하면 거주자의 생활을 위한 실내 환경 유지보다는 실험을 위해 가혹한 여러 조건을 도출하는 과정이었기 때문이다. 다만 본 실험의 결과로 필자가 내린 결론은 앞으로 올해와 같은 가혹한 더위가 와도 400kWh 정도의 에너지로 어느 정도 쾌적한 여름을 24시간 누릴 수 있다는 것이다. 이는 '냉방에너지 소비량'으로 2.51kWh/m²이다.

다양한 용어의 사용으로 혼란스러운 독자들을 위해 부연하자면 이 값을 PHPP상의 '냉방에너지 요구량'으로 역 환산하면 단순하게 COP 3을 적용하여 7.53kWh/m²·a가 된다. 단 이 환산값은 냉방 기기의 에너지 효율에 따라 변동이 있을 수 있다.

또한, 이 값은 당초 람다패시브하우스 설계 시 산출했던 냉방에너지 요구량(현열+ 잠열) 약 14.4kWh/m²·a에 PHPP에서 현열과 잠열의 고려한 COP 2.1로 나누면 PHPP상의 냉방에너지 소요량은 약 6.85kWh/m²·a이 된다. 이 차이의 원인[141]으로는 기후 조건, 내부 발열

140 필자주 : PHPP 계산에 따른 냉방에너지 요구량이며 현재 해당 건물 주위로 완공된 건물의 영향만을 고려했다. 냉방에너지에 미치는 영향은 해당 대지의 경우 큰 차이 없다.

141 필자주 : 다른 또 하나의 원인으로는 냉방 기간의 시작과 마치는 시기인데 PHPP의 계산에서는 일부이기는 하지만 6월에서 시작해서 9월에 끝난다. 계산상으로는 이 기간에 1.2kWh/m² 요구량이 필요하다.

요소에 대한 건축주의 적극적인 통제, 차양 장치의 적극적인 활용, 무엇보다 PHPP 계산서에서 설정하였던 실내 조건 26℃ 및 상대 습도 60%와 실제 실현된 값의 차이 등이 만들어 낸 오차일 것이다. 그런 점을 감안하면 실제 설계 시 예측과 실현된 값은 상당히 근접하다고 평가된다. 실제 올여름 람다패시브하우스가 소비한 냉방 전력은 510.5kWh였다. 이 중 에어컨이 소비한 전력이 436.4kWh, 제습기는 74.1kWh였다.[142]

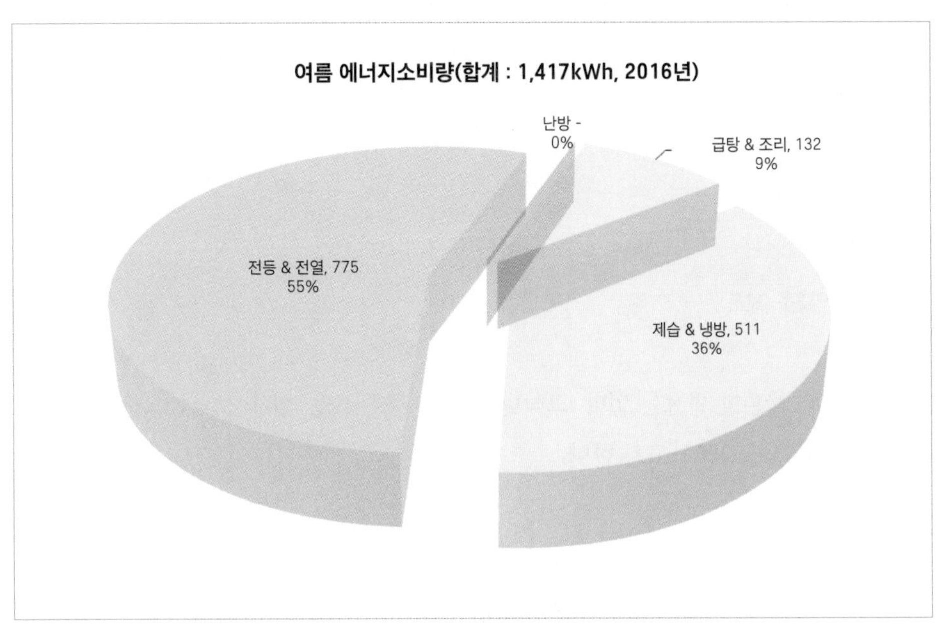

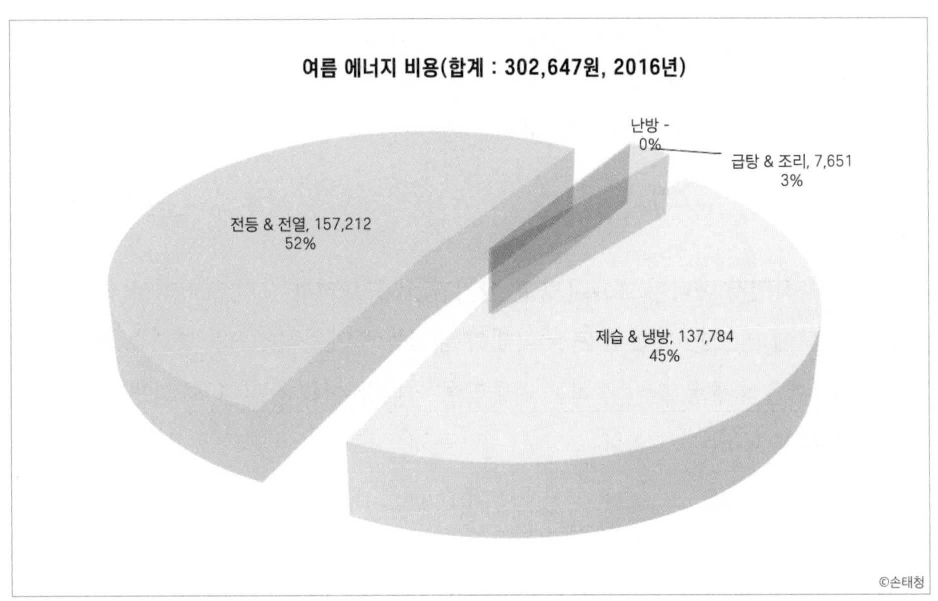

사진 214 여름 에너지 소비량과 비용(2016)

142 필자주: 공기 중의 수증기량 PHPP 12g/kg (약 14.08g/m³), 실제 수증기량은 6월경부터 12g을 초과하기에 COP 3을 고려한다면 74.1이 아니라 414kWh를 소비했어야 한다. 독일 PHPP의 실내 기준온도인 25°C 혹은 26°C가 한국의 외기온도를 고려해서 합당한 것인지에 대한 연구도 필요하다.

6~8월 실내 평균 온도는 24.9℃였고 7~8월 두 달 기준으로는 25.2℃였다. 상대 습도는 실험 조건에 따라 변동이 있지만 65~75% 범위로 관리되었다.

시원한 여름을 위한 제언

패시브하우스가 요구하는 모든 기술적 요소들이 시원한 여름을 위한 필요충분조건이다.

- 단열
- 기밀
- 3중 유리 창호와 출입문
- 열교 없는 디테일
- 환기 장치
- 외부 차양(덧문, 덧창)

당연한 논거를 재론할 필요는 없다. 그러나 우리가 자주 또는 쉽게 간과함으로써 이루지 못하는 부분들이 있어 강조하고자 한다.

- 외부 차양

  위 실험 조건 중 MODE 6는 직달광선 차단용 외부 차양을 개방하였을 때 에어컨 전력 소비량이 얼마나 증가하는지를 관찰한 것이다. 전력 소비량이 2배 이상 증가함을 알 수 있다. 패시브하우스를 구현하면서 여름철 직달광선의 실내 유입을 차단하는 외부 차양을 생략하고서는 쾌적함을 기대하기 어렵다.

- 환기 장치

  주택을 신축하면서 에너지 효율이 높은 환기 장치를 포기하는 것은 어리석다. 고급 아일랜드 식탁에 비교할 수 없고 거실 이태리 대리석에 견줄 수 없다. 열회수 효율 특히 전열 교환 효율이 좋은 환기 장치는 겨울만이 아니라 여름철 실내 습 환경 관리를 위해서도 아주 중요하다.

- 축열(축냉)

  일반적으로 패시브하우스 요소라고 거론되는 것은 아니지만 우리나라의 다이나믹한 기후 조건 속에서 구조체의 축열 성능은 실내의 쾌적한 환경 유지에 생각보다 많은 기여를 한다. 내벽을 콘크리트 중량물로 하거나 실내 마감재를 가급적이면 축열에 유리한 자재로 채우면 차이를 느낄 수 있다. 실내 온도가 일정하게 유지될 뿐만 아니라 일간 온도 차가 심하게 날 때도 상당 기간 완충 능력으로 변화에 대응한다.[143]

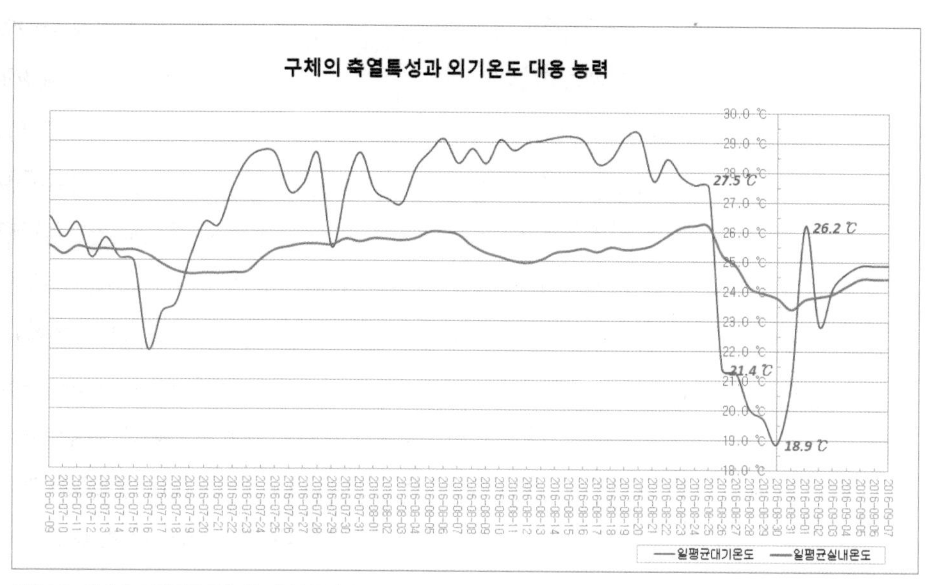

사진 215 외기 온도 변화를 완충하는 축열 특성

그래프는 최근 며칠 사이에 벌어진 급격한 대기 온도 변화를 잘 보여준다. 2016년 8월 25일 세종시 일평균 대기 온도는 27.5℃였다가 다음날 21.4℃로 추락했고 8월 30일에는 18.9℃까지 떨어졌다. 모두가 더위는 끝났다고 생각하던 바로 그때 대기 온도는 다시 26.2℃로 치솟았다.

같은 기간 람다패시브하우스는 주·야간 온도 조건에 따라 창문을 개방하면서 적극적인 환기를 통해 내부를 냉각하였다. 9월 초순에 다시 한동안 더위가 올 것에 미리 대비한 것이다. 대기 온도가 다시 치솟았지만 람다패시브하우스의 실내 온도는 견고하게 버텼다. 과거 경험으로 볼 때 일평균 대기 온도가 현재와 같은 수준으로 일주일 정도 지속된다고 해도 람다패시브하우스의 실내 온도는 25℃를 넘지 않는다. 구조체가 가진 풍족한 축열(축냉) 용량 덕분에 외기 온도 변화에 대응하는 것이다.

143 필자주: 축열 성능이 아무리 좋은 패시브하우스라도 낮 동안 저장된 열을 밤과 새벽에 배출할 수 없는 열대야 현상이 지속되면 축열 성능도 한계에 이른다. 외기의 온도가 내려가는 밤이나 새벽엔 자연 환기를 통해, 그것이 어려운 시기는 액티브 시스템으로 냉방해야 한다.

④ 햇빛 차양 장치와 냉방에너지의 상관 관계

작성: 손태청

햇빛 가림용 외부 덧창과 덧문의 위력은 실로 대단했다. 2016년 8월 21일 오전 8시를 기하여 람다패시브하우스의 햇빛 차단용 외부 덧창을 일제히 개방한 후 냉방 전력 소비량의 변화를 관측하였다.

당일 서울의 낮 최고 기온은 36.5℃로 기록적인 폭염을 기록했다고 하지만 람다패시브하우스가 속한 세종시는 구름 낀 흐린 날씨였고 낮 최고기온 33.6℃, 일평균 기온 27.7℃로써 전일(20일, 토)의 최고 기온 35.7℃, 평균 기온 29.3℃보다는 낮은 상태였다.

덧창 개방의 대가는 가혹했다. 에어컨의 전력 소비량이 갑자기 20.5kWh/day로 전일의 2.1배(9.7kWh/day) 이상 치솟았다. 그동안 에어컨을 제습 모드로만 가동하고 있었지만, 제습 모드만으로는 설정 온도를 낮춰도 실내 온도 상승을 막을 수 없었다. 오후 2시쯤부터는 온도 유지를 위해 몇 시간 동안 에어컨을 냉방 모드로 전환[144]해야만 했다. 그렇게 했음에도 당일 실내 평균 온도는 25.6℃로 이전 일주일간의 평균 온도 25.4℃보다 약간 높았다.

실내 온도 자체는 이전과 큰 차이가 없다고 볼 수 있지만, 복사에너지의 영향인지 몸으로 체감되는 온도는 이전보다 높게 느껴졌다. 절기로는 가을의 문턱을 지났으므로 태양 고도는 낮아져서인지 오후 4시쯤 1m 돌출 처마가 있음에도 불구하고 직달광선이 실내로 55cm 정도 들어왔다. 처마 없이 블라인드만 있는 서쪽 창으로는 햇빛이 꽉 차서 쏟아지는 듯했다.

냉방 전력과 생활 전력을 합한 하루 전력 소비량이 27.8kWh[145]을 확인하고서는 외부 덧창을 다시 닫았다. 일주일로 계산하면 195kWh가 되고 누진제 최고 구간을 반영하면 추가되는 전기료만 14만 원 가까이다. 올여름 내내 사용한 냉방 전기료를 단 일주일에 도달하는 결과를 뻔히 보고서도 더는 덧창을 열고 있을 수 없었다.

햇빛 차양 장치 없이 여름을 보냈다면 받았을 전기료는 상상조차 하기 싫다. 아무리 기밀과 단열이 잘되어 있고 성능 좋은 열교환기를 갖춘 패시브하우스라고 하더라도 차양 장치가 없다면 쏟아지는 햇빛에 무너질 수밖에 없다[146].

- 필자주:

PHPP는 시간별 변화를 시뮬레이션하는 것이 아니라 월별 평균을 기준으로 계산하며 실별 특성을 고려하지 않고 전체 건물 평균을(단일 존, one zone) 고려한다. 즉, 온도 차가 많이 발생하는 경우 계산의 오차가 클 수 있다. 특히 여름철 냉방 부하 계산 시 창호 면

144 필자주: 냉방 부하 중 현열 부하가 높아져서 제습 모드가 아닌 일반 냉방 모드로 전환했다는 의미이다.

145 필자주: 비교하자면 2000W 청소기를 하루 14시간 정도 사용할 때 발생되는 전기소모량이다.

146 필자주: 차양 장치가 없다고 가정하고 시뮬레이션을 할 경우 냉방 부하는 건물의 모양과 창호 크기, 주변 상황 그리고 방향에 따라 약간의 차이는 있지만 약 2~10배의 냉방 부하의 증가가 있다.

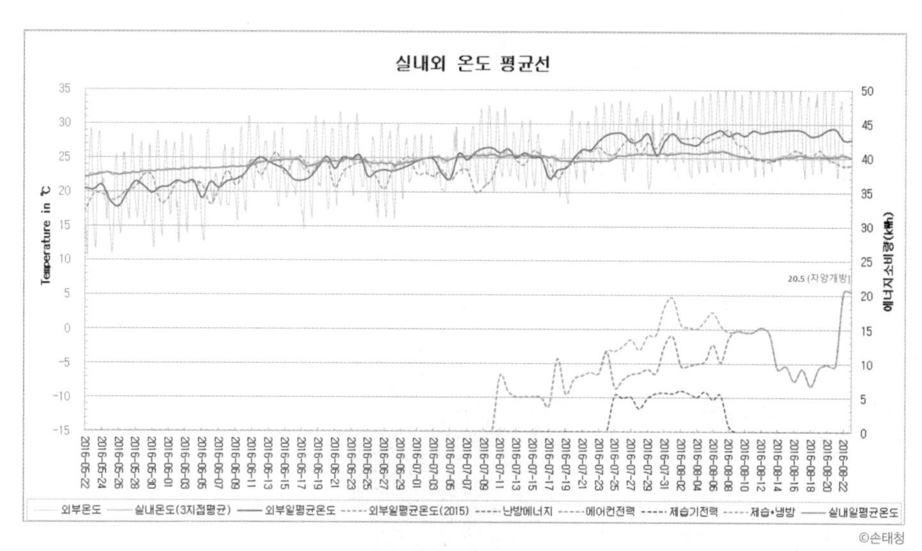

©손태청

사진 216 실내·외 온도 평균선

©손태청

사진 217 덧문을 열어둔 상태에서 햇빛이 들어오는 경우

적과 방향에 따라 PHPP 계산에서는 문제가 없어도 실제 생활에서 쾌적 범위를 많이 벗어나는 위험이 있기 때문에 시뮬레이션을 추가하는 복잡한 상황을 만들지 않기 위해서는 경험이 필요하다. 예를 들어 2층 창호 면적을 줄이거나 차양 장치 외에 처마를 추가로 다는 기술적 요소가 그것이다.

겨울철 난방에너지 부하만을 고려하면 창호 면적만 키운 경우 실제 실내에서 사용 가능한 햇빛이 주는 패시브한 난방에너지를 적극적으로 이용하지 못하게 된다. 또한 과잉 공급된 일사 에너지는 환기를 통해 손실하는 한편 여름에는 국지적으로 더 많은 냉

사진 218 덧문을 닫은 상태

사진 219 동측 입면 미서기 덧문을 개방한 상태

사진 220 동측 입면 미서기 덧문을 닫은 상태

사진 221 서측 주방 차양을 개방한 상태

사진 222 서측 주방 차양을 닫은 상태

방에너지가 공급되어야 하는 아이러니한 상황에 빠질 수 있다. PHPP는 여름 냉방 부하 계산 시 축열 성능을 고려하지 않는다. 하지만 이런 부수적인 축열 요소가 실제로는 2~3W/m² 정도[147]의 부하를 줄이기 때문에 우리나라의 여름 기후에서는 중요한 설계요소가 된다. 반면 겨울철 난방에너지 요구량에 미치는 구조체의 축열 성능은 큰 영향이 없다고 본다[148].

매스컴이나 패시브하우스에 관심이 많은 건축주들이 패시브하우스는 더운 여름에도 실내가 아주 쾌적하다고 말하는 경우가 종종 있다. 일반 건축물뿐 아니라 패시브하우스 공법으로 지은 건물이라도 낮 시간 동안 저장한 열을 밤 시간대에 충분한 환기를 통해 외부로 배출하지 않는다면 곧바로 쾌적 범위를 벗어나게 된다. 이는 낮 시간 동안 햇빛 차단 장치를 아주 적극적으로 활용해도 마찬가지다. 이런 일이 우리나라 여름에선 흔히 있는 일이라 액티브한 냉방과 제습 장치와의 연동은 반드시 필요한 설비요소라고 할 수 있다.

보통은 특별한 조치가 필요하지 않지만 패시브하우스에 사는 건축주라면 여름철에는 환기에 특히 신경 써야 한다.

- 일교차가 있어 환기할 때, 한 공간에서만 혹은 한쪽의 외피에서만 창호를 개방하는 것이 아니라 맞바람이 통하도록 환기하는 것이 중요하다.
- 외기 온도가 실내보다 더 낮아지는 여름철 밤이나 새벽 시간대에는 온도가 더 높은 실내 공기와 자동으로 섞이지 않고 바로 실내로 공기가 유입되는 공기조화기의 bypass 기능이 정상적으로 작동하는지 확인해야 한다.
- 외기 온도가 낮을 땐 자연 환기를 적극적으로 활용해야 한다. 공기조화기 성능(1~2회)을 아무리 올려도 자연 환기(5~10회 이상)를 통한 실내공기 교환 성능에 비해 많이 부족하다.

⑤ 작은 제습 실험

'인위적인 액티브 에너지 소비 없이 자연적인 방법으로 실내 제습이 가능하다면?'이라는 질문을 던지면서 작은 테스트를 진행해 봤다. 제일 먼저 생각한 것은 습기를 먹으면 색깔이 변하는 실리카겔(silica gel, SiO_2)이다. 실리카겔은 표면적이 약 600m²/g(비표면적)으로 많은 양의 공기 중 수증기를 흡수할 수 있다. 또한, 색깔이 변하면 열을 통한 재생 과정을 통해 다시 원 상태로 돌아가게 하는 물성을 가진다. 물론 너무 높은 열을 가하면 성분이 파

147 PHPP Workshop 교육자료, 2014

148 Ein Vorschlag zur Heizlastauslegung im Passivhaus, Carsten Bisanz외 4, p. 7, 1999

괴되기도 한다. 그래서 생각한 것이 공단 지역에서 열을 사용하는 기업이나 피자 가게처럼 화덕을 사용하는 곳에서 재생하면 어떨까 고민하기도 했다. 어차피 폐열을 이용하는 것이기에 추가적인 에너지가 소비되지 않는 장점이 있지만 문제는 이를 상품화하는 것의 어려움이었다.

2015년 여름, 건축주는 300kg의 실리카겔을 주문해 2층 자녀 방에 두고 실내 상대 습도의 변화를 모니터링 했다. 결과는 예상 밖이었다. 약 70%를 보이던 실내 상대 습도가 설치 후 바로 50%에 근접했고, 약 보름 후에는 다시 70%선으로 올라간 것이다. 이론적으로 제습이 필요한 시기에 열흘 간격으로 교체한다면 자연 제습이 가능하지만 배달과 설치 등을 고려한다면 현실적인 대안은 되지 못한다. 이 정도의 양을 집안 곳곳 눈에 띄지 않게, 내부 장식을 고려해 설치하는 것도 그리 쉬운 일은 아니다.

하지만 또 하나의 이론적인 가능성은 열려 있다. 이런 흡수가 잘 되는 소재인 황토 혹은 규산칼슘(Calcium Silicate[CaSiO2])를 건물 전체에 충분한 양으로 분포한다면, 여름철 실내 수증기가 표면에서 일차적으로 흡착(Adsorption)된 후 구조체 내부로 흡수(Absorption), 가을부터 실내에 다시 배출(혹은 탈착, Desorption)된다면 여름철 실내 습기를 제어할 수 있다는 계산이 가능하다.

이는 모세관 현상이 있는 재료라면 충분히 가능성 있지만 실내 상대 습도 60~80%에서 흡착이 좋은 물성이라야 할 것이다. 구조체와 단열재 사이에 발생되는 결로수가 자재의 미세 공극을 채우면 수증기는 이 지점에서 내부로 향하고 결국 표면에서 증발하기 때문이다. 여기서 결로수를 여름 동안 흡수한 수증기로 본다면 가을부터 겨울철 난방하는 동안 실내로 수증기가 증발할 수 있다는 이론적 응용이 가능해진다. 만일 이것이 실현된다면 여름철 실내에는 별도의 제습 장치가 필요 없게 된다.

하지만 문제가 될 사항은 그 수증기를 저장하는 최대 깊이가 될 것이다. 또한, 여름은 보통 외부가 덥기 때문에 수증기 압이 외부에서 내부로 향하는데 실제 기대할 수 있는 조습 성능(수착, Sorption, 收着)은 주로 실내 공기에 면한 표면에서만 가능하다는 것도 검토되어야 한다. 적합한 조습 면적을 구하는 것도 중요하다. 몇 가지 변수가 있지만, 실내 수증기량을 줄일 수 있는 합당한 깊이와 재료, 면적을 찾게 된다면 좋은 결과를 만들어낼 수 있음에는 틀림없어 보인다. 이론적인 가설이지만 높은 습도의 문제를 안고 있는 우리나라 여름 환경에는 한 번쯤 고려할 만한 연구과제이다.

남겨진 숙제

제6장

1. 전문가들이 참여하는 건축 설계 및 시공
2. 현장 감독 및 감리
3. 제로/플러스에너지 건물
4. 건축주의 고민
5. 건축주 후기
6. 건축가 후기

연구 과제는 두 가지를 목표로 한다. 첫째는 경제성, 둘째는 적용이 간단한 쉬운 조합이다. 건축 설계를 뒷받침하기 위해서는 기술적인 요소의 개발도 필요하지만 쉽게 구할 수 있는 경제적인 자재와 설비가 무엇보다 중요하다. 이런 좋은 조합이 대규모 건설업체에는 잘 알려져 있는지 모르겠지만 단독이나 다가구주택, 소규모의 비주거 건물에는 아직 부족한 실정이다.

국내 에너지 절감에 관한 법률의 발전은 현실과 괴리가 있다고 생각한다. 근본적인 문제 해결에 집중하는 방향이 아니라 필요 이상의 스펙을 요구하고 너무 복잡하게 다루어 관계자 면피용처럼 느껴진다. 건축가가 에너지 절감에 대한 전체적인 그림을 그리지 못한 채 모두 외주를 주고 국가 기관이 간섭하듯 검토하는 방식은 이해하기 어렵다. 전문가 직인이나 서명으로 통과되는 것이 아니라 전수 조사한다는 것은 다른 말로 전문가 의견을 존중하지 않는 사회적인 분위기를 반영할 뿐이다.

법령 자체부터 서로 맞지 않는 부분이 있고 국제적인 비교도 제한적으로만 가능하다. 학계나 학회의 주류가 발표하는 논문과 그들의 연구과제 결과에 준해 법령을 제안하고 진행하는 경우가 많다. 문제는 이들이 어디서 학위를 받았고 어떤 방향의 논문을 발표했느냐에 따라 한 국가의 법령의 방향이 달라진다는 것이다. 이렇게 되면 이미 국제학회에서는 사라진 이론 혹은 한 국가에서만 지배적인 이론으로 용인되는 빈약한 근거를 그대로 답습하는 경우도 생길 수 있다.

실제 현장에서 작업하는 직능인들에게는 사실 박사학위 수준의 난해하고 어려운 조항이나 문서 작성은 필요 없다. 법령을 정하는 사람은 이런 사항을 미리 고려해 아주 쉽게 제안해야 한다.

가장 기본적인 사항만 기준으로 정리해도 건축 환경이 지금보다는 좋아질 것이다. 이런 간단한 사항은 연구과제로 책정되지 못한다. 국가 R&D 연구과제로는 특허 취득, 국제 경쟁력, 시장 가치 등 실무와 동떨어진 키워드가 선호된다. 여러 종류의 단열재가 어디에 사용되는지, 질적 확보는 어떻게 이뤄지고 어느 공법과 조합이 가능한지, 이러한 것들을 제대로 정한 기준이 아직 없다. 현장에서는 단열재가 휘어지고 볼륨이 줄어든다는데 현장 엔지니어나 감리자는 무게만 측정할 뿐이다. 이것이 우리 건축 현장의 민낯이다.

시공 현장에서는 EPS 계열의 단열재를 적용할 경우 7주간 숙성해서 단열재의 오차를 줄이고 접시 현상 발생을 억제하려고 노력해야 한다. 현실에서는 이 기본적인 숙성 기간을 지키는 생산업체 찾기도 거의 불가능하다.

그렇다면 다른 기술적인 방법을 찾아야 한다. 어느 회사가 이런 막대한 양을 창고에 7주 동안이나 숙성시킬 공간이 있겠는가? 가뜩이나 좁은 우리나라에선 사실상 불가능하다. 만일 한다면 이는 희생에서 비롯된 것이다. 그리고 이런 숙성 방법조차도 이미 외단열 미장 공법에서 기술적 기준을 맞추는데 오차가 있어, 중유럽 단열재 회사들은 사용하지 않은지 오래다. 눈을 정확히 돌려야 할 때다.

건축계는 현안 이슈에 너무나 쉽게 흔들리고 문제의식은 빨리 식어버린다. 실내 미세먼지, 라돈, 방화 문제 등의 사회 이슈가 바로 그것이다. 가만히 들여다보면 문제의 90% 이상은 기초 데이터 미확립, 현실 적용과 응용, 해석의 부족에 기인한다. 그러니 전문가들의 말에 힘이 실리지 않는다. 세계보건기구, 세계기후협회, 미국은 무엇이라 말했다며 인용하지만 정작 우리의 기준은 없다. 기초 연구의 부족함에서 오는 결과다.

사실 현재 주택 시장에서 패시브하우스와 같은 고효율 주택을 많이 만들어내고 독일 PHI 인증리스트에 올라가는 것이 중요한 것이 아니다. 아주 기본적인 기준 정립부터 시작해야 한다. 모든 것을 묶어 큰 그림을 그릴 수 있는 컨트롤 타워가 필요하다.

1. 전문가가 참여하는 건축 설계 및 시공

대부분 건축주가 설계비와 시공비가 소요된다는 것은 알고 있다. 하지만 패시브하우스를 위한 컨설팅 비용을 따로 책정하는 것은 대단한 결심이 아니고선 추진하기 어렵다. 건축가가 패시브하우스를 설계하고 에너지 컨설팅 및 시뮬레이션 툴 사용까지 한다면 다행이지만 그렇지 못한 경우 관련 비용이 증가하는 것은 당연하다.

구조나 설비 기술사의 비용 견적은 면적과 구조에 준해 책정하는 것이 일반적이다. 허가 도면만 작업하고 실시 단계에서 구체적으로 협의한 내용은 도면에 반영되지 않는다. 추가 비용을 지불하지 않기 때문이다. 특히 구조의 경우 처마를 설치하거나 열교 없이 발코니나 기타 시설을 계획할 때 구조전문가의 적극적인 지원을 받기 어렵다. 그런 이유에서 건축가는 건축주를 도와 계약서상에 구조 및 설비전문가들이 해야 하는 일의 영역을 좀 더 구체적으로 언급할 필요가 있다. 타공 도면 검토나 타설 도면 같은 것은 원래 구조기술사가 하는 것이 맞지만 필자의 경우 직접 작성한 경우가 흔하다.

가급적이면 어느 정도 자문비를 주더라도 패시브하우스 시공 경험이 있는 시공사의 협조를 받는 것이 좋다. 건축가 역시 마찬가지다. 건축가는 보수적인 한편 불필요하게 콧대가 높을 때가 있다. 작성한 건축 도서의 문제점이 제기되면 시공사가 현장에서 잘 알아서 할 거라고 합리화하는 경우도 비일비재하다.

패시브하우스 경험이 없다면 들을 준비가 되어 있어야 한다. 단순히 '단열재만 두껍게 하고 성능 좋은 창호를 설치하고 공기조화기를 달면 되겠지'라고 접근한다면 일반적인 건물과는 질적인 차이를 보이겠지만 우리가 목표로 하는 패시브하우스와는 거리가 있는 결과를 낳을 것이다.

건축비 책정을 위해 많은 시간을 투자하는 것은 중요하다. 그러나 그보다 어떤 전문가를 섭외할 것인지, 참여 정도는 어디까지로 정할 것인지 더 시간을 들여 고민해야 한다. 패시브하우스는 합당한 전문가를 만나는 것이 제일 중요하다.

2. 현장 감독 및 감리

설계와 시뮬레이션을 통한 검증도 중요하지만, 시공사 대표와 현장 담당자의 목표에 대한 확고한 신념이 더 중요하다. 패시브하우스란 무엇인지 이해하기 위해 한국패시브건축협회의 교육과정을 이수하는 시공사라면 일단 대화할 자세는 되어 있다고 생각한다.

아인슈타인은 '안다는 것은 어디에 무엇이 있는지 아는 것'이라 말한 바 있다. 처음 독일에서 패시브하우스라는 목표 아래 건물을 지을 때, 간혹 '패시브'라는 말을 빼고 시방서나 계약서를 작성하는 경우가 있었다. 경험해보지 못한 것에 대한 막연한 두려움 탓에 시공비를 올리는 폐단이 있었기 때문이다. 우리나라도 별 차이는 없을 것이다. 구체적인 목표치, 반드시 지켜야 하는 사항을 계약서상에 기재해서 추후 예상되는 문제에 대비하고 핑곗거리를 줄이는 것이 좋다.

많은 건축주는 감리라는 용어를 잘못 이해하고 있다. 감리는 법적으로 필요한 최소한의 사항만 도면에 근거해서 살펴보는 것이다. 도면이 잘못되었는지, 결로가 생기는 디테일인지, 내구성이 떨어지는 방수시스템인지, 층간 소음이 발생하는 구성인지 세세하게 검토하지 않는다. 감리가 그런 질적인 부분까지 살펴본다면 현관 바닥에 층간 소음재가 없거나 설비 배관이 아랫집 화장실 천장을 지나가는 일은 없을 것이다. 마찬가지로 시험성적서와 다른 성능의 창호가 왔을 때 감리자는 되돌려보내는 것이 맞다. 그 시험성적서의 창호가 현장에 시공된 창호와 동일 품질일까? 물론 크기는 같거나 비슷할 것이다. 감리자는 설계도서에 준한 시공을 하는지 얼마나 체크하는가? 만일 설계가 잘못 되었다면?

필자는 국내법을 잘 모르지만, 재독 건축가의 시선으로 바라봤을 때 현장 감독이 아닌 감리자의 업무를 솔직히 이해하기 어렵다. 부실 공사를 줄이기 위해 제3자가 감리자로 현장에 나오는 것이 행정상으로는 이해가 되지만, 엄격한 의미에서는 불필요한 과정이라 생각한다. 이 일은 설계자가 해야하는 본연의 업무다.

건축설계자를 믿지 못해서 잘못될 소지가 있다면 감리자를 통할 것이 아니라 건축가가

져야 할 책임을 더 강화하면 될 일이다. 어떤 편법이나 불법 혹은 부실 공사 시 건축가나 시공사가 감당해야 할 책임이 법적으로 명확하다면 문제가 줄지 않을까. 특히 포항 지진을 경험한 뒤로는 뭔가를 개선하기 위해 관련된 사람들의 손을 묶어 두고 규제만 강화하는 인상을 받는다. 과연 무엇으로 규제하고 감독하려는지 묻고 싶다. 정작 건축가가 해야 할 일은 지속적으로 줄고 있다. 이는 오히려 건축의 질이 퇴보하는 방향이 될 것이고 현장을 모르는 건축가는 늘어날 것이다.

건축이란 최상의 재료를 모아둔다고, 합당한 재료와 자재를 사용한다고 좋은 건축을 담보하지는 않는다. 다만, 그럴 가능성이 높아질 뿐이다. 이제는 규제가 곧 품질이라는 최면에 걸려 있는 것은 아닌지 돌아볼 때다.

3. 제로 / 플러스에너지 건물

제로에너지, 플러스에너지 건물이라는 용어가 자주 들린다. 좋은 현상이라 보고 신재생에너지 투입이 지속적으로 확대되는 것에는 동의한다. 국가적인 지원 프로그램도 적극 알아보고 이를 적용하는 것도 권한다.

한편으로는 '왜 신재생에너지를 설치하는가'하는 원론적인 질문을 할 필요가 있다. 단순히 내가 소비하는 에너지를 100% 자가발전을 통해 사용하는 것이 목표라면 그것은 잘못된 방향이다. 태양광 모듈이나 집열판은 일차에너지 소비가 높은 종목이다. 수명이 다 되었을 때 이를 리사이클링하는 것에 대한 연구도 미비하다. 또한, 설비 시스템이 발전하는 속도를 본다면 고가(高價)의 사전 설비에 투자하는 것은 그리 효율적인 접근이 아니라고 본다. 따라서 제일 먼저 설비 용량 자체를 줄이는 것이 목표가 되어야 하고 필요한 만큼만 설비에 투자해야 한다.

건축 구조 선택도 마찬가지다. 모든 경량목구조 목재는 브라질, 러시아, 북미 그리고 동유럽 등으로부터 거의 수입한다. 이를 위해 보통 배편을 이용한다. 연료를 소비하기 때문에 일차에너지 사용 면에서 친환경적이냐는 질문에 쉽게 답하기 어려워진다. 목재가 천연 자재이기는 하지만 부족한 물성을 보완하기 위해 화학약품 처리도 한다.

철근콘크리트조 역시 국내에서 생산한다 해도 이미 생산 단계에 사용된 일차에너지가 패시브하우스가 평생 사용해야 하는 에너지의 양에 육박한다. 그렇다고 시멘트 블록으로 중간 합의점을 잡아야 할까? 내진 구조에 대한 소비자의 불안함이 걱정이다. 따라서 독일 PHI에서 말하는 진정한 친환경은 우리가 받아들이기에 요원한 것은 아닐까. 어쩌면 이미 바탕부터 다른 조건에서 시작해야 할지 모른다.

이런 논리라면 아무것도 하지 않는 것이 제일 친환경적인 건축일 것이다. 출발부터 불리한 우리 환경에서 주어진 선택지는 한 가지다. 건물의 생애주기를 고려해 에너지를 적게 소비하는 방법을 찾고 내구성이 좋은 구조를 선택하며 그에 대한 세부 계획을 세우는 것이다. 궁극적으로 설비나 액티브 에너지를 비롯한 신재생 에너지에 대한 투자를 줄여야 한다. 우리가 만들어가 할 건물은 에너지 요구량을 1로 만들어 1만 투자하게 하는 것이지 100을 100으로 메워야 한다면 실패한 계획이다. 결과는 같은 0이라도 그 과정이 다르기 때문이다.

에너지 성능이 떨어지는 건물을 제로/플러스에너지 건물로 탈바꿈하는 것은 어렵지 않다. 눈에 확연하게 드러나기 때문에 정치권에서도 선호하는 방향이다. 그러나 건축물 자체의 에너지 세이브 기술은 눈에 보이지 않고 디테일이나 노하우도 숨어 있다. 누구나 할 수 있을 것으로 보여도 시간과 비용, 기술이 필요한 일이다.

미세먼지를 줄이는 것이 목표가 되어야지, 이미 발생된 미세먼지를 포집하거나 필터를 사용하는 것이 진정한 방법은 아닐 것이다. 목표 설정도 중요하다. 내가 이루고자 하는 목표치가 내가 필요한 것과 같아야지 그 이상으로 한다면 결국 낭비가 된다. 일 년에 한 번 사용할까 말까한 손님방을 계획한다든가, 불필요하게 용량이 큰 공기조화기를 설치하는 것과도 같은 맥락이다. 이왕 하는 것이니 가급적이면 크고 좋은 최고만 가지려고 하는 것은 자연스러운 본능일 수 있다. 그러나 이런 요소들이 늘어날수록 정말 중요한 곳에, 눈에 보이지 않는 곳에 사용할 시공비는 점점 줄어든다. 목표치를 정확히 정해서 필요한 만큼만 효율이 있는 것을 사용하는 것이 진정한 친환경이고 지속 가능한 발전이며 경제적인 접근이다.

이런 면에서 필자는 건축주에게 단호하게 대한다. “비싸면서 좋지 않은 집은 있지만, 싸면서 좋은 집은 없다”라고 말한다.

4. 건축주의 고민

과연 이 건축가를 믿을 수 있을까? 과연 이 시공사를 믿을 수 있을까?

건축잡지에 많이 등장하고 직원도 많고 어디 학교 건축학과 객원 교수도 하고 학회 활동도 많고 어느 시의 건축자문위원이고, 상도 많이 받은 것 같은데, 과연 믿을 수 있을까? 좋은 건축가의 기준보다 가급적 피해야 할 건축가 리스트를 체크하는 것이 더 효과적일 수 있다.

예를 들면 실시 도면을 그리지 않는다거나 전문가 자문이 별 것 아니라고 말한다거나 건축주보다 자기의 건축 언어를 지나치게 강조하는 경우 등이 있다.

세분화된 도면과 견적서, 계약서에 서명했음에도 섣불리 달려들었다가 결국 후회하면서 그동안의 관습대로 시공하고 건축주와 끝내 법정 소송으로 가는 경우도 보았다.

수많은 건축주가 과정이 잘못 진행되는 줄 알면서도 어찌할 바를 모르기도 하고 그냥 좋은 게 좋은 것이라며 넘어가기도 한다. 딱히 물어보거나 고민을 털어버릴 곳이 없는 것이 갈등이 촉발되었을 때 이성적 대화보다 감정싸움으로 번지는 경우가 많다.

심한 경우 건축주 동의 없이 단열재 종류와 두께를 바꾸는 '용감한' 시공사도 있다. 지금까지 통했고 누구 하나 문제 삼는 사람이 없었기에 가능했던 것이다. 문제가 커지는 게 귀찮아 그런 시공사를 두둔하는 건축사도 있었다. 이런 상황에서 전문가가 아닌 건축주는 이러지도 저러지도 못하는 아주 애매한 상황을 맞기도 한다. 눈에 보이는 결과물인 인테리어로 시공사나 건축가를 골랐을 때 마주하는 현실이다.

그렇다면 이러한 건축 환경 속에서 패시브하우스를 짓고 싶은 건축주에게 합리적인 대안은 무엇일까. 필자는 안전 장치를 두라고 말하고 싶다. 한국패시브건축협회 혹은 IPAZEB(패시브제로에너지건축연구소)와 같은 기관에 의뢰해서 설계 단계부터 시공 과정 그리고 마지막 검증까지 자문 컨설팅을 받는 것이 현실성 있는 대안이라 본다. 만일 이 비용이 망설여진다면 운과 우연에 맡길 수밖에 없다. 현재의 건축 현실을 간접적이나마 경험하고 싶다면 한국패시브협회 홈페이지에 매일 같이 올라오는 설계 혹은 하자 관련 질문 코너를 10분만 읽어 보길 바란다.

분양하는 공동주택이나 타운하우스, 협동조합 주택 등은 공동으로 전문가에게 용역을 주어서 공사 관련 도서나 계약서를 바탕으로 점검하는 것도 좋은 방법이라 생각한다. 다만, 전문가의 견해가 나와 다르다고, 건축 도서에는 문제가 없는데 개인적으로 마음에 들지 않는다는 이유로 재시공을 요구하는 것은 반드시 피해야 할 사항이다.

5. 건축주 후기

지난가을쯤 제가 사는 집을 주제로 건축가가 글을 준비하고 있다는 얘기를 접하고는 무슨 얘기를 쏟아낼까 무척 궁금했습니다. 연초에 원고가 나왔다며 이메일로 보낼 테니 읽어보라는 얘기와 짧은 후기를 부탁받았습니다. 그런데 웬걸. 원고를 받아보니 분명 제 집을 주제로 한 얘기라고 했는데 제가 모르는 얘기가 더 많더군요. 온갖 기준, 법규, 기술, 사례에다 끝도 없이 복잡한 숫자들에 눈이 돌아가는 줄 알았습니다.

건축에 관한 지식이 일천한 예비 건축주들에게 이 책이 쉽지는 않을 것이라 생각됩니다. 집짓기 후기 성격의 다른 책들과는 내용과 구성도 무척 다르다고 느낄 겁니다. 앞뒤 자르고 결국 '내가 이랬더니 참 좋더라'라는 미사여구의 나열 같은 뻔한 시나리오와는 분명 차이가 있죠. 설령 건축을 전공한 분들도 알지 못했던 부분들이 있었음을 이 책을 통해 자각할 기회가 되기를 희망합니다.

이 책은 에세이나 교과서가 아닙니다. 굳이 분류하자면 전문서적이라고 봐야 할 겁니다. 패시브하우스에 관한 기준과 기술, 사례에 관한 얘기니까요. 그렇지만 글을 읽다 보면 제가 그동안 봐왔던 전문서적들과는 느낌이 또 다릅니다. 일반 전문서적은 원인과 결과 또는 추론-과정-결론-검증으로 포맷이 정형화되어 있고 내용도 건조하고 단순합니다. 그런데 뭐랄까. 편식하는 어린 자식에게 부모가 밥을 떠먹이는 심정 같은 게 느껴졌습니다. 엔지니어링에 대한 콘텐츠가 뼈대를 이루고 있지만 한국 건축계 및 주택 시장 개선에 대한 간절함이 곳곳에 살이 되어 붙어있는 것 같습니다.

홍도영 건축가는 한국 국적은 있지만, 우리나라 사람이 아닌가 싶을 때가 있습니다. 유머와 해학 위트가 없을 때 특히 더 그렇게 느낍니다. 제가 농담을 해도 잘 알아듣지를 못하죠. 절박한 심정으로 독일에 이메일을 보내고 어렵사리 설계 계약을 성사시킨 뒤 조국을 방문한 자리에서 홍도영 건축가는 "제가 우리나라를 떠나는 비행기에 오를 때, '점 하나 선 하나라도 이유 없이 그리지 않는 건축가가 되겠다'는 결심을 하고 떠났습니다"라고 제게 말한 적 있습니다. 좋은 얘기를 많이 듣고 살아서인지 당시에는 별 감흥이 없었습니다. 그러던 어느 날 설계 초기에 사건이 하나 있었는데 아래 그림과 관련이 있습니다.

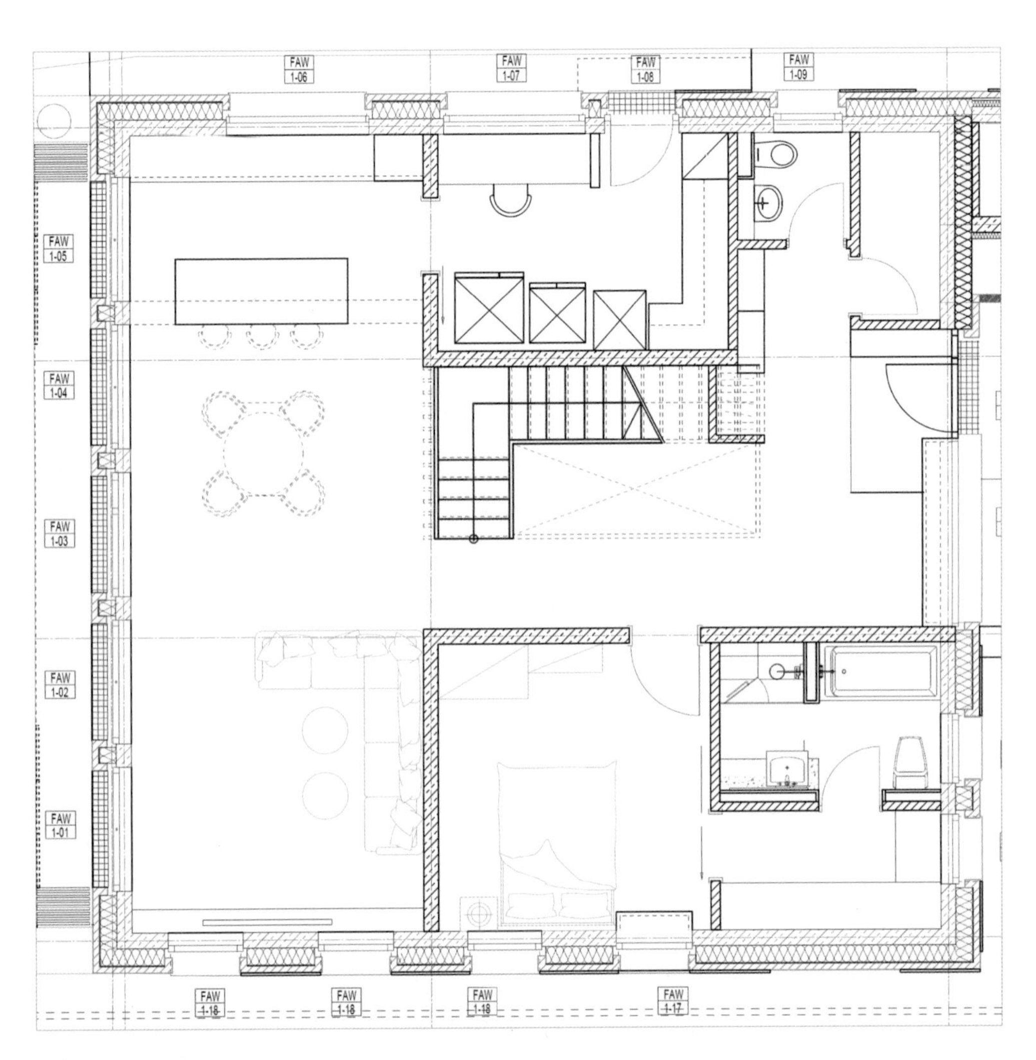

람다패시브하우스 1층 평면도

집을 설계한다면서 초안을 잡아 몇 가지 스케치를 보냈는데 각각의 평면 구성마다 가구 배치안을 꼭 서너 개씩 끼워 넣었습니다. 침실의 침대는 어디에 어떤 방향으로 놓는 것이 좋은지, 식탁은 어디에 놓는 것이 좋은지, 여러 안을 스케치해서 보내는 것입니다. 마지못해 답변하면서도 마음속으로는 '나도 몰러, 시방 집도 안 지었는데 무신 가구 배치 얘기를 하고 있어? 그건 내가 나중에 알아서 할 테니 하라는 설계나 좀 집중하시지' 솔직히 그렇게 생각했습니다. '점 하나, 선 하나도 이유 없이 그리지 않는 건축가가 되겠다'는 결심을 하고 떠났다면서 쓸데없는 짓을 하고 있다고 여겼던 것이죠. 결국 그 말이 허언이 아니었다는 것을 뒤늦게야 깨달았습니다.

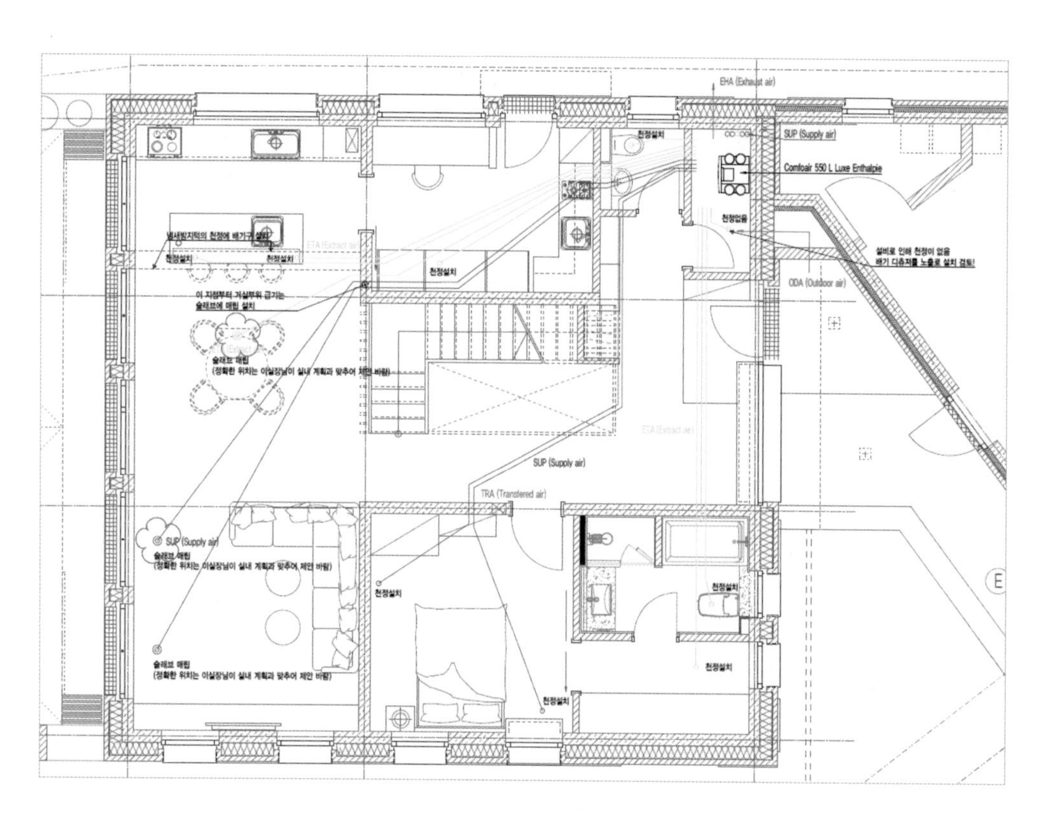

공조기 급·배기구 설치 계획

처음 그림과는 달리 두 번째 그림에는 공조기의 급·배기 관로와 디퓨져 위치가 그려져 있습니다. 쾌적한 실내 환경에 필요한 신선한 공기를 각 실에 공급하고 사용하고 난 공기를 열회수환기장치로 보내 에너지를 회수한 후 내보내는 것에 관한 설비 계획입니다. 홍도영 건축가는 이것을 결정하면서 몇 가지를 고려했다고 설명했습니다. 첫 번째는 필요한 공기량, 두 번째는 이를 위한 급·배기구의 숫자, 세 번째는 급기구의 위치입니다. 기준에 따라 침실에 맞는 공기량을 산정하는 것은 아주 기본적인 것이지만, 디퓨져에서의 소음을 최소화하기 위해 배관 한 개가 아니라 2~3개로 나눠 공기량을 분리함으로써 공기 유속과 난류에 의한 소음을 줄이고자 했습니다. 또한 급기 디퓨져가 침내 머리맡에 가지 않도록 침대 위치를 조정해 겨울철 상대적으로 낮은 온도의 외부 공기가 직접 얼굴에 닿아 불쾌감을 주지 않도록 방지했습니다. 여기에 가급적 창호 인근에 급기구를 배치해 습도가 낮은 공기를 공급함으로써 혹시 모를 창호의 결로 위험을 최소화하고자 했습니다. 그러니까 침대 위치가 처음부터 상담의 대상인 것은 너무나 당연한 것이었죠. 한참 지난 나중에야 공조기 배관 계획을 보고 깨달았습니다.

'뼛속까지 철두철미한 사람이구나'라는 생각이 드는 사건은 이것 말고도 참 많았습니다. 오죽하면 건축주가 내 돈 주고 고용한 건축가에게 '일 처리 제대로 못했다'고 혼이 날까 봐 도망 다닐 판이었으니까요. 집을 다 짓고 이삿짐을 나를 때 이 도면을 뽑아서 이삿짐센터 사장님께 드렸습니다. "이대로 배치 하세요."라고 했더니, "이삿짐센터 20년 만에 가구 배치도를 도면에 그려 주는 경우는 처음 봤다" 하시더군요. 제가 그린 것도 아니고 이삿짐 정리 편하게 하자고 그린 것도 아니지만 지금까지 딱 이대로 삽니다.

패시브하우스에 대한 정의나 설명은 다양한 것 같습니다만 제가 보기에는 '답을 계획하는 집'인 것 같습니다. 건축물리학적 관점에서 어떤 집에 살겠다는 것을 미리 그리고 철저히 계획하고 그 계획한 '답'대로 집을 짓고 삶을 영위하는 것 말입니다. '살아보니 이렇더라'가 아니라 '나는 이렇게 살겠다'라고 미리 선언하고 정한대로 사는 것입니다. 그런 점에서 집은 패시브지만 어쩌면 그런 집을 선택하는 인간은 상당히 액티브한 성향을 가졌다고 볼 수도 있겠습니다. 저는 이 정의에 부합하지 않은 집은 패시브하우스가 아니라고 생각합니다. 하다보니 얻어 걸리는 것은 이 세계의 언어가 아닌 것이죠.

대개 그럴 것입니다만 저 역시도 애초부터 패시브하우스를 계획했던 것은 아닙니다. 에너지 절약? 제게는 그렇게 와 닿는 이슈가 아니었습니다. 그런데 건축 계약을 하기는 해야겠는데, 내가 줄 수 있는 돈은 확정되어 있는데, 반대로 받아야 할 내 집이 무엇인지는 천 갈래 만 갈래로 해석될 수 있는 그런 계약서에 도장을 찍을 수는 없었습니다. 몇십만원짜리 옷을 사도 눈으로 보고 입어 보고 사는데, 동대문으로 용산으로 발품을 팔고 다니는 세상인데 예상하지도 못할 집을 상정하고 계약을 할 수는 없었습니다.

패시브하우스가 제 눈에는 '계획된 답'을 찾아갈 수 있는 유일한 길로 보였습니다. 최소한 무엇을 할 것인지 설명이 되는 세계로 보였습니다. 화려한 집, 누구에게 자랑하고 싶은 집에 욕심이 있었던 것도 아니고 제가 부자가 아니었기 때문에 하자고 하는 것, 할 수 있는 것을 모두 구현한 것도 아닙니다. 하지만 제 눈 앞에는 정직한 식당의 차림표처럼 선택할 수 있는 디테일이 주어졌고 제가 '답'을 결정할 수 있었습니다.

생각해 보니 홍도영 건축가에게 첫 메일을 보낸 것이 2013년으로 이제 만 6년이 다 되어 갑니다. 건축에 몸 담지 않은 건축주와의 만남이라고 했을 때 인연이 길게 이어지고 있는 셈이죠.

홍도영 건축가와 저는 당초 맺은 계약이 있습니다. 그 계약은 아직 종료되지 않았습니다. 이제 끝을 볼 때가 된 것 같습니다. 당초 계약 시 건축 후 양자가 결과물에 각자 기대했던 목표치에 얼마나 근접했는지에 대해 자필로 기입하고 서명하는 것으로 계약을 종료한다는 조건을 달았습니다. 제 점수는 90점입니다.

8. (특약)

건축물이 준공한 후에 계약 당사자는 아래 각 호에 대하여 계약서 본문에 수기로써 그 결과를 표기해야 한다.

(1) 홍도영 : 건축설계시 당초 예측한 목표에 부합하는 정도(0-100) : (서 명)

(2) 손태청 : 건축계획시 당초 희망한 목표에 부합하는 정도(0-100) : (서 명)

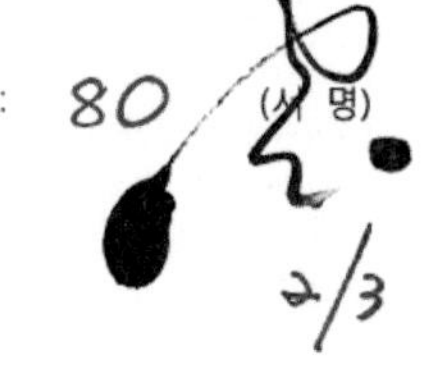

제가 말귀를 알아듣지 못했거나 혹은 알아들었어도 이행하지 않았거나 또는 이행하고자 했어도 그 결과가 미흡했거나 어쨌든 람다패시브하우스는 제가 계획했던 '답'이라 말할 수 있지만 패시브하우스의 답이라 볼 수는 없을 것입니다. 남은 숙제가 분명히 있는 것이죠. 그래서 90점을 주었습니다. 그러나 계약서에는 80점으로 표기하였습니다. 그 이유는 홍도영 건축가가 람다패시브하우스에서 확인된 남은 숙제를 또 다른 건축에 풀어서 설령 100점의 자격을 갖춘다 하더라도 더 나은 미래의 답을 찾기를 바라는 마음에서 10점을 감하였습니다.

예비 건축주분들께 한 말씀 올립니다. 믿음이나 신뢰라는 단어는 좋은 의미를 가지고 있습니다. 그러나 제가 보기에 일이 잘못된 후 "나는 믿었다"라고 하는 말은 종종 일이 제대로 되게 하기 위해 자신이 해야 할 일을 제대로 하지 않은 것에 대한 변명으로 들립니다. 믿었다는 것은 그 앞에 '무엇을'이라는 대상을 필요로 합니다. 그러나 그 대상이 정확하게 정해지지 않았다면 그 믿음은 책임 회피나 변명이 되어 버립니다. 그 애매한 약속에 혹 내가 준 것보다 더 많은 선물이 돌아올지 모른다는 허황된 욕심은 없었는지 되물어 봅니다.

낙담한 건축주의 '나는 믿었다'는 말과 무능한 군주의 입에서 나온 '내 분명히 얘기했다'는 제가 보기에 다르지 않습니다. 믿음과 신뢰는 관계에 놓인 당사자들 간의 부단한 상호 작용에 의해서만 견인되는 것이라 생각합니다. 세상에 공짜 점심은 없듯이 건축에도 돈 안 받고 못 하나 더 그냥 박아줄 일은 없을 것입니다. 줄 것은 주고 받을 것은 받고, 뭘 줄 건지 뭘 받을 건지 치열하게 고민하시기를 권합니다. 이도 저도 다 귀찮고 능력도 안 되고 바쁘지만 그래도 집은 제대로 짓고 싶다면 별 수 없습니다. 이 책 맨 첫 장을 보시길 바랍니다. 건축주가 해야 할 고민을 대신하는 것으로 삶의 낙을 삼는, 고지식한 이의 이름이 하나 박혀 있을 겁니다.

6. 건축가 후기

여기에 언급된 내용을 건축주 혹은 건축가가 모두 이해하기는 어려울 것이다. 건축이라는 것은 많은 것이 서로 얽혀 있고 어떤 결정을 내리는지에 따라 그 결과가 달라지기 때문에 정답을 내리는 것도 불가능하다. 그럼에도 그동안 여러 프로젝트를 진행하면서 가장 근접한 최상의 답을 찾고자 노력했다. 평생 한 번 보금자리를 지으려는 건축주들에게 어떤 것이 가장 필요할까? 그리고 그것을 어떻게 전달할 수가 있을까? 건축주들이 걱정 없이 집을 지을 수 있는 시스템은 없을까? 끊임없이 질문했다.

건축주는 전문가가 아니다. 그리고 건축에 대해 잘 안다고 해도 일부분에 불과하다. 건물을 설계하는 건축가도 마찬가지다. 건축가는 건축(Architecture)이라는 말의 어원처럼 예술적인 창작을 하는 사람이지만 더불어 코디네이터(Coordinator)이다. 창작뿐 아니라 코디네이터의 역할에 최선을 다하기 위해서는 관련 전문가의 의견을 듣고 이를 조율하는 자세가 중요하다. 하지만 적은 설계비로 원하는 팀 구성을 이루기는 불가능하다. 그렇다면 제대로 된 팀이 없어도 건축주가 안심하고 집을 지을 수 있는 방법은 있어야 한다. 이에 대한 개인적인 생각을 적어보려고 한다.

독일에서 지난 16년간 설계와 시공 그리고 하자 관련 일을 하면서 느낀 소감은 1996년 독일로 유학을 오면서 던진 질문에 대한 답과 같다.

우리나라에서 우루과이라운드로 어수선할 때 건축계의 고민은 컸다. 다른 국가와의 경쟁력 싸움이 문제였다. 경쟁력 수치가 참담하다는 말이 들려왔다. 자존심이 상했다. 밤을 새워 열심히 설계하고 최선을 다해도 경쟁력이 없다면, 대체 그 원인이 무엇인지 알고 싶었다. 유학 결정은 학위 취득만이 목적이 아니었다. 그들의 시스템을 배워보고 싶었고 그 차이를 알기 위해 대학 졸업식 다음 날 독일행 비행기에 올랐다.

처음 파리를 며칠 돌아보고, 독일의 건축을 경험하면서 '이 정도면 우리도 경쟁력이 있겠다' 싶었다. 그러나 껍데기 디자인만 본 필자의 서툰 판단이었다. 1999년 설계 수업의 일환으로 하노버의 국제건축박람회를 방문하면서 차츰 내 판단의 오류를 깨달았다. 길이 5m, 깊이 2m가 넘는 철근콘크리트 발코니판을 단지 몇 개의 철근과 단열재만으로 공중에 매달아 놓은 장면 앞에서 넋을 놓고 말았다.

그날의 쇼크는 지금도 잊을 수 없다. 그걸 계기로 점차 건물의 껍데기보다 내부를 바라보기 시작했다. 전공 선택 과목도 세미나도 모두 그런 방향으로 집중해 청강했다. 그리고 2000년, 독일 에너지 절감법이 나오기 전 법규를 검토하는 연구소에서 실습하면서 이들이 일하는 방향과 방법을 운 좋게 경험할 수 있었다. 법이 선포되기 전, 몇 년간 여러 기관과의 협력을 통한 조정이 있었고 실제 현장에서의 적용 가능성을 테스트하는 과정도 거쳤다. 절대로 급하지 않은 일정이었기에 그 완성도가 높았다.

졸업과 동시에 독일 다름슈타트(Darmstadt)에 소재한 설계 사무실에 취업하고 필자가 졸업한 바우하우스(Bauhaus) 대학의 건축물리전문가 과정을 추가로 이수하면서 한 단계 더 깊은 지식을 얻을 수 있었다. 설계를 하면서 '왜?' 라고 질문하는 시간이 많아졌고 길거리를 지나면서 '왜 저렇게 되었지? 원인이 뭐지?' 탐구했다. 배울 것이 지천에 널려 있었다. 이론과 현실의 오차를 줄이며 내가 설계하는 건물에 대한 답을 찾아가는 과정이 즐겁기 시작했다. 스스로 질문하고 답하는 시간이 많아졌다.

설계와 건축물리적인 계산이나 에너지 총량제에 관한 업무 외 간혹 다른 프로젝트의 하자 실사와 그에 대한 원인과 해결 방법, 어떤 기준으로 하자 여부를 판단하는지 기준을 세우는 업무도 경험했다. 본격적으로 독일이라는 나라의 껍데기를 하나씩 벗겨보면서 좀 더 깊이 살펴볼 기회였다.

독일의 건축 관계자들은 다음의 원칙을 기준으로 작업에 임한다. 첫 번째, 설계하는 건축가 및 모든 전문가는 각자가 담당하는 부분의 기준을 모두 알고 있어야 한다. 두 번째, 시공하는 업체 역시 시공에 관한 최신 기준을 알고 있어야 하고 그에 준해 시공해야 한다.

이런 기준이 꼭 DIN이라는 독일 기준만을 말하는 것은 아니다. 그 외 다른 기술 기준도 포함한다. 우리나라 KS가 비슷한 역할과 기능을 하지만, 적용 면에서 그 영향과 파급력이 다르다. DIN은 법령이나 기타 법적 구속력이 있는 문서에 그 번호와 연도가 구체적으로 언급되지 않으면 권고 기준으로 본다. 건축사무소라면 하나씩 있는 Neufert의 설계 가이드와 같은 기능이다. 하지만 그럼에도 그런 기준에 준해 보통 설계한다. 각 지자체에도 건축 법규(LBO)를 지원하기 위한 기준 목록이 있는데 해당 지역에 맞는 기준에 준해 반드시 설계 및 시공해야 한다. 이런 것을 통틀어 '현재의 인증된 기술 규칙'이라고 한다.

이것에 준하지 않은 설계나 시공은 모두 하자에 속한다. 눈으로 보기에 하자가 전혀 없고 아직 발생하지도 않았지만, 이 기준에 준하지 않으면 하자로 볼 수 있다는 것이다. 그린 이유에서 독일에서의 하자는 크게 두 가지로 나뉜다. 시공 하자와 설계 하자다. 건축가는 설계 하자라는 명목으로 시달리는 일이 정말 많다. 감정 전문가가 마음만 먹는다면 아무리 작은 하자라도 찾아낼 수 있을 것이다. 이것은 도덕적인 직업 정신과도 연관 있지만, 법적으로 문제 삼을 수 있는 기준이 광범위하다는 것을 뜻하기도 한다. 모든 것을 완벽하게 맞추기는 어렵다. 보통 시공사와 협의하는 과정에서 설계 시 놓친 부분을 시공사가 지적하기도 하지만, 이 때 놓치게 되면 경우에 따라 둘다 책임을 면하기 어렵다.

이 과정에 대해 비전문가인 건축주는 몰라도 된다. 설계와 시공에 대한 지침을 별도의 계약서 내용으로 첨부하지 않더라도 건축가와 시공사는 자동적으로 기준에 맞는 결과물을 제공할 의무가 있다. 물론 건축주가 관여하는 경우는 책임 소재가 달라질 수 있다. 국내에서는 건축가에 대한 관련 소송이 거의 없는 것으로 알고 있다. 독일에서 건축가는 창작보다 기준을 맞추는데 시간을 더 할애하고 도면 작업보다 전화와 프로토콜 작성에 더 많은 시간을 보낸다.

우리나라의 경우 실제 적용 가능한 기준이 거의 없거나 일부 업체가 자체적으로 만든 내부 기준이 있을 뿐이다. 통합된 하나의 언어로 된 시스템이 없다. 이런 기준을 만들기 위해서는 각 분야의 전문가들과 자재 생산업체, 시공사 등이 포함된 협의체가 필요하다. 협의체가 있으면 최근 기술과 자재 정보 등을 알 수 있고 관련 서류 등을 자세하고 체계적으로 작성할 수 있어 이론과 현실과의 괴리가 상당히 줄게 된다. 비경제적이고 비현실적인 기술정보는 거의 없다는 것이 가장 큰 장점이다. 즉, 기준(이론)을 알면 일선에서 1:1로 적용할 수 있다.

단, 하자가 발생하면 이 기준을 해석하는 방법에서 첨예한 대립이 발생할 수 있다. 그래서 작은 것이라도 항상 기록한다. 이메일이나 프로토콜, 건축주·건축가·시공사가 협의하고 결정한 모든 내용이 이에 해당한다. 현장에는 '쓰는 자가 남는다'라는 말이 있을 정도다. 그러나 지나칠 경우 면피용이 될 수 있기 때문에 정작 중요한 건축 행위를 잊어서는 안 될 것이다.

국내에도 독일의 시스템이 많이 소개되고 법적 기준에 대해서도 참고하는 것으로 알고 있다. 그러나 보통 독일이 만든 최종 결과물에만 집중하다 보니 그 결과가 나온 배경과 연관된 다양한 기준까지는 이해하지 못하는 경우가 많다. 즉, 중간 과정이 생략되다 보니 실제 진행에서 헤매게 되어 혼란이 가중되는 경우가 매우 흔하다.

독일의 단열 성능이 점점 강화된다는 말을 국내에서 많이 듣곤 한다. 하지만 이는 절반만 맞다. 한 가지 예를 들자면 독일의 외벽 열관류율은 0.24W/m²·K으로 이는 국제적인 추세이기에 우리도 단열 성능을 높여야 한다는 것은 이들의 결론을 잘못 해석한 것이다. 독일의 최소 단열기준은 DIN 4108-2, 표3에서 다루고 있으며 열전도율 0.040W/m·K

으로 계산할 때 단열재 두께는 겨우 4.5cm에 불과하다. 물론 모든 외벽을 이런 얇은 단열재로 시공할 수는 없다. 일반적인 시공 두께를 고려해 예시로 말한 16cm의 단열재가 독일 법이 정하는 최종 기준은 아니라는 말이다. 이 최소단열규정은 곰팡이 발생 억제 기준과도 연관돼 있다. 꼬리에 꼬리를 물고 기준이 서로 연결되어 있는 것이다.

다시 처음으로 돌아가 본다. 이들의 높은 경쟁력의 원인을 알고 싶어 1996년 독일행 비행기에 몸을 실은 26세 건축학도. 내가 던졌던 질문에 대한 답을 바로 여기에서 찾을 수 있었다. 결국 시스템이었다. 시스템은 기술력이고 전문가의 목소리가 통한다는 것이며

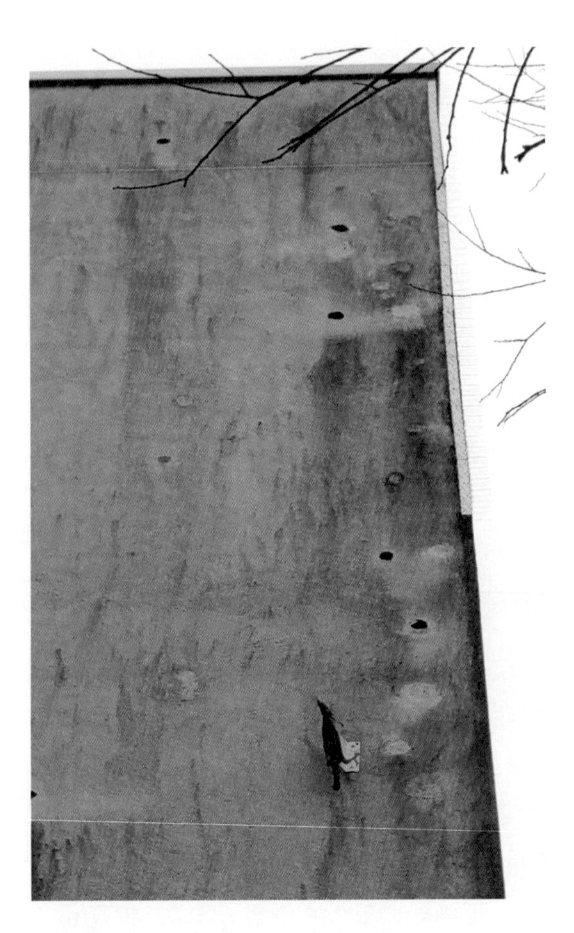

사진 223 외단열 미장 외피에 딱다구리가 만든 구멍

모든 것이 톱니바퀴처럼 맞물려 돌아가는 것을 뜻한다. 이런 시스템의 단점은 유동적이지 못하다는 것이다. 그런 이유에서 독일 사람들은 '현재의 인증된 기술 규칙 혹은 기준'이라는 것을 만들었다. 이 말에 모든 것이 묶인다. 모든 기준이 현재 기술력의 속도를 따라가지 못하기 때문이다.

한 가지 다른 용어로는 '현재의 기술'이라는 것이 있는데, 이는 인증된 기술은 아니지만 현재 도달 가능한 기술적 수준을 뜻한다. 달나라를 갈 수 있는 시대이지만 모든 사람이 달나라를 갈 수는 없다. 그걸 고려해서 기준을 정해야 하는데 우리는 어쩌면 모두가 달에

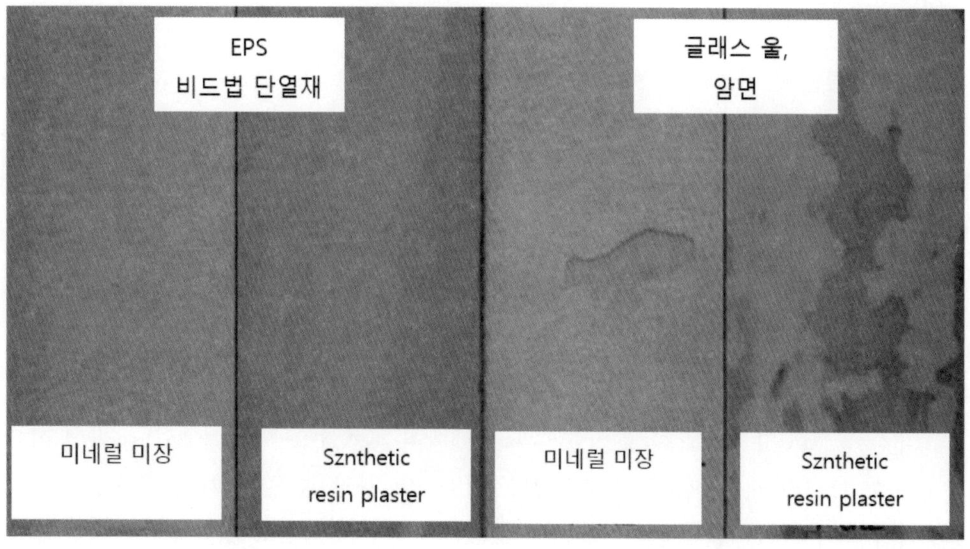

출처 : Dr.Hartwig.M.Kunzel, 프라운호퍼 건축물리연구소 IBP

사진 224 왼쪽: EPS 비드법 단열재, 오른쪽: 미네랄 울, 암면

갈 수 있는 기준을 만들어 내려고 하는 건 아닌지 반문해봐야 할 것이다. 그러니 일선에서는 실효성 있는 기술이 작동되기 어려운 것이다. 기준을 마련하기 위해선 우리의 눈이 보고 귀가 들은 것이 아니라 우리의 손이 할 수 있는 것을 척도로 삼아야 한다. 독일에서 시작된 외단열 미장 공법은 그 역사가 40년 이상이 되었음에도 아직 시스템 허가증이 있어야 하는 건축 공법이다. 반면 치장 벽돌은 그런 허가증이 필요 없다. 치장 벽돌의 안정성과 내구성 등은 그만큼 인증된 기술이라는 뜻이다. 즉, 우려되는 시스템은 40년이 지나도 그 자재 구성 모두를 포함하는 허가증이 필요할 정도로 아주 예민한 기술력이 필요하다는 의미다.

최근 몇 번의 화재를 통해 많이 회자된 드라이비트(엄밀히 말하면 드라이비트는 회사 이름으로 잘못된 표현이다). 사실은 드라이비트라는 시스템 자체의 문제가 아니라 이런 마감 시스템의 안정성을 검토하는 기준이 문제다. 화재 확산 방지띠를 40cm로 정한다고 끝이 아니다. 방화는 건축 시스템에서 단지 한 가지 요소가 아니다. 내구성, 방수, 방음, 단열 등 모두 고려해야 하는 것이다.

최근 미네랄울이나 암면과 같은 불연단열재에 대한 관심이 높다. 충분히 이해하는 바이지만 내부에 실크 벽지를 발라 투습이 억제되는 벽체 구성에서 투습이 원활한 단열재는 오히려 미장층 탈락 위험을 높일 수 있다. 또한 우기가 집중된 우리나라 기후에서 점점 처마가 짧아지는 디자인 경향 때문에 외벽에 대한 우수의 영향은 더욱 커진다. 철근콘크리트 타설 시 사용된 물은 시간이 지나면서 증발해야 하는데 내부는 실크 벽지로 막혀 증발이 제한적이고 외부로는 투습이 원활하다. 하지만 최종 마감층이 단순 미네랄 계열이 아닌 플라스틱 성분이 있는 마감재(Synthetic resin plaster)라면 미장층과 단열재 사이에 수증기 정체가 생겨 EPS와의 조합에 비해 오히려 결빙 하자가 발생할 수 있다.

'현재의 인증된 기술 규칙'이라는 상위의 정의는 아무것도 모르는 비전문가인 건축주를 위한 법이자 최고의 안전장치가 될 수 있다. 오랜 시간 동안 수많은 시행착오를 통해 자리잡은 이들의 시스템을 깊이 들여다보며 우리에게 필요한 것이 무엇인지 살펴볼 때다.

개인적으로 우리나라는 오스트리아의 저에너지 및 패시브하우스 기술과 관련된 프로그램을 눈여겨볼 필요가 있다고 생각한다. 독일보다 늦게 시작했음에도 체계적으로, 그리고 다방면으로 발전한 모델로 평가받는다. 그리고 무엇보다 조직적이다. 이를 관리하는 중심이 있다. 일선에 모든 자료를 무상으로 공개하고 교육을 동시에 진행한다. 관련 서적은 논문이 아니라 전문가를 위해 출판한다. 지자체와 중앙 관계부서가 밀접하게 일하고 중소기업을 지원한다. 교육 프로그램이 활성화되어 있고 국제적인 공동 프로젝트도 추진한다. 매뉴얼 작업을 꾸준히 실행하고 기준을 확충한다. 이것이 지금까지 필자가 개인적으로 바라본 그들의 일 추진 방식이다.

우리는 기준이 아니라 규제를 만들고 있는 것은 아닌지 돌아볼 필요가 있다. 이 둘은 비슷한 것처럼 보이지만 몇 년 후에 드러나는 결과는 아주 다를 것이다.

자료 정보
표 정보

참고 문헌
인터넷 주소

자료 정보

표 정보

참고문헌

[1] 홍도영, "패시브하우스 설계 & 시공디테일" 주택문화사, 2012.

[2] W. Leitzinger, "Nr. 5 - Gebäude-Luftdichtheit," komfortlüftung.at, 2014.

[3] W. Feist, "Dimensionierung von Lüftungsanlagen in Passivhäusern," Protokollband Nr. 17 des Arbeitskreises kostengünstige Passivhäuser, Darmstadt, Passivhaus Institut, 1999.

[4] C. Pöhn, J. Fecher, C. Lang 그리고 H. Schöberl, "Handbuch für Einfamilien-Passivhäuser in Massivbauweise," Wien, 2009.

[5] P. Fanger, "Thermal comfort," Danish Technical Press, Kopenhagen, 1970.

[6] H. Huber 그리고 R. Mosbacher, Wohnungslüftung, Zürich: Faktor Verlag, 2006.

[7] J. Schnieders, D. R. Pfluger und D. W. Feist, "Energetische Bewertung von Wohnungslüftungsgeräten mit Feuchterückgewinnung," Passivhaus Institut, Darmstadt, 2008.

[8] W. Nowak, "Thermische Behaglichkeit in Passivhäusern im Winter," Technische Universität München, München, 2007.

[9] F. W., "Berichte aus der Bauforschung - Raumklima und Thermische Behaglichkeit," Ernst & Sohn KG, Berlin-München-Düsseldorf, 1975.

[10] B. W. Olesen, "Thermal comfort requirements for floors," Proceeding of the meeting of commissions B1, B2, E1 of the IIR, Belgrade, 1977/4.

[11] N. Grant 그리고 A. Clark, "Internal heat gain assumptions in PHPP," Passivhaus Institut, Darmstadt, 2014.

[12] W. Feist, "Passivhäuser in Mitteleuropa," Universität Kassel, Kassel, 1993.

[13] W. Feist, "Passivhaus Sommerklima-Studie," Passivhaus Institut, Darmstadt, 1998.

[14] 이승언, 강재식, 정영선, 최현중, "환경 및 시간경과에 따른 건축용 단열재의 열전도율 변화에 관한 실험적 연구," 대한건축학회논문집 19권 12호, 2003년 12월.

[15] 정사은, "물새지 않는 평지붕을 만드는 하나의 대안" 전원속의 내집, 132-135p, 2015년 6월.

[16] T. Huyeng und S. Peper, "Luftdichtheitsmessung von Multifunktionsbändern (MFB),"
Passivhaus Institut, Darmstadt, 2016.

[17] E. Schweiz, "Komfortlüftung Dimensionierungshilfe," EnergieSchweiz, Bundesamt für
Energie BFE, Bern, 2015.

[18] C. Bisanz, "Heizlastauslegung im Niedrigenergie- und Passivhaus," Passivhaus Institut,
Darmstadt, 1992.

[19] BUWAL, "Luftqualität in Innenräumen, Schriftenreihe Umwelt Nr. 287," Bundesamt für
Umwelt, Wald und Landschaft,, 1997.

[20] W. H. Huber G, "Raumluftqualität und minimale Lüftungsraten," %1 Ges. Ing. 103, 1982,
pp. 207-210.

[21] 박경복 외 6명, "환경기술전문서(실내 라돈 관리)," 한국환경공단, 인천광역시, 2016.

[22] Helmut Schöberl 외 4명, "Handbuch für Einfamilien-Passivhäuser in Massivbauweise,"
BMVIT, Wien, 2009.

[23] A.-W. Sommer, Passivhäuser, Köln: Rudolf Müller, 2011.

[24] Ad-hoc-Arbeitsgruppe, "BEWERTUNG DER INNENRAUMLUFT," Bundesgesundheitsbl
- Gesundheitsforsch - Gesundheitsschutz, p. 1366, 11 2008.

[25] Z. Hajo 그리고 S. Ferid, "WHO Handbook on indoor radon: a public health perspective,"
World Health organisation, 2009.

인터넷 주소

Niemann, Lutz

Die Widersprüchlichkeiten beim Strahlenschutz, https://www.eike-klima-energie.eu/2018/06/24/die-widerspruechlichkeiten-beim-strahlenschutz , 작성 2018/06/24, 검색 2018/08/27.

Federal Office of Public Health FOPH

Measuring the radon concentration, https://www.bag.admin.ch/bag/en/home/themen/mensch-gesundheit/strahlung-radioaktivitaet-schall/radon/radonmessung.html, 검색 2018/08/25.

Passivhaus Institut

Das Passivhaus-Konzept für den Sommerfall, https://passipedia.de/grundlagen/sommerfall/passivhaus_im_sommer, 검색 2018/12/09.

손태청

R.C.조 패시브하우스 실내 라돈 측정 결과, http://www.phiko.kr/bbs/board.php?bo_table=z4_04&wr_id=219 , 작성 2015/09/07, 검색 2018/08/25.

손태청

람다패시브하우스 겨울 보고서(2016.11 - 2017.03), https://blog.naver.com/lamdahouse/220962573308, 작성 2017/03/20, 검색 2018/08/25

손태청

오하수 통기 / 벤트용 배관, https://blog.naver.com/lamdahouse/220962573308, 작성 2016/04/01, 검색 2018/08/25

손태청
람다패시브하우스 여름 보고서(2016), https://blog.naver.com/lamdahouse?Redirect=Log&logNo=220802095341&from=postView, 작성 2016/09/01, 검색 2018/08/25

손태청
R.C.조 패시브하우스 동절기 실내 공기질 관리, https://blog.naver.com/lamdahouse/220290804890, 작성 2015/03/05, 검색 2018/08/25

한국패시브건축협회, 손태청
단독주택-람다패시브하우스(1.5리터), http://www.phiko.kr/bbs/board.php?bo_table=z3_02&wr_id=377&page=4, 작성 2016/03/02, 검색 2018/08/25

한국패시브건축협회, 배성호
에너지샵 - 람다패시브하우스 비교 분석, http://www.phiko.kr/bbs/board.php?bo_table=z3_01&wr_id=2325, 작성 2017/05/20, 검색 2018/08/25

한국패시브건축협회
http://www.phiko.kr

에너지샵, 건축을 바라보는 새로운 시선
https://blog.naver.com/energysharp

한국원자력안전기술원
http://clean.kins.re.kr/info/in01_000_00.jsp

감사의 글

패시브하우스는 많은 작은 요소가 모여 하나의 완성체를 만들어내는 작업이다. 아주 작은 부품이라도 그 중요도를 구분하기 어렵다.

마찬가지로 이런 보고서 형식의 글을 쓰는 데도 많은 경험과 시행착오, 무엇보다 여러 분야의 전문가들의 의견이 매우 중요하다. 작은 경험이나 발견처럼 보여도 이것이 다른 정보와 만나게 되면 시너지를 만들어내기 때문이다.

단독주택 분야에서는 황무지였던 기초 데이터를 몇 년간 기록하고 분석하고 제공해주신 건축주 손태청 님. 때론 전문가들을 긴장하게 만드는 날카로운 지적과 분석으로 우리를 끝까지 긴장하게 한 분이다. 어떤 사람들에겐 단지 조금 많이 아는 건축주로 기억될지는 모르겠지만, 그분이 모은 데이터를 본 사람이라면 그것이 가진 가치는 무엇과도 바꿀 수 없는 귀중한 것임을 알 수 있다. 어떤 국책 연구 과제도 아니고 어디서 연구비가 나오는 일도 아니었다. 그 데이터가 앞으로 미칠 영향을 아는 사람이라면 그 수고에 감사할 수밖에 없을 것이다.

준공 후 람다패시브하우스를 방문했을 때는 미안한 마음도 있었다. '아, 이건 내가 현장에 있었다면 다르게 해서 좀 더 좋게 만들 수 있었을 텐데' 하는 아쉬운 마음이 들었다. 결국 거리를 극복하지 못한 부분들도 분명 있었다. 그런 이유에서 람다패시브하우스는 더욱 대단한 결과물이다. 건축주의 성실한 노력이 녹아 있기 때문이다.

람다패시브하우스의 모니터링에 필요한 기자재를 무상으로 빌려주고 자료를 공유하며 좋은 의견을 주신 사단법인 한국패시브건축협회 최정만 회장님과 협회 연구원들에게도 감사의 말을 전하고 싶다. 또 지금은 독립해서 사업을 하는 해가패시브건축사사무소 조민구 대표에게도 고맙다는 말을 전하고 싶다. 어쩌면 외롭고 힘든 길을 같이 가는 친구와 같은 분들이다.

그동안 국내 에너지 계산 프로그램은 모두 수입이었거나 독일에서 만든 기준을 바탕으로 국내화한 것이 전부였다. 이런 시기에 Energy#의 개발은 우리나라의 건축을 정량화할 수 있는 기폭제의 역할을 했다. 독일만 하더라도 에너지 총량제 계산프로그램이 수십개가 넘는다. 사용자의 편의를 고려해 다양한 프로그램이 제공되는 것이 부러웠는데 조만간 우리나라도 그렇게 되리라 희망을 걸어본다. 많은 시간을 할애해 람다패시브하우스를 Energy#으로 자세하게 비교하고 분석하며 좋은 의견을 제시해 준 배성호 님께도 다시 한번 감사를 드린다.

한국 현지 파트너로 독일 회사에서 같이 근무했던 HJP건축사사무소 박현진 건축사는 필자의 빈자리를 메워준 귀한 존재다. 많은 시간을 투자해 같이 고민하고 해결책을 제시한 박현진 건축사에게도 이 자리를 빌려 다시 한번 감사의 말을 전한다.

퇴근 후 글을 쓰기 시작하면 2교대 시작이라고 혼잣말을 하곤 했다. 누가 시킨 것도 아닌데 오랜 시간을 홀로 보냈다. 글 마무리가 한창이었던 2018년 연말에는 대부분의 시간을 컴퓨터 앞에서 지낸 것 같다. 나의 빈 자리를 잘 견뎌준 아내와 아이들에게도 감사의 말을 전하고 싶다. 특히, 수능을 앞둔 딸에게 큰 관심을 가지지 못한 점이 무엇보다 미안하다.

답을 찾기 위해 독일에서 지낸 시간이 부모님과 약속한 시간보다 많이 흘렀다. 믿고 지원하고 언제나 자식을 먼저 걱정해 주신 부모님이 이제는 많이 늙으셨다. 설도 추석도 같이 보낸 적이 드물다. 더 늦기 전에 함께 시간을 가지면서 그동안의 죄송함을 부모님 곁에서 풀어보려 한다. 아버지, 어머니 사랑합니다.

개인적으로는 나 스스로에게 무척 고맙다. 1996년 2월 24일 독일행 비행기에 오르면서 스스로에게 던진 질문에 대한 답을 써 내려간 듯하다.

Mission complete! Mission erfüllt!

1009
1009